Ansichten der deutschen Klassik

Friedrich-Schiller-Universität Jena
Sektion Literatur- und Kunstwissenschaft

Ansichten der deutschen Klassik

Herausgegeben von Helmut Brandt
und Manfred Beyer

Aufbau-Verlag Berlin und Weimar 1981

1. Auflage 1981

Einbandgestaltung Manfred Kloppert
Offizin Andersen Nexö Leipzig, Betriebsteil Hildburghausen
Printed in the German Democratic Republic
Lizenznummer 301. 120/223/81
Bestellnummer 612 518 3
DDR 12,– M

Vorbemerkung

Ansichten der deutschen Klassik – der Titel ist nicht ohne Anspruch. Die klassische deutsche Literatur, das Wort so umfassend verstanden, daß Abhandlungen nicht nur über Lessing, Goethe und Schiller, sondern auch über die Frühromantik, Kleist und „Die Nachtwachen des Bonaventura“ einbegriffen wurden, ist eine ungemein reiche und vielgliedrige Erscheinung, die mit ihren Schriftstellern und Werken, mit ihren Themen und Kontroversen, als bloßes Objekt genommen, eine Unzahl möglicher Ansichten darbietet. Wenngleich die hier versammelten Studien durch die Menge und Unterschiedlichkeit der betrachteten Gegenstände mancherlei von diesem sachlichen Reichtum erscheinen lassen, so soll doch der gewählte Titel noch auf eine andere Qualität der Arbeiten aufmerksam machen.

Wissenschaftliche Ansichten, um die es hier geht, setzen Standpunkte und Haltungen voraus, die der jeweilige Autor so fixieren oder benennen sollte, daß sie überprüft und auf ihre Ergiebigkeit hin befragt werden können. Goethes Maxime, die Geschichte müsse von Zeit zu Zeit vor allem deshalb umgeschrieben werden, „weil der Genosse einer fortschreitenden Zeit auf Standpunkte geführt wird, von welchen sich Vergangenes auf neue Weise überschauen und beurteilen läßt“, darf man als den kritischen Anspruch bezeichnen, der mit dem Titel an die Arbeiten dieses Bandes gestellt wurde. Es wäre gut, wenn sich von ihnen sagen ließe, daß in ihnen viele durchaus unterschiedliche Positionen und Einsichten formuliert werden, die alle zeigen, wie wir uns den überlieferten Fragen unserer großen Literatur heute und hierzulande stellen. Vor allem in diesem Sinne sollte der Band Auskunft über beachtliche Fortschritte geben, die in der Klassikforschung der DDR in den siebziger Jahren gemacht wurden.

Die Autoren der in diesem Band vereinigten Abhandlungen gewinnen, da sie sämtlich in einem sozialistischen Land leben, ihre Ansichten von einem im Grunde gleichen sozialen und historischen Standort her. Das ist ihre offenkundige Gemeinsamkeit. Doch diese Autoren mit sehr verschiedenen sachlichen Interessen, persönlichen Neigungen und Schreibweisen unterscheiden sich zugleich durch Alter, wissenschaftliche Herkunft und Entwicklung. Einige von ihnen gehören zu den Wegbereitern der germanistischen Literaturforschung in der DDR, einige haben sich durch spezielle Untersuchungen zur Klassik einen Namen gemacht, und einige stellen ihre wissenschaftlichen Überlegungen zum erstenmal der Öffentlichkeit vor. Sie alle, Freunde, Kollegen und Schüler von Ursula Wertheim, haben sich vor einiger Zeit in dem Entschluß zusammengefunden, der verdienten Literaturwissenschaftlerin zu ihrem sechzigsten Geburtstag Dank und Wertschätzung durch eine Sammlung wissenschaftlicher Studien auszusprechen, und zwar durch Studien über jene Literatur, mit deren Erforschung und Darstellung sie selber seit nunmehr beinahe dreißig Jahren beschäftigt ist. Der hier vorliegende Band gibt freilich nur eine Auswahl, er macht den Dank öffentlich und damit einen Teil dieser Studien einer größeren Leserschaft zugänglich.

Die Herausgeber

Vor der Revolution: Bürgerliche Emanzipation und ästhetische Theorie

Peter Müller

Glanz und Elend des deutschen „bürgerlichen Trauerspiels"

Zur Stellung der „Emilia Galotti" in der zeitgenössischen deutschen Dramatik

Veränderungen der internationalen dramatischen Szene

In der wissenschaftlichen Literatur herrscht kein Zweifel daran, daß eine antifeudal intendierte Dramatik in Deutschland mit dem „bürgerlichen Trauerspiel" beginnt und Lessing als dessen Schöpfer zu gelten hat.[1] Peter Szondi hat darauf verwiesen, daß die Herausbildung dieses Genres Teil eines umfassenden literarischen Umschichtungsprozesses in wichtigen europäischen Ländern ist.[2] Schnallte in England – um mit Lessings Worten zu reden – George Lillo in seinem „Kaufmann von London" dem bürgerlichen Handlungsgehilfen Barnwell „den tragischen Stiefel an"[3], so widmete in Frankreich Diderot im „Natürlichen Sohn" und im „Hausvater" den privaten geselligen Beziehungen und Bindungen fern vom Hof Lebender die Aufmerksamkeit ernsthafter dramatischer Gestaltung. Hier wie dort macht sich darin die polemische Wendung gegen das der höfischen Repräsentation und der feiernden Verklärung verpflichtete klassizistische Drama mehr oder weniger offen geltend. Verherrlichte das klassizistische Drama den ständischen Gesellschaftsaufbau und glorifizierte es vor allem die feudale Spitze, so wendet sich das bürgerliche Drama den moralischen Problemen nichthöfischer Kreise bzw. der tragischen Aktion der an dieser Wirklichkeit Leidenden zu und stellt die Werte „dauerhafter Intimität" als vorbildlich heraus.

Lessing hat den Zusammenhang des eigenen dramatischen Schaffens mit diesen internationalen antiklassizistischen Bemühungen klar im Auge.[4] Sorgfältig registriert er bereits als junger

Mann die zuerst von Franzosen und Engländern veränderten literarischen Wertungen innerhalb von Tragödie und Komödie, würdigt deren Beitrag für ein bürgerliches Drama und macht in seinen Stücken ausgiebig Gebrauch von den Neuerungen. Natürlich übersieht er auch nicht die Unterschiede in den gleichlaufenden Bestrebungen. Über die Differenzen mit Diderot gibt die bekannte Polemik in der „Hamburgischen Dramaturgie" Auskunft. Seine dort erneut geforderte Darstellung des Individuellen und Allgemeinmenschlichen anstelle der von Diderot favorisierten Ständegestaltung macht keine Abstriche von bürgerlichen Zielstellungen des Franzosen. Vielmehr sucht er alle von der feudalen Gesellschaft (eben den Ständen auch in Diderots spezifischem Sinne) geprägten Verhaltensweisen von seinem Drama fernzuhalten und statt dessen umgekehrt in seiner Literatur auf die poetische Verwandlung deformierter, von der Feudalwelt um ihre Natürlichkeit gebrachter Menschen (die Maschinen geworden sind) in natürlich und individuell denkende und handelnde Wesen setzen.[5] Er verzichtet daher folgerichtig im Namen eines gegen die Feudalgesellschaft gesetzten Naturbegriffs auf die vom Franzosen erstrebte soziale Prägnanz der Figuren und auf die Gesellschaft als deren Aktionsfeld. Er verteidigt damit erfolgreich eine tatsächliche Individualisierung der Figuren, aber auch den dichterischen Entwurf selbständiger Individuen, deren Anspruch auf Produktivität und Selbständigkeit des Handelns sie in strikten Gegensatz zur Feudalwelt bringt. Der Preis dafür ist die konsequente Trennung von der Gesellschaft durch den Rückzug auf Refugien. Das Eigene, das Lessing durch andere Akzentuierung einer mit Lillo und Diderot geteilten Position ausbildet, basiert dabei durchaus auf der (von Werner Krauss charakterisierten) divergierenden Grundkonstellation der deutschen und westeuropäischen (speziell der französischen) Aufklärung.[6] Gestaltet sich beispielsweise in Diderots dramatischer Praxis und Theorie (bedingt durch die Teilnahme des französischen Adels an den Bemühungen der Aufklärung) der Bruch mit der herrschenden kulturellen höfisch-klassizistischen Tradition und Idealbildung (die ja bereits teilweise progressiv ist) weniger dramatisch und prinzipiell, so fällt bei Lessing (verursacht durch die verächtliche Haltung des deutschen Adels und seiner Adepten gegenüber neuen Bestrebungen) das Verdikt gegen den Klassizismus, aber auch gegen höfisch-feudale Lebensnormen weitaus radikaler aus; die gesellschaftliche und künstlerische Alternativfrage gewinnt deutlich an Gewicht.

Dies gilt im Prinzip auch im Verhältnis zu Lillo. In dessen „Kaufmann von London" sind die Momente einer identifizierbaren bürgerlichen Mentalität des einzelnen bis hin zur Schlüsselstellung des Geldes in der englischen Gesellschaft viel deutlicher bezeichnet als an irgendeiner Stelle in Lessings Dramatik. Aber der zur Sprache kommende Konsens zwischen Geldbürgertum und feudaler politischer Führungsschicht (repräsentiert in der geliebten Königin) verwischt ganz natürlich den antagonistischen Widerspruch zwischen bürgerlichem und feudalem Lebensanspruch und -interesse. Antiaristokratische Motive oder antihöfische Züge, die für Lessings „Emilia Galotti" charakteristisch werden,[7] finden sich in diesem Drama wie auch später in dem Merciers kaum. So gewinnt Lessings „bürgerliches Trauerspiel" im Ensemble europäischer Verbürgerlichungstendenzen in der Literatur durchaus ein eigenes Ansehen und Gewicht. Dies geschieht nicht voraussetzungslos. Schriftstellerische Reife und veränderte gesellschaftliche Bedingungen tun das Ihre. So profiliert sich beispielsweise die antifeudale Kritik in der „Emilia Galotti" im Verhältnis zum „bürgerlichen Trauerspiel"-Erstling „Miß Sara Sampson" im Zusammenhang mit einem generellen Zuwachs an antifeudaler Tendenz in der deutschen Literatur dieser Jahre. Als Glanzpunkt jener „Naturalistischen Epoche" (Goethe) der deutschen Literatur teilt die „Emilia" jenes Streben zeitgenössischer deutscher Autoren nach literarischer Umkehrung der feudalen Ständehierarchie insofern, als auch sie die Hofgesellschaft und die ihr Nahestehenden als moralisch minderwertig, die Moralität der Nichtprivilegierten aber als Orientierungspunkt darstellt.[8]

Etwa gleichzeitig mit der theoretischen Abgrenzung vom Drama des französisch-deutschen Klassizismus, wie es in Deutschland vor allem Gottsched verteidigt, gelingt Lessing mit der „Miß Sara Sampson" (1755) das erste deutsche „bürgerliche Trauerspiel", das den Maßstab und die Fragestellung für die weitere Entwicklung dieses Genres in Deutschland setzt.[9]

Es sind im wesentlichen drei Momente, die den dramatischen Landgewinn ausmachen: 1. Die Lebenswelt der nichtprivilegierten Schichten wird zum ernsten, positiv gesehenen Gestaltungsgegenstand erhoben. Hatte das klassizistische Drama die Wechselfälle im Leben der Fürsten, Heerführer und Herrschenden aller Art vorgeführt, deren mit christlicher Geduld ertragenes und angenommenes Leid idealisiert, so konzentriert sich das bürgerliche Trauerspiel in bewußtem Gegensatz dazu auf die häusliche Alltagswelt, die moralischen Konflikte und unannehmbaren Leiden des Mittelstandes. Nicht die feudale öffentliche Repräsentation, sondern die private Intimsphäre und die ihr eigenen moralischen Konflikte avancieren zum bevorzugten dramatischen Gegenstand.[10] Das Öffentliche fällt (wie auch bei Diderot und Lillo) als Darstellungsgegenstand weitgehend aus. Das deutsche „bürgerliche Trauerspiel" hat die Wendung ins private Sujet vollzogen und findet darin eines ihrer bestimmenden Stilmerkmale.[11] Es charakterisiert eine nun doch auch frühe bürgerliche Positionsbildung, daß Lessing das Problematische dieser zerbrochenen Dialektik von Privatem und Öffentlichem nicht sieht. Im Gegenteil. In seinem bekannten Brief an Nicolai vom 21. Januar 1758 mit der Planskizze zur „Emilia Galotti" verteidigt er die Konzentration auf das Private und das gewollte Abkappen der dramatischen Gestaltungsfäden zum Öffentlichen hin geradezu als Vorzug, ja als besondere Möglichkeit, das Tragische hervorzukehren, auch im Vergleich zur antiken Vorlage. Im 59. Stück der „Hamburgischen Dramaturgie" erklärt Lessing gar die Privatisierung zum Grundzug moderner Welt- und Kunstentwicklung. Dies im Vergleich zur Antike, in der die Literatur Teil eines öffentlichen Vorgangs war, der Chor dieses Öffentliche ins Drama gebracht hat. Lessing lobt darum an dieser Stelle Diderot dafür, daß er aus dieser Entwicklung in seiner Theorie und Dramatik die richtigen Schlußfolgerungen gezogen hat.

Nun ist aber die von Lessing geforderte und praktizierte Privatisierung viel radikaler als in Diderots und Lillos Stücken. Sie erweist sich dann auch folgerichtig bei fortschreitender Politisierung der gesellschaftlichen Szene in Deutschland als Sackgasse, aus der kaum ein Weg zu einem bürgerlichen Drama mit gesamtgesellschaftlichem oder nationalem Sujet zu bahnen ist.[12] Es ist der junge Goethe, der dann mit der 1771 geschriebenen „Geschichte Gottfriedens von Berlichingens mit der eisernen Hand" die Bahnen des „bürgerlichen Trauerspiels" verläßt und die Gesamtgesellschaft als Handlungsraum seiner Figuren für die bürgerliche deutsche Dramatik gewinnt. Mit diesem Geschichtsdrama schlägt er ein neues Kapitel in der dramatischen Gestaltung der Dialektik von Privatem und Öffentlichem, Individuellem und Gesellschaftlichem auf. Bereits ein Jahr vor dem Erscheinen der „Emilia Galotti" formuliert Goethe in seiner Rede „Zum Schäkespears Tag. 1771" mit der Feststellung „seine Stücke drehen sich alle um den geheimen Punkt (den noch kein Philosoph gesehen und bestimmt hat), in dem das Eigentümliche unseres Ichs, die prätendierte Freiheit unsres Wollens, mit dem notwendigen Gang des Ganzen zusammenstößt"[13] auch theoretisch die Einheit von Individuellem und Gesellschaftlichem. Natürlich enthält die Goethesche Formulierung auch den Hinweis darauf, daß die von ihm verteidigte Dialektik von Privatem und Gesellschaftlichem (gesehen als ein Miteinander kollidierender Teile eines einheitlichen Wirklichkeitsprozesses) auch von einem veränderten Heldentyp getragen wird: Nicht mehr der leidende, sondern der aktiv gegen die Wirklichkeit ankämpfende, um die Durchsetzung und um die Entfaltung seiner Individualität ringende Mensch rückt ins Gestaltungszentrum.

2. Die Doppelnatur des deutschen „bürgerlichen Trauerspiels" tritt uns auch im Konzept des leidenden Menschen (als seines charakteristischen Heldentyps) entgegen. Leidend ist dieser

Mensch infolge seiner Tugendhaftigkeit: Gerade seine moralische Qualität, seine Fähigkeit zu menschlichem Handeln wie zur Einhaltung moralischer Gebote, ist es, die ihn in seiner unnatürlich-unmoralischen Umwelt in Konflikte und schließlich in Katastrophen stürzt. Der von Lessing konzipierte ebenso unauflösliche wie unvermeidbare Zusammenhang zwischen Tugendhaftigkeit und Leiden unterstellt ganz eindeutig eine Beziehung von Mensch und Wirklichkeit, in der der tugendhafte Mensch stets Opfer oder Objekt ist, die Wirklichkeit stets nur als bedrohend, ja als beherrschend ihm gegenüber existiert. Die Sicht auf die Wirklichkeit als eine rein zerstörerische Macht ist deutlich; der Widerschein einer als gesellschaftliches System stabilen Feudalgesellschaft in Deutschland ist unverkennbar. Bei dem deutschen Dramatiker leitet sich das Tragische ganz im Gegensatz zu Lillo und Diderot noch aus einer unauflöslichen Disproportion von tugendhaftem Menschen und Wirklichkeit her, es entspringt noch nicht dem Handeln des Tugendhaften.

Die Leistung dieses Heldentyps „leidender Mensch" liegt zunächst darin, daß nichtfeudale Figuren zu kathartischer Reinigung des Zuschauers imstande sind: *Ihre* Konflikte und Katastrophen gelten als so wesentlich und anrührend, ihre als Tugendhaftigkeit gefaßte menschliche Integrität und moralische Größe erscheinen als so zwingend, daß sie im Publikum die angestrebte tragische Erschütterung hervorzurufen und die nachfolgende reinigende Umwandlung in tugendhafte Fertigkeiten zu vollbringen vermögen.

Dieser leidende Mensch ist für Lessing zuallererst das Gegenbild zur tragischen Hauptfigur des klassizistischen Dramas. In seinem Leiden deckt Lessing Bedrohung und Qual auf, in die die nichtfeudalen Schichten geraten, die sie aber weder hinnehmen noch annehmen können. Solches Leiden rührt von einer Empfindungsfähigkeit her, die sich von der stolz behaupteten Unfühlsamkeit z. B. des Gottschedschen Cato gegenüber dem Tod seines Sohnes gelöst hat und den erlittenen Schmerz bekennt. So sind in der Figur des leidenden Menschen jene Umstände denunziert – also zur Kritik ausgestellt –, die diese Leiden veranlassen. Im Leiden wird die Unfähigkeit zur stoischen

Annahme des dem Menschen zugefügten Schmerzes vorgeführt, in seiner dramatischen Ausstellung die Momente zu seiner Vermeidung durch Selbsterziehung ausgewiesen.

Die Kehrseite dieser Konzentration auf den leidenden Menschen zeigt sich darin, daß der tragische Untergang des tugendhaften Menschen noch immer der Hauptweg bürgerlichen Strebens und bürgerlichen Anspruches ist. Lessing baut zwar mit der Unterscheidung von unverdientem und unverschuldetem Leiden vorsorglich eine Sicherung gegen eine darin angelegte Tendenz zum Fatalismus ein, überwindet aber die nach außen hin passive Leidenshaltung und den Zwang zu subjektiver Reinigung als Bedingung des Überlebens nicht wirklich. Das Elend dieser Position tritt dann ins Licht, wenn nicht Mellefont oder Marwood, der Prinz oder Marinelli vor die Schranken der Gerichtsbarkeit zitiert werden, sondern die tugendhaften Frauen auf dem erotischen Schlachtfeld zugrunde gehen. Aus dieser lähmenden Handlungsunfähigkeit und Perspektivlosigkeit führt kein direkter, anschließender Weg zu den rebellierenden Bauern der „Geschichte Gottfriedens", die sich in ihrer Not und Empörung gegen ihre blutsaugenden Herren erheben, sich ihrer entledigen und sie richten.

3. Zu den Leistungen des deutschen „bürgerlichen Trauerspiels" und der aus ihm hervorgehenden Tragödie zählt die Gestaltung von Konflikten einer Krisensituation: Sara Sampson (und in Grenzen Emilia Galotti) brechen aus einer scheinbar festgefügten Ordnung moralischen Verhaltens und zwischenmenschlicher Beziehungen aus, suchen praktisch wie auch intellektuell auf neue Art zu leben, ohne aber mit den Widersprüchen einer solchen Übergangssituation schon fertig werden zu können. Das Neue und für die Zeitgenossen Erregende (das für uns durch die Schwäche dramatischer Gestaltung wie auch durch die Abgelegenheit der Szene fast verdeckt wird) liegt darin, daß Lessing die Unfähigkeit seiner Leitgestalten zeigt, im privaten Bereich innerhalb der konventionellen Gliederung zwischenmenschlicher Beziehungen und von ihr geforderten Verhaltens weiterleben zu können. Er stellt das zunächst naiv-praktische und dann auch intellektuell bejahte Unterlaufen

gesellschaftlich festgefügter Normen dar, die scheinbar ganz selbstverständlich die patriarchalische Autorität des Vaters gegenüber dem Kind, die voreheliche sexuelle Askese der Frau, aber auch die freibeuterische Souveränität des Mannes gegenüber der Frau festschreiben, also zweifelsfrei Ausdruck feudaler Verhaltensnorm und -praxis sind. Sara und Emilia spüren entgegen dieser Normierung den dringenden Wunsch nach dauerhaften intimen Beziehungen, die der menschlichen Natur (besonders ihrem öffentlich verfemten sinnlich-sexuellen Teil) ihr Recht einräumen und die sowohl in der Vater–Kind-Beziehung als auch in der Partnersituation Gleichheit herbeiführen, aber auch ihrem Weltbild Genüge tun. Denn nur dadurch erlangen sie Dauerhaftigkeit. Momente der Krise werden in der Handlungsweise der beiden Frauen insofern reflektiert, als sie sich ihrem gesellschaftlich geforderten Rollenverhalten entziehen und für ein individuelles Leben entscheiden. Sie tun kund, daß sie nicht mehr in einer unbezweifelten Welt mit unumstrittenen moralischen Werten und sozialen Ordnungen (Vater–Kind, Mann–Frau) leben wollen und können.

Krise und Übergang in der „Miß Sara Sampson"

Deutlicher als jedes andere Werk Lessings wie auch der zeitgenössischen deutschen Dramatik markiert „Miß Sara Sampson" die Nahtstelle zwischen einer wesentlich noch voraufklärerischen und einer bürgerlich-aufklärerischen Dramatik. In dem mit kaum nennenswerter äußerer dramatischer Aktion auskommenden Stück geraten feudale Verhaltensmuster, die von Sir William, Mellefont, Marwood vertreten werden, in Konflikt mit dem neuartigen Lebensanspruch der Sara, die in ihrer Liebe zu Mellefont weder mit der festgeschriebenen Vater–Kind-Beziehung bzw. Mellefonts feudalgeprägter Partnerauffassung noch mit dem entsagungsgebietenden rationalistischen Verhaltensmuster leben kann. Ihr Konflikt – und damit der bestimmende des Dramas – ist dabei vorrangig weltanschaulich-moralischer Natur: *Praktisch* ist Sara (vor Beginn der dramatischen Handlung) aus ihrer Rolle als gehorsamer Tochter und enthaltsamer Frau ausgebrochen, ist ihrem sinnlich-natürlichen Anspruch gefolgt und hat den Bruch mit dem Vater vollzogen. Sie denkt weder daran, diesen Schritt rückgängig zu machen, noch bereut sie ihn, wenn er sie auch in ungewollte Konflikte stürzt und ihr Herzeleid bereitet. Worum es ihr geht (und das führt die dramatische Handlung vor), ist, diesen Anspruch ihrer sinnlichen Natur, ihrer natürlichen Individualität in Übereinstimmung mit ihren religiösen Wertvorstellungen zu bringen, ihr auch in ihrem Selbstverständnis religions- und gesetzwidriges Sein mit ihrem Bewußtsein von der Welt und ihrer Stellung in ihr zu harmonisieren. In dem zweifellos zentralen Dialog mit Mellefont argumentiert sie so: „Es sei Liebe oder Verführung, es sei Glück oder Unglück, das mich Ihnen in die Arme geworfen hat; ich bin in meinem Herzen die Ihrige und werde es ewig sein. Aber noch bin ich es nicht vor den Augen jenes Richters, der die geringsten Übertretungen seiner Ordnung zu strafen gedrohet hat – – ... Legen Sie aber mein dringendes Anhalten nicht falsch aus. Ein andres Frauenzimmer, das durch einen gleichen Fehltritt sich ihrer Ehre verlustig gemacht hätte, würde vielleicht durch ein gesetzmäßiges Band nichts als einen Teil derselben wieder zu erlangen suchen. Ich, Mellefont, denke darauf nicht, weil ich in der Welt weiter von keiner Ehre wissen will, als von der Ehre, Sie zu lieben. Ich will mit Ihnen, nicht um der Welt willen, ich will mit Ihnen um meiner selbst willen verbunden sein. Und wenn ich es bin, so will ich gern die Schmach auf mich nehmen, als ob ich es nicht wäre. Sie sollen mich, wenn Sie es nicht wollen, für ihre Gattin nicht erklären dürfen; Sie sollen mich erklären können, für was Sie wollen. Ich will Ihren Namen nicht führen; Sie sollen unsere Verbindung so geheim halten, als Sie es für gut befinden; und ich will derselben ewig unwert sein, wenn ich es mir in den Sinn kommen lasse, einen andern Vorteil, als die Beruhigung meines Gewissens, daraus zu ziehen" (I,7). Saras ganzes Bemühen ist ausdrücklich individuell und privat motiviert: Sie dringt auf Vertiefung ihrer Liebesbeziehung und kann dafür den öffentlichen Ehrbegriff als für sich unwesentlich abwehren. Ihre Gleichgültigkeit gegenüber der geltenden öffentlich-gesellschaftlichen Moral bekundet sich in der Bereitschaft, im Widerspruch zum wirklichen Sachverhalt, sich öffentlich als Ehefrau zu verleugnen. Sie ringt um ihre Identität als zugleich sinnlicher und sittlicher Mensch, der nach vollzogener sexueller Partnerschaft nun auch der Forderung des göttlichen Gebots Rechnung tragen will, also um Anerkennung auch des (religiösen) Weltbildes durch den Partner bemüht ist.

Soviel Resignation über einen moralisch unfertigen Partner, religiöse Innerlichkeitsdarstellung u. a. in ihrer Verzichtserklärung auch mitklingen, so deutlich dominiert in Saras Mühen das Werben um Dauerhaftigkeit durch Anerkennung ihrer Persönlichkeit, nämlich der Annahme der ihr ganz eigenen und daher notwendigen Art der Übereinstimmung ihres natürlichen Verhaltens mit ihren weltanschaulichen Grundüberzeugungen durch den Liebespartner. Sara ist bemüht, Mellefont klarzumachen, daß sie in ihrem jetzigen Zustand die Kluft zwischen praktischer Normablösung und ausbleibender weltanschaulicher Rechtfertigung beunruhigt, daß sie dauerhaft glücklich nur dann leben kann, wenn sich ihre praktischen sexuellen Entscheidungen in Übereinstimmung mit der von ihr anerkannten göttlichen Weltordnung befinden (darin läge auch die Chance, die gestörte Beziehung zum Vater wieder zu normalisieren). Sie kann daher zwar ohne öffentliche Anerkennung, nicht aber ohne Anerkennung ihrer individuellen Denkweise durch den Partner existieren. Sara ringt mit Mellefont letzten Endes um die Anerkennung ihrer Eigenart als ganze, sinnliche und sittliche Persönlichkeit, die die sexuelle Partnerschaft weltanschaulich absichern und mit einer gleichberechtigten Vater–Kind-Beziehung verbunden wissen will.

Dieses Handlungsmotiv begreift Mellefont während des gesamten dramatischen Geschehens nicht. Selbst als er sich entschließt, sein Zögern aufzugeben und im Sinne Saras die ewigen Güter vor die zeitlichen zu setzen bereit ist, liegt dem kein Ursachenverständnis zugrunde. Er nimmt die weltanschaulich begründete Qual nicht von Sara. Dieses Unvermögen im Begreifen der differenzierten Persönlichkeitsstruktur Saras verleiht ihrem Tod eine zusätzliche Tragik. Sara scheitert nämlich nicht zuerst an der Marwood, die ihr als verlassene Geliebte das Gift verabreicht. Sie leidet und geht schließlich auch an dem Unvermögen Mellefonts zugrunde, der letzten Endes feudaler Verführer alten Typs bleibt und nicht zu bürgerlicher Moralität vordringt. Sara strebt menschliche Beziehungen (familiär wie sexuell) an, die einzugehen ihre männlichen Partner nicht imstande sind. Insgesamt gesehen, ist sie ihnen gegenüber ein zu früh gekommener bürgerlicher Mensch, dessen Sehnsüchte und Ansprüche mit der Selbstverständlichkeit von Denkweisen und Handlungsmotiven der Männer kollidieren, die in völliger Übereinstimmung mit den Normen feudaler Privilegien und Hierarchien des Familien- und Privatlebens handeln. Ihr Tod signalisiert, daß neue Denk- und Verhaltensweisen in die scheinbar so wohlgeordnete Welt des Privaten eingebrochen sind und Unordnung verursachen. Natürlich zeichnen sich Spuren des noch Unfertigen auch in der Haltung Saras ab, unverkennbares Zeichen eines ersten Erprobens der neuen Welthaltung durch die junge Frau. So überzieht sie (auch dies nicht zufällig nach Lessings Menschen- und Tragödienverständnis) ihren Tugendanspruch beträchtlich, so daß auch sie Gegenstand der Kritik und mitschuldig an ihrem Untergang wird.

Die gestalterische Schwäche des Stückes hat nicht zuletzt auch darin ihre Ursache, daß nicht nur Mellefont und der Vater hilflos vor dem Problem Saras (wie später Emilias) stehen, sondern auch Lessing. Er bietet weder im frühen noch im späten Stück ein Konzept an, wie die menschliche Natur tatsächlich zu ihrem Recht kommt. Lessing ahnt zwar, daß Saras und Emilias Anspruch auf Sinnlichkeit zutiefst mit den Rechten der menschlichen Natur verbunden ist, kann dies aber nicht mit seinem Konzept der hierarchischen Unterordnung, der Sinnlichkeit unter die Ratio verbinden. Die Vergeistigung sinnlicher Bedürfnisse bzw. deren moralische Verinnerlichung erweisen sich ganz offensichtlich als untaugliche Ersatzlösungen. Lessings 1774 brieflich geäußerte Kritik an Goethes „Werther"-Roman[14] flüchtet sich in den Rat eines zynischen Schlußkapitels, wodurch die in der Schlußwendung der „Emilia Galotti" so augenfällige

Hilflosigkeit dem Lebensproblem des Helden gegenüber nur anders artikuliert wird. Seine groteske Auffassung von der gesellschaftlichen Stellung der Frau noch im Publikationsjahr der „Emilia Galotti“ erklärt ein übriges.

Lessing faßt – bei der realistischen Dominanz des Tragischen, in dem ja ein Aufforderungsmoment zur Selbstveränderung des Zuschauers liegt – den Konflikt Saras mit Mellefont und ihrem Vater nicht statisch. Die Überzeugung von der Auflösbarkeit des tragischen Konfliktes und der Tragfähigkeit intimer zwischenmenschlicher Beziehungen gründet sich für Lessing auch auf Bereitschaft und Fähigkeit des Vaters zu moralischem Wandel, der eine auf Gleichheit der Rechte und Ansprüche beruhende Vater–Kind-Beziehung ermöglicht: „Wenn du mich an mein Vergeben erinnerst“, äußert Sir William gegenüber der unglücklichen Tochter, „so erinnerst du mich auch daran, daß ich damit gezaudert habe. Warum vergab ich dir nicht gleich? Warum setzte ich dich in die Notwendigkeit, mich zu fliehen? . . . Soll ein Vater so eigennützig handeln? Sollen wir nur die lieben, die uns lieben? Tadle mich, liebste Sara, . . . ich sahe mehr auf meine Freude an dir, als auf dich selbst. . . . Nun weiß ich es, daß er [d. h. Mellefont] dich aufrichtig liebet; nun gönne ich dich ihm. Hier will ich ihn erwarten, und deine Hand in seine Hand legen. Was ich sonst nur gedrungen getan hätte, tue ich nun gern, da ich sehe, wie teuer du ihm bist“ (V,9). Seine durch Selbsterziehung mögliche Revision einer egoistischen, feudalen Patriarchenrolle bereinigt (von der Sache her, wenn auch handlungsmäßig zu spät) nicht allein das gestörte Vater–Kind-Verhältnis, sondern schafft auch vom Weltanschaulichen her die Konfliktursache und damit natürlich auch die Ursache für Leiden und Untergang aus der Welt. Lessing demonstriert am Beispiel dieses Wandels, wie die konfliktauslösende feudalgeprägte Vaterrolle (mit dem Egoismus und dem Autoritätsanspruch im Zentrum) zu einer bürgerlichen, die Anerkennung des Partners und Untergeordneten einschließenden Position werden kann: Wie Mellefont bewegt sich auch der alte Sampson moralisch auf Sara zu. Dabei entwickelt Lessing in der Entgegensetzung von Egoismus und Altruismus wichtige Stichworte bürgerlicher Dramatik des 18. Jahrhunderts überhaupt. Obwohl sich die Beziehungen zwischen den Partnern auf der neuen Grundlage wegen der Verflochtenheit des dramatischen Geschehens nicht mehr entfalten können, zeichnet sich deren moralische Grundlage doch deutlich ab. Der auf die Zukunft hin offene Ausgang dieses Stückes liegt in der Lernfähigkeit der Menschen, die aus der Erkenntnis von Leidens- und Konfliktursachen ihre Selbsterziehung einzuleiten vermögen. Im Privaten zeichnen sich Konturen bürgerlicher Beziehungen ab.

„Emilia Galotti" – Kulminationspunkt des Genres

Siebzehn Jahre nach der „Miß Sara Sampson" erscheint die „Emilia Galotti". „Ein Trauerspiel in 5 Aufzügen" lautet der Untertitel, in dem zwar das Adjektiv „bürgerlich" fehlt, das Stück aber zweifellos in der Konfliktanlage und -durchführung, in der Helden- und Sujetwahl Fleisch vom Fleische des „bürgerlichen Trauerspiels" ist. Mit dem Wolfenbütteler Stück von 1772 erreicht Lessing formal-gestalterisch wie auch gehaltlich den Gipfel des Genres innerhalb der Aufklärungsliteratur.[15] Ein Kulminationspunkt ist das Werk insofern, als die virtuose Handlungsführung, der sprachlich präzise und gedankentiefe Dialog, die kunstvolle und plastische Charaktergestaltung das bürgerliche Anliegen dieses Genres weitaus eindringlicher zur Geltung bringen als das frühe Stück. Dank der überaus glücklichen Schauplatz- und Themenwahl transportieren diese gestalterischen Vorzüge eine grundsätzlicher und gezielter gewordene Feudalismuskritik. Lessing vermag in diesem Stück alle Vorzüge und Möglichkeiten produktiv zu machen, die dem Genre überhaupt eigen sind: Wie kein anderer zeitgenössischer Dramatiker der Aufklärung enthüllt er mit anklägerischer Schärfe die zerstörerische Gewaltsamkeit der Feudalwelt (die als diese Gesellschaft auch identifiziert ist) und führt Würde, Moralität, aber auch Qual eines an diese Welt gebundenen leidenden Menschen vor. Der auch im frühen Stück angelegte bürgerliche Gehalt vertieft sich hier durch den Zuwachs an gesellschaftlicher

Verbindlichkeit und Konkretheit des gestalteten Konfliktes: „Emilia Galotti“ zeigt das Tragische zuallererst als Resultat der besonderen feudalgeprägten Umstände, in denen Emilia und ihre Familie leben. Erst in zweiter Linie tritt das subjektive Versagen hinzu. Während sich Sara Sampsons tragischer Konflikt und Tod noch in einem gesellschaftlichen Niemandsland ereignete, ist Emilias Konflikt unabweisbar auf dem Boden der Hofwelt entstanden, nur hier denkbar und in seinem tödlichen Ausgang durch die Macht des Hofes erzwungen.[16]

Aber gerade der kühne Vorstoß Lessings, die höfischen Verhältnisse (und damit klar bestimmbare Umstände und gesellschaftliche Gruppen) als Urheber des Leidens und des Untergangs seiner (der „bürgerlichen Trauerspiel“-Konzeption verpflichteten) dramatischen Figuren zu wählen, bringt die gestalterische Grenze des „bürgerlichen Trauerspiels“ überhaupt ans Licht. Denn die Schärfe der Kritik am Zynismus, an der menschenverachtenden Unerbittlichkeit und Brutalität der Herrschenden – also die im Stück so glänzend lokalisierten Momente des gesellschaftlichen Antagonismus und der Veränderungswürdigkeit der Gesellschaft – finden keine Entsprechung in der Haltung oder Aktion der betroffenen Figuren. Diese stehen bis zum Ende ihre Leidenshaltung durch und suchen ihre Leiden auf der Basis eines allgemeinen, eben gesellschaftlich unspezifischen Moralismus und einer resignativen asketischen Tugendhaftigkeit zu lösen. Widerstand oder gar Auflehnung gegen die personifizierte Gewalt werden nicht geprobt, ja als unangemessen verworfen. Das in der Konzeption des leidenden Menschen angelegte Moment von Passivität und Introvertiertheit wächst sich hier einfach zu Hilflosigkeit aus. Dies führt aufgrund der vorgezeigten Wechselwirkung zwischen inhumaner Gesellschaft und an ihr leidenden Individuen zu gesellschaftlicher Ausweglosigkeit. Es ist die Höhe der in der „Emilia“ erreichten antifeudalen Kritik, mithin eine wesentliche Leistung Lessings und des späten Stückes, die eine Veränderung des alten Konzeptes des Tragischen notwendig erscheinen läßt, die Konzeption des „bürgerlichen Trauerspiels“ als unzeitgemäß qualifiziert. Ein Widerspruch, der durch die inzwischen erreichte Radikalität antifeudalen Bewußtseins und Gestaltens besonders sinnfällig ist. Lessing gelingt die Auflösung dieses Widerspruches nicht mehr. Er findet aus dem Dilemma zwischen der radikalisierten antifeudalen Szene einerseits, auf die er im späten Stück durch die Verschärfung der antihöfischen Akzente reagiert, und andererseits einem als Ganzen in der Zeit unentwickelter Klassenkämpfe geformten Trauerspielkonzept nicht heraus.

Herder auf dem Felde der Theorie und Goethe in seiner Geschichtsdramatik zerschlagen dann den gordischen Knoten. Ausgerüstet mit dem Instrumentarium des historischen Denkens, begründen sie eine neue Dialektik von Individuellem und Gesellschaftlichem, zerbrechen das Bild scheinbarer Dauer und Stabilität der Feudalgesellschaft und rücken die historisch gesetzmäßige Veränderung auch der Feudalgesellschaft ins Blickfeld.[17] Sie konzipieren schließlich einen handelnden, mit der Wirklichkeit ins Handgemenge geratenden dramatischen Heldentyp, der sich als Subjekt geschichtlichen Handelns versucht. Dieser Positionsgewinn ist die Voraussetzung dafür, daß sie Lessings Stück, das etwa gleichzeitig mit Herders und Goethes Neueroberungen erscheint, polemisch bedenken und einen vom „bürgerlichen Trauerspiel“ deutlich abgehobenen Neuansatz bürgerlicher Dramatik aufsuchen.

Wichtige Stichworte für die konzeptionelle Grundlinie der „Emilia Galotti“ sind in einem Brief Lessings an Nicolai vom 21. Januar 1758 formuliert: „Unterdes würde mein junger Tragikus fertig, von dem ich mir ... viel Gutes verspreche ... Sein jetziges Sujet ist eine bürgerliche Virginia, der er den Titel *Emilia Galotti* gegeben. Er hat nämlich die Geschichte der römischen Virginia von allem dem abgesondert, was sie für den ganzen Staat interessant machte; er hat geglaubt, daß das Schicksal einer Tochter, die von ihrem Vater umgebracht wird, dem ihre Tugend werter ist, als ihr Leben, für sich schon tragisch genug, und fähig genug sei, die ganze Seele zu erschüttern, wenn auch gleich kein Umsturz der ganzen Staatsverfassung darauf folgte.“[18] Lessing entwickelt in dem frühen Brief (noch völlig in der Terminologie des bürgerlichen Trauerspiels) das

Besondere des Stückes aus dem Unterschied seiner „bürgerlichen Virginia“ zur römischen Vorlage: „bürgerlich“ ist sie für ihn (was synonym für zeitgemäß und modern-nachantik ist) dadurch, daß in ihr der ursprünglich gegebene Zusammenhang des Einzelfalles mit dem „ganzen Staat“ aufgegeben ist und ein aus dem Individualschicksal hervorgehender Eingriff in das Staatsganze unterbleibt. Lessing stellt sein Trauerspiel ausdrücklich auf die private Beziehung zwischen Vater und Tochter, deren tragische Konstellation aus der erzwungenen Umkehrung ihres *natürlichen* Verhältnisses zueinander hervorgeht: Die Liebe des Vaters zu seiner Tochter vermag sich für den alten Galotti angesichts der Macht des Hofes wie auch der moralischen Anfälligkeit der Tochter nur in ihrer Tötung zu verwirklichen. Hier liegt zweifellos auch der gestalterische Hauptakzent des späten Stükkes, das gegenüber dem Brief an Nicolai jedoch zwei entscheidende Erweiterungen erfährt: So gesellschaftlich folgenlos Emilias tragischer Freitod tatsächlich auch bleibt, so stark weist das fertige Stück auf den Zusammenhang von tragischem Untergang und Hofgesellschaft hin, so sehr wird das Ursachenverständnis für Emilias tragisches Schicksal und die Hofsphäre als dessen Mutterboden geweckt. Die im Brief ausschließlich auf die Beziehung Vater–Tochter gestellte Tragik wird zurückgedrängt. Dies scheint charakteristisch zu sein für Lessings Aufnahme neuer Welterfahrung in den siebziger Jahren. Dadurch aber wird der Triumph eines ebenso radikalen wie abstrakten Moralismus, der im Brief dominiert und in bedrängender Weise die Durchsetzung der Tugend gegen einen natürlichen menschlichen Lebensanspruch fordert, sehr weit eingeschränkt. Lessing vermag diesen Tugendrigorismus dennoch auch im späten Stück nicht völlig auszuschalten, wie der fatale Schluß zeigt. Über fünf lange Akte hin führt das Stück Szene für Szene überzeugend vor, wie Appiani und die Galottis durch den Hof um ihr Glück gebracht und schließlich der blanken Genußsucht des Prinzen aufgeopfert werden, und erst die vorletzte Szene biegt die tragische Aufopferung in moralische Labilität und damit subjektives Versagen der Tragödin um. Konfliktanlage und Konfliktlösung stimmen hier nicht überein, die am Ende angebotene Perspektive der Konfliktauflösung widerspricht der Wahrheit des Stückes und verzerrt die von der Handlung angebotene Aussage.

Lessing wählt das italienische Guastalla als Ort des dramatischen Geschehens. Der dortige Hof ist für die dramatische Handlung kein äußerliches Requisit, die handelnden Figuren sind keine verkleideten Bürger oder doch Leute, die auch anderswo leben und wirken könnten. Vielmehr ist das gesamte dramatische Geschehen spezifisch höfischer Art. Meisterlich verdichtet Lessing gleich eingangs auf knappem Raum charakteristische Vorgänge höfischen Lebens: Die Willkür der Amtsführung und Entscheidungsfindung durch den Prinzen, der liebedienerische und unterwürfige Ton Marinellis, die Zurschaustellung höfischen Mäzenatentums und schließlich die intrigante Erledigung der leidigen Mätressengeschichte – all das skizziert unverkennbar die Geschäfte und Beziehungen einer Hofclique. Dieses Hofmilieu disponiert auch den eigentlichen dramatischen Konflikt. Es ist die Jagd nach höfischer Liebe, nach einer neuen Mätresse, die das dramatische Räderwerk in Gang setzt. Aus diesem oft wiederholten Spiel höfischen Lebens und höfischer Vergnügung bildet sich in Lessings Stück ein Konflikt, weil Emilia und Appiani sich weigern, es mitzuspielen. Sie halten trotz höfischer Intrige und List an ihrem Vorsatz fest, den Hof sofort zu verlassen und ein Leben ihres eigenen Maßes zu leben. Tragische Akzente erhält dieser Konflikt gegeneinanderstehender Absichten, weil der Prinz nicht willens ist, seine Ansprüche auf Emilia aufzugeben. Er duldet keine Verkürzung seiner Lust. Mit allen ihm zur Verfügung stehenden Mitteln sucht er erst die Trennung Emilias vom Hof und dann seinen generellen Anspruch auf die Mätresse durchzusetzen. Dies gelingt ihm nicht. Denn obwohl der Prinz alle Hebel seiner intakten Macht in Bewegung setzt, verhindert das moralische Bewußtsein der Galottis die erotische Siegesfeier des Prinzen. In einer stolzen Geste ohnmächtiger Empörung tötet Odoardo das auserwählte Opfer, zerstört dem fürstlichen Wollüstling den Genuß. Hier nun wächst das antifeudale Hofdrama in das bürgerliche Trauerspiel hinüber: Der vierdreiviertel Akte vorgeführte ebenso hartnäckige wie hoffnungslose Widerstand der Hofmüden und Sezessionswilligen gegen Übermacht und Brutalität feudaler Willkür ihres Landesherrn mündet schließlich in den Kampf um die moralische Selbstrettung der verunsicherten, tugendhaft leidenden Heldin ein. Der tragische Untergang Emilias erscheint als erzwungenes Opfer und selbstverschuldete Selbstbestrafung. Dies ist nun die typische Konstellation des „bürgerlichen Trauerspiels" Lessingscher Prägung: Tugend und Laster geraten miteinander in Konflikt, der mit dem tragischen Untergang der Tugend endet, wobei die Tugendhaften (wie z. B. Emilia und Sara) den tragischen Ausgang mit verursachen.

Lessing hat diese Struktur tragischer Gestaltung im Drama in der „Hamburgischen Dramaturgie" ausführlich begründet, so daß die „Emilia Galotti" durchaus als Präzedenzfall tragischer Gestaltungsweise gelten kann. Auch die hochproblematische Schlußwendung erhält dort ihre theoretische Rechtfertigung. In der „Dramaturgie" hatte Lessing darauf verwiesen, daß die von der Tragödie zu fordernden Mitleid und Furcht nicht durch die Konfrontation eines absolut allmächtigen Schicksals und eines makellos tugendhaften Helden zu erzeugen sind. Eine solche Gegenüberstellung sei vielmehr gräßlich und damit einem höfischen Theater zugehörig, das nicht auf Aktivierung der Zuschauer aus ist. „Aristoteles sagt: man muß keinen ganz guten Mann, ohne alle sein Verschulden, in der Tragödie unglücklich werden lassen; denn so was sei gräßlich . . . Denn . . . das Gräßliche liegt nicht in dem Unwillen oder Abscheu, den sie erwekken: sondern in dem Unglücke selbst, das jene unverschuldet trifft . . . Der Gedanke ist an und für sich selbst gräßlich, daß es Menschen geben kann, die ohne alle ihr Verschulden unglücklich sind."[19] Im Interesse eines wenigstens seinen Untergang mitgestaltenden und auf diese Weise handelnden Helden hatte Lessing jene Unterscheidung zwischen unverdient und unverschuldet Leidenden eingeführt. Der Held der Tragödie leidet für ihn demnach als tugendhafter Mensch durch das Laster unverdient (weil das Ausmaß seines Leidens in keinem angemessenen Verhältnis zu seiner tugendhaften Moralität und seinem Fehler steht), wird aber durch einen Fehler mitschuldig an seinem Untergang: „Die Ursache ist klar", fährt Lessing in seiner

Argumentation fort, „ein Mensch kann sehr gut sein, und doch noch mehr als eine Schwachheit haben, mehr als einen Fehler begehen, wodurch er sich in ein unabsehliches Unglück stürzet, das uns mit Mitleid und Wehmut erfüllet, ohne im geringsten gräßlich zu sein, weil es die natürliche Folge seines Fehlers ist."[20]

Emilia Galotti ist ein solcher unverdient, jedoch nicht unverschuldet leidender Mensch, weil ihr Untergang auch Folge ihres Fehlers ist: In dem Wunsch, seine bürgerliche Virginia möge auch selbst ein wenig ihr eigenes Schicksal sein, läßt Lessing sie in den Schlußszenen letzten Endes nicht an der Gewalt des Hofes, sondern an ihrer moralischen Anfälligkeit zugrunde gehen. Dadurch rettet Lessing zwar die Tugendhaftigkeit, schränkt aber letzten Endes die Schuld des Prinzen ein und verlagert sie teilweise auf Emilia. Die zuvor kritisch denunzierte Gewalttätigkeit und Unmenschlichkeit der Hofclique werden beträchtlich gemildert.

Hier nun bricht die bereits berührte innere Widersprüchlichkeit und Schwäche des Lessingschen Tragödienkonzeptes sichtbar auf. Denn es kann keinen Zweifel daran geben, daß Lessing an einer Entlastung des Hofes nicht gelegen ist. Es ist vielmehr auch hier der Widerspruch zwischen der sich (besonders seit Ende der sechziger Jahre) verstärkenden Erfahrung einer Überlebtheit der Feudalgesellschaft einerseits und einem poetischen Konzept andererseits, das sich in den Jahren uneingeschränkter Stabilität des deutschen Feudalismus gebildet hat. Der auch gestalterisch gewachsenen schärferen Sicht auf die Feudalgesellschaft und ihre Gebrechen und einer daraus erwachsenen Kritik steht die weltanschauliche und praktische Hilflosigkeit der literarisch gestalteten Kontrahenten gegenüber.

Lessing gelingt es nicht, sein philosophisch begründetes, weitgehend rationalistisches Menschenbild auf den Stand seiner neuen Erfahrung zu bringen. Er vermag die Entgegensetzung von Sinnlichkeit und Sittlichkeit, von empfindendem und denkendem Menschen nicht aufzugeben und gerät dadurch in die falsche Alternative von höfischer Sinnlichkeit und antihöfischer Sittlichkeit, der er schließlich auch Emilia opfert. Lessing entkommt diesem Dilemma vor allem darum nicht, weil die maßstabsetzenden Akteure seiner Dramen (von „Sara Sampson“ über „Minna von Barnhelm“ bis zu „Emilia Galotti“) zwar die feudalen Normen sehr weit differenzieren, in ihrem Denken und Handeln aber nie wirklich den Bannkreis der herrschenden Klasse und Ordnung verlassen und eine alternative bürgerliche Moralität zu entwickeln vermögen. Für diese Adligen bilden sich ihre eigenen Lebenswerte und -ziele vor allem aus der Negation höfischer Leitvorstellungen und höfischer Praxis, ihre eigentliche Alternative zur offiziellen Gesellschaft ist die Sezession, der Weg ins Private. Gegenbild zu höfischer Sinnlichkeit und Prachtentfaltung scheint diesen Menschen tugendhafte, vernunftfolgende Enthaltsamkeit und weltfliehende Innerlichkeit zu sein. Negation und Sezession aber begründen noch keine andere soziale oder gesellschaftliche Norm, die für sich alle Bereiche individuellen und gesellschaftlichen Lebens beansprucht. Vielmehr werden entscheidende Sphären des Lebens und Handelns (Öffentlichkeit, Sinnlichkeit u. ä.) aufgegeben. Die Folge davon sind falsche gesellschaftliche und moralische Alternativvorstellungen. Die stets im Hintergrund agierenden Figuren aus der nichtadligen Sphäre sind bei Lessing zweifellos menschlich und gesellschaftlich aufgewertet, eine eigene, von ihren Herren unterschiedene Moralität bringen sie jedoch nicht ins Spiel.

Der dramatische Konflikt des Stückes entfaltet sich aus dem kollidierenden Handeln der Hofpartei mit den Hofmüden: zwischen dem Prinzen, Marinelli u. a. auf der einen, Odoardo, Appiani und Emilia auf der anderen Seite. Er wird von zwei Gruppen Adliger getragen, die Zugang zum Hof und seinen Vergnügungen haben, die sich jedoch durch ihre positive oder ablehnende Haltung zu den hier geltenden Normen unterscheiden.

Trotz ihrer bis zu Verachtung und Haß gediehenen Abneigung und durchaus unterschiedlichem Lebensanspruch verkörpern der Prinz von Guastalla und die Gräfin Orsina die Pole des Hofwesens: Beide bejahen (wenn auch nicht ohne Widerspruch) die höfischen Spielregeln und Partnerbeziehungen, in denen sie Existenzraum und geistige Heimat finden. Beide ordnen sich den Normen dieses Lebens unter und nutzen sie zu ihrem Genuß. Ihr gemeinsames Instrument dabei ist Marinelli, der die interne Schmutzarbeit bei der Sicherstellung der Lustbarkeiten zu leisten hat. Ohne ihn kann vor allem der Prinz nicht leben. Obwohl er Marinelli wiederholt auf seinen subalternen Platz zurückweist, ist die Hofschranze ein ebenso charakteristisches wie unentbehrliches Element des höfischen Lebens. Bereits die zeitgenössische Kritik lobte Lessings Sicherheit in der Charakterisierung dieses Höflings. Der Kopf der Hofpartei, zugleich die gelungenste Figur des Dramas ist der Prinz von Guastalla. Lessing zeigt ihn als glänzenden und starken Fürsten, der jederzeit Herr der Situation ist. Lessing gelingt mit ihm das Konterfei eines machtbesitzenden Feudalherrn, der, weitab vom Klischee des höfischen Bösewichts, mit allen individuellen Vorzügen ausgestattet, verführerischen Glanz und tödliche Drohung feudaler Moralität ausstrahlt. Faszination erregt der Prinz in seiner Umgebung durch die Paarung von intellektueller Dynamik und Sensibilität, vor allem jedoch durch seine Kultiviertheit und geistige Beweglichkeit, durch die er das Problematische seiner Existenz erfaßt und spielerisch zur Schau stellt. Lessing zeigt den Prinzen als Akteur, der alle Möglichkeiten höfischer Lustbarkeit kennt und nutzt, sie aber durch den Genuß eines vorgetäuschten Problembewußtseins dieser seiner höfischen Existenz noch steigert. Denn im Unterschied zu Marinelli, der die höfischen Lebensregeln unreflektiert annimmt, ist er kein naiver Höfling. Er spielt gekonnt den Konflikt zwischen vorgezeichneter gesellschaftlicher Rolle und Individualitätsanspruch, wobei er aber keineswegs wie Orsina unter den Wechselfällen des Hoflebens leidet. Sein beweglicher Intellekt, seine extreme Mitleidslosigkeit wie natürlich auch seine unangetastete Machtposition schaffen ihm am Hof einen Handlungsspielraum, durch den er eine vordergründige Identifikation mit der höfischen Etikette vermeidet, ja gedanklich die höfische Existenzweise in Frage zu stellen bereit ist. Charakteristisch für diese Verhaltensweise ist gleich der eingangs geführte Dialog zwischen dem Prinzen und Marinelli, in dem der Prinz Marinellis platte Apologie des höfischen Lebens und höfischer Geselligkeit unwirsch beanstandet: „Sie werden lachen, Prinz", wirft Marinelli nichtsahnend ins Gespräch. „Aber so geht es den Empfindsamen! Die Liebe spielet ihnen immer die schlimmsten Streiche. Ein Mädchen ohne Vermögen und ohne Rang, hat ihn in ihre Schlinge zu ziehen gewußt, – mit ein wenig Larve: aber mit vielem Prunke von Tugend und Gefühl und Witz . . . Denn so viel ich höre, ist sein [Appianis] Plan gar nicht, bei Hofe sein Glück zu machen. – Er will mit seiner Gebieterin nach seinen Tälern von Piemont: – Gemsen zu jagen, auf den Alpen; und Murmeltiere abzurichten. – Was kann er Besseres tun? Hier ist es durch das Mißbündnis, welches er trifft, mit ihm doch aus. Der Zirkel der ersten Häuser ist ihm von nun an verschlossen –" Der liebestolle Prinz lacht nun entgegen Marinellis Erwartung nicht, sondern sucht mit ungeduldiger Geste die formale Bedenklichkeit Marinellis vom Tische zu wischen: „Mit euren ersten Häusern! – in welchen das Zeremoniell, der Zwang, die Langeweile, und nicht selten die Dürftigkeit herrschet" (I,6). So gering die Neigung des Prinzen zum Lachen auch ist, so wenig gerät er trotz seiner scharfen Abfertigung höfisch-zeremonieller Förmlichkeit in Gefahr, ein Empfindsamer zu werden, der wegen einer Frau die höfischen Zirkel flieht und sich um die Genüsse dieses Lebens bringt. Er beklagt zwar zynisch und selbstmitleidig, beispielsweise in seiner Partnerwahl nicht so frei zu sein wie z. B. die Orsina („Mein Herz wird das Opfer eines elenden Staatsinteresse. Ihres darf sie nur zurücknehmen: aber nicht wider Willen verschenken." I,6) und sich auch nicht bedenkenlos den Eindrücken hingeben zu können, „die Unschuld und Schönheit auf ihn machen" (I,6), unternimmt jedoch keinerlei Anstrengung, sich aus dieser angeblich bedrückenden Knebelung zu befreien. Sein Protest gegen die Zwänge des höfischen Lebens führt – und das unterscheidet ihn von Appiani – nie bis zur Desintegration; er fungiert lediglich als Ventil und intellektuelles Spiel. Trotz seines Pseudokonfliktes akzeptiert er also letzten Endes die höfischen Lebensregeln. So plant er fast geschäftsmäßig seine Eheschließung mit der Prinzessin von Massa und betreibt auch während dieser Zeit ohne Skrupel die Mätressenwirtschaft, spielt also ungerührt das alte höfische Spiel weiter. Ganz folgerichtig – und auch hier im Gegensatz zu dem verhöhnten empfindsamen Appiani – wünscht er die leidenschaftlich begehrte Emilia Galotti lediglich in den Rahmen höfischer Beziehungen und Genüsse einzufügen. Während Appiani die Landjunkerstochter Emilia zu seiner ebenbürtigen Frau zu machen wünscht und ihretwegen mit dem Hof zu brechen bereit ist, denkt der Prinz ihr die unebenbürtige verächtliche Mätressenrolle zu, die er noch dazu in einer besonders niederträchtigen Weise auf eine ausschließlich sexuelle Objektrolle der Frau reduziert. Denn er hat anläßlich der Verabschiedung der Orsina klargestellt, wie er sich künftig seine Mätresse wünscht, wie sie ihr Verhältnis zu ihm zu gestalten hat, will sie erfolgreich in dieser Rolle leben. In dem schon berührten Dialog mit Marinelli greift der Prinz dessen verächtliche Bemerkung „Sie hat zu den Büchern ihre Zuflucht genommen; und ich fürchte, die werden ihr den Rest geben" auf und begründet, darauf Bezug nehmend, seinen Trennungsentschluß von Orsina: „So wie sie ihrem armen Verstande auch den ersten Stoß gegeben. – *Aber was mich vornehmlich mit von ihr entfernt hat*, das wollen Sie doch nicht brauchen, Marinelli, mich wieder zu ihr zurück zu bringen? – Wenn sie aus Liebe närrisch wird, so wäre sie es, früher oder später, auch ohne Liebe geworden –" (I,6; Hervorhebung – P. M.). Gleichgültigkeit, Ablehnung und Verachtung gelten hier einer Frau, die als „Philosophin" für sich einen Rang beansprucht, der ihr innerhalb des akzeptierten Mätressendaseins die Möglichkeit zur Selbstachtung, intellektueller Selbständigkeit und Partnerschaft geben sollte.

Diesen mit höfischer Bindung unvereinbaren Anspruch verheimlicht sie nicht, sondern verteidigt ihn auch gegen den Prinzen und seine Hofschranze: „Orsina: Nicht wahr? – Ja, ja; ich bin eine [Philosophin]. – Aber habe ich mir es itzt merken lassen, daß ich eine bin? – O pfui, wenn ich mir es habe merken lassen ... Ist es wohl noch Wunder, daß mich der Prinz verachtet? Wie kann ein Mann ein Ding lieben, das, ihm zum Trotze, auch denken will? Ein Frauenzimmer, das denkt, ist ebenso ekel als ein Mann, der sich schminket. Lachen soll es, nichts als lachen, um immerdar den gestrengen Herrn der Schöpfung bei guter

Laune zu erhalten" (IV, 3). Ein solcher Anspruch birgt Konfliktstoff, der auch prompt zur Kollision mit dem Prinzen führt und mit der schimpflichen Entlassung der Mätresse geahndet wird. Diese Erfahrung gilt auch für Emilia: Intellektuell aktive, auf Selbständigkeit bedachte Partnerin des Mannes sein zu wollen, aus der bloßen Objektrolle auszubrechen ist unvereinbar mit der höfischen Existenz der Frau. Lessing qualifiziert durch diesen Ausgang der Orsina-Episode die Emilia geltenden Liebesschwüre des Prinzen als die eines Feudalen: als Bekundung vernunft- und moralloser Leidenschaftlichkeit eines Mannes, der die Frau an seiner Seite zur Marionette und zum bloßen Lustobjekt degradiert, ausschließlich die eigene Lust sucht, dabei das Glück seines Partners bedenkenlos zerstört.

Lessing stattet den Prinzen ganz im Sinne des bürgerlichen Trauerspiels mit einer dominierenden lasterhaften Eigenschaft aus: seine Leidenschaftlichkeit ist das Laster, durch das er und für das er alle Grenzen moralischen Verhaltens, religiöser Pietät und Menschlichkeit überrennt. In dieser Eigenschaft sind für Lessing all die negativen, auch weltanschaulich problematischen Momente zusammengefaßt, die das feudale Menschenbild prägen. Diese Leidenschaftlichkeit des Prinzen ist für Lessing zuerst Abwesenheit der Vernunft: Durch das völlige Beherrschtsein von den Empfindungen wird die regulierende und ortende Kraft der Vernunft ausgeschaltet, verliert der Prinz die Kontrolle über seine Handlungen und wird schließlich zu verbrecherischen Handlungen getrieben. Dieses Überwältigtsein von den sogenannten unteren, sensuellen Seelenkräften konzentriert sein Denken und Handeln einzig auf den Lusterwerb, zieht es von seinen Pflichten als Regent ab.[21] Die verheerenden Folgen des Ausfalls der Vernunftkräfte werden in zwei markanten Szenen des I. Aktes vorgeführt: in der willkürlichen Bewilligung des Ersuchens der Emilia Bruneschi (I,1) und in der gedankenlosen Bereitschaft zur Unterzeichnung des Todesurteils (I,8). Das Entsetzen des fürstlichen Rates Camillo Rota über die unbedenkliche Zustimmungsfreudigkeit seines Herrn quittiert den bereits hier eingetretenen Verantwortungsverlust durch den Landesvater wie auch die gänzliche Abwesenheit mitleidiger menschlicher Regung bei ihm. Der Triumph der Emotion über die Ratio wird perfekt, als der liebestolle Prinz gegen jede Vorsicht und religiöse Rücksicht in den Gottesdienst eindringt, um die begehrte Frau mit seinen lüsternen Wünschen zu bestürmen. Das Beherrschtsein durch die Emotion ist für Lessing die Quelle des Lasters und der Menschenverachtung; in ihm entdeckt er eine dominierende Verhaltensweise höfischer Schichten, die jedoch nicht allein am Hof erzeugt werden kann, wohl aber hier besonders üppig ins Kraut schießt.[22]

Durch diese amoralische Leidenschaftlichkeit ist der Prinz mit seinem Opfer, der Gräfin Orsina, verbunden. Die im Stück zwischen verzweifelter Melancholie und wahnwitzig aktivistischer Empörung pendelnde Hofdame durchlebt bis zur bitteren Neige den Konflikt zwischen einer freiwilligen Annahme der Hofnormen und dem unhöfischen Anspruch auf gleichberechtigte Partnerbeziehung. Eingeschworen auf die glänzende Sinnlichkeit des Prinzen wie auf die ihr zugewiesene Rolle als Mätresse neben der fürstlichen Ehefrau, mißfällt ihr mit der Zeit die Rolle als bloßes sexuelles Lustobjekt, als ausschließlich vom Prinzen dirigierte Marionette. Ausgerüstet mit dem Wissen „philosophischer" Lektüre, entwickelt sie ein moralisches Bewußtsein über ihre Würde als Frau und Partner, das sie aus ihrem naiven Höflingsbewußtsein treibt und in Konflikte stürzt. Sie geht im Drama den Emilia entgegengesetzten Weg, der sie jedoch wie der ihrer unfreiwilligen Konkurrentin in den Tod führt: Während in Emilias Persönlichkeit durch die Berührung mit dem Hof neben ihr moralisches Bewußtsein eine starke, sie moralisch gefährdende sensuelle Komponente tritt, bereichert die Orsina ihr vorherrschend sinnliches Verhalten mit geistig-moralischen Elementen. Auch bei ihr ist Lebensverunsicherung die Folge des Erfahrungszuwachses. Aber ihre tatsächliche gesellschaftliche Ohnmacht, gepaart mit einer Unfähigkeit, sich von dieser Gesellschaft zu lösen, treibt ihre Qual und ihr Gekränktsein zum Wahnsinn und nicht zur Empörung, Selbsthilfe oder gar Auflehnung gegen ihren Peiniger. Odoardo urteilt daher völlig richtig, wenn er, berührt vom Leid und Schmerz der Unglücklichen, ihre Rachevision als den Protestschrei der Unmoral qualifiziert und sein und seiner Tochter Handlungsmotivation von dem der Orsina entschieden abgrenzt. Mit Recht ordnet er die Orsina der Hofwelt zu, der er unversöhnlich gegenübersteht.

Auf der anderen Seite des Konfliktes stehen Odoardo, Emilia und Appiani. Sie sind Adlige unterschiedlichen Ranges, die am Hof leben und Adelsdienst leisten (Appiani) oder doch wie Emilia und Claudia Zugang zur höfischen Geselligkeit besitzen – Privilegien, von denen Bürgerliche ausgeschlossen sind. Der Hof ist ihr aller Schicksal auch insofern, als sich die Brautleute erst hier kennen und lieben lernen. Auf die Gegenseite des Prinzen geraten sie, weil sie der höfischen Lebensart nicht folgen, sondern ihr Leben nach tugendhaften Leitvorstellungen einzurichten suchen. Dafür finden sie am Hof nicht den erwünschten Lebensraum. Aus ihrem Ungenügen an der Hofgesellschaft erwächst ganz natürlich der Wunsch, sich von ihr zu trennen und ein Leben weitab vom höfischen Getriebe zu führen. Als erster hat Odoardo diesen Bruch vollzogen. Er ist dem Anspruch des Prinzen auf Sabionetta entgegengetreten und hat sich dadurch dessen Zorn zugezogen, seitdem abseits des Hofes auf seinem Landgut lebend. Bei ihm sind mit Beginn der dramatischen Handlung weltanschaulich-moralische Gründe zu seiner ursprünglichen Ablehnung des Hofes hinzugetreten. Es ist vor allem sein Widerwillen gegen das höfische Laster, aber auch ein Unvermögen, sich der höfischen Hierarchie zu unterwerfen.

Lessing zeigt die (für das dramatische Geschehen ausschlaggebende) von Appiani und Emilia erstrebte Trennung vom Hof als ebenso erwünscht wie notwendig. Sie wird, worauf Marinelli hämisch hingewiesen hat, unumgänglich, weil die eheliche Verbindung des Grafen Appiani mit der Landjunkertochter Emilia mit dem höfischen Reglement unvereinbar ist, so daß das geplante „Mißbündnis" (Marinelli) mit dem Ausschluß aus den höfischen Zirkeln geahndet zu werden droht. Erwünscht ist den beiden die Ansiedlung auf Appianis fernen heimatlichen Besitzungen, weil den Liebenden der Sinn nach Unabhängigkeit und Genuß ihrer selbst wie der Natur steht.

Emilia wünscht zudem sehnsüchtig die Trennung vom Hof herbei, weil sie dadurch ihre innere Zerrissenheit zu beheben hofft, in die sie durch die Berührung mit der höfischen Sinnlichkeit gestürzt wurde. So mischen sich in der Hofmüdigkeit Emilias und besonders Appianis Fluchtelemente mit generellen, weltanschaulich-moralisch begründeten Sezessionswünschen, die sich jedoch an keiner Stelle zu einer direkten Gegnerschaft zum Hof oder zum Prinzen verdichten. In das Konfliktgeschehen hineingezogen wird das Liebespaar dann auch mehr passiv-leidend denn als aktiver Gegenspieler des Hofes. Die Abneigung gegen den Hof – die im Falle Emilias noch dazu zwiespältiger Natur ist – ist zu spontan, privat und inneradlig motiviert, um eine weltanschauliche oder moralische Gegenposition zu ermöglichen, von der aus Handlungsimpulse und -motive ausgehen könnten.

Lessing zeigt die Hofmüden als Leute mit einem zwar selbstbewußten, aber doch defensiven Verhältnis zu Hof und Landesherrn. Widerstand gegen höfische Unmoral und Gewalt oder gar Okkupation des höfischen Lebens durch ihre moralischen Normen finden in einer Verhaltensweise keinen Platz, in der Abschirmung, Flucht in die Selbstgenügsamkeit und private Isolierung dominieren, das Öffentliche preisgegeben ist und das Private als eigentlicher Zielpunkt des Lebens und Handelns gilt. Dies nun ist der eigentliche schwache Punkt, der sie den Ansturm der höfischen Unmoral nicht überstehen läßt. Denn völlig gebannt in den Gedanken ihrer bevorstehenden Trennung vom Hof, *erleiden* sie unvorbereitet und hilflos den tödlichen Zugriff des Landesherrn, der sich durch die Ausgliederungsabsichten um einen begehrten Genuß geprellt sieht. Ohne sich zu tatsächlicher Gegenwehr aufraffen zu können, gehen sie an der Übermacht und dem zynischen Kalkül der höfischen Unmoral, aber auch an der Unentwickeltheit ihrer Antiposition zugrunde: Nachdem Odoardo das bereits gegen den Landesherrn erhobene Messer wieder sinken läßt, bleibt am Ende als Notwehr allein die Selbstaufopferung der moralisch Gefährdeten. Das organisierte Öffentliche triumphiert so leicht über das ungeschützte Private.

Die Stärke dieser Hofmüden manifestiert sich sehr sichtbar in ihrer moralisch-weltanschaulichen und praktischen Gemeinsamkeit: in der tatsächlichen Gleichheit ihrer Beziehung zueinander, in dem Übereinstimmen ihres Wünschens und Denkens, aber auch in ihrem realen Aufeinanderbezogensein, durch das sie von der egoistischen Vereinzelung der Hofleute abgehoben sind. Ihre Beziehungen zueinander sind ausdrücklich – und sprachlich wiederholt hervorgehoben – als die von Mitgliedern einer Familie verstanden. Odoardo ist auch für Appiani der Vater, der künftige Schwiegersohn gilt Odoardo als „mein Sohn" (II,4); und es ist mehr als eine leere Formel, wenn Appiani sich freut, daß Emilias Mutter auch bald seine Mutter sein wird (II,6). Schließlich tendiert auch die Beziehung zwischen Appiani und Emilia ganz offensichtlich stärker zu geschwisterlicher Harmonie als zu gegenseitiger geschlechtlicher Liebe, was bereits die Zeitgenossen Lessings zur Kritik veranlaßte.

Diese weitgehend enterotisierte Beziehung zwischen Emilia und Appiani bedingt nun maßgeblich die tragische Wende. Denn die fehlende erotische Ausstrahlung Appianis, verbunden mit einer noch am Hochzeitstage vorwaltenden Schwermut, treibt Emilia mit geradezu tödlicher Konsequenz in die Arme des Prinzen und damit in den Untergang. Im Unterschied zu ihrem künftigen Gemahl fühlt sie sich als ein sinnliches Wesen mit „jugendlichem", „warmem Blut" (V,7). Sie versteht sich als Frau, die empfänglich für erotische Regungen ist und deren Seele durch den Kontakt mit der höfischen Sinnlichkeit so manchen Tumult erlebt hat, „den die strengsten Übungen der Religion kaum in Wochen besänftigen konnten" (V,7). Die schüchterne und schreckhafte, religiös-tugendhaft um ihre moralische Reinheit besorgte, sich willig dem elterlichen Gebot unterordnende junge Frau erlebt mit tiefer Betroffenheit ihre Anfälligkeit gegenüber dem Sensuell-Erotischen, das der Prinz in ihr anspricht, den sie zufällig bei einer höfischen Lustbarkeit kennengelernt hatte. Sorgfältig und ängstlich verbirgt Emilia ihre Regung vor der Mutter und hofft durch die dringend gewünschte Trennung vom Hof ihr Gefährdetsein zu überwinden, die innere Harmonie und Ruhe wiederzufinden. Ihre Not liegt darin, daß sie seit diesem Fest im Hause Grimaldi ausschließlich tugendhaft-asketisch nicht mehr zu leben vermag, es für sie aber keine Brücke zwischen ihrem akzeptierten asketischen moralischen Bewußtsein und der erregten sensuell-erotischen Leidenschaftlichkeit gibt, weil ihr dieser individuelle, ihre Existenz gefährdende Widerspruch als Gegensatz von verpönter höfischer Lebensart und erwünschtem nichthöfischem Leben entgegentritt. Der Versuch, sich selbst zu retten, scheitert durch die höfische Intrige. Dadurch wird sie ihrerseits zu jener heroischen selbstzerstörerischen Tat veranlaßt, die ein protestierender Aufschrei über die Verwehrung moralischer Integrität, aber zugleich auch Selbstbestrafung des machtlosen moralischen Bewußtseins ist.

Wenn diese Wendung auch völlig in der übergreifenden konzeptionellen Absicht Lessings lag, so offenbart sich in ihr doch eine tiefe Widersprüchlichkeit. Herbeigeführt wird sie zuerst durch den dringenden Wunsch nach einer moralischen Würde gegenüber dem sittenlosen und menschenverachtenden Hof, eine Würde, ohne die das Leben wertlos ist. Gleichzeitig aber gerät hier im Namen der asketischen Tugend auch jene Haltung ins kritische Licht, die neben dem intellektuellen auch das sensuelle Verhältnis zur Wirklichkeit zu entwickeln trachtet. Lessing hat diese zutiefst problematische Position klar und entschieden in seiner Kritik an Goethes Roman „Die Leiden des jungen Werthers" entwickelt. In seinem Brief an Eschenburg vom 26. Oktober 1774 hat er nicht mit Lob für den Autor und seinen Roman gespart, ihn aber wegen seiner Gestaltungstendenz getadelt und gestalterische Veränderungen im Interesse einer eindeutigen weltanschaulich-moralischen Akzentsetzung verlangt: „Wenn aber ein so warmes Produkt nicht mehr Unheil als Gutes stiften soll:", leitet Lessing seine Ausstellungen ein, „meinen Sie nicht, daß es noch eine kleine kalte Schlußrede haben müßte? Ein Paar Winke hinterher, wie Werther zu einem so abentheuerlichen Charakter gekommen; wie ein andrer Jüngling, dem die Natur eine ähnliche Anlage gegeben, sich dafür zu bewahren habe. ... Glauben Sie wohl daß je ein römischer oder griechischer Jüngling sich *so* und *darum* das Leben genommen? Gewiß nicht. Die wußten sich vor der Schwärmerey der Liebe ganz anders zu schützen: und zu Sokrates Zeiten würde man eine solche *εξ ερωτος κατοχή* [Überwältigung vom Liebesgott], welche *τι τολμᾶν παρά φυσιν* [etwas wider die Natur zu wagen] antreibt, nur kaum einem Mädelchen verziehen haben. Solche klein-grosse, verächtlich schätzbare Originale hervorzubringen, war nur der christlichen Erziehung vorbehalten, die ein körperliches Bedürfniß so schön in eine geistige Vollkommenheit zu verwandeln weiß. Also, lieber Göthe, noch ein Kapitelchen zum Schluße; und je cynischer je beßer!"[23]

Der noch mit der Unterscheidung von moralischer und poetischer Schönheit operierende Lessing polemisiert gegen die Modernität der Werther-Gestalt im Namen einer antiken Moralität, für die Werthers, aber auch Emilias „Überwältigung vom Liebesgott" verächtlich ist und nach moralischer Kritik durch Goethe verlangt. Auch wenn die Spitze der Kritik gegen die christliche Erziehung gerichtet ist, denunziert Lessings moralische Aburteilung der „abentheuerlichen Charaktere" Werther (und Emilia) ein reicheres, weil über das bloß Rationale hinausgehendes sinnliches Weltverhältnis des Menschen. Die Kritik wendet sich gegen die Aufwertung eines körperlichen Bedürfnisses. Sie will die Gleichsetzung von körperlicher und rationaler Tätigkeit verhindern. Damit fordert Lessing nicht nur die Zurücknahme literarisch bereits entwickelterer Positionen bei Goethe, sondern reduziert das bürgerliche Menschenbild auch jetzt noch auf das alte rationalistische Schema der oberen und unteren menschlichen Seelenkräfte. Dieses Verdikt gegen Goethes Roman verteidigt im Nachhinein die zwei Jahre zuvor gestaltete Schlußwendung der „Emilia Galotti". Lessing versagt dem Werther, aber auch seiner Emilia die moralische Berechtigung ihrer Probleme. Lessing fügt seinem Drama zwar keinen zynischen Schluß an, stellt jedoch in der selbstkritischen Schlußwendung gestalterisch seine Distanz zum Konflikt der Heldin klar.

Das in der Schlußwendung so sichtbare Miteinander von Glanz und Elend des deutschen „bürgerlichen Trauerspiels" wird in der Gestalt des Odoardo Galotti noch einmal grell beleuchtet. Lessing präsentiert ihn als stolzen, selbstbewußten, entschlossen handelnden Menschen, dessen „strenger Tugend" der Hof „verhaßt" ist (II,4), der die Auseinandersetzung mit dem mächtigen Landesherrn nicht scheut, mißtrauisch dessen Handlungen verfolgt und voller Abscheu vor dem höfischen Laster abseits auf dem Lande lebt. Den Seinen ist er ein unbequemes und strenges, aber liebevolles und kluges Familienoberhaupt. Betont hervorgehoben ist sein Tugendrigorismus, der ihn nicht nur die höfische Unmoral des Prinzen argwöhnisch beobachten, die gekränkte höfische Eitelkeit der Orsina schroff zurückweisen, sondern auch die Eitelkeit seiner Frau ungeduldig rügen läßt. Auch das nicht eindeutige Verhalten seiner Tochter prüft sein strenges Auge nachdenklich. Diesem Rigorismus gilt die Tugendhaftigkeit seiner Tochter mehr als ihr Leben, und diese Konsequenz drängt ihn auch zur Ausführung seiner schrecklichen Tat: Denn es ist mit Odoardos Weltvorstellung unvereinbar, daß das Laster seine Lust bei einem unschuldigen Opfer findet, aber auch, daß die Tugend schwach ist. In diesem Sinne fühlt sich Odoardo zur Rettung der Tugend seiner Tochter – möglicherweise auch gegen deren Wunsch – verpflichtet. Selbstlosigkeit und Stolz, aber auch Schwäche liegen hier dicht beieinander: Denn Odoardo opfert mit seiner Tochter der Tugend sein Liebstes und durchstößt sich in ihr buchstäblich selbst das Herz. Ihm ist aber die Ermordung seiner Tochter auch Ersatz für die unterlassene Tötung des Prinzen. Selbstverständlich hat Odoardo in der ersten Aufwallung von Wut und Leid mit dem Gedanken gespielt, den Prinzen zu ermorden, hat diese Überlegung aber sehr schnell, erschrocken über sich selbst, fallenlassen: „Gut; ich soll noch kälter werden. Es ist mein Glück. – Nichts verächtlicher, als ein brausender Jünglingskopf mit grauen Haaren! Ich hab' es mir so oft gesagt. Und doch ließ ich mich fortreißen: und von wem? Von einer Eifersüchtigen; von einer für Eifersucht Wahnwitzigen. – Was hat die gekränkte Tugend mit der Rache des Lasters zu schaffen? Jene allein hab' ich zu retten. – Und deine Sache, – mein Sohn! mein Sohn! – Weinen konnt' ich nie; – und will es nun nicht erst lernen – Deine Sache wird ein ganz anderer zu seiner machen! Genug für mich, wenn dein Mörder die Frucht seines Verbrechens nicht genießt. – Dies martere ihn mehr, als das Verbrechen! Wenn nun bald ihn Sättigung und Ekel von Lüsten zu Lüsten treiben; so vergälle die Erinnerung, diese eine Lust nicht gebüßet zu haben, ihm den Genuß aller! In jedem Traume führe der blutige Bräutigam ihm die Braut vor das Bette; und wann er dennoch den wollüstigen Arm nach ihr ausstreckt: so höre er plötzlich das Hohngelächter der Hölle, und erwache!" (V,2) Tief gebeugt von dem schrecklichen Tod seines geliebten „Sohnes" Appiani und in der Vorahnung des Emilia drohenden Schicksals, sinnt Odoardo nach einem Ausweg, der ihm nur in der Tötung seiner Tochter zu liegen scheint. Denn der brennende Wunsch, den Todesengel seines „Sohnes" und des Zerstörers von Emilias Lebensglück zu töten, wird in seiner wiedergewonnenen rationalistischen Weltsicht als Impuls unreifer, spontaner Emotionalität qualifiziert, die er in der Wollust des Prinzen, aber auch in der wahnwitzigen Eifersucht der Orsina verachtet. Diesen Mordwunsch fallenzulassen, erkennt er darum auch sichtlich erleichtert als Triumph der Klarheit und Beherrschtheit. Nicht mangelnder Mut gegenüber dem Landesherrn oder Furcht vor dem schlimmen eigenen Schicksal sind es, die die in der Rage bereits erhobene Hand gegen den Mordanstifter wieder sinken lassen. Es ist vielmehr neben dem rationalistischen Ideal der Vernünftigkeit die Überzeugung von der Existenz einer göttlichen Weltordnung, in die der Mensch nicht einzugreifen hat, die Odoardos Handlungsweise leitet. Sie delegieren die Gerichtsbarkeit über den fürstlichen Missetäter an Gott und verschieben seine Bestrafung auf den Sankt-Nimmerleins-Tag, in der vagen Hoffnung psychischer Selbstzermarterung des Schuldigen. Sie verweigert dem Menschen so das Recht auf Gerichtsbarkeit über seine Peiniger. Die als unmenschlich erkannte Hofwelt bleibt auf diese Weise unangetastet. Eingezwängt in die freiwillig akzeptierte Idee einer göttlichen Weltordnung, bleibt dem beherzten Odoardo in der gegebenen Situation nur noch die Möglichkeit, den Genuß des Mörders gewaltsam zu verkürzen. In der Ermordung seiner Tochter kommt dieses Handlungskonzept zu seinem grausamen Ende: Nicht der Mörder erhält seine

Strafe, sondern sein Opfer muß die Gerichtsbarkeit der Tugend mit dem Leben bezahlen. Eine barbarische Konsequenz, über die auch die religiösen Argumente vom zweiten, ewigen Leben der Tugendhaften nicht hinweghelfen. So endet der Versuch der Hofmüden, ihr Leben nach eigenem Maß und außerhalb des Hofes zu führen, in einem doppelten Blutbad: Appiani wird im Auftrag des Prinzen ermordet, und Emilia erleidet den Tod durch die Hand ihres geliebten Vaters. Damit kommt das Stück zu einem Ende, dessen einzige Aussicht die zeitweilige Entfernung Marinellis und die Bestrafung Odoardos ist. Alles andere bleibt beim alten, und bald kann sich der Kreislauf höfischen Lebens ungestört wieder in Bewegung setzen. Dieser eklatante Widerspruch zwischen dem vorgeführten Verbrechen des Prinzen und Marinellis einerseits und der selbstzerstörerischen Annahme von deren Unantastbarkeit durch Odoardo auf der anderen Seite macht das Werk für die zeitgenössischen bürgerlichen Schriftsteller sowohl von der weltanschaulichen Tendenz als auch vom ästhetischen Charakter her problematisch. Hier lag folgerichtig auch der Ausgangspunkt einer von Lessings Tragödienkonzept wegführenden Dramatik, aber auch der zeitgenössischen Kritik an Lessings Drama.

Schiller und Herder haben sehr deutlich auf das Problematische vor allem der Schlußwendung hingewiesen. In seinem Aufsatz „Über das gegenwärtige teutsche Theater" (1782) kommt Schiller besonders auf die dramenästhetische Seite des Problems zu sprechen. Der junge Dramatiker befragt die zeitgenössische, aber auch die weltliterarisch überkommene Tragödienliteratur nach ihrer Wirksamkeit unter den gegenwärtigen Bedingungen und gelangt auch in bezug auf Shakespeare und Lessing zu einer negativen Bilanz: „Gruppen des Entsetzens, unter deren Anblick die zarten Spinneweben eines hysterischen Nervensystems reißen. . . . Alles dieses, was wirkt es denn mehr als ein buntes Farbenspiel auf der Fläche, gleich dem lieblichen Zittern des Sonnenlichts auf der Welle. – Der ganze Himmel scheint in der Flut zu liegen. – Ihr stürzt euch wonnetrunken hinein, und – und tappt in kalt Wasser. . . . Werden darum weniger Mädchen verführt, weil Sara Sampson ihren Fehltritt mit Gifte büßet? Eifert ein einziger Ehemann weniger, weil der Mohr von Venedig sich so tragisch übereilte? ... Wenn Odoardo den Stahl, noch dampfend vom Blute des geopferten Kindes, zu den Füßen des fürstlichen *armen Sünders* wirft, dem er seine Mätresse so zugeführt hat – welcher Fürst gibt dem Vater seine geschändete Tochter wieder? – – Glücklich genug, wenn euer Spiel sein getroffenes Herz unter dem Ordensbande zwei- oder dreimal stärker schüttelt. – Bald schwemmt ein lärmendes Allegro die leichte Rührung hinweg."[24] Schiller rügt an Lessing die nicht in die Tiefe dringende, nur geringe moralische Veränderungen einleitende Wirkung seiner Dramen, deren extreme emotionale Wirkungsweise keine produktive Rezeption zuläßt. Er bringt vor allem die gesellschaftliche Folgenlosigkeit der Konfliktauflösung in Lessings Tragödie zur Sprache. Der Eleve der Hohen Karlsschule kennt die Mitleidslosigkeit seines Landesherrn zu gut, um nicht die Wirkungslosigkeit des Selbstopfers der Galottis auf dieses Publikum kritisch vermerken zu müssen. Er hält den im tragischen Untergang dieser Figuren verborgenen moralischen Appell an die Prinzen von Guastalla und die Karl Eugens wegen der moralischen Verwahrlosung und der hemmungslosen Genußsucht des Hofes für unangebracht, das gebrachte Opfer der Unschuldigen für zu hoch. Schiller merkt dies kritisch im Namen eigener dramatischer Versuche an, in denen der venezianische Bürger Verrina den verräterischen Okkupator der fürstlichen Macht Fiesco durch die eigene Hand mit dem Tode bestraft, in denen der Marquis Posa den niederländischen Rebellen gegen die spanische Krone das Wort redet und ihnen zu helfen sucht usw. Auch wegen der an Lessings Drama erkennbaren Schwächen wird bei ihm der noch allgemeine Moralismus Lessings durch einen auf die Gesellschaft gerichteten und aggressiven Moralismus abgelöst, durch den die herrschende Klasse bloßgestellt, aber auch bedroht wird. Der Verkauf der Landeskinder nach Amerika, die brutale Gewalt gegen die meuternden Soldaten bleibt bis zum Ende auf der dramatischen Szene von „Kabale und Liebe" und damit auf dem Schuldkonto der Herrschenden. Schillers Version des bürgerlichen Trauerspiels endet mit der Inhaftierung des adligen Missetäters und mit dem erzwungenen Wandel der fürstlichen Mätresse, nicht aber mit der Selbstaufopferung der Tugendhaften.

Herder knüpft an diese Linie der Kritik an. Er konzentriert sich bei der Würdigung des Werkes im 37. seiner „Briefe zu Beförderung der Humanität" vor allem auf dessen Perspektivgestaltung. Er lobt dort u. a. die von Diderot beeinflußte Darstellung der Ständezugehörigkeit des Prinzen von Guastalla und geht dann auf die Schlußwendung des Stückes ein: „Wie lange wird Marinelli entfernt seyn? d. i. wie bald wird er, wenn sein Dienst abermals brauchbar ist, wiederkehren? ... In wenigen Tagen, fürchte ich, hat er (der Prinz) sich selbst ganz rein gefunden, und in der Beichte ward er gewiß absolviret. Bei der Vermählung mit der Fürstin von Massa war Marinelli zugegen, vertrat als Kammerherr vielleicht des Prinzen Stelle, sie abzuholen. Appiani dagegen ist tot; Odoardo hat sich in seiner Emilia siebenfach das Herz durchboret, so daß es keines Bluturtheils weiter bedarf. Schrecklich!"[25] Herder vermerkt kritisch die falsche Perspektive der „Emilia": das Stehenbleiben des Stückes bei der Aufzeichnung sinnloser Aufopferung antifeudal gesinnter Menschen und unangetastet bleibender Hofverhältnisse, deren normaler Fortgang durch nichts gestört ist und trotz des offenbaren Verbrechens auch künftig ungestört verlaufen wird. Herder nimmt gegen das in der Schlußwendung entworfene Bild einer uneingeschränkt stabilen Feudalgesellschaft das Wort. Er polemisiert gegen Lessings Bild von der Feudalgesellschaft, die zwar als amoralisch erkannt ist, aber deren Veränderbarkeit nirgends ins Bild kommt. Von der Position seines historischen Denkens aus fixiert Herder die nunmehr unerläßliche Forderung an die antifeudal-bürgerliche Literatur, diese Veränderbarkeit auch der bestehenden deutschen Feudalverhältnisse literarisch einzubringen. Zur Einlösung der Herderschen Forderung war in der deutschen Literatur noch viel Arbeit zu leisten, die aber immer von dem Boden ausgehen konnte, den Lessings Stück bereitet hatte. Der späte Goethe hat sehr einleuchtend diesen Platz der „Emilia Galotti" in der deutschen Literatur des 18. Jahrhunderts bestimmt, wenn er in seinem

Brief vom 27. März 1830 an Freund Zelter schreibt: „Zu seiner Zeit stieg dieses Stück, wie die Insel Delos, aus der Gottsched-Gellert-Weißischen Wasserfluth, um eine kreisende Göttin barmherzig aufzunehmen. Wir jungen Leute ermuthigen uns daran und wurden Lessing deshalb viel schuldig.“[26]

Wolfgang Stellmacher

Die Neuentdeckung des Komischen in der Dramatik des Sturm und Drang

Der Sturm und Drang zählt zu den wenigen Perioden der deutschen Literaturgeschichte, die sich als ein relativ günstiger Nährboden für die Entstehung eines komisch-satirischen Dramas erwiesen. Zu den genreästhetischen Errungenschaften der Sturm-und-Drang-Dramatik gehören die neuartige Profilierung der Komödie zu einem auf die ganze Gesellschaft bezogenen kritischen Zeitstück, die Neubelebung einer im engeren Sinne operativen Dramatik in Gestalt der Farcen und Satiren sowie die philosophische Vertiefung komischer Gestaltungsformen der volkstümlichen Dramatik (Puppen- und Fastnachtsspiel) zu Ansätzen eines „Menschen- und Weltbefreiungsstücks“[1], womit der Weg gebahnt wird für das größte literarische Zeugnis der deutschen Klassik, für die „Faust“-Dichtung Goethes. Die so massive und vielfältige Erprobung komischer Gestaltungsweisen in der Dramatik des Sturm und Drang hängt eng zusammen mit der historischen Stellung und ideologisch-politischen Zielrichtung jener „deutschen literarischen Revolution“, von der Goethe im 11. Buch von „Dichtung und Wahrheit“ mit Bezug auf die Sturm-und-Drang-Periode spricht.[2]

Der Sturm und Drang war seinen Voraussetzungen und Grundtendenzen nach eingebettet in die immer vielgestaltiger und aggressiver werdenden Emanzipationskämpfe der bürgerlichen Klasse, die im Vorfeld der französischen Revolution von 1789 auf internationaler Ebene zu beobachten sind.[3] Goethe hat den untrennbaren Zusammenhang der literarischen Revolution des Sturm und Drang mit entsprechenden innerhalb und außerhalb der Literatur sich vollziehenden Vorgängen in verschiedenen Nachbarländern entschieden betont. Er hebt zunächst im 11. Buch von „Dichtung und Wahrheit" die fruchtbaren Anregungen hervor, die die Stürmer und Dränger durch das Schaffen der französischen Aufklärer – allen voran Diderot und Rousseau – erhielten.[4] In einem Schema zum 12. Buch von „Dichtung und Wahrheit" umreißt Goethe den politisch-geschichtlichen Kontext der Sturm-und-Drang-Bewegung durch folgende Stichworte: „Revolutionäre Symptome überall. Privatleute gegen ungerechte Richter. Voltaire, Calas, Lavater, Landvogt. Errichtung von Privattribunalen. Forderung der Publizität. Wie man die Fürsten verschüchtert, die Nachgiebigkeit einiger unbedingt lobt. Wo eigentlich die Foyers waren."[5] Als das entscheidende Charakteristikum im siebenten Jahrzehnt des 18. Jahrhunderts erkennt Goethe die in verschiedenen Ländern beinahe gleichzeitig gegebenen Signale eines antiabsolutistischen Widerstands, die, von Goethe als „Foyers"[6] bezeichnet, den Rahmen einer Privataktion überschritten, immer bewußter in die Öffentlichkeit getragen wurden und der allgemeinen Auflehnung gegen die alten feudalen Mächte dienten.

Im 12. Buch von „Dichtung und Wahrheit" geht Goethe dann auf den Zusammenhang von gesellschaftlichem Handeln und literarischem Gestalten in der zweiten Hälfte des 18. Jahrhunderts ein. Dabei werden wiederum Vorgänge in benachbarten Ländern in ihrer Beziehung auf die deutschen Verhältnisse gesehen und die in dem schon zitierten Schema gegebenen Stichworte näher ausgeführt. Wir lesen: „Voltaire hatte durch den Schutz, den er der Familie Calas angedeihen ließ, großes Aufsehen erregt und sich ehrwürdig gemacht. Für Deutschland fast noch auffallender und wichtiger war das Unternehmen Lavaters gegen den Landvogt gewesen. Der ästhetische Sinn, mit dem jugendlichen Mut verbunden, strebte vorwärts, und da man noch vor kurzem studierte, um zu Ämtern zu gelangen, so fing man nun an, den Aufseher der Beamten zu machen, und die Zeit war nah, wo der Theater- und Romanendichter seine Bösewichter am liebsten unter Ministern und Amtsleuten aufsuchte. Hieraus entstand eine halb eingebildete, halb wirkliche Welt von Wirkung und Gegenwirkung."[7]

Die erfolgreichen literarisch-juristischen Aktionen Voltaires und Lavaters zeigten eine symptomatische und folgenreiche Veränderung im Verhältnis von „Wirkung" und „Gegenwirkung" der verschiedenen sozialen Kräfte innerhalb der feudalen Gesellschaft an. Unter solchem Vorzeichen formierte sich in Deutschland der Sturm und Drang als eine gegenüber der vorangegangenen Aufklärungsperiode gesteigert polemische und politisch engagierte Bewegung. Daß bürgerliche Intellektuelle in Frankreich und in der Schweiz die feudalabsolutistische Gesellschaftsordnung in konkreten politisch-juristischen Kontroversen mit Erfolg herausgefordert hatten, stärkte nach Goethes Worten nicht nur den „jugendlichen Mut" der deutschen Stürmer und Dränger, sondern beeinflußte auch ihren „ästhetischen Sinn". Goethe weist im 12. Buch von „Dichtung und Wahrheit" auf die zu wesentlichen Teilen komisch-satirische Disposition der Sturm-und-Drang-Literatur hin. Er erkennt als neue Grundkomponenten im literarischen Schaffen des Sturm und Drang die offen kritische Auseinandersetzung mit konkreten Zeiterscheinungen, die in der Gesellschaft vorwiegend nach oben zielende Satire und die poetische Gestaltung von Konflikten, in denen neben der Provokation („Wirkung") auch die Replik („Gegenwirkung") erkennbar wird. Damit sind wesentliche Elemente genannt, die Eigenart und Struktur des komischen Konflikts bestimmen.[8] Das literarische Schaffen der Stürmer und Dränger bediente sich nach Goethes Worten der Dynamik des Komischen für den Reflex der Bewegung sozialer Antagonismen. Die in der Geschichte der bürgerlichen deutschen Literatur um 1770 liegende Zäsur ist in genreästhetischer Hinsicht durch die Ablösung der noch von Lessing voll behaupteten Vorherrschaft der Tragödie geprägt, die nunmehr ihren Platz mit komischen Genres teilen oder gar an diese abtreten muß.

Das Komische wurde von den ästhetischen Denkern traditionell übereinstimmend als künstlerischer Ausdruck eines spannungsgeladenen Kontrasts oder Widerspruchs begriffen, als künstlerische Objektivierung eines dynamischen Prozesses.[9] Diesen produktiven Denkansatz entwickelte Marx weiter, indem er zunächst in der „Einleitung zur Kritik der Hegelschen Rechtsphilosophie" (1844) und danach im „Achtzehnten Brumaire des Louis Bonaparte" (1852) den historischen Inhalt des von einer besonderen Dynamik geprägten komischen Konflikts beschrieb und den komischen Gegenstand objektiv historisch definierte. Marx bezog die spannungsreiche Polarität des komischen Konflikts auf die konkrete geschichtliche Ausprägung eines gesellschaftlichen Widerspruchs, als er entdeckte, daß bestimmte Verhältnisse komisch werden, wenn ihre Herrschaft von der historischen Entwicklung überholt wird und das geschichtlich Neue seine berechtigten Ansprüche geltend macht.[10] Dabei ist freilich nicht nur das historisch Überlebte komisch, sondern in jedem großen geschichtlichen Widerspruch sind auch auf der Seite des Neuen gewisse Elemente des Komischen angelegt.[11]

Die von Marx betonte Beziehung des Komischen zur objektiven Dialektik des Geschichtsprozesses ist von grundsätzlicher Bedeutung, denn sie faßt das Komische mit seinem Ausdruck von „Wirkung" und „Gegenwirkung" als Vermittlung der gesellschaftlichen Bewegung. Daraus wird verständlich, weshalb gerade die komische Literatur immer in besonderer Weise zeit- und wirklichkeitsbezogen war und eine spezielle Eignung für den Ausdruck zugespitzter Kontroversen in der Umgebung geschichtlicher Umschlagspunkte bewies. Das komische Drama stellt mit der ihm eigenen Wiedergabe des Prozeßhaften der dargestellten Vorgänge ein viel extensiveres und unmittelbareres Verhältnis zu den sozialen Kämpfen und Widersprüchen einer Epoche her als die Tragödie und erzeugt durch diesen extensiveren Wirklichkeitsbezug und Prozeßcharakter nicht selten einen besonders operativ-didaktischen Gestus, eine ausgeprägt aggressive Tendenz und offen engagierte Haltung gegenüber den bestehenden Verhältnissen. Das macht begreiflich, daß die jeweils Herrschenden in der komischen Literatur zu Recht immer eine besondere Gefahr erkannten, während sich andererseits aus dem gleichen Zusammenhang die ungemeine Beliebtheit erklärt, deren sich die komischen Darstellungsformen zu allen Zeiten in der volkstümlichen Literatur erfreuten.

Die enge Beziehung der komischen Dramatik zu den jeweils aktuellen sozialen Kämpfen und Widersprüchen, zu spezifisch nationalen Konflikten in einer bestimmten Periode,[12] war der bürgerlichen ästhetischen Theorie des 18. Jahrhunderts schon durchaus bewußt. Für den jungen Herder bestand ein wichtiger Unterschied zwischen Tragödie und Komödie in der Affinität der Komödie zum Zeitstück,[13] und schon fast ein halbes Jahrhundert zuvor hatte der Franzose Du Bos in seinem Werk „Reflexions critiques sur la poésie et la peinture" (Paris 1719) hervorgehoben, daß das Lustspiel die Schilderung solcher Charaktere und Umstände erfordert, die der Zuschauer im täglichen Leben antrifft. An Du Bos anknüpfend, bemerkte auch Johann Elias Schlegel, daß das Lustspiel weit mehr der realen Praxis des Lebens verpflichtet sei als die Tragödie. Schlegel argumentierte, daß, wenn man lachen soll, man nicht so gern über Torheiten lacht, die man nie gesehen hat, als über solche, die man täglich sieht.[14] Dieses Argument ist niemals ernstlich in Zweifel gezogen worden; wesentliche Unterschiede ergeben sich nur hinsichtlich der Konsequenzen, die aus dieser Einsicht gezogen wurden. Von den Vertretern einer realistischen und revolutionären Literatur ist die strikte Zeitbezogenheit des Komischen und vor allem des Satirischen immer zur engagierten Teilnahme an den sozialen Kämpfen der jeweiligen Zeit genutzt worden. Daraus folgten die theoretische Hochschätzung und die bewußte künstlerische Pflege komischer und satirischer Genres in Perioden zugespitzter sozialer Kämpfe.

Das Komische in der Kunst umschließt eine breite Palette von Gestaltungsmöglichkeiten, die alle ein jeweils bestimmtes Verhalten zu den Erscheinungen der Wirklichkeit ausdrücken (z. B. Satire und Humor, Ironie und Sarkasmus, Spott und Scherz). Von diesen unterschiedlichen komischen Gestaltungsweisen ist die Satire diejenige, die am schärfsten eine Kritik an bestehenden und fragwürdig gewordenen Verhältnissen bzw. Machtstrukturen vorträgt und das Publikum am wirksamsten gegen die kritisierten Verhältnisse mobilisiert. In der Satire verkörpert sich am entschiedensten die auf eine Veränderung der gesellschaftlichen Praxis gerichtete Intention des Komischen, das überkommene Herrschaftsformen und ihre Repräsentanten als „komisch“ und damit als besiegbar darzustellen vermag. Humanistische bürgerliche Dramatiker wie Gogol, Sternheim oder Shaw versicherten sich mit Vorliebe der Waffe der literarischen Satire und wußten sie virtuos zu handhaben, und Lunatscharski rühmte als sozialistischer Ästhetiker die das „soziale Gewebe“ enthüllende Tendenz der künstlerischen Satire.[15] Von Aristoteles ausgehend, verraten andererseits alle Theorien über das Komische, die von Ideologen der Ausbeuterklassen stammen, das ängstliche Bestreben, das Komische auf eine gesellschaftlich harmlose Spielhaftigkeit des Lachens festzulegen und die Satire auf jede mögliche Weise abzuwerten.[16] Die über viele Jahrhunderte hinweg zu verfolgende ästhetische Abwertung des Komisch-Satirischen ist Klassenwertung gegenüber der immanenten Möglichkeit des Komischen, durch Entzauberung der herrschenden Macht deren Besiegbarkeit und Veränderungsfähigkeit zu demonstrieren.[17]

Vor diesem Hintergrund offenbart die demonstrative Pflege komisch-satirischer Genres durch die Vertreter der „deutschen literarischen Revolution“ ihren gesellschaftlichen Gehalt. Lenz bekennt in den „Anmerkungen übers Theater“ im Namen seiner Freunde: „Nach meiner Empfindung schätze ich den Charakteristischen, selbst den Karikaturmaler zehnmal höher als den Idealischen.“[18] Der alte Goethe betont in einem zusammenfassenden Schema über die Jahre „Von 1770–1790“ das rebellisch-satirische Grundelement der Sturm-und-Drang-Literatur, indem er sie durch Attribute wie „unruhig“, „frech“, „Achtung verschmähend und versagend“ kennzeichnet.[19] Die eine „Versöhnung“ im Sinne Hegels[20] noch ausschließende volle satirische Herausforderung der bestehenden Welt erklärt sich bei den jungen Sturm-und-Drang-Dichtern aus der historisch begründeten ideologischen Bindung an ein vorrevolutionäres bürgerliches Citoyenideal und an ein Modell bürgerlicher Geselligkeit, das auf der humanistischen Utopie allgemeiner Freiheit, Gleichheit und Brüderlichkeit fußte und sich noch nicht auf die Sicherung bzw. Sublimierung sozialer Ambitionen der Bourgeoisie reduzierte. In den Augen der deutschen Stürmer und Dränger war genau wie in der Sicht der großen Aufklärer Diderot und Lessing der „Bürger" noch Repräsentant und Interessenvertreter der „Menschheit", aber im Unterschied zu Diderot und Lessing sahen sich die Stürmer und Dränger zunehmend einem „aufgeregten Zeitsinn" konfrontiert, einer „Welt von Wirkung und Gegenwirkung", die es nunmehr möglich und erforderlich machte, gezielt in den auf einen Wendepunkt zueilenden Lauf der Geschichte einzugreifen. Goethe hebt im Schema zum 13. Buch von „Dichtung und Wahrheit" als ein Hauptcharakteristikum der „Naturalistischen Epoche" des Sturm und Drang hervor, daß sie durch den Gebrauch komisch-satirischer Mittel in polemischer, ja herausfordernder Weise die in der feudalen Ständegesellschaft ausgedrückte soziale Wertung umkehrte und damit den Hegemonieanspruch der herrschenden Klasse drastisch zurückwies: „Die Bürger, Bauern und dergleichen als redliche Leute, und weil man doch Schelmen brauchte, so müssen die Minister, Hofleute, Justizbeamten diese Rolle übernehmen."[21] Der ausgeprägt antifeudale und immanent politische Gehalt in der Verwendung des Komischen und die satirische Herausforderung der feudalständischen Verhältnisse, beides basierend auf einem demokratischen Citoyenideal, werden hier ganz augenfällig.

Im 7. Buch von „Dichtung und Wahrheit" stellt Goethe sein eigenes Schaffen in der Sturm-und-Drang-Phase in Beziehung zur künstlerischen Praxis seines französischen Zeitgenossen Beaumarchais und bemerkt, daß sich in seinen frühen dramatischen Arbeiten ein an Beaumarchais beobachteter „verwegener Humor" ausspricht, „der sich im Augenblick überlegen fühlt, nicht allein keine Gefahr scheut, sondern sie vielmehr mutwillig herbeilockt". Solche von ausgelassenem „Übermut" diktierten „humoristischen Kühnheiten" hätten im Schaffen von Beaumarchais größte Wirkungen erzielt, wodurch der Mut der Stürmer und Dränger zu vergleichbaren literarischen Bemühungen angestachelt wurde.[22] Hier erscheint der komische Autor als der am meisten exponierte und eigentlich höchste Repräsentant der bürgerlichen Literatur, weil er als furchtloser Anwalt der Menschheit offen und herausfordernd gegen die politisch Herrschenden auftritt. Die Tendenz zum Komischen und zur Satire brachte im letzten Drittel des 18. Jahrhunderts auf internationaler europäischer Szene in Lustspielen oder Farcen das „Verwegene", ja politisch „Kühne" hervor, das sich bewußt mit der bestehenden Gesellschaft und ihren mächtigsten Repräsentanten anlegte und ein neues Selbstbewußtsein der literarischen bürgerlichen Intelligenz gegenüber dem feudalen Absolutismus bezeugte.[23]

Die jungen bürgerlichen Schriftsteller der Sturm-und-Drang-Generation experimentierten voller Schaffensfreude mit den einzigartigen Möglichkeiten der komisch-satirischen Literatur in ihrem Kampf gegen die alte Feudalordnung. Sie gingen mit großer Begeisterung daran, das seit Jahrhunderten von den Ideologen der herrschenden Klasse ästhetisch diskreditierte Komische neu zu entdecken und sich als eine wirksame Waffe anzueignen. Man kann ohne Übertreibung sagen, daß sich auf dem Gebiet der Literatur der dynamische Prozeß der bürgerlichen Emanzipation im 18. Jahrhundert am deutlichsten in der Umwandlung, steigenden Wertschätzung und unverkennbaren Ausbreitung der Komödie spiegelt. Dieser Prozeß erreichte im Sturm und Drang einen Höhepunkt. Hier gewannen die grundlegenden Veränderungen, die die Komödie im Verlauf der Aufklärung bereits erfahren hatte,[24] eine entschieden neue Qualität. Im Zuge dieser Entwicklung wurde der Feudalklasse ein ideologisches Herrschaftsinstrument entwendet, dessen sie sich viele Jahrhunderte hindurch bedient hatte – die soziale Eingrenzung des Komischen als Mittel gesellschaftlicher Steuerung des literarischen Schaffens durch die herrschende Klasse. Besonders die dramentheoretischen Überlegungen und Vorstöße Diderots gaben den Diskussionen um ein zeitgemäßes bürgerliches Lustspiel in Deutschland einen starken Auftrieb[25] und blieben lange tragfähig. Diderots rigorose Abkehr von der dramatischen Theorie des Aristoteles und des sich auf Aristoteles stützenden französischen Klassizismus, namentlich in bezug auf die Bestimmung der Komödie, erleichterte den deutschen Stürmern und Drängern in entscheidender

Weise den Vorstoß zu einer neuen realistischen Dramatik. Sowohl Diderots Vorstöße in Richtung einer „ernsthaften" Komödie als auch die von ihm gegebenen Hinweise für den Gebrauch des Komischen als Waffe gegen die „Bosheit"[26] der politisch Mächtigen spielten für die weitere Entwicklung der bürgerlichen Literatur in Deutschland eine wesentliche Rolle. In der im Vergleich zur Lessingzeit veränderten politisch-gesellschaftlichen Konstellation war für die Stürmer und Dränger eine große Poesie ohne Elemente des Komischen nun bald nicht mehr denkbar. Hatte Herder in den Ergänzungsblättern des „Journals meiner Reise" schon die unmittelbar an Diderot anknüpfende Forderung nach einer „honetten Komödie" aufgegriffen, die im Unterschied zum bloß burlesken oder rein satirischen Lustspiel alten Stils heterogene Bausteine zu einer differenzierten Wiedergabe der Wirklichkeit zusammenfaßt, so gestalteten Goethe in „Götz von Berlichingen" und Schiller in „Kabale und Liebe" ein Bild der Welt nur noch unter Einbeziehung konzeptionell wichtiger komisch-satirischer Sujetteile.[27] In der Hauptsache aber schufen Goethe im „Neueröffneten moralisch-politischen Puppenspiel" und Lenz in seinen sozialkritischen Komödien bedeutsame Beispiele komischer Genres, die sich den objektiv relevanten Gegenwartsproblemen zuwandten und die verschiedensten Bereiche der Wirklichkeit musterten. Die bürgerlichen Autoren eigneten sich in der Komödie die Welt allseitig an und nutzten dabei die vom Genre gebotenen Möglichkeiten einer, wie Goethe es nannte, „mutwilligen" bzw. „verwegenen" Kritik und Wertung. Es führt eine unübersehbare Kette gegenseitiger Anregung und Unterstützung von Diderot und seinen in Frankreich wirkenden Nachfolgern Mercier und Beaumarchais über Herder, Goethe, Lenz zu Schiller, die das einheitliche und gemeinsame Streben der bürgerlichen Schriftsteller verrät, sich der feudalen Gesellschaft zu widersetzen und dem Prozeß bürgerlicher Weltveränderung mit Hilfe der Literatur auf möglichst effektive Weise Impulse zu geben. Die Eroberung des Komischen und auch des Satirischen durch die bürgerlichen Schriftsteller erwies sich dabei als ein entscheidender Faktor. In Schillers

Mannheimer Rede über die Schaubühne aus dem Jahre 1784 finden sich die von Diderot ausgehenden und von Mercier sowie in der ersten Phase des Sturm und Drang weiterentwickelten dramaturgischen Vorstellungen neu zusammengefaßt und entsprechend den gewachsenen historischen Erfahrungen und Einsichten vor allem politisch deutlicher akzentuiert. Schiller stützte sich dabei unmittelbar auf das von Louis-Sébastien Mercier in seinem „Neuen Versuch über die Schauspielkunst" (1773) vorgetragene revolutionäre Kunstprogramm, demzufolge die bürgerlichen Gelehrten und Schriftsteller unverhohlen einen Führungsanspruch innerhalb der Nation anmeldeten, denn als die „nützlichsten Bürger" und entschlossensten Gegner der „Tyrannen" müßten sie „am Ende nothwendig Staatsmännern und Königen die Lehren vorschreiben, welche die Grundlagen der allgemeinen Glückseeligkeit seyn sollen"[28]. In Anlehnung an die so geforderte nationale Führungsrolle der bürgerlichen Schriftsteller entwickelte Schiller mit großem Engagement das Programm der „Gerichtsbarkeit der Bühne" gegenüber der bestehenden feudalen Wirklichkeit, er forderte vom dramatischen Dichter die Haltung eines „feurigen Patrioten", der die Bühne zum „Wegweiser durch das bürgerliche Leben" erhebt, und er gab in diesem Zusammenhang „nach dem Maß der erreichten Wirkung" dem Lustspiel den Vorrang vor dem Trauerspiel.[29]

Die seit etwa zwei Jahrzehnten geführte Diskussion um ein zeitgemäßes bürgerliches Drama zusammenfassend, entwickelt Schiller in seiner Mannheimer Rede den Plan einer nationalen Bühne mit der Priorität des komisch-satirischen Theaters, das auf die Konflikte, Kämpfe und Hoffnungen der bürgerlichen Klasse im Vorfeld der französischen Revolution Bezug nimmt. Ein wichtiges Merkmal des komischen Dramas erkannten die bürgerlichen Schriftsteller in der optimistischen Konfliktlösung, durch die dem bürgerlichen Publikum von der Bühne herab eine direkte Ermunterung vermittelt werden konnte. Dieses Element von Bestätigung und positiver Idealsetzung, das in Schillers Formulierung vom „Wegweiser durch das bürgerliche Leben" mit angesprochen wird, war von außerordentlichem Wert in einer Periode zugespitzter und erfolgverheißender Kämpfe der bürgerlichen Klasse im Finalstadium des feudalen Absolutismus.[30] Doch verabsolutiert oder auch nur überschätzt werden darf dieses Element dennoch nicht. Die das Publikum im Sinne der bürgerlichen Ziele mobilisierende Kraft des Komischen verwirklicht sich gleichermaßen auch (und manchmal allein) in der vernichtenden Wirkung des Lächerlichen. Die von Schiller angesprochene „Gerichtsbarkeit der Bühne" basiert auf dem wertenden Charakter, der dem Komischen ursprünglich eigen ist und der sich im Lachen, oft im tödlichen Verlachen, massiv äußert.

Die Bevorzugung komischer Genres erklärt sich auch dadurch, daß die Stürmer und Dränger sich nicht mehr wie die Aufklärer vorwiegend an ein „gebildetes" Publikum wandten, sondern daß sie sich um eine allgemeine gesellschaftliche Kommunikation bemühten, die vom literarischen Kunstwerk ausgelöst oder vermittelt werden sollte. Im Rahmen der nunmehr geforderten Ausrichtung der bürgerlichen Literatur auf die gesamte Nation oder, wie Schiller in seiner Mannheimer Schaubühnen-Rede formulierte, auf „alle Stände und Klassen", kam dem Erreichen auch der unteren sozialen Schichten eine besondere Bedeutung zu. Diesem Umstand mußten die Stürmer und Dränger in ihrem literarischen Schaffen Rechnung tragen, er zwang sie zu genauen Überlegungen bei der Wahl des Gegenstandes, des Genres und des Ausdrucks: „Doch bitte ich Sie sehr zu bedenken", schrieb Lenz an Sophie von La Roche im Juli 1775, „daß mein Publikum das ganze Volk ist; daß ich den Pöbel so wenig ausschließen kann, als Personen von Geschmack und Erziehung, und daß der gemeine Mann mit der Häßlichkeit feiner Regungen des Lasters, nicht so bekannt ist, sondern ihm anschaulich gemacht werden muß, wo sie hinausführen."[31]

Die von den Vertretern der „deutschen literarischen Revolution" beabsichtigte ästhetische Kommunikation gerade auch mit dem „Volk" erforderte eine sorgfältige Berücksichtigung und Ausbildung der künstlerischen Rezeptionsmöglichkeiten und -gewohnheiten des Volkes. Auf die Probleme, die sich den Stürmern und Drängern dadurch stellten, ist Lenz in der Selbstrezension seines „Neuen Menoza“, die 1775 in den „Frankfurter Gelehrten Anzeigen“ erschien, näher eingegangen. Er verteidigte darin sein Stück gegen die Vorwürfe Wielands im „Teutschen Merkur“ vom November 1774, daß der „Neue Menoza“ keine Komödie, sondern eine verworrene Fehlgeburt der theatralischen Kunst sei. Lenz macht deutlich, daß Wielands Unverständnis seinem Stück gegenüber mit der unterschiedlichen sozialen Orientierung von Kritiker (Wieland) und Autor (Lenz) zu tun hat. Er erklärt zunächst: „Ich nenne durchaus Komödie nicht eine Vorstellung, die bloß Lachen erregt, sondern eine Vorstellung, die für jedermann ist.“[32] Lenz erinnert daran, daß speziell die Komödien zu allen Zeiten Schaustücke für das Volk waren, so daß ihr Charakter dem jeweiligen Entwicklungsstand der Menge entsprechen müsse und nicht durch den Spruch gelehrter ästhetischer Gesetzgeber bestimmt werden könne. Lenz führt aus: „Komödie ist Gemälde der menschlichen Gesellschaft, und wenn die ernsthaft wird, kann das Gemälde nicht lachend werden. Daher schrieb Plautus komischer als Terenz und Moliere komischer als Destouches und Beaumarchais. Daher müssen unsere deutschen Komödienschreiber komisch und tragisch zugleich schreiben, weil das Volk, für das sie schreiben, oder doch wenigstens schreiben sollten, ein solcher Mischmasch von Kultur und Rohigkeit, Sittigkeit und Wildheit ist. So erschafft der komische Dichter dem Tragischen sein Publikum.“[33]

Hier werden die Notwendigkeit und Vorrangstellung des komischen Dramas in der Gegenwart damit begründet, daß nur mit seiner Hilfe der Zugang zu den plebejischen Schichten des Publikums gewonnen werden kann. Mit der beabsichtigten Einbeziehung des Volkes in die bürgerlichen Literaturverhältnisse schufen sich die Stürmer und Dränger gegenüber der gelehrten Aufklärung eine neue Ausgangsposition, die grundsätzlich neue ästhetische Überlegungen bedingte und erforderte. Das betrifft sowohl die Ablösung der noch von Lessing uneingeschränkt behaupteten Vorrangstellung der Tragödie durch komische Genres als auch die Modifizierung der traditionellen Gattungen und Genres selbst. Im Bereich der Dramatik zogen jetzt besonders die vielfältigen Erscheinungen des komisch-satirischen Volkstheaters das Interesse der Stürmer und Dränger auf sich. Der junge Herder übernahm auch hier eine Mentorrolle. Er wies seine Freunde und Mitstreiter nachdrücklich auf das im 312. Literaturbrief von Mendelssohn zu Unrecht geschmähte sogenannte niedere Lustspiel hin, das in der Adaption durch Aristophanes und Plautus, auf dem italienischen Theater und auch bei Shakespeare seinen wirklichen Reichtum offenbare. Herder distanzierte sich von jedem gelehrten Vorurteil und forderte die bürgerlichen deutschen Schriftsteller auf, die Möglichkeiten der niederen Komik erst einmal gebrauchen zu lernen. Deshalb setzte er sich ein für die Rehabilitierung des Harlekins, des Grotesk-Komischen und des Burlesken.[34]

Das komische Volkstheater war in unzähligen Modifizierungen vom Anbeginn geschichtlicher Überlieferung bis in die Gegenwart der Stürmer und Dränger hinein in allen Ländern in irgendeiner Gestalt lebendig und wirksam. Dabei wies es ungeachtet seiner jeweils spezifischen Erscheinungsform konstante Stilmerkmale auf. Dazu gehörte vor allem seine konkrete Zeit- und Wirklichkeitsbezogenheit, die sich in der Genauigkeit der Lebensbeobachtung, in dem hohen, fast dokumentarischen Realitätsgehalt niederschlug. Das komische Volksdrama schuf zahlreiche satirisch überspitzte und doch lebensnahe typenhafte Figuren, durch die ebenso übermütig wie engagiert-polemisch die Lebensansichten des Volkes vorgetragen wurden.[35] Die faszinierende Wirkung des komischen Volksdramas auf die Massen war eine Folge seiner Fähigkeit, alle jeweils aktuellen Probleme aufzugreifen und das die Menschen unmittelbar Bewegende aus- und anzusprechen. Es vereinte in einem bunten Kaleidoskop Phantastisches und Reales, Tragisches und Komisches, Gegenwärtiges und Vergangenes. Auf der kuriosen Schaubude des Volkstheaters oder auf der Szene des Marionettenspielers erschienen Götter und Teufel, König und Bauer, Held und Narr, um in wechselnden Episoden ein dem Volk gemäßes, streitbar-polemisches Bild der Welt entstehen zu lassen. In bewußter Aufnahme und schöpferischer Anlehnung an dieses reiche Erbe des komischen Volkstheaters, an die Fastnachts-

und Marionettenspiele, Schwänke und Hanswurstiaden, aber auch an deren Widerschein in Stücken von Plautus und Hans Sachs, schufen die Stürmer und Dränger eine für alle Seiten des Lebens offene, streitbare komische Dramatik, von der sie sich eine Wirkung auf breite Publikumsschichten versprachen. Goethe hat Lenz sehr ermutigt, seine „Lustspiele nach dem Plautus" (1772/73) immer konsequenter auf die zeitgenössischen deutschen Verhältnisse zu beziehen. Im Brief an Salzmann vom 6. März 1773 begrüßte Goethe die Plautusbearbeitungen von Lenz, weil sie erstmals wieder nach der Vertreibung des Hanswurst „Munterkeit" und „Bewegung" statt „Sittlichkeit und langer Weile" aufs Theater brächten.[36]

Die Rezeption des Plautus und des Hans Sachs[37] markierte wesentliche Stationen des entschlossenen Bemühens der Stürmer und Dränger, sich des von der herrschenden Ästhetik lange unterdrückten und verachteten Erbes der niederen Komik zu versichern. „Das niedrige Lustspiel ist das reichste", hatte Herder schon in seiner Rigaer Zeit verkündet,[38] und im „Journal meiner Reise" häufen sich die Hinweise auf den hohen Rang und Vorbildcharakter der italienischen Komödie, die direkt aus der plebejischen Posse hervorgegangen war und in der Commedia dell'arte zum europäischen Modellfall einer im Volk verwurzelten und das Volk faszinierenden komisch-satirischen Dramatik wurde. Herder übernahm von Diderot den Gedanken, daß die Komödie die den bestehenden Gesellschaftsverhältnissen gemäße dramatische Form sei (die „Komödie nähert der Monarchie, Tragödie der Republik"[39]), und er wollte das komische Drama den neu entstandenen Bedingungen des antifeudalen Kampfes anpassen. Herder faßte an der Schwelle zum Sturm und Drang das Konzept einer zeitgemäßen bürgerlichen Dramatik in der programmatischen Losung zusammen: „Die Komödie vom Italiener, die Tragödie vom Engländer, in beiden die Französische Feile hinten nach, welch ein neues Theater!"[40] Das nach Herders Meinung von den bürgerlichen Dichtern des Sturm und Drang zu schaffende „neue Theater" mußte von den Erfahrungen und Vorleistungen der bürgerlichen und plebejischen Literatur ausgehen, ohne die dem Volkstheater ursprünglich eigene Naivität zu teilen und die neuen Einsichten der „modernen" Zeit zu verleugnen („französische Feile").

Die Stürmer und Dränger erprobten in zahlreichen Experimenten die Möglichkeit, eine zeitkritische komische Dramatik zu schaffen, die sich bestimmter Stilmittel und Wirkungsmechanismen des Volkstheaters bediente, aber gleichzeitig die Improvisation und Spontaneität durch eine bewußte künstlerische Komposition und Gestaltung ersetzte. Daß viele dieser Experimente fehlschlugen, kann freilich nicht verwundern. Die bürgerlichen Intellektuellen der Sturm-und-Drang-Bewegung unterhielten – vielleicht Bürger ausgenommen – in der Praxis keine dauerhaften Beziehungen zu den plebejischen Schichten, sondern standen trotz aller gut- und ernstgemeinten Bekenntnisse dem Volk als gelehrte Beobachter gegenüber und konnten es nicht tatsächlich und auf Dauer an sich binden und in den eigenen ästhetischen Kommunikationskreis einbeziehen. Noch viel schwerwiegender war jedoch, daß die Stürmer und Dränger sich als entschiedenste Streiter gegen die feudalabsolutistischen Verhältnisse weitgehend auf sich allein gestellt sahen und in der zeitgenössischen Wirklichkeit keinen Rückhalt bei einer sich zum Kampf organisierenden Klasse fanden. Dieser die Situation in Deutschland grundsätzlich kennzeichnende Umstand markierte einen wichtigen Unterschied zur Lage in Frankreich und zwang die Stürmer und Dränger zu einer im wesentlichen ideell-weltanschaulichen Reflexion des erkannten Epochenwiderspruchs in einer stark weltanschaulich bestimmten Literatur, in der der bürgerliche Autor sich selbst als die über die Welt urteilende und richtende Instanz darstellte. Es entsprach somit den in Deutschland gegebenen Verhältnissen, wenn Goethe im „Neueröffneten moralisch-politischen Puppenspiel" spezifisch volkstümliche Poesietraditionen (Puppen-, Jahrmarkts-, Fastnachtspiel) in den Rang einer komisch strukturierten bürgerlichen Weltanschauungsdichtung hob und damit den Weg zum späteren Faustdrama einschlug. Goethe nahm die Einschränkung der Kommunikationsmöglichkeit mit einem breiten Publikum bewußt in Kauf, während Lenz im Falle des „Neuen Menoza" erst durch schmerzhafte praktische Erfahrungen von anfänglichen Illusionen über die Wirkungsmöglichkeiten des bürgerlichen Autors auf die Volksmassen befreit werden konnte.

Das Anknüpfen der Stürmer und Dränger an die durch die gelehrte Aufklärung zurückgedrängten volkstümlichen Literaturtraditionen bewirkte also nicht einfach eine Renaissance der plebejischen Kultur, sondern verhalf vielmehr einer neuen Entwicklungsstufe der antifeudalen bürgerlichen Literatur zum Durchbruch. Die Stürmer und Dränger schufen in einer Reihe von Werken Ansätze einer großen komischen Dramatik, in der sie die Wirklichkeit komplex abbildeten, dem historisch Überlebten oder Unangemessenen eine heftige „Gegenwirkung" entgegensetzten und kampfeslustig in zeitgenössische Auseinandersetzungen eingriffen. Die Stürmer und Dränger errichteten mit ihren vielfältigen Proben einer neuartigen komischen Dramatik ein literarisches Tribunal, von dem aus sie dem Publikum ihren Urteilsspruch über wesentliche Vorgänge und Erscheinungen der Zeit verkündeten. In ihren Werken rangen sie streitbar um die Durchsetzung ihrer Positionen und sagten solchen Zeitgenossen den Kampf an, die nach ihrer Meinung hinter den Forderungen der Zeit zurückblieben und sich ihrem Wirken entgegenstellten. Solche Werke, die gegenwärtige Personen und Verhältnisse öffentlich vor den Richterstuhl der bürgerlichen Autoren riefen und satirisch bloßstellten, waren in erster Linie Goethes „Neueröffnetes moralisch-politisches Puppenspiel", „Der neue Menoza" von Lenz und Klingers „Sturm und Drang", das der ganzen Literaturbewegung den Namen gab. Diese Werke waren eingebettet in eine vielfarbige Palette in rascher Folge entstehender Kleinkomödien, Farcen und persönlicher Satiren, so daß die komisch-satirische Dramatik in ihrer lebendigen Vielfalt im Sturm und Drang einen neuen Höhepunkt in der deutschen Literatur erreichte.

Die theoretische Bestimmung wesentlicher Züge des neuen poetischen Stils der „deutschen literarischen Revolution" hat Herder in einem frühen Aufsatzfragment über die Ode gegeben, wo er bündig erklärt: „Des eigentlichen Dichters Trieb ist *Wuth.*"[41] Mit seiner Sentenz „Bei lebendigen Vorfällen in Poetische Wuth zu gerathen ... ist das Originalgenie eines Idealpoeten“[42] umriß Herder die poetologische Maxime, die den aufblühenden komisch-satirischen Genres im Sturm und Drang die Richtung wies und die vor allem in den herausfordernden Kleinkomödien, Farcen und Satiren des jungen Goethe ihre künstlerische Entsprechung fand. Mit seinem Leuchsenring-Porträt im „Fastnachtsspiel vom Pater Brey“ (1773), seiner Farce „Götter, Helden und Wieland“ (1773) und mit seinem satirischen Dialog gegen den Gießener Theologen und Philologen Karl Friedrich Bahrdt („Prolog zu den neusten Offenbarungen Gottes“, 1774) schuf Goethe Beispiele einer persönlichen Scheltpoesie, die den Kontrahenten z. T. sogar unter seinem wirklichen Namen angriff und in der Regel auf ganz bestimmte Ereignisse Bezug nahm. Bei Goethe erreichte die gegen eine bestimmte Person gerichtete komisch-satirische Dramatik eine neue Qualität gegenüber dem Gebrauch der persönlichen Satire in der gelehrten Aufklärung.[43] Die poetisch gestaltete Kontroverse erschöpfte sich nicht mehr in der Reflexion eines nur weltanschaulichen, moralischen oder ästhetischen Gegensatzes, sondern die persönliche Invektive stieß zu einer quasi halböffentlichen politischen Kritik vor, die zumindest ansatzweise das Verhalten des Kontrahenten in seinem politisch-gesellschaftlichen Bezug kenntlich machte.

Die Ausrichtung der Literatur auf „lebendige Vorfälle“ des Lebens, die Anstoß zu „poetischer Wut“ gaben, galt aber nicht nur für die im engeren Sinne operativen Genres. Sie war für die Literatur insgesamt verbindlich, woraus sich einschneidende Folgen für die Struktur des poetischen Kunstwerkes ergaben. Namentlich im Bereich des Dramas stellten sich komplizierte dramaturgische Probleme. Es erwies sich nämlich, daß die noch von Lessing kanonisierte aristotelische Dramenform die soziale Vielschichtigkeit und den prozeßhaften Charakter der Geschichte nicht abbilden konnte und deshalb abgelöst werden mußte durch einen dramatischen Formtyp, der gleichermaßen in der Lage war, die Individualität, Vielfalt und Dynamik des Lebens abzubilden. Die Entstehungsgeschichte des „Götz von Berlichingen“ belegt die Schwierigkeit dieser Aufgabe. Goethes „Götz von Berlichingen“ zeigt aber zugleich auch, daß die Stürmer und Dränger sich eng an das bewunderte Vorbild Shakespeares anlehnten, dessen Stücke zum großen Teil ebenfalls aus einem extensiven Wirklichkeitsbezug und dem direkten Engagement in konkreten Tageskämpfen hervorgegangen waren.[44]

Shakespeare übte auf die Stürmer und Dränger eine nicht endende Faszination aus.[45] Dem Scharfblick Herders war es nicht entgangen, daß das frühbürgerliche Nationaldrama Shakespeares seine eigentümliche Prägung durch die Verwurzelung im englischen Volkstheater erhalten hatte, durch die Beziehung zu „Geschichte ... Zeitgeist, Sitten, Meinungen, Sprache, Nationalvorurteilen, Traditionen und Liebhabereien" seiner englischen Heimat, durch die Herkunft „aus Fastnachts- und Marionettenspiel".[46] Die genetische Beziehung der Stücke Shakespeares zum englischen Volkstheater einerseits und die künstlerische Auseinandersetzung mit allen Bereichen der zeitgenössischen Wirklichkeit andererseits ließen ein vieldimensionales Zeitgeschichtsdrama entstehen, dessen Merkmale Herder beschrieb, indem er an Shakespeare hervorhob: „Er dichtete also Stände und Menschen, Völker und Spracharten, König und Narren, Narren und König zu dem herrlichen Ganzen!"[47] Mit der Parallelität von „königlichem" und „närrischem" Spiel schlug Shakespeare, wie Lenz in den „Anmerkungen übers Theater" feststellt, „ein Theater fürs ganze menschliche Geschlecht auf, wo jeder stehen, staunen, sich freuen, sich wiederfinden konnte, vom obersten bis zum untersten"[48]. Die Shakespeareschen Dramen boten in den Augen der Stürmer und Dränger hervorragende Muster, weil sich in ihnen eine auf die gesamte Nation bezogene poetische Konzeption verwirklichte, die speziell auch die unteren Volksschichten als Gegenstand und Adressat der künstlerischen Darstellung einschloß.

Durch die Rezeption Shakespeares gewannen die Stürmer und Dränger Zugang zu einer auf dem Volkstheater fußenden, marionettenspielartigen Dramatik von hohem nationalem Gehalt. Herder wurde nicht müde, Shakespeare als einen „Nachahmer der Natur" zu preisen, der „eine Welt von Personen und Umständen" poetisch ins Bild setzte und dieses zugleich „tragisch und komisch, feierlich und leichtsinnig"[49] gestaltete. Herder verwies darauf, daß Shakespeare mit Hilfe tragischer und komischer Gestaltungselemente ein komplexes und perspektivisch angelegtes Weltbild vermittelt, daß er in seinen Stücken die Polarität der antagonistisch gesetzten sozialen Ebenen und Figuren (König und Narr, Aristokrat und Volk) dazu benutzte, die Widersprüche der Wirklichkeit aufzuspüren und die daraus entstehende Bewegung der Geschichte zu zeigen. Gerade durch die Beachtung und Würdigung der komischen Gestaltungszüge im „schönen Raritätenkasten“[50] des Shakespeareschen Dramas erhielten die Shakespearerezeption des Sturm und Drang und die von ihr ausgehende allgemeine ästhetische Diskussion so herausfordernd antifeudale Akzente.[51] Das Gleiche gilt von dem im Zeichen Shakespeares entstehenden dramatischen Schaffen der Stürmer und Dränger, das durch die Vermischung des Tragischen und des Komischen, das Abtasten verschiedener Wirklichkeitsbereiche, das Wechseln der ästhetischen Stilebene und die mosaikartige Zusammensetzung eines umfassenden Zeitbildes gekennzeichnet ist. Mit der von dem volkstümlichen Raritätenkasten abgeleiteten und an Shakespeare bewunderten dramatischen Kompositionsweise machten die Stürmer und Dränger dem Auge des Betrachters zugänglich, was ihm sonst verborgen blieb. Sie ließen ihr Publikum gleichsam hinter die Kulissen der Geschichte schauen und versetzten es damit in eine Position der Überlegenheit, von der aus komische Reflexionen und Darstellungen möglich wurden. Indem die wechselseitige Beziehung der verschiedenen Stände zueinander gezeigt wurde, konnte auch enthüllt werden, in welchem Verhältnis Anspruch und Realität geschichtlicher Größe in Wahrheit standen. Diese in der Shakespeareschen Dramaturgie liegende enthüllende und wahrhaft komische Potenz, die z. B. der Puppenspielprolog von Goethe mit dem Lachen des „kleinen Mannes“ über das Stolzieren des Hochgestellten direkt anspricht, offenbart die revolutionäre Energie und die polemische Kraft, die in der „deutschen literarischen Revolution“ in Zusammenhang mit der Eroberung bzw. Neubelebung komischer Strukturen und Gestaltungsintentionen freigesetzt wurden.

Die Hinwendung zur Dramaturgie des „Raritätenkastens“

bewirkte eine antiaristotelische Tendenz, die die komische Dramatik des Sturm und Drang an sich schon deutlich von der Lustspielpoetik der Aufklärung absetzte. Doch es gab darüber hinaus noch einen sehr prägnanten und spezifischen Unterschied zur herkömmlichen Komödie. Für Gottsched, Schlegel, Gellert und auch noch für Lessing standen einheitlich die ansonsten unterschiedlich bestimmten und angelegten Charaktere im Mittelpunkt des komischen Dramas. Lessing verkündete im 51. Stück der „Hamburgischen Dramaturgie" bündig, daß „in der Komödie die Charaktere das Hauptwerk, die Situationen aber nur die Mittel sind, jene sich äußern zu lassen und ins Spiel zu setzen"[52]. Die Stürmer und Dränger vertraten in dieser Frage nun den genau entgegengesetzten Standpunkt. Lenz erklärte in den „Anmerkungen übers Theater": „Die Hauptempfindung in der Komödie ist immer die Begebenheit, die Hauptempfindung in der Tragödie ist die Person, die Schöpfer ihrer Begebenheiten."[53] Dem stimmte Herder noch in seiner Abhandlung über das Lustspiel zu, die 1801 im vierten Stück der „Adrastea" erschien. Herder erkannte dort selbst in ausgeprägten „Charakterstücken" wie Molières „Geizigem" und „Tartuffe" die „Situationen" als das Wesentliche und forderte: „Gebt uns Handlung: wir sind im Lustspiel; nicht in der *Charakterbuchstabierschule.*"[54] In der Ablehnung der Charakterkomödie durch die Stürmer und Dränger offenbart sich keineswegs ein abstrakt typologischer Gegensatz zur Dramaturgie der Aufklärung,[55] in ihr drückt sich vielmehr der Wille der Sturm-und-Drang-Dichter aus, die besonderen Möglichkeiten des Komischen in der Gestaltung geschichtlich-sozialer Konflikte und gesellschaftlicher Prozesse zur Geltung zu bringen. An diesem Punkt ergab sich ein auffallender und von den Stürmern und Drängern genau erkannter Berührungspunkt und eine Strukturverwandtschaft mit dem Volkstheater, das – wie etwa die Commedia dell'arte – sich gleichfalls der Handlungs-, Begebenheits- oder Situationskomödie bediente und auf diese Weise eine so treffsichere und vielseitige zeitkritische Potenz gewann.[56]

Die Bemühungen der Sturm-und-Drang-Dichter zielten darauf, mit der in den vielfältigen Formen des Volkstheaters und in vielen Stücken Shakespeares benutzten Dramaturgie eines komischen Ensembledramas (Raritätenkasten) in die literarisch-ideologischen Kämpfe im letzten Drittel des 18. Jahrhunderts einzugreifen. Deshalb behielten die Stürmer und Dränger neben Shakespeare immer auch ihren Zeitgenossen Diderot mit seinen dramaturgischen Vorstößen im Auge, aber eine besondere Bedeutung erlangte für sie Diderots Nachfolger Louis-Sébastien Mercier, der 1773 in seinem „Neuen Versuch über die Schauspielkunst", einer „Theaterschrift vorrevolutionären Charakters"[57], die auch die Stürmer und Dränger bewegenden Fragen auf gleicher historischer Entwicklungsstufe reflektierte. Ohne Werner Krauss zu folgen, wenn er überspitzt urteilt, daß der „gesamte deutsche Sturm und Drang" sein ästhetisches Bewußtsein den Schriften Merciers verdankt,[58] muß doch die für die Stürmer und Dränger ungemein wichtige Auseinandersetzung mit dem Mann in Rechnung gestellt werden, der sich in Frankreich nach Diderot als der wesentliche Theoretiker des bürgerlichen Dramas darstellte.

Mercier repräsentierte die ästhetische Flanke der in Frankreich entstandenen „Foyers". Er ging von zwei Grundgedanken aus: Das bürgerliche Drama durfte sich, wenn es den historischen und politischen Forderungen der Gegenwart entsprechen wollte, nicht mit Detaildarstellungen begnügen, sondern es mußte die ganze Welt abbilden, und dieses Bild der Welt mußte von historischer Verbindlichkeit sein und die gegenwärtigen Zeitverhältnisse angemessen ausdrücken. Mercier forderte vom bürgerlichen Drama die Darstellung des für die Gegenwart gültigen Epochenbildes. Das Drama sollte ein Widerschein von den Dingen sein, „die die Nation in Bewegung setzten", es hatte darzustellen, „woran ganz Europa Theil nimmt".[59] Auf diesem Wege suchte Mercier den erneuten Zugang zu einer politischen Bühnenkunst, wie sie in der griechischen Antike existiert hatte, ehe sie danach vom monarchischen Staat unterdrückt worden war.

Die Forderung nach dem Wiedergewinn einer großen politischen Dramatik mußte allerdings die besonderen Bedingungen des absolutistischen Zeitalters berücksichtigen. In Übereinstimmung mit Diderot (und Herder) vertrat Mercier die Ansicht, daß in der Gegenwart das Trauerspiel keine große Chance habe, weil es „seine stolze Stimme nur da erheben wird, wo die Stimme der Freyheit noch nicht ganz erstickt ist“[60]. Hinter dieser idealistischen Formulierung verbirgt sich der zuerst von Diderot ausgesprochene und dann von Herder übernommene Gedanke, daß die Tragödie mehr der Republik, die Komödie dagegen mehr der Monarchie entspricht. Mercier sah wie Diderot, daß die despotischen Verhältnisse der feudalen Endzeit angemessen nur mit den entlarvenden Mitteln des komisch-satirischen Dramas gestaltet werden konnten, aber er entwickelte diesen Gesichtspunkt im Vergleich zu Diderot politisch und ästhetisch präziser und damit aggressiver. Er stellt dar, daß der Komödie unter den gegebenen Zeitverhältnissen der Durchbruch zu einer großen politischen Form gelingen könne, wenn sie sich den großen Gegenständen des Zeitalters zuwendet, wenn sie nicht nur „gleichgültige Dinge angreift“, nicht nur „Schwachheiten“ einzelner Menschen ausstellt. Mercier will den komischen Dichter auf den „Schauplatz der Welt“ führen, wo er die Ansatzpunkte für eine enthüllende und vernichtende politische Satire findet. „Der Komödie käm es eigentlich zu, die Fackel der Wahrheit in die dunkle Behälter zu tragen, worinn die Ruchlosen ihre Ungerechtigkeiten schmieden, in dem Schooß der Ehrenstellen das niederträchtige maschinenmäßige Geschöpf, das sich zum Tyrannen aufwirft, zu entdecken, und es zitternd an das dem Laster so überlästige Licht zu schleppen. Alsdann könnte derjenige, welcher sich nicht fürchtet strafbar zu seyn, vor der Schande sich fürchten: das Theater wäre der oberste Gerichtshof, vor welchen der Feind des Vaterlandes citirt, und der öffentlichen Schande blos gestellt würde: das Lärmen des klatschenden Beyfalls schallte seinem Ohr, wie der Verdammungsdonner der Nachwelt, bleich und vom Schrecken betäubt würde er das Tageslicht verfluchen, eine finstre Höhle aufsuchen, und der menschlichen Gesellschaft seine Gegenwart entziehen.“[61]

Wie später Schiller in seiner Mannheimer Schaubühnen-

Rede von 1784 überschätzte Mercier die realen Wirkungsmöglichkeiten der Literatur allgemein und des komisch-satirischen Dramas im besonderen. Aber die so entstehende illusionäre Überforderung des bürgerlichen Kunstschaffens, die gleichsam eine spezielle Erscheinungsform der von Marx beschriebenen „heroischen Illusion“ war und die Mercier als vorrevolutionärer bürgerlicher Autor mit vielen seiner deutschen Zeitgenossen und literarischen Mitstreiter teilte, erwies sich bei aller „Selbsttäuschung“[62] über die Möglichkeiten des eigenen Schaffens dennoch als historisch gerechtfertigt und produktiv, weil sie die bürgerlichen Ideologen und Künstler zwang, den wichtigen Aspekt der gesellschaftlichen Funktion der Literatur sehr prononciert zu durchdenken und zu entwickeln. Mercier tat das vor allem in bezug auf die komisch-satirische Dramatik. Durch die ästhetische Vorwegnahme des Gerichts über die „Tyrannen“ bzw. „öffentlichen Räuber“, die von den weltlichen Gesetzen noch nicht erreicht werden konnten,[63] sollte sie den Prozeß der auch realen politischen Aburteilung der Herrschenden einleiten, indem sie das noch abwartende Volk aufrüttelt: „Weil nun aber die Gesetze über diesen schröcklichen Verbrechen, (die keine Todesstrafe hinlänglich ausbüßen konnte,) eingeschlafen sind, so liegt es dem Dichter ob, sein Angstgeschrey zu erheben, und diejenigen aufzuwecken, die, wenn solche Freveltaten die Nation entehren und der Menschheit zur Schande gereichen, schweigen können.“[64]

Mercier vertritt, wie in der französischen und auch in der deutschen Aufklärung bis zur französischen Revolution hin üblich, die Sache der „Menschheit“ gegen die „Delikatesse“, aber er beläßt es nicht bei dieser allgemeinen polemischen Gegenüberstellung: Für ihn ist der bürgerliche Dichter der „Dollmetscher der Unglücklichen, der öffentliche Vertheidiger aller Unterdrückten“.[65] Um dieser Aufgabe aber entsprechen zu können, muß der dramatische Dichter die sozial Unglücklichen und politisch Unterdrückten (wie auch deren Unterdrükker) konkret darstellen und ansprechen. Mercier verweist die Dramatiker daher auf die notwendige Gestaltung der „Stände“, die er aber nicht mehr wie Diderot als private

„Stände“ des Menschen begreift, sondern die er nunmehr sozialökonomisch und gesellschaftlich definiert sieht: Er fordert die Darstellung der Handwerker in ihren unterschiedlichen Lebensbedingungen oder des „ehrlichen Ackermanns“, der mit seiner Hände Arbeit die Gesellschaft ernährt, aber er verlangt auch eine gleichermaßen sozial präzise Präsentation der feudalen Gegner: des Marquis mit seinen „Geckereien“, des wollüstigen, tändelnden Menschen, des Verschwenders, des Schuldenmachers, des korrupten Richters – bis hin zum schon erwähnten „öffentlichen Räuber“.[66]

Die so angestrebte komplexe Darstellung charakteristischer Repräsentanten der Zeit mußte für das Publikum nach Merciers Meinung ebenso interessant wie aufschlußreich sein. Mercier wollte die Zuschauer im Theater fesseln und unterrichten, er wollte sie die Größe und Kraft des „Menschen“ empfinden lassen und sie zugleich moralisch-politisch gegen die „Laster“ der Herrschenden und Privilegierten mobilisieren; er wollte in einem Stück „rühren“ und enthüllen bzw. satirisch strafen. Diese verschiedenartigen Wirkungsabsichten waren mit der reinen Komödie nicht zu erreichen, und Mercier erkannte deshalb wie Diderot in einer Mischform, dem „Drama“, das den gegenwärtigen Bedingungen am meisten entsprechende und daher vor allem zu fördernde Genre: „Ich will beweisen, daß die neue Gattung, welche man Drama nennt, und welche aus dem Trauer- und Lustspiel zugleich entsteht, da sie das Pathetische des einen mit den naiven Schilderungen des anderen verbindet, weit nützlicher, wahrer, interessanter ist, weil sie der größten Menge der Bürger verständlich ist.“[67] Das „Drama“ war für Mercier die angemessene Plattform sowohl für das Ansprechen eines möglichst breiten Publikums als auch für die allseitige Abbildung der Welt. „Das Drama kann also zu gleicher Zeit ein interessantes Gemälde seyn, weil alle Stände der Menschen darinn auftreten können; ein moralisches Gemälde, weil die moralische Rechtschaffenheit ihre Gesetze darinn vortragen kann und soll; ein Gemälde des Ridikül, das um so viel vortheilhafter geschildert seyn wird, weil das Laster allein die Züge dazu herleiten wird; ein lachendes Gemälde, wenn die Tugend nach einigen Unfällen vollkommen triumphiren wird; endlich ein Gemälde des Jahrhunderts, weil es die Karaktere, Tugenden und Laster desselben wesentlich darstellen wird."[68]

Das von Mercier theoretisch bestimmte und geforderte „Drama" schloß komische Elemente notwendig ein („Gemälde des Ridikül" oder „lachendes Gemälde" mit „triumphierender" Tugend) und richtete die satirisch strafende Komik operativ auf Personen und Erscheinungen des „Jahrhunderts", auf die „lasterhafte" Welt des Adels und seiner Helfer, aber es band die spezifisch zeit- und gesellschaftskritischen komisch-satirischen Elemente zugleich in den erbaulichen Rahmen einer moraldidaktischen Ansprache an das Publikum ein, der in den Augen des bürgerlichen Aufklärers letztlich erst die sozial erwünschte Wirkung des Dramas sicherte. Mercier identifizierte sich nicht mit der plebejischen Kritik an den feudalständischen Verhältnissen, und er rezipierte nicht ohne Vorbehalt die burlesk-komische volkstümliche Literatur, sondern er bediente sich der von dieser Literatur entwickelten und angebotenen künstlerischen Mittel für eine wirksame Zeitkritik bei gleichzeitiger sozialer Steuerung dieser Kritik durch die als „moralische Rechtschaffenheit" erscheinende bürgerliche Gesellschaftsmoral. Mercier wollte das Publikum für die Weltsicht und Interessen einer bürgerlichen Klasse mobilisieren, die sich – anders als in Deutschland – schon recht deutlich von den unteren Schichten des Volkes abhob. Wenn Mercier später während der Französischen Revolution im aktiven politischen Engagement (als Mitglied der Gesetzgebenden Versammlung und des Nationalkonvents) in der Nähe der Girondisten Position bezog und entschlossen gegen die „Barbaren" Marat, Danton und Robespierre auftrat,[69] dann bestätigte er damit nur die schon in seinen Schriften der siebziger Jahre erkennbare klassenmäßige Bindung. Hier liegt zweifellos ein wichtiger Unterschied zwischen Mercier und den deutschen Stürmern und Drängern, der eine einfache Identifizierung der jeweiligen ästhetischen Standpunkte ausschließt und verbietet.

Gleichwohl verhinderte Merciers ideologische Bindung an die Bourgeoisie in der vorrevolutionären Phase des 18. Jahrhunderts keineswegs, daß er auch die Kommunikation mit dem breiten Volk suchte, sondern die Hinwendung zu den Unterdrückten war Voraussetzung und Bestandteil seiner revolutionären Parteinahme für bürgerliche Interessen. „Dem Dichter kommt es also zu, zu der Menge zu reden, weil jeder andere, der in einem Amt steht, sie über die Achsel ansieht und verachtet.“[70] Von dieser gezielt antifeudalen, demokratischen bürgerlichen Position aus gelangte Mercier zu einer bis dahin in Frankreich ungekannten positiven Rezeption Shakespeares, die schlaglichtartig die der bürgerlichen Shakespearerezeption des 18. Jahrhunderts immanente politische Herausforderung erkennen läßt: „Das ist es, was dem Shakespear einen unvergänglichen Ruhm sichert. Er scheint in Frankreich lächerlich, wenn er vom Neid, von der Dummheit oder der Bosheit entstellt wird: aber seinen Mitbürgern ist er werth, weil er das Geheimniß besaß, zu allen einzelnen Personen dieser ehrwürdigen Nation zu reden. In eben dieser Niedrigkeit, die man ihm vorwirft, liegt seine Dichtergrösse. Alle seine Helden sind Menschen, und diese Mischung von Simplicität und Heldenmuth hebt noch das Interesse. Shakespear ist für die Engländer weit mehr Nationaldichter als Korneille für uns es ist. Paris ist nicht der Ort, wo man ihn richten muß, Paris, wo man alles für die Reichen thut, wo man sogar nur für sie denkt: zu London muß es geschehn, wo jeder Mensch seine eigene und persönliche Existenz hat.“[71]

Diese Reflexion Merciers über Shakespeare bestätigt den internationalen Charakter und die betont antifeudale Tendenz des Bemühens um die Herausbildung eines bürgerlichen „Nationaldichters“ und einer bürgerlichen Nationalliteratur in der vorrevolutionären Phase des 18. Jahrhunderts. Bei diesem Streben trug die Besinnung auf Shakespeare mit dazu bei, daß sich das bürgerliche Kunstschaffen bei der Widerspiegelung der gegenwärtigen Epoche über das moralisch Allgemeine hinaus auf die konkreten sozialen Widersprüche und gesellschaftlichen Antagonismen der bestehenden Verhältnisse zu orientieren begann. Die auf dem Raritätenkasten und dem plebejischen Marionettentheater gründende Dramatik Shakespeares bot sich daher als ästhetisches Modell für eine zeitgemäße bürgerliche Literatur an. Schon Diderot hatte in seinem Essay „Über die dramatische Dichtkunst“ (1758) die im Marionettenspiel übliche Verbindung von Heterogenem als besonders aktuell für die bürgerliche Literatur erkannt und eingeräumt, daß der von ihm geforderte neue Typ einer „ernsten“ oder „honetten“ Komödie sich nicht auf die Abbildung nur „einer Krise“[72] beschränken könne, sondern vielmehr eine der klassizistischen Tradition entgegengesetzte dramatische Struktur erhalten müsse: „Man wird in dieser Gattung Stücke machen müssen, die aus lauter episodischen Auftritten bestehen, die unter sich keine Verbindung haben, oder nur aufs höchste vermöge einer kleinen Intrige, die sich durch sie schlinget, zusammenhängen.“[73]

Der von Diderot gegebene Hinweis auf die notwendige Heterogenität und Vieldimensionalität des bürgerlichen Dramas markierte den entscheidenden ästhetischen Ansatzpunkt für die Herausbildung einer spezifisch antifeudalen bürgerlichen Dramatik im 18. Jahrhundert. Goethe, Lenz, Klinger und später Schiller haben in ihren Stücken in bewußter Anwendung der antiaristotelischen Dramaturgie Shakespeares und des Volkstheaters dem Nationalem, Temporärem, Gelegenheitspoetischem Raum gegeben, gezielte soziale, politische oder weltanschauliche Invektiven vorgetragen und die unmittelbare Wirkung der theatralischen Kunst auf den „gemeinen Mann“ zu sichern sich bemüht. All dies konnte nur über die Eroberung der an Shakespeare und dem Volkstheater studierten Stilmedien des Komisch-Satirischen gelingen. Schiller hat in seinen bekannten Briefen über „Kabale und Liebe“ an Dalberg (vom 3. April 1783) und an Reinwald (vom 27. März 1783) den objektiven und wechselseitigen Zusammenhang von antiaristotelischer Form, antifeudaler Tendenz und komisch-satirischer Prägung des vorrevolutionären bürgerlichen Dramas betont. Im Brief an Dalberg führt er aus: „Außer der Vielfältigkeit der Karaktere und der Verwiklung der Handlung, der vielleicht allzufreyen Satyre, und Verspottung einer vornehmen *Narren-* und *Schurkenart* hat dieses Trauerspiel auch diesen Mangel, daß komisches mit tragischem, Laune mit Schreken wechselt, und, ob schon die Entwiklung tragisch genug ist, doch einige lustige Karaktere und Situationen hervorragen."[74] Das realistische Zeitgeschichtsdrama des Sturm und Drang kann die Vermischung von „hohem" und „niederem" Dichtungsstil, die wechselseitige Durchdringung von tragischem Geschehen, „lustigen" Situationen und satirischer „Verspottung" nicht entbehren, so daß das Marionettenspielartige als die den Stil bzw. inneren Aufbau des Stücks bestimmende ästhetische Tendenz erscheint.[75] In diesem Sinne repräsentiert „Kabale und Liebe", das „erste deutsche politische Tendenzdrama"[76], die reife Entwicklungsstufe einer auf politische Wirkungen angelegten bürgerlichen Dramatik, in deren näheren Umkreis auch die von Schiller mit Aufmerksamkeit beachteten komisch strukturierten Werke der frühen Sturm-und-Drang-Periode gehören.

Es war ganz folgerichtig, daß die in ihrer Struktur dem „schönen Raritätenkasten" oder dem Marionettentheater verwandten dramatischen Werke sich in das traditionelle Schema der dramatischen Genres nicht einordnen ließen. Die Stürmer und Dränger waren sich ihrer Sache nicht sicher, wenn sie das Genre ihrer Stücke bestimmen sollten. Lenz nannte den „Hofmeister" zuerst ein Trauerspiel, dann eine Komödie, die „Soldaten" erst eine Komödie, dann ein Schauspiel, Klinger sein Stück „Sturm und Drang" zunächst eine Komödie, im Druck dann ein Schauspiel. Lenz dachte daran, eine neue Grundform für das Drama zu finden, die die Eigentümlichkeiten der Tragödie und der Komödie vereinigte und gewisse Strukturen der mittelalterlichen Mysterien oder der alten deutschen Haupt- und Staatsaktion neu belebte und weiterentwickelte.[77]

Das vielfältige Experimentieren der jungen Sturm-und-Drang-Dichter in neuen dramatischen Genres, die geeignet schienen, einen Zugang zu den verschiedenen Bereichen der Lebenspraxis zu öffnen und aktuelle Vorgänge, Konflikte und Kontroversen darzustellen, bestätigt das eng tagesbezogene und auf reale Wirkungen bedachte Schaffen der „deutschen literarischen Revolution". In bewußter, schöpferischer Rezeption der plebejischen Poesietraditionen, der Dramatik Shakespeares und des Schaffens ihrer französischen Zeitgenossen Diderot, Mercier und Beaumarchais versicherten sich die Stürmer und Dränger vor allem der Mittel des Komischen und des Satirischen für ihre aggressive Auseinandersetzung mit der feudalständischen Welt. Goethe hat den repräsentativen Charakter, den revolutionären Gehalt und den historischen Standort der komisch und satirisch geprägten Literatur des Sturm und Drang ganz deutlich bezeichnet. Indem er auf das „übermütig" Herausfordernde und die polemische Vehemenz der persönlichen Satiren, aber auch anderer streitbarer komischer Werke der Periode Bezug nahm, wertete er im 18. Buch von „Dichtung und Wahrheit" die „auf so verwegenem Grunde" entstandenen und sich mitunter „freventlich" gebärdenden poetischen Invektiven aller Art, „womit wir fortfuhren uns innerlich zu bekriegen und nach außen Händel zu suchen", als symptomatische Ergebnisse des revolutionären Aufbegehrens der jungen Sturm-und-Drang-Dichter. Goethe versichert, „daß allen solchen Exzentrizitäten ein redliches Bestreben zugrunde lag . . ., so daß man jenes ganze Betragen als ein Vorpostengefecht ansehen kann, das auf eine Kriegserklärung folgt und eine gewaltsame Fehde verkündigt"[78]. Mit diesen Worten werden die aus „poetischer Wut" hervorgegangenen Dichtungen des Sturm und Drang und insbesondere die Stücke komisch-satirischen Charakters eingegliedert in das historische und politische Geschehen des heraufziehenden bürgerlichen Revolutionszeitalters.

Hedwig Voegt

Schwarze Brüder

„Eure lange verkannten Brüder bieten euch die Hand der Versöhnung und des Friedens“, so heißt es in einem „Manifest“ von Toussaint l'Ouverture,[1] über das noch berichtet werden soll. Toussaint l'Ouverture (1743–1803), einer der großen Führer in der Geschichte der Befreiungsbewegung der Negersklaven, hatte den heroischen Aufstand gegen die weißen Unterdrücker auf San Domingo, dem französischen Teil der Insel Haiti, im Jahre 1791 begonnen und als bürgerlich-demokratische Revolution 1793 zum Siege geführt. Dieser Befreiungskampf der Negersklaven war unter dem Einfluß der Französischen Revolution entbrannt und hatte sich an den politischen Losungsworten „Freiheit, Gleichheit, Brüderlichkeit“ entzündet. Der Appell an die „Brüderlichkeit“, das Ideal, daß alle Menschen Brüder sein müßten, bestimmt den Grundton des „Manifestes“, der auch aus dem Satz, der diesen Ausführungen vorangestellt ist, herauszuhören ist.

Vergleicht man den Aufstand der Negersklaven auf San Domingo am Ende des 18. Jahrhunderts, die Forderungen nach Menschenwürde und Menschenrechten mit den Kämpfen der Afrikaner am Ende des 20. Jahrhunderts, so könnte man ob der Aktualität dieses Kampfes erschrecken. Der Befreiungskampf, der im Jahre 1791 auf der Insel Haiti begann, ist bis heute nicht zu Ende gekämpft.

Es gibt nur wenige Zeugnisse aus der deutschen Literatur von 1791 bis zur Verhaftung Toussaint l'Ouvertures im Jahre

1802 – es ist das Jahrzehnt der deutschen Klassik –, die das Thema des Befreiungskampfes der schwarzen Brüder widerspiegeln: Johann Gottfried Herder jedoch hat dieses Thema aufgegriffen, und zwar in seinen „Neger-Idyllen“[2]. Keine „Idylle“ aus diesem Zyklus – bittere Ironie mag Herder bestimmt haben, diesen Titel zu wählen – nimmt direkten Bezug auf die Vorgänge in San Domingo. Die Forschung hat bis heute nur nachweisen können, daß die einzelnen Neger-Idyllen wahrscheinlich auf Missionsberichte zurückgehen. Den eigentlichen Impuls jedoch, als Ankläger gegen jene Unmenschlichkeiten aufzutreten, die die Negersklaven zu erleiden hatten, und die „Neger-Idyllen“ in die „Briefe zu Beförderung der Humanität“ mit aufzunehmen, empfing Herder vermutlich durch das Epochenereignis der Französischen Revolution und durch die Nachrichten über den Aufstand der Negersklaven auf San Domingo, was im einzelnen allerdings nicht nachgewiesen werden konnte. Es läßt sich jedoch mit großer Sicherheit erschließen.

Den „Neger-Idyllen“ hat Herder einige Gedanken in Prosa vorangesetzt. Der letzte Abschnitt bezieht sich unmittelbar auf die „Neger-Idyllen“. In diesem Vorwort Herders heißt es u. a.: „Ein Mensch, sagt das Sprichwort, ist dem andern ein Wolf, ein Gott, ein Engel, ein Teufel; was sind die aufeinander wirkende Menschenvölker einander? Der Neger malt den Teufel weiß, und der Lette will nicht in den Himmel, sobald Deutsche da sind. ‚Warum gießest du mir Wasser auf den Kopf?‘ sagte jener sterbende Sklave zum Missionar. – ‚Daß du in den Himmel kommest.‘ – ‚Ich mag in keinen Himmel, wo Weiße sind‘, sprach er, kehrte das Gesicht ab und starb. Traurige Geschichte der Menschheit!“

Herder hat einzelne Gedanken aus diesem Vorwort, wie z. B. den der weißen Teufel, in seine „Neger-Idyllen“ aufgenommen und variiert. Diese Begriffe sind nicht von Herder erfunden. Mündliche oder schriftliche Berichte über die Grausamkeiten der Sklavenhalter waren nach Europa gelangt. Wie aktuell und politisch das Thema der „Neger-Idyllen“ in diesem Jahrzehnt des großen Sklavenaufstandes auf San Domingo war, beweist die Tatsache, daß ähnliche Vorkommnisse, wie sie Herder in den „Neger-Idyllen“ dargestellt hat, in der politischen Publizistik jener Zeit, in der sogenannten jakobinischen Literatur, in unverhüllter, schockierender Offenheit ihre Widerspiegelung gefunden haben.

Die „Neger-Idyllen“ Herders sind ein Zyklus von fünf Gedichten. In dem ersten Gedicht, „Die Frucht am Baume“, wird Herder zum Ankläger der Despotie und Grausamkeit eines weißen Mannes und zum Anwalt der gequälten Negersklaven. Er malt in dieser Idylle den „menschenwidrigsten Anblick“. Ein Negersklave, der sich für die Vergewaltigung seiner Braut durch seinen weißen Herrn rächen wollte, wird in einen Käfig gesperrt und hoch in einen Baum gehängt. Raubvögel und Insekten haben ihn zerfressen. In einem grellen Gegenbild zeigt Herder das satte Leben des Plantagenbesitzers, er zeigt den „Herrn im Tanz, in heller Lust“.

Dem zweiten Gedicht, „Die rechte Hand“, ist der unüberhörbare Appell zu entnehmen, der Negersklave möge den von ihm geforderten Henkersdienst verweigern. In dieser Idylle stellt Herder einen edlen Neger seinem Herrn gegenüber, der als „weißer Teufel“ auftritt. Mit dieser Charakterisierung übernimmt Herder in die poetische Darstellung jenen Begriff, den er in seinem Vorwort zum 114. Humanitätsbrief angemerkt hatte. Die Fabel der Idylle ist dramatisch. Der Herr will seinen Sklaven zwingen, zum Henker an einem seiner schwarzen Brüder zu werden. Als Antwort auf dieses unmenschliche Verlangen schlägt er sich seine rechte Hand ab, tritt vor seinen Herrn und sagt: „Fodre, / Gebieter, von mir, was du willst, nur nichts / Unwürdiges.“ Der Sklave stirbt an seiner Wunde. In den Schlußversen wird an die Allgemeingültigkeit dieses heroischen Beispiels erinnert – Menschenwürde in einer individuell zugespitzten Situation, in dem Kampf um Menschenrechte zu bewahren. Bei Herder heißt es: „. . . die Willkür wird / Ohnmächtig, wenn es ihr am Werkzeug fehlt.“ Hier geht Herder über die Anklage unbeschreiblicher Grausamkeiten hinaus; man solle nicht nur dulden, man möge handeln.

In der dritten Idylle, „Die Brüder“, erzählt Herder von zwei Menschenbrüdern, einem Weißen und einem Afrikaner; *„eine*

Brust / Hatt sie genährt“, heißt es dazu in dem Gedicht. Doch der weiße Milchbruder des schwarzen Sklaven, der Herr, vergißt die enge menschliche Bindung und bestraft ihn wegen einer unbedeutenden Vergeßlichkeit mit der Karrenstäupe. Um den weiteren Handlungsablauf der Idylle zu verdeutlichen, fügt Herder als Anmerkung hinzu: Karrenstäupe – „Die entehrendste Negerstrafe.“ Als beide miteinander ringen, zieht der Sklave sein Messer:

Und stieß es – meint ihr in des Tigers Brust?
Nein! selbst sich in die Kehle. Blutend stürzt'
Er auf den Herren nieder, ihn umfassend,
Beströmend ihn mit warmem Menschenblut.

Hier wird von Herder das Symbol der Proteststimmung erkennbar, das von Lessing ähnlich in sein Drama „Emilia Galotti“ aufgenommen worden ist. Doch Herder versucht in den Schlußversen dieser Idylle vage anzudeuten, welche Folgen möglich sind, wenn ein Negersklave den Dolch gegen seinen Herrn erhebt. In Umkehrung der oben geschilderten Situation lauten die Schlußverse, jeden konkreten Gedanken dennoch ausschließend:

O wenn Gerechtigkeit vom Himmel sieht,
Sie sah den Neger auf dem Weißen ruhn.

In dieser Idylle erreicht Herder den rebellischen Höhepunkt des ganzen Zyklus. In dem vierten und fünften Gedicht wird eine solche Protesthaltung nicht wieder möglich.

In dem vierten Gedicht, „Zimeo“, wird ein alter Afrikaner vorgestellt, der sich von den aufständischen Negersklaven distanziert hat. Zimeo schildert seinen Lebensweg, den unvorstellbar grausamen Leidensweg aller Negersklaven. Auch er wurde geraubt, auf ein Schiff gebracht und von seiner Frau und seiner Familie getrennt. In der Darstellung dieser Leiden, die sich jahrhundertelang an den Afrikanern wiederholten, in der poetischen Umsetzung des im Vorwort angeführten Satzes „Ein Mensch . . . ist dem andern ein Wolf“ liegt der Sinn dieser Idylle. Dem grausamen weißen Mann – Herder schließt vereinzelte weiße Farmer aus – werden edle Menschen schwarzer Hautfarbe gegenübergestellt. Zimeo findet seine Familie wieder, und Herder zeigt, welch großer menschlicher Gefühle der getretene, geschundene schwarze Mann fähig ist. In den Schlußversen heißt es, daß „Herzensdank, / Wie nie ein Weißer ihn auszudrücken mag", sie bewegt hätte.

Der Zyklus schließt mit dem sechsten Gedicht, „Der Geburtstag". Herder verlegt die Handlung an den Delaware, nach Nordamerika. Ein Quäker schenkt seinem Sklaven die Freiheit:

Frei
Bist du und mußt es sein. Die Freiheit ist
Das höchste Gut. Gott ist der Menschen, nicht
Allein der Weißen Vater.

Die Freiheit der schwarzen Sklaven braucht nicht mehr erkämpft zu werden, sie wird von einem guten weißen Manne als Geschenk gegeben. Die Quäker waren die ersten Weißen, die bereits 1751 ihre Sklaven freiließen. Herder hat in dieser Neger-Idylle idyllische Verhältnisse beschworen, die an ein historisches Beispiel erinnern sollten. Oder hatten die Ereignisse im revolutionären Frankreich beim Niederschreiben dieser freundlichen und friedlichen Idylle Pate gestanden? Am 4. Februar 1794 war durch ein Dekret des Konvents unter der revolutionär-demokratischen Jakobinerdiktatur die Sklaverei in den französischen Kolonien de jure abgeschafft worden. Nach dem Erlaß dieses Dekrets schien der Aufstand der Negersklaven, der Kampf um ihre Menschenrechte – wie er in San Domingo ausgefochten wurde – sinnlos zu werden. Die Freiheit war dekretiert. Die Erklärung der Menschenrechte sollte – zumindest in den französischen Kolonien – auch für die Negersklaven gelten. Doch mag noch ein Gedanke in diese letzte Idylle mit eingegangen sein. Der Glaube der deutschen Aufklärungsbewegung an den guten Fürsten, an die Reformen, die von „oben" kommen sollten und jede Protesthaltung lähmten.

In der jakobinischen Publizistik jener Zeit – es wurde bereits darauf hingewiesen – hat der Aufstand der Negersklaven auf

San Domingo in unverhüllter und schockierender Offenheit seine Widerspiegelung gefunden. Georg Friedrich Rebmann hat in seinem satirischen Roman „Hanskiekindiewelts Reisen"[3] diesem bedeutenden historischen Thema mehrere Kapitel gewidmet. Eine Reise – die Zusammenhänge mögen hier unerwähnt bleiben – führt den Helden auf der Suche nach menschlicher Glückseligkeit auf die verschiedenen Kontinente, auch nach Afrika. Dort erlebt er an einem Ort natürlicher Ruhe den Überfall von Menschenhändlern, das traurige Schicksal der Afrikaner. Obwohl ein weißer Mann, wird auch er mit seiner Frau aufs Schiff geschleppt und so zum Zeugen aller Grausamkeiten, die auch Herder in ähnlichen Bildern anklagend in den „Neger-Idyllen" dargestellt hat. Kinder werden vor den Augen der Mütter ins Meer geworfen, aus Mangel an Proviant weitere Sklaven ertränkt. Die Feder sträube sich, heißt es bei Rebmann, die Grausamkeiten im einzelnen anzuführen. Er appelliert an die Menschenrechte und führt dazu an, „daß diese Behandlung der schwarzen Menschenkinder eine wahre Satire auf die Erklärung der Menschenrechte sei und daß die Nationalversammlung bereits darauf gedacht habe, diese Unglücklichen in Schutz zu nehmen"[4]. Rebmann spielt hier auf die Erklärung der Menschenrechte zu Beginn der Französischen Revolution im Jahre 1789 an und auf das Dekret des Konvents aus dem Jahre 1794, das die Aufhebung der Sklaverei verfügte.

Das Schiff fährt mit den Negersklaven nach San Domingo. Auch der Held der Reisegeschichte, nun ein weißer Sklave, wird an einen Farmer verkauft und muß die Züchtigungen mit erleben, die der weiße Herr an seinen schwarzen Sklaven verübt. Ähnlich wie in Herders „Neger-Idylle" „Die rechte Hand" soll ein Negersklave mit eigener Hand die Züchtigung an seinem Freund vollziehen. Herder zeigt den Sklaven in einer heroischen Protesthaltung, in seiner stolzen Menschenwürde. Auch in den Szenen, die Rebmann anführt, weigert sich der Negersklave, zum Sklavenzuchtmeister zu werden, und stirbt langsam an den Qualen, die ihm ein professioneller Zuchtmeister zugefügt hat. Die Ähnlichkeit dieser Szenen in der Idylle Herders mit dem fingierten Reisebericht Rebmanns ist unverkennbar. Sie sind von Herder und von Rebmann zu gleicher Zeit niedergeschrieben worden. Die Zehnte Sammlung der „Briefe zu Beförderung der Humanität" – die „Neger-Idyllen" bilden den Auftakt – ist mit 1797 datiert. Von Rebmanns satirischem Roman „Hanskiekindiewelts Reisen", in dem neun kurze Kapitel der Negersklaverei gewidmet sind, liegen zwei Auflagen vor, die eine aus dem Jahre 1795, die zweite aus dem Jahre 1796. Es ist anzunehmen, daß Herder wie Rebmann dieselben Quellen benutzt haben; zudem war es wohl allgemein bekannt, welche Grausamkeiten die Negersklaven seit Jahrhunderten zu erleiden hatten. Die literarische Darstellung der rebellischen Haltung der „edlen Neger" vor dem Hintergrund des Sklavenaufstandes in San Domingo macht diese Szenen einmalig.

Der Reisende, der selber zu einem weißen Sklaven geworden ist, sitzt im Gefängnis, ein Opfer des despotischen Sklavenhalters. Der Aufstand der Negersklaven auf San Domingo ist inzwischen ausgebrochen. Als ein Freund der schwarzen Brüder wird er von den Aufständischen befreit, die sich ihrer weißen Unterdrücker bemächtigt haben. An ihnen vollzieht sich nun die „Wiedervergeltung", sie werden erdolcht und in die Flammen geworfen. Es gibt keine Gnade. Rebmann hat den beiden kurzen Kapiteln seines Romans die Überschriften „Wiedervergeltung" und „Rache der Verzweiflung" gegeben. Vor der „Rache der Verzweiflung" erschrickt der Reisende. Sie wird dem Leser in schockierender Deutlichkeit vorgeführt. Der Weiße, eben selber noch ein Sklave, beschwört die Aufständischen einzuhalten. Da tritt ein Sprecher der Sklaven auf und hält eine große Anklagerede. Den Vorbehalten des weißen Mannes widerspricht er: „Unsere Mütter warft ihr ins Meer, unsre Greise ließt ihr verschmachten, unsre Säuglinge risset ihr von den Brüsten unsrer Weiber und schleudertet sie auf den glühenden Sand. Einfältiger weißer Mann, haben wir wohl genug vergolten, wenn wir die Eurigen morden und eure Hütten, die wir im Schweiße unsres Angesichts bei karger Kost bauen mußten, verbrennen? Wir üben an euch, was ihr uns lehrtet."[5] „Mäßige deine Rache", meint der Reisende. Der Sprecher der schwarzen Sklaven antwortet: „Umsonst! gebiete dem Orkan, der einen Weltteil von der Pest reinigen soll, daß er keinen Palmzweig breche und keine fruchtbare Blüte verwehe! Ihr habt dies Feuer angezündet, fühlt nun auch seine Flammen!"[6] So wird der Reisende zum Zeugen des großen Aufstandes der schwarzen Sklaven und Zeuge ihrer gnadenlosen Rache für alle Verbrechen, die von den weißen Herren in ihrer Jahrhunderte währenden Herrschaft verübt wurden.

Was war nun wirklich auf San Domingo geschehen? Die Produktion der Zucker-, Kaffee- und Baumwollplantagen auf der Insel San Domingo (Haiti) beruhte auf der Arbeit der Negersklaven. Unter dem Einfluß der Französischen Revolution entflammte 1791 der große Sklavenaufstand. François-Dominique Toussaint l'Ouverture, der selber als Sklave geboren worden war, trat an die Spitze der Aufständischen. Ihm werden alle Tugenden eines Revolutionärs nachgerühmt. Eine große militärische Begabung und Mut zeichneten ihn aus, er trat als konsequenter Vertreter der bürgerlich-demokratischen Revolution auf. Im Jahre 1797 wurde Toussaint zum Oberkommandierenden der Insel ernannt, 1801 war er Präsident von Haiti. Als der französische General Leclerc im Auftrage Bonapartes Anfang 1802 die Insel besetzte, um die Sklaverei wieder einzuführen, gelang es durch Verrat, Toussaint für Verhandlungen zu gewinnen. Toussaint wurde bald darauf verhaftet. Er starb 1803 in Frankreich im Fort Joux.

Die einzelnen Daten der militärischen Operationen, auch die, an denen Toussaint hervorragenden Anteil hatte, mögen hier ausgeklammert bleiben. Sie bilden ein Kapitel für sich, das wahrhaftig nicht arm ist an dramatischen Höhepunkten, an Siegen und Niederlagen im Kampf der Negersklaven gegen die Kolonialherren.

In einem vergessenen Journal, das über 175 Jahre lang als verschollen gegolten hat, in dem von Georg Kerner, dem Jakobiner und Armenarzt, herausgegebenen Blatt „Der Nordstern"[7], hatte dieser ein „Manifest" von Toussaint l'Ouverture[8] veröffentlicht. Es sei, wie er einleitend vermerkt, „mit Briefen aus Baltimore über England angelangt". Der „Nordstern" veröffentlichte einen Auszug. Die Echtheit des „Manifestes" kann nicht nachgeprüft werden. Es ist jedoch kaum möglich, einen solchen Text zu erfinden. In diesem „Manifest" geht Toussaint, „General en Chef auf San Domingo", wie er den Lesern vorgestellt wird, auf die revolutionäre Situation auf der Insel ein. „Die Afrikaner schütteln auf San Domingo ihre Fesseln ab und erklären sich im Angesicht Gottes und der Menschen für frei und unabhängig", heißt es im „Manifest". Toussaint als Autor des Textes beschwört im gehobenen Stil die Geschichte von drei Jahrhunderten Unterdrückung, die Geschichte des Menschenraubes in Afrika, den „unersättlichen Golddurst" der Menschenhändler und das „grausenvolle Gemälde" der Barbarei auf den Plantagen. Toussaint wendet sich an die „Völker Frankreichs" und fordert sie auf, die „erhabene Verbrüderung" anzuerkennen, was nur heißen kann, die Erklärung der Menschenrechte auch in San Domingo de facto wirksam werden zu lassen. Wörtlich heißt es dazu: „Eure *Sklaven* sollt ihr entlassen, um eure *Brüder* zu umarmen." Doch Bedenken bedrücken Toussaint: Die ehemaligen Gebieter – die Plantagenbesitzer – fordern bereits ihre Sklaven zurück. Getäuscht von der falschen Aureole eines Republikaners, die Bonaparte immer noch umgab, erklärt Toussaint, sich an den Ersten Konsul Frankreichs, Bonaparte, wendend, die schwarzen Bewohner von San Domingo seien frei und unabhängig, „und als freie Männer wollen sie mit freien Männern sich über den Besitz dieses Landes friedlich verstehen". Sie fordern die Freiheit als ihr Recht. Toussaint gab sich der verhängnisvollen Illusion hin, durch Verhandlungen das Recht auf Freiheit zu erlangen. Diese Illusion war tödlich, für ihn selber wie für die ganze Befreiungsbewegung auf San Domingo.

Auch Kerner kann die Echtheit dieses Dokumentes nicht verbürgen. Wir können heute nur bedauern, daß es gekürzt worden ist, dieses seltene Zeugnis revolutionärer Gesinnung und menschlicher Würde. Kerner, ein Gegner Bonapartes, erkennt, daß sich Toussaint unrichtige Begriffe „von den Absichten des Ersten Konsuls gemacht hat". Kerners Bedenken, die sich auf seine eigenen Erfahrungen mit Bonaparte gründeten, sollten sich bestätigen. In einer Nachschrift[9] zum „Manifest" vermerkt Kerner, daß inzwischen der französische General Leclerc den schwarzen General Toussaint im Auftrage Bonapartes für vogelfrei erklärt habe. Verhaftung und Tod in der Gefangenschaft folgten.

In der Geschichte des Aufstandes auf San Domingo ist der tragische Tod Toussaints nicht vergessen. In unseren Tagen ist dieses große Thema von einer großen Schriftstellerin wieder aufgenommen worden. Anna Seghers hat in drei Erzählungen die revolutionären Vorgänge auf den Karibischen Inseln dargestellt, in der „Hochzeit auf Haiti“, in „Wiedereinführung der Sklaverei in Guadeloupe“ und in „Das Licht auf dem Galgen“. In der Erzählung „Die Hochzeit auf Haiti“ hat Anna Seghers Toussaint zum eigentlichen Helden gemacht. Sie stellt ihn in seiner Entwicklung vom Sklaven, der als Kutscher seinem Herrn dient, bis zum Führer des Sklavenaufstandes dar. Mit einem einzigen Satz charakterisiert sie die Entwicklung Toussaints. Sie schreibt: „Er hatte als ein einzelner Mensch in einigen Jahren viele Entwicklungsstufen übersprungen, die sie alle zusammen in Generationen kaum meistern konnten.“[10] Sie erinnert an das tragische Ende Toussaints mit historischer Treue und in der ihr eigenen strengen Prosa: Toussaint geht auf die Verhandlungen mit dem von Bonaparte geschickten Offizier ein und wird sofort verhaftet.

Das Thema des Befreiungskampfes der Negersklaven am Ende des 18. Jahrhunderts ist jedoch so groß, so tragisch und im historischen Sinne weltbewegend – wie die Kämpfe der Afrikaner gegen den Imperialismus heute beweisen –, daß für Anna Seghers mit diesen drei Erzählungen das Thema nicht abgeschlossen ist. In einem Interview hat sie erklärt, daß sie beabsichtige, drei weitere Erzählungen aus diesem Themenbereich zu schreiben, und zwar „über Frauen aus Haiti, die in verschiedenen Jahrhunderten gelebt haben. Zur Zeit von Kolumbus, zur Zeit der Französischen Revolution unter Toussaint und heute.“[11] Anna Seghers hat mit ihren Arbeiten Toussaint und seinen schwarzen Brüdern ein unvergängliches literarisches Denkmal gesetzt.

Hans-Dietrich Dahnke

Schönheit und Wahrheit

Zum Thema Kunst und Wissenschaft in Schillers Konzeptionsbildung am Ende der achtziger Jahre des 18. Jahrhunderts

Das Problem

Die Frage nach dem Verhältnis von Kunst und Wissenschaft ist alt und steht immer aufs neue zur Debatte. Unbestritten ist, daß die künstlerische Aneignung der Wirklichkeit durch den Menschen der wissenschaftlichen erheblich vorangegangen ist. „Je weiter wir in die Geschichte zurückgehen, desto größer ist die Überlegenheit der künstlerischen Erfassung (der Welt) über die wissenschaftliche",[1] schreibt Kuczynski. Seitdem jedoch die Wissenschaft ihren nur anfangs zögernden und des öfteren unterbrochenen, dann aber bis in unsere Gegenwart hinein immer stürmischeren und siegreicheren Aufstieg nahm, hat sich das ursprüngliche Verhältnis wesentlich verändert. Fast immer war die Wissenschaft als die später entstandene dieser beiden konkurrierenden Erkenntnis- und Aneignungsformen in der Offensive, und die Kunst hatte sich zu verteidigen. Die Kunst mußte es sich immer wieder gefallen lassen, daß ihre Notwendigkeit und Unentbehrlichkeit vor dem Forum der Gesellschaft in Frage gestellt wurde und behauptet werden mußte. Warum das so ist und sein kann, ist ohne weiteres zu begreifen. Wissenschaft rechtfertigt sich durch ihren unmittelbaren oder mittelbaren Nutzen, durch ihre Wirkungen in der Praxis des Lebens. Kunst kommt, wenn es an konkrete Aufrechnungen geht, fast immer in Bedrängnis – Liebe und Ergebenheit ihrer Anhänger und Fürsprecher sind mehr Demonstration als Beweise. So hat sie es oftmals nicht leicht gehabt, aber zugleich hat sie immer – freilich auch nicht ohne Verluste – gelebt und überlebt. Das ist eine lange und komplizierte Geschichte, kaum systematisch und einleuchtend bisher aufgearbeitet.

Und heute? In den letzten Jahren ist die Fragestellung wieder entschieden häufiger aufgetaucht. Sie beschäftigt Künstler und Wissenschaftler in wachsendem Maße. Das kann nur bedeuten, daß das Verhältnis erneut als ein Problem empfunden wird, das einer Lösung, einer den heutigen Wirklichkeitsbedingungen angemessenen Lösung bedarf. Und in der Tat: Jede Epoche gesellschaftlicher Entwicklung muß im Ergebnis sich verändernder Wirklichkeit auch die Frage nach dem Verhältnis von Kunst und Wissenschaft immer aufs neue stellen und beantworten.

Für die neue Runde in der Bewältigung des alten Problems dürfte – wie in vielen anderen Fällen bewährt – der Blick in die Geschichte seinen Nutzen haben. Die in früheren Epochen gesammelten Erfahrungen und Erkenntnisse zu betrachten kann für die Klärung und Lösung heutiger Probleme durchaus nützlich, weil das Problemverständnis vertiefend und die Antwortmöglichkeiten bereichernd sein. In diesem Zusammenhang also das Beispiel Friedrich Schillers und seiner Konzeptionsbildung am Ende der achtziger Jahre des 18. Jahrhunderts.

In seinen großen geschichtsphilosophischen und kunstprogrammatischen Gedichten „Die Götter Griechenlands" und „Die Künstler", die für eine Reihe von Jahren sein poetisches Schaffen abschlossen, warf Schiller sehr intensiv die Frage nach dem Verhältnis von Kunst und Wissenschaft – in poetisch-metaphorischer Form unter den Begriffen Schönheit und Wahrheit erscheinend – auf. Das hatte zunächst, auch wenn davon in den Gedichten selbst keine Rede ist, elementare Ursachen in den ungelösten eigenen Existenzproblemen. Schiller fand sich vor die Alternative gestellt, als wissenschaftlicher oder als poetischer Autor seinen Lebensunterhalt zu suchen.

Darüber hinaus aber war das Verhältnis von Kunst und Wissenschaft ein Problem, das allgemein als bedeutsam empfunden und vielfach diskutiert wurde. Das Jahrhundert der Aufklärung gründete sich auf einen großartigen Aufschwung von Philosophie und Wissenschaft. Literatur stand vor allem im Zeichen philosophischer und publizistischer Prosa, und die Dichtung war zu einem nicht unwesentlichen Teil, ihrer Funktionsbestimmung und ihrer Struktur nach, dieser Entwicklung zugeordnet und unterworfen. Im Wettbewerb mit den Künsten hatten die Wissenschaften eine starke Neigung der Waagschale zu ihren Gunsten erreicht. Viele Aufklärer hatten die Poesie in der Praxis wie in der Theorie kurz entschlossen zum Organ der Philosophie, der Ideologie, der Moral gemacht. Gewichtige Stimmen, selbst unter den Freunden der Poesie und gerade unter diesen, waren angesichts des Aufschwungs der wissenschaftlichen Erkenntnis geneigt, der Poesie keine allzu günstige Prognose zu stellen. In dieser Konstellation nahm auch Schiller das Problem auf und gab ein leidenschaftliches Plädoyer in dem alten, aber nach wie vor anhängigen Streitfall.

In den letzten Jahren sind – nicht losgelöst zu denken von dem notwendigen Vorgang der Überwindung eines harmonisierenden und idealisierenden Klassikbildes – von vielen Seiten sehr kritische Urteile gegen die Hypertrophierungen der Kunst in der sogenannten Kunstperiode, speziell in der Weimarer Klassik während der Gemeinsamkeit von Goethe und Schiller, aber auch in der Romantik, vorgetragen worden. Diesen Urteilen eignet vieles an historischer Berechtigung und sachlicher Richtigkeit. Wie sollte man auch wohl den idealistischen Grundzug in Schillers Briefen „Über die ästhetische Erziehung des Menschen" und in vielen anderen Werken übersehen können. Spätestens jedoch, seit Martin Fontius den großen ideologischen Vorschlaghammer genommen hat, um der „Ideologie der Kunstperiode" und natürlich erst recht ihren heutigen – mehr vermeintlichen als wirklichen – Anhängern den Garaus zu machen,[2] ist es an der Zeit, die historisch-kritische Sicht erneut zu differenzieren und – inmitten großer Widersprüche und Einseitigkeiten – nach Leistungen und Gewinn in der Reflexion der Problematik von Kunst und Wissenschaft zu fragen, die – ohne daß man sich erneut mit ihnen identifizieren müßte – für die heutigen Diskussionen zumindest Anregungen und Bereicherung geben könnten.

Der reale Erfahrungshintergrund

Es erscheint nützlich, vor der Betrachtung der großen Gedichte auf die realen schriftstellerischen, sozialökonomischen Erfahrungen und Probleme einzugehen, mit denen Schiller in der zweiten Hälfte der achtziger Jahre konfrontiert war und die seine Konzeptionsbildung mitbestimmten. Gerade weil seine besondere Art und Weise poetischer Gestaltung der empirischen Lebenswirklichkeit kaum Raum zu geben geneigt war, ist die Freilegung des realen Erfahrungshintergrundes, der in der großen weltanschaulich-programmatischen Lyrik verborgen bleibt, aufschlußreich für unsere Erkenntnis.

Schiller hatte als *Dichter* begonnen und gewirkt. In der Mannheimer Schaubühnen-Rede von 1784 hatte er für die Kunst – im Zusammenwirken von Drama und Bühnenspiel – ein weitgespanntes Programm vorgelegt. Die Schaubühne, hieß es da, „ist mehr als jede andere öffentliche Anstalt des Staats eine Schule der praktischen Weisheit, ein Wegweiser durch das bürgerliche Leben, ein unfehlbarer Schlüssel zu den geheimsten Zugängen der menschlichen Seele"; „sittliche Bildung" und „ganze Aufklärung des Verstandes" leistet sie, „richtigere Begriffe, geläuterte Grundsätze, reinere Gefühle" gehen von ihr aus und werden „in alle Adern des Volks" geleitet, „Nationalgeist" wird durch sie gestiftet; sie versöhnt die Natur, indem sie „Menschen aus allen Kreisen und Zonen und Ständen, abgeworfen jede Fessel der Künstelei und der Mode, herausgerissen aus jedem Drange des Schicksals",[3] in einem großen Einklang von Empfindungen als Menschen im Sinne ihrer Naturbestimmung sich wiederfinden läßt. Dieses hochzielende Programm war durch die Mannheimer Erfahrungswirklichkeit, die im damaligen Deutschland noch eine bessere zu sein schien, ins Nichts zurückgeführt worden.

Als Schiller im Anschluß an die Leipziger und Dresdener Zeit zur Sicherung einer eigenständigen Existenz, die sich auf die Literatur gründen sollte, den Anschluß an die Spitzenpositionen der zeitgenössischen Literatur und den Kontakt mit deren bedeutendsten Repräsentanten suchte, war er sehr ernsthaft bemüht, sich vor solchen schönen, aber illusionären Träumen wie dem in Mannheim geträumten zu bewahren. Die Realität des literarischen Lebens, in der er seinen Platz suchte, tat das Ihrige, ihn vor Rückfällen zu schützen. Zwar hielt ihn Körner unermüdlich an, seiner dichterischen Berufung zu folgen, aber Schiller sah sich allzu unabweislich mit der Wirklichkeit konfrontiert, als daß er seine Lage und die daraus folgenden Zwänge hätte vergessen können. Seine Erfahrungen verwiesen ihn auf die Tatsache, daß er als Historiograph, d. h. als wissenschaftlicher Autor, in seiner Gegenwart eher eine Existenzgrundlage finden konnte denn als Dramatiker, d. h. als Dichter und Künstler. Briefe aus den ersten Monaten des Jahres 1788 – also unmittelbar im Vorfeld und zur Zeit des Entstehens der „Götter Griechenlands" niedergeschrieben – machen den konkreten Erfahrungs- und Problemhintergrund für die Frage nach dem Verhältnis von Kunst und Wissenschaft erkennbar, die auch im Gedicht wiederzufinden ist. Dabei ist immer im Sinn zu behalten, daß der Schreiber dieser Briefe, dem die Wirklichkeit die Erkenntnis einschärfte, daß er als Historiker möglicherweise, aber als Dichter auf keinen Fall zu leben vermochte, sich die Erfüllung seiner höchsten Wirksamkeit für die Menschheit eigentlich nur als Dichter vorstellen konnte.

Im Brief vom 7. Januar 1788 an Körner gibt Schiller – er sitzt zu diesem Zeitpunkt über der Arbeit an seiner so großartigen „Geschichte des Abfalls der Vereinigten Niederlande von der spanischen Regierung" – Impressionen und Urteile über seine innere Verfassung, die es kaum ermöglichen, diese anders denn als desolat zu bezeichnen: „Du schließest vielleicht aus meinen Briefen ein Abattement meines Geists, aber Du irrst Dich, wie mir scheint, in den Gründen, denen Du es zuschreibst. Das Abarbeiten meiner Seele macht mich müde, ich bin entkräftet durch den immerwährenden Streit meiner Empfindungen ... Meine jetzigen Arbeiten mögen mitunter auch an dieser Ermattung schuld sein. Ich ringe mit einem mir heterogenen fremden und oft undankbaren Stoff, dem ich Leben und Blüte geben soll, ohne die nötige Begeisterung von ihm zu erhalten. Die

Zwecke, die ich mit dieser Arbeit finde, halten meinen Eifer noch so hin, und verbieten mir, auf halbem Wege zu erlahmen." Zudem muß sich der Briefschreiber in dieser Situation mit Körner über Wert und Unwert von Geschichte – Körner hat von ihr eine sehr niedrige Meinung – auseinandersetzen, also jener Wissenschaft, mit deren Hilfe er seine Existenz just zu begründen sucht. Zwar findet er sie „willkürlich, voll Lücken und sehr oft unfruchtbar" – was deutlich macht, daß er weniger den Gegenstand als die Wissenschaftsdisziplin meint und deshalb auch mit seiner Kritik gar nicht so unrecht hat –, aber er sieht für sich als „philosophischen Geist" immerhin die Möglichkeit, die Geschichte „zu beherrschen".

Danach jedoch geht Schiller auf die unmittelbaren Probleme seiner Schriftstellerexistenz über. Der sozialökonomische Aspekt seines derzeitigen Lebens belehrt ihn darüber, welche Erkenntnis- und Darstellungsform in der gegenwärtigen Welt Gewicht und Geltung hat: „Über die Vorteile beider Arten von Geistestätigkeit ist nun vollends keine Frage. Mit der Hälfte des Werts, den ich einer historischen Arbeit zu geben weiß, erreiche ich mehr Anerkennung in der sogenannten gelehrten und in der bürgerlichen Welt als mit dem größten Aufwand meines Geistes für die Frivolität einer Tragödie. Glaube nicht, daß dieses mein Ernst nicht sei, noch weniger, daß ich Dir hier einen *fremden* Gedanken verkaufe. Ist nicht das *Gründliche* der Maßstab, nach welchem Verdienste gemessen werden? Das *Unterrichtende*, nämlich das, welches sich dafür ausgibt, von weit höherem Range, als das bloß Schöne oder Unterhaltende? So urteilt der Pöbel – und so urteilen die Weisen. Bewundert man einen großen Dichter, so verehrt man einen Robertson – und wenn dieser Robertson mit dichterischem Geiste geschrieben hätte, so würde man ihn verehren und bewundern." Mit Entschlossenheit spricht Schiller die Möglichkeit aus, dieser Konstellation entsprechend seine eigenen Fähigkeiten ökonomisch zu nutzen: „Wer ist mir Bürge, daß *ich* das nicht einmal können werde – oder vielmehr – daß ich es den Leuten werde glauben machen können? Für meinen Carlos – das Werk dreijähriger Anstrengung bin ich mit Unlust belohnt worden. Meine Niederl.

Geschichte, das Werk von 5 höchstens 6 Monaten, wird mich vielleicht zum angesehenen Manne machen." Und nachdem er deutlich gemacht hat, Körner selbst würde dem belehrenden, nützlichen wissenschaftlichen Werk letztlich den Vorrang vor dem nur unterhaltenden, unnützen künstlerischen geben, beendet er diese ausgiebige Passage mit dem Satz: „Ich weiß nicht, ob ich Dir meine Ideen klar gemacht habe; aber ich fühle, daß ich die Materie mit überzeugtem Verstande verlasse."[4]

Wie überzeugt sein Verstand – aber eben auch nur sein Verstand – war, bezeugen die folgenden Briefe an Körner. Für unsere Zwecke genügt es, die entscheidenden Passagen für sich sprechen zu lassen. Am 19. Januar 1788 faßt Schiller seine Ideen, die er im vorangegangenen zitierten Brief vom 7. Januar „vielleicht durch Umständlichkeit verwirrt" zu haben glaubt, „kürzer und vielleicht einleuchtender" in eine Reihe durchnumerierter Thesen zusammen. Diese Thesen sollte man ob ihrer Nüchternheit und Prägnanz, ob ihrer Praxisnähe und Erdenschwere sehr durchdenken, um das gewohnte hehre und hohe Bild Schillers ein für allemal beiseite tun zu können (vielleicht wäre das sogar ein Text für ein literaturgeschichtliches Lesebuch an unseren Schulen): „Erstens. Ich muß von *Schriftstellerei leben*, also auf das sehen, was *einträgt*. Zweitens. Poetische Arbeiten sind nur meiner *Laune* möglich, forciere ich diese, so mißraten sie. Beides weißt Du. *Laune* aber geht nicht gleichförmig mit der *Zeit* – aber meine Bedürfnisse. Also darf ich, um sicher zu sein, meine *Laune* nicht zur *Entscheiderin* meiner Bedürfnisse machen. Drittens. Du wirst es für keine stolze Demut halten, wenn ich Dir sage, daß ich zu *erschöpfen* bin. Meiner Kenntnisse sind wenig. Was ich bin, bin ich durch eine oft unnatürliche Spannung meiner Kraft. Täglich arbeite ich schwerer – weil ich viel schreibe. Was ich von mir gebe, steht nicht in Proportion mit dem, was ich empfange. Ich bin in Gefahr, mich auf diesem Wege auszuschreiben. Viertens. Es fehlt mir an *Zeit*, Lernen und Schreiben gehörig zu verbinden. Ich muß also darauf sehen, daß auch *Lernen* als Lernen mir rentiere! Fünftens. Es gibt *Arbeiten*, bei denen das Lernen die Hälfte, das *Denken* die andere Hälfte tut. – Zu einem Schauspiel brauche ich kein Buch, aber meine ganze Seele und alle meine Zeit. Zu einer historischen Arbeit tragen mir Bücher die Hälfte bei. Die Zeit, welche ich für beide verwende, ist ungefähr gleich groß. Aber am Ende eines historischen Buchs habe ich Ideen erweitert, neue empfangen; am Ende eines verfertigten Schauspiels vielmehr verloren. Sechstens. Bei einem großen Kopf ist jeder Gegenstand der Größe fähig. Bin ich einer, so werde ich Größe in mein historisches Fach legen. Siebentes. Weil aber die Welt das *Nützliche* zur höchsten Instanz macht, so wähle ich einen Gegenstand, den die Welt auch für nützlich hält. Meiner Kraft ist es eins, oder soll es eins sein – also entscheidet der Gewinn."[5] Zwei Punkte folgen noch und schließen die Beweisführung ab, die Schiller zugunsten von historischen Schriften gegen Körners dringliches, eingestanden wie uneingestanden den eigenen Wünschen entsprechendes Anraten zum dichterischen Schaffen aufbietet.

Am 12. Februar schreibt Schiller dem Freund in Dresden: „Wie weit mich *diese* Art von Geistestätigkeit führen wird, ist schwer zu sagen; aber mir schwant, daß wenn sich meine Lust nach *der* Proportion, wie sie angefangen hat, vermehrt, ich am Ende dem Publizisten näher bin, als dem Dichter, wenigstens näher dem Montesquieu als dem Sophokles – und dabei danke ich mit jedem Schritte dem Himmel für jede poetische Zeile, die ich mich zu machen nicht habe verdrießen lassen."[6]

Schließlich heißt es am 17. März, nunmehr unmittelbar in Reflexion der Entstehung des Gedichts „Die Götter Griechenlands" und des eigenen Werturteils darüber: „Angenehm wird Dirs sein zu hören, daß ich mich aus dem Schulstaub meines Geschichtswerks auf etliche Tage losgerüttelt und mich ins Gebiet der Dichtkunst wieder hineingeschwungen habe. Bei dieser Gelegenheit habe ich die Entdeckung gemacht, daß, ungeachtet der bisherigen Vernachlässigung, meine Muse noch nicht mit mir schmollt. Wieland rechnete auf mich bei dem neuen Mercursstücke, und da machte ich in der Angst – ein Gedicht. Du wirst es im März des Mercur finden und Vergnügen daran haben, denn es ist doch ziemlich das beste, das ich neuerdings hervorgebracht habe . . ."[7]

Die angeführten Briefstellen bezeugen sehr klar, daß Schiller sich die Entscheidung, ob er sich als wissenschaftlicher oder als poetischer Autor etablieren sollte, nicht leicht machte. Faktisch hatte er sie ja schon – wenigstens auf die unmittelbar nächste Zeit – gefällt, denn er saß längst über der „Geschichte des Abfalls der vereinigten Niederlande von der spanischen Regierung", und unverkennbar wuchs bei der Arbeit auch die Schaffenslust. Aber es kamen mehrere Umstände zusammen, die ihn immer aufs neue zu Reflexionen und Argumenten nötigten: die eigene Vorliebe für die Poesie, die dringlichen Mahnungen Körners zugunsten des poetischen Schaffens, die geheime und uneingestandene Abneigung, sich auf die Konjunkturen des literarischen Marktes einzustellen, demgegenüber eben der Druck der Verhältnisse und die dem Rechnung tragende eigene Erkenntnis, die Poesie sei brotlose Kunst, Wissenschaft jedoch könne ihn – mit einiger Wahrscheinlichkeit – ernähren. Rigoros, wie er immer Probleme zuspitzte und überspitzte, sein tiefes Unbehagen überspringend, formulierte er seine Entscheidung gegen die Poesie. Aber dann ist es das gelungene große Gedicht, das ihn zu verhaltenem Jubel bewegt und seinen ganzen Stolz ausmacht. Es wird sich zeigen, wie diese Konstellation in dem Gedicht selbst zum Austrag kommt.

„Die Götter Griechenlands"

Das Gedicht „Die Götter Griechenlands", Anfang 1788 entstanden und im Märzheft von Wielands „Teutschem Merkur" veröffentlicht,[8] hat seine Bedeutung nicht nur als ein wichtiges Beispiel der philosophisch-weltanschaulichen Lyrik Schillers, sondern nimmt auch in der Literaturgeschichte jener Zeit einen besonderen Platz ein. Selbst schon inspiriert durch Gehalt und Geist der ursprünglich durch Goethes „Prometheus"-Gedicht ausgelösten Spinoza-Debatte[9] von 1785/86, wurde es seinerseits zum Anlaß und Gegenstand einer erneuten literarisch-weltanschaulichen Kontroverse in der Öffentlichkeit.[10]

In unserem thematischen Zusammenhang geht es nicht um

eine Gesamtinterpretation des schwierigen, weil vielschichtigen und reichen, ja teilweise widerspruchsvollen und überfüllten Gedichts. Allerdings ist der Themenkomplex Kunst und Wissenschaft, Schönheit und Wahrheit darin nicht beiläufig, sondern mit dem Ganzen tief verbunden. So muß die Betrachtung auch vom Ganzen ausgehen.

Mit hymnischer Begeisterung, in einer Kaskade von poetischen Bildern, die das mythische Leben und Wirken von Göttern und Heroen heraufbeschwören, feiert das lyrische Ich des Gedichts die Götter des alten Griechenlands. Sogleich die erste Strophe setzt – in unmittelbarer Anrufung – die Akzente: Selbst „schöne Wesen", haben die Olympier eine „schöne Welt" regiert und „an der Freude leichtem Gängelband / glücklichere Menschenalter" geführt. „Freude", bereits in der Ode „An die Freude" 1785 als „die starke Feder / In der ewigen Natur"[11] jubelnd gepriesen, und Liebe – „Zwischen Menschen, Göttern und Heroen / knüpfte Amor einen schönen Bund" – erscheinen als die bindenden und bewegenden Kräfte dieser Welt. Das Wichtigste: Es war eine Welt, die die Menschen beglückte. Während die ersten Strophen mythische Erzählungen aus der Götter- und Heroenwelt in Erinnerung rufen, freilich bevorzugt unter dem Aspekt des Menschenähnlichen und Menschennahen, ist – etwa ab Strophe 6 – vom Leben der Menschen die Rede, nunmehr vor allem unter dem Aspekt des Götterähnlichen und Götternahen. Fülle und Harmonie lebendigen Seins, die im Bild der Götter ihren poetisch-metaphorischen Ausdruck gewinnen, stehen auch den Menschen ganz offen. Das gilt für individuelle wie für kollektive Existenz, zwischen denen keine Kluft besteht, die vielmehr ein großer Einklang beherrscht. Das Vorbild griechischen Volkslebens findet in dem Lobgesang, der „des Isthmus kronenreichen Festen" gesungen wird – ein prägnantes Stichwort für die Umwandlung der Festmetapher in eine historisch-gesellschaftliche Ziel- und Perspektivvorstellung bei Hölderlin –, beredten Ausdruck. Friedliche und altruistische Beziehungen kennzeichnen auch das menschliche Leben im Bereich des Nichtöffentlichen und Privaten. Durch und durch menschlichem Empfinden und Bedürfen ist diese Welt angemessen und angepaßt. Sinnlichkeit und Lebensfreude, Diesseitigkeit und Ganzheitlichkeit sind Wesenszüge des Menschlichen in dieser Welt.

Dieses eigentlich aufs Humane gerichtete Anliegen des den griechischen Göttern gewidmeten Gedichts erreicht seinen Kulminationspunkt in den Schlußversen der vorletzten Strophe: „Da die Götter menschlicher noch waren, / waren Menschen göttlicher." In einem Zustand naturhafter Verbundenheit und Übereinstimmung alles Existierenden, der vom lyrischen Ich leidenschaftlich-bewegt als „schöne Welt" angerufen wird, partizipieren die Menschen in vollem, ungebrochenem Maße am Genuß der Lebensmöglichkeiten, durch die diese Welt als eine Welt für den Menschen dargeboten wird. Wie das Menschliche der das Naturganze erfüllenden und repräsentierenden Götter die Zugänglichkeit und Vertrautheit zum Naturganzen andeutet, so findet im Götterähnlichen und Götternahen, im Göttlichen der Menschen die Möglichkeit voller Teilhabe am Naturganzen ihren Ausdruck.

Die hymnische Feier der „schönen Welt", deren innerstes Wesen durch ihre Götter symbolisiert ist, wird gleichwohl von einer übergreifenden elegischen Tonart grundiert und immer wieder durchbrochen. Dieses Elegische des Gedichts wird, wie es zunächst scheint, durch das Bewußtsein darüber bestimmt, daß die Lebens- und Herrschaftszeit der griechischen Götter längst und unwiderruflich vorbei ist. Bei näherem Betrachten indessen wird deutlich: Schiller geht eigentlich überhaupt nicht davon aus, daß es diese Zeit einmal wirklich gegeben habe. In einem Brief an Körner hat er selbst darauf hingewiesen, daß er in den griechischen Göttern „die lieblichen Eigenschaften der griechischen Mythologie in *eine* Vorstellungsart" – doch wohl die eigene, subjektive des Dichters! – „zusammengefaßt" habe.[12] Für ihn war es eine Selbstverständlichkeit, daß die Aussagen seines Gedichts nicht auf Wirklichkeit unmittelbar zu beziehen, sondern als *poetische* Artikulation der äußeren Weltbeziehung wie der inneren Empfindungswelt des Dichters zu werten sind. Ihm galt als allgemeine Regel, daß der Künstler nie das Wirkliche behandelt, sondern „immer nur das Idealische, oder das kunstmäßig Ausgewählte aus einem wirklichen Gegenstande"[13]. Schon in der ersten Strophe wird deutlich gesagt, daß die griechischen Götter „schöne Wesen aus dem Fabelland" sind – und „Fabelland" ist zweifellos das Land der Poesie. So ist das in dem Gedicht gegebene Bild der antiken Welt insgesamt kein historisches, sondern ein fiktives Bild, das von den geschichtlichen Widersprüchen und Konflikten, Kämpfen und Tragödien dieses Zeitalters, von denen Schiller wie seine Zeitgenossen trotz aller Idealisierung wußten, nicht im geringsten erschüttert wird. Das Gedicht ist nicht Ausdruck der Trauer um ein unwiderrufliches Vergangensein der griechischen Götter in ihrer mythologisch-religiösen Geltung und ideologisch-geschichtlichen Funktion. Es ist vielmehr die elegische Erinnerung und Heraufbeschwörung eines poetisch an die Antike gebundenen Weltzustandes, der den Menschen mit sich und der Welt in grundsätzlicher Übereinstimmung sah.

Diese Erinnerung und Heraufbeschwörung gewinnt ihre aktuell-zeitbezogene Funktion für Schiller in der scharfen Kritik, der die moderne Welt unterworfen wird. Diese Kritik ist im Gedicht vom ersten Augenblick an wirksam. Bevor noch – zu Beginn der dritten Strophe – eine erste direkte Aussage zu der gegenwärtigen menschheitlichen Situation gegeben wird, ist der Gegensatz schon durch komparative Formulierungen konstituiert: Von „glücklicheren Menschenaltern" und von „höherm Adel", der der Natur verliehen wurde, ist die Rede; „ganz anders, anders" sei es zu jenen längst vergangenen Zeiten gewesen. Der Vergleich der Zeitalter ist von vornherein zuungunsten der Moderne entschieden.

Den menschenähnlichen und menschennahen griechischen Göttern ist ein moderner monotheistischer Gott gegenübergestellt, dessen charakteristische Wesenszüge seine Menschenferne und sein Egozentrismus sind. Der dem Menschen faßbaren, konkreten Vielfalt eines allseitig beseelten und lebendigen Naturkosmos steht eine tote, entgötterte und seelenlose Welt und Natur entgegen. Zu alldem kann der Mensch dieser Gegenwart keine positive innere, keine „menschliche", d. h. über

Empfindungen und Gefühle vertraut machende Beziehung mehr entwickeln. Mehr noch: dem vereinsamten modernen Menschen ist nicht mehr die Möglichkeit antiker Lebensfülle und Genußfähigkeit gegeben, sondern er findet sich durch die Verteufelung alles Sinnlich-Diesseitigen auf eine dem Irdischen feindliche Askese verwiesen. Während die Menschen in Schillers idealisch überhöhter Antike sich vollauf im Irdischen erfüllen und sogar noch in der Schattenwelt einen Nachklang von Menschlichem vorzufinden erwarten dürfen, wird den gegenwärtigen Menschen als Ausgleich für ein asketisch-armes Leben im Diesseits die Verheißung einer dem menschlichen Empfinden völlig fremden jenseitigen Erlösungs- und Glücksperspektive geboten.

Daß sich militante religiöse Ideologen wie Friedrich Leopold von Stolberg durch Schillers Gedicht herausgefordert fühlten und mit gereizter Bösartigkeit reagierten, ist nicht verwunderlich. Sie lasen es – und durchaus auch zu Recht – als rigorose Absage an die christliche Gottesvorstellung, Lebensnorm und Erlösungsverheißung. Tatsächlich war diese polemische Attacke eine wesentliche Komponente des Schillerschen Gedichts, und insofern ist es ein besonderer Beitrag zur Geschichte der Emanzipation der Menschen vom religiösen Denken. Gleichwohl hat Schiller auch, parallel zu seiner Interpretation der griechischen Götter, darauf hingewiesen, daß der kritisierte Gott des Gedichts „nicht der Gott der Philosophen oder auch nur das wohltätige Traumbild des großen Haufens“ sei, sondern daß es sich vielmehr um „eine aus vielen gebrechlichen schiefen Vorstellungsarten zusammengeflossene Mißgeburt“ handle.[14] Die Kritik ist nicht punktuell, einschichtig, sondern greift weiter aus.

Denn das Gedicht vollzieht auch eine tiefgehende Auseinandersetzung mit dem Weltbild der modernen Wissenschaft. Indigniert zitiert Schiller schon in der dritten Strophe – und es ist, wie schon gesagt, die erste direkte Einbeziehung der Gegenwart in den Fluß der Gedanken und Bilder – „unsre Weisen“, also die zeitgenössischen Wissenschaftler und Philosophen, nach deren Auffassung die Sonne ein bloßer Feuerball sei, der sich seelenlos im All dreht. Dieses Bild wird später auf den ganzen Naturkosmos ausgedehnt:

Fühllos selbst für ihres Künstlers Ehre,
gleich dem toten Schlag der Pendeluhr,
dient sie knechtisch dem Gesetz der Schwere,
die entgötterte Natur!

Morgen wieder neu sich zu entbinden,
wühlt sie heute sich ihr eignes Grab,
und an ewig gleicher Spindel winden
sich von selbst die Monde auf und ab.

Diesem Weltbild, das nicht nur als das des mechanischen Materialismus, sondern der sich im glanzvollen Aufstieg der klassischen Mechanik aufgipfelnden Naturwissenschaften seit der Renaissance, ja wohl auch eines rationalistisch-wissenschaftlichen Denkens überhaupt zu verstehen ist, stand Schiller auf Grund seiner bisherigen geistig-weltanschaulichen Entwicklung – ungeachtet aller Elemente naturwissenschaftlicher, ja materialistischer Denkweise, die er selbst produktiv aufgenommen und genutzt hatte – grundsätzlich skeptisch und abgeneigt gegenüber. Bei mehreren Gelegenheiten war das bereits deutlich geworden. Im Gedicht „Die Freundschaft" der „Anthologie auf das Jahr 1782" stehen Verse, die die innerste Sehnsucht des Dichters ausdrücken:

Stünd' im All der Schöpfung ich alleine,
Seelen träumt' ich in die Felsensteine,
Und umarmend küßt' ich sie –

Freilich reflektieren die folgenden Verse auch unverzüglich das Illusionäre solcher naturbeseelenden Erwartung:

Meine Klage stöhnt' ich in die Lüfte,
Freute mich, antworteten die Klüfte,
Tor genug! der süßen Sympathie.[15]

In den „Philosophischen Briefen" spricht der junge Julius, in dessen Haltung Schiller sein eigenes ursprüngliches Weltverhältnis spiegelte, die gleiche positive Erwartung nahezu mit denselben Worten aus.[16] Hier lag also offensichtlich für den jungen Schiller ein weltanschauliches und lebenspraktisches Grundproblem. In den „Göttern Griechenlands“ wurde es mit Vehemenz wiederaufgenommen und auf die Beziehung Mensch – Welt erweitert.

Bereits in der zweiten Strophe ist – in der Ausmalung des glücklicheren Welt- und Menschenalters, das Schiller in die Antike projizierte – das Thema Kunst und Wissenschaft erstmals deutlich angeschlagen:

> Da der Dichtkunst malerische Hülle
> sich noch lieblich um die Wahrheit wand! –
> Durch die Schöpfung floß da Lebensfülle,
> und, was nie empfinden wird, empfand ...

Ausgehend davon, daß in der Antike die künstlerische Form der Erkenntnis und Aneignung der Welt vor der wissenschaftlichen – zeitlich und sachlich – dominierte, bindet Schiller das Menschlich-Reiche der von ihm idealisierten Lebensform an dieses poetisch-künstlerische, den Menschen in seiner Ganzheit treffende und fördernde Weltverhältnis. Wahrheit erschien damals in poetischer Gestalt, und in dieser Gestalt wußte sie den Menschen zu beglücken, während sie in der Moderne, ohne „der Dichtkunst malerische Hülle“, in wissenschaftlich-rationaler, unvermittelter Form erscheinend, die Weltbeziehung und Lebensfülle des Menschen zerstört. In der Ausführung des Gedichts denunziert Schiller nicht zuletzt auch immer wieder die den inneren Bedürfnissen des Menschen fremd gewordenen Aspekte des modernen wissenschaftlichen Weltbildes, kennzeichnet er die Schwierigkeit, eine Heimstatt für den Menschen zu finden in einer Welt, die in der gesellschaftlichen Praxis wie in den ideologischen Normativen den „Himmel“ von der Erde verbannt und ins Jenseits gerückt hat: „Mühsam späh ich im Ideenlande, / fruchtlos in der Sinnenwelt ...“

Indessen deutet sich eine – undeutliche und problematische – Alternative an. Auf den sehnsüchtigen Wunsch „Kehre wieder, / holdes Blütenalter der Natur!“ folgt der Verweis: „Ach, nur in dem Feenland der Lieder / lebt noch deine goldne

Spur." Was in der Wirklichkeit hoffnungslos und unwiderruflich entrückt ist, lebt in der Poesie nach; was das Leben in seiner Unpersönlichkeit und Kälte dem Menschen versagt, ist immerhin in der Welt der Dichtung zu finden. Es ist klar: Schillers auf die Antike projiziertes Idealbild menschlich-natürlicher und -harmonischer Weltverhältnisse erweist sich weniger als Bild geschichtlicher Vergangenheit denn vielmehr als ein solches utopischer Zukunft. Und wenn angesichts einer prekären Gegenwartssituation die Fortschritte der Wissenschaft kaum eine Befriedigung der inneren Bedürfnisse des empfindenden Menschen verheißen, so tritt an dieser Stelle die Poesie ein und bietet ihre Hilfe an. Freilich bleibt diese Hilfe zwiespältig: Poesie kann eine bessere Zukunft malen und insofern eine Perspektive geben, aber sie ist auch zugleich nur allzusehr an die bloße Vorstellung und Innenwelt der Menschen gebunden und trägt als Gefahr die Ungeschichtlichkeit mit ihrer Unverbindlichkeit mit sich.

Die ganze Widersprüchlichkeit der Schillerschen Position – Widersprüchlichkeit vor allem in bezug auf das Geschicht-lich-Reale, was keineswegs die Aufhebung der produktiven zeitkritischen und perspektivischen Elemente des Gedichts bedeutet – gibt sich in der Schlußstrophe zu erkennen:

> Dessen Strahlen mich darnieder schlagen,
> Werk und Schöpfer des Verstandes! dir
> nach zu ringen, gib mir Flügel, Waagen
> dich zu wägen – oder nimm von mir
> nimm die ernste strenge Göttin wieder,
> die den Spiegel blendend vor mir hält;
> ihre sanft're Schwester sende nieder,
> spare jene für die andre Welt.

Das „Du" dieser lyrischen Ansprache, das das „Ihr" der ersten Teile des Gedichts abgelöst hat und den Schluß beherrscht, ist das Bild des modernen, monotheistischen und egozentrischen Gottes. Freilich bleibt in der Beziehung etwas tief Widersprüchliches: Das „Du" ist zugleich Werk, also Schöpfung, und Schöpfer, also Bewirker, des Verstandes, und wenn, wie der zitierte

Brief an Körner erläutert, das Bild dieses Gottes eigentlich nur eine „aus vielen gebrechlichen schiefen Vorstellungsarten zusammengeflossene Mißgeburt“[17] ist, wieso dann wendet sich das lyrische Ich mit einer so verzweifelt-dringlichen Alternativforderung an dieses Wesen? (Auch in der lyrischen Diktion ist diese Schlußstrophe, besonders in ihrem ersten Teil, nicht gelungen: die inneren Beziehungen zwischen den symboltragenden Subjekten und Objekten sind nicht stimmig.)

Wie dem immer sei: das lyrische Ich kann mit dem Angebot des modernen Weltbildes, dessen Kosmozentrismus menschliche Subjektivität beeinträchtigt oder gar ausschließt, dessen Wahrheit die Menschen blendet, nichts anfangen. Es verlangt Mittel und Wege, mit der schmerzhaft-grellen Wahrheit fertig zu werden und sie angemessen aufnehmen zu können; sie laufen in der Konsequenz auf einen Status des Göttlichen hinaus. Andernfalls, so wird gefordert, sollte die ernste, strenge Göttin der Wissenschaft, die Wahrheit, von ihm genommen und statt ihrer die sanftere Schwester, die Schönheit, das poetisch-phantastische, allseitig belebte Weltbild der Kunst zurückgesandt werden. Erst in dieser Schlußstrophe wird erkennbar, in welchem Maße das Gedicht durch die Frage künstlerischer und wissenschaftlicher Welterkenntnis und -aneignung bewegt wird. Freilich bringt es keine Lösung, und schon gar keine befriedigende. Die Alternative, auf der alles basiert, ist nur scheinbar. Denn die erste Forderung ist illusorisch, und also ist von Anfang an die Entscheidung für die zweite Möglichkeit, die genannt wird, gefallen. Und was für ein Angebot enthält sie? In der Konsequenz nichts anderes als den schönen Schein, den Kunst und Poesie zu geben vermögen, der aber gegenüber der Realität wirkungslos ist. Ganz unverkennbar präsentiert Schiller schon hier – vor den „Briefen über die ästhetische Erziehung des Menschen“ und vor der Französischen Revolution – eine Konzeption, deren Kern die Flucht aus dem Dilemma zerrissenen Menschseins in einer zerrissenen Welt ins Reich der Kunst ist, und zwar einer Kunst, die letztlich der Sehnsucht des Ichs entspringt und ihr entspricht, die der gegebenen Wirklichkeit strikt entgegengesetzt ist. Das am Ende artikulierte Verlangen ist zweifellos gegen die Wirklichkeit gerichtet. Das Gedicht beantwortet nicht die Frage nach Möglichkeiten einer sinnvollen Zusammenfügung und Gemeinsamkeit von künstlerischer und wissenschaftlicher Weltaneignung, die letztlich entscheidend für die produktive Bewältigung der Lebensprobleme sind. In Abwehr gegen eine erdrückende Vormacht der Wissenschaften überzieht es das Plädoyer für Kunst und Poesie und behält etwas Einseitiges und Illusionäres, das nicht weiterhilft.

Rufen wir uns jetzt noch einmal den realen Erfahrungshintergrund des Gedichts, wie er sich in den zitierten Briefen an Körner darbot, in die Erinnerung zurück, so ergeben sich charakteristische Einblicke in das Wesen Schillers und seiner Dichtung. In den Briefen wird eine prosaische Nötigung durch die harte Realität artikuliert. Der Autor Schiller muß etwas tun, was mit seinen eigenen Idealvorstellungen nicht in Übereinstimmung steht, was ihn zu einem Handeln gegen sein eigenes Inneres zwingt. Indessen rechtfertigt er, was er treiben muß, in beredten und die Lebenswahrheit exakt treffenden Worten gegenüber dem Freund. Wie selten sonst bei ihm scheint die Lebenswirklichkeit als unüberspringbare determinierende Kraft durch. Aber das ist nur eine vorübergehende Konstellation. Im Inneren hält Schiller seinen Idealen und Zielen unbeirrbar die Treue. Ein gelungener Vers und gar erst ein gelungenes großes Gedicht vom Rang der „Götter Griechenlands“ beglücken ihn aufs tiefste. Und so läßt er auch das Gedicht in seiner Schlußstrophe mit der strikten Forderung nach Poesie die sachliche Logik, mit der die Briefe der Lebensrealität folgten, widerlegen. Zwar findet er sich gezwungen, „Wissenschaft“ zu betreiben, aber bei nächster Gelegenheit kompensiert er die vollzogene Entscheidung durch ein Gedicht, das diese Entscheidung wieder weit hinter sich zurückläßt und die Frage Wissenschaft oder Kunst ohne Berücksichtigung der persönlichen Zwangslage erörtert und entscheidet. Und das ist für den Dichter Schiller eigentümlich. Subjektive Empirie vermag zwar Dichtung zu stimulieren, aber sie findet in diese selbst keinen Eingang. Der individuelle, ja der zeitgeschichtliche Realhorizont wird in Rich-

tung auf menschheitsgeschichtlich übergreifende Probleme aufgesprengt und überschritten. Die Spuren von Erdenstaub werden sorgfältig getilgt.

Dem Plädoyer für die Poesie, das Schiller in den „Göttern Griechenlands" vortrug, gebrach es gewiß weniger an leidenschaftlicher Herausforderung als an rationaler Überzeugungskraft. Die Debatte indessen, die das Gedicht auslöste, führte u. a. auch öffentlich vor, wie problematisch es in der derzeitigen Situation um das Verständnis für die Eigenständigkeit der Poesie, was ihr Wesen und ihre Funktion betrifft, bestellt war. Es war nicht nur Stolberg, der – nach konsequent vollzogener Entwicklung oder Wendung zu einer proreligiösen, konservativ-apologetischen Haltung – Schillers Fragestellung in ihrer poetischen Eigenart und Funktionsweise verkannte und negierte. Gewiß, ihm allein – aber es wurde schon gut verstanden, daß er der Sprecher einer großen und mächtigen Fraktion in der damaligen Öffentlichkeit, der Anwalt der herrschenden Schichten in Deutschland war – blieb vorbehalten, die Kritik Schillers am christlich-religiösen Welt- und Menschenbild, die ein wesentliches Moment der Schillerschen Zeitalterkritik war, mit der Anklage auf Lästerung und somit gewissermaßen mit dem Ruf nach Verfolgungs- und Straforganen zu beantworten; Forster sprach diese Konsequenz zweifellos mit innerer Berechtigung aus.

Insofern duldet die Tendenz von Knebels polemischer Entgegnung auf Schillers Gedicht keinerlei Gleichsetzung mit dem Angriff Stolbergs. Doch unverkennbar nahm auch Knebel – in dieser Hinsicht Stolberg ähnlich – Schillers poetisches Plädoyer für die Götter Griechenlands und ihr Zeitalter als einen ernstgemeinten Versuch, den Polytheismus wieder in reale Rechte und Positionen einzusetzen. Er belehrte Schiller darüber, daß die Götterbilder ebenfalls „den Gesetzen der Notwendigkeit und der Natur" unterstünden und daß man, da historischer Wandel und Wechsel für die Menschen und ihr Glück gut seien, kein Bedauern für das Verschwinden des „kleinen Flitterstaates"[18] der griechischen Götterwelt haben sollte. Gab Knebel sich in seinem Aufsatz, der schon im Aprilheft des „Teutschen

Merkur“ die Polemik gegen Schiller und sein Gedicht eröffnete, von einer Position gelassen-ironischer, letztlich heiterer Überlegenheit, so verraten Briefkommentare dazu ein viel ernsthafteres Betroffensein. Knebels privat geäußerte Meinung, das Ende des Gedichts sei „fatal, ganz falsch empfunden und in der Tat anstößig“[19], zielte in eine ganz andere Richtung als das Urteil, das sich Stolberg aus seinem Anstoßnehmen bildete; sie enthielt – soweit der konkrete inhaltliche Bezug dieser kritischen Worte erschließbar ist – wohl einen Aspekt richtiger Kritik an Schillers falscher, weil fortschritts- und entwicklungsnegierender Alternativsetzung und -forderung am Ende der „Götter Griechenlands“. Seine Grundposition bezeugte gleichwohl ein arges Unverständnis gegenüber dem von Schiller bewußt in Anspruch genommenen Hausrecht der Poesie, nicht unmittelbar-wörtlich, sondern symbolisch-vermittelnd aufgenommen zu werden und dabei die Interessen des Humanen auf spezifische, unersetzbare Weise wahrzunehmen. Es war demgegenüber Forster, der mit seinem brillanten „Fragment eines Briefes an einen deutschen Schriftsteller, über Schillers Götter Griechenlands“ – im Mai 1789 erschienen – die Proportionen in diesem Sinne souverän ausglich. Für Forster, den gewiß niemand der Unterschätzung von Wissenschaft und Erkenntnis bezichtigen kann, war Schillers Gedicht von vornherein ein „Meisterstück der Fiktion“. Er plädierte dafür, sich an die *relative Wahrheit* der Dichtung im Sinne ihrer spezifischen Möglichkeiten zu halten: „Die Wesen des Dichters sind Geschöpfe der Einbildungskraft, welche das wirklich Vorhandene innig auffaßt, und wieder zu hellen, lebendigen Gestalten vereinigt. Natur und Geschichte sind die nie versiegenden Quellen, aus welchen er schöpft; sein innerer Sinn aber stempelt die Anschauungen, und bringt sie als neugeprägte Bilder des Möglichen wieder in Umlauf.“[20]

Schiller verfolgte nach den „Göttern Griechenlands“ die Problematik der Beziehung von Kunst und Wissenschaft und sein Anliegen, die Eigenrechte des Poetisch-Künstlerischen gegenüber der allmächtigen Wissenschaft zu behaupten, zielstrebig weiter, und unverkennbar nutzte er dabei die Erfahrungen der öffentlichen Kontroverse um sein Gedicht. Das zweite große geschichtsphilosophische und kunstprogrammatische Gedicht dieser endachtziger Jahre, „Die Künstler“[21], ist erst in diesem zeitgeschichtlichen, erfahrungsmäßigen Kontext seinem Inhalt und seiner Funktionsbestimmung nach vollauf zu verstehen.

Im Grunde genommen ist das „Künstler“-Gedicht nichts anderes als eine wesentlich abgeklärte und gereifte, geschichtlich-analytische wie aktuell- und perspektivisch-programmatische Weiterführung des Themas Schönheit und Wahrheit, Kunst und Wissenschaft. Es demonstriert – aus der Sicht eines Anwalts der Kunst und eines Herausforderers der Künstler – die Geschichte, den gegenwärtigen Stand und die künftige Entwicklung dieser Beziehungen. Von diesem Anliegen ist es bis ins tiefste geprägt, und in diesem großen kulturgeschichtlichen und menschheitsemanzipatorischen Blick liegt auch seine Stärke und Überzeugungskraft über die „Götter Griechenlands“ hinaus.

So sein Beginn: Die lyrische Sprecherfigur geht aus von einer bewundernden Lobpreisung des Entwicklungsstandes, den der Mensch, als Gattungswesen, am Ende des Aufklärungsjahrhunderts erreicht hat. Sie erkennt diesem positiven Bild das Attribut des Schönen zu. Indessen läßt die Darstellung der Elemente, die dieses Schöne ausmachen, zunächst – bewußt wohl – den Anteil der Kunst daran außer acht. Das Gedicht übernimmt hier das Selbstverständnis, das die Aufklärung am Ende ihres großen Jahrhunderts entwickelt hatte. Dabei muß aber berücksichtigt werden, daß Schiller dieses Bild – und keineswegs gegen seine Überzeugung – bestätigt, um, gerade daran anschließend, seine Probleme ins Spiel zu bringen.

Die zweite Strophe schon setzt mit einer Mahnung und Warnung ein, die den Optimismus der ersten Strophe deutlich relativiert:

> Berauscht von dem errungnen Sieg,
> Verlerne nicht die Hand zu preisen,
> . . .
> Die frühe schon der künftgen Geisterwürde
> Dein junges Herz im stillen zugekehrt,
> . . .
> Die Gütige, die deine Jugend
> In hohen Pflichten spielend unterwies,
> . . .
> Die, reifer nur ihn wieder zu empfangen,
> In fremde Arme ihren Liebling gab.

Angesprochen ist nach wie vor der Mensch „an des Jahrhunderts Neige", der es in Hinsicht auf Erkenntnis und Selbstbewußtsein weit gebracht hat. Diesem Menschen wird das Wissen um seine Herkunft und deren Leitmacht in Erinnerung gerufen, und zwar deshalb, weil er offenbar infolge eines überschwellenden falschen Selbstbewußtseins in Gefahr ist, Wichtiges zu vergessen. Diese Leitmacht – ihr Name wird in der zweiten Strophe in konsequenter Steigerung erst ganz am Ende genannt – ist die Kunst.

Kunst hat von allen lebenden Wesen allein der Mensch; sie ist demzufolge das ihn in seiner besonderen Qualität Auszeichnende und Konstituierende. Schiller hat hier offenbar den Begriff der Kunst in einem weiteren Sinne gefaßt, nämlich alles das umgreifend, was der Mensch mit seinem spezifischen schöpferischen Vermögen und Können leistet; er reflektiert damit auch die Tatsache, daß anfänglich die Erkenntnis- und Aneignungsmöglichkeiten des Menschen ungeschieden und vor allem künstlerisch bestimmt waren:

> Nur durch das Morgentor des Schönen
> Drangst du in der Erkenntnis Land:
> . . .

Was erst, nachdem Jahrtausende verflossen,
Die alternde Vernunft erfand,
Lag im Symbol des Schönen und des Großen
Voraus geoffenbart dem kindischen Verstand.

Auf das nachdrücklichste betont Schiller, daß am Anfang menschlicher Geschichte die Wahrheit über die Schönheit und in der Schönheit vermittelt und erschlossen, daß Erkenntnis in der künstlerischen Form von Auseinandersetzung mit der Wirklichkeit vollzogen worden sei. Eindeutig überbewertet er auch hier die Geltung der Kunst, weil er sie der Wissenschaft ausschließend gegenüberstellt und überdies den Bereich elementarer, sinnlich-praktischer Welterfahrung und -aneignung völlig außer acht läßt. Das ist die konkrete Folge eines idealistisch-metaphysischen, eines antinomischen Denkens und zugleich der Preis für die Feier der Kunst als Menschheitslehrerin.

Von dem geschichtlichen Ursprungspunkt, der in der zweiten und dritten Strophe entwickelt ist, springt Schiller in der vierten Strophe noch einmal verallgemeinernd in die Gegenwart vor. Er stellt die These auf, daß Urania, die Göttin der Wahrheit, die Muse der Wissenschaften, die – in deutlicher Anknüpfung an die Schlußstrophe der „Götter Griechenlands" – „furchtbar herrlich", den Menschen unerträglich ist, in Gestalt der Schönheit vor uns trete und somit – „mit abgelegter Feuerkrone", also den erkennenden Menschen nicht mehr blendend und niederschlagend – dem Menschen die Möglichkeit von Näherung und Aneignung gebe. Schiller legt also Wert darauf, daß Schönheit Wahrheit in sich berge und daß die wenigstens partielle Identität beider, etwa das Verhältnis von relativer und absoluter Wahrheit ausdrückend, ständig Gültigkeit habe. Dies ist übrigens der Punkt, wo er seine hohe Auffassung vom Wert der Schönheit und also der Kunst in eine höchste Forderung an die Kunst und den Künstler, wie er sie wenig später auf Bürger anwenden sollte, übergehen läßt.

Was wir als Schönheit hier empfunden,
Wird einst als *Wahrheit* uns entgegengehn,

heißt es am Ende der vierten Strophe, wobei die Sinnbetonung in der ersten Zeile nicht nur das Wort „Schönheit", sondern ebenso das Wort „empfunden" hervorheben müßte, weil die menschliche Kunstaneignung untrennbar mit der Qualität des Empfindens zusammenhängt.

Im folgenden entwirft Schiller nun ein Bild der Entwicklungsgeschichte des Menschen, das durch den Aspekt der Leistung und Geltung von Kunst, vor allem im Verhältnis zur Wissenschaft, durchgängig geprägt ist. Den aus dem Paradies verstoßenen und also in die Sterblichkeit verwiesenen, den von allen Himmlischen verlassenen und auf einen langwierig-schwierigen Erdenweg gesandten Menschen begleitete allein die Kunst. „Nah am Sinnenland" umschwebt sie den Menschen

> Und malt mit lieblichem Betruge
> Elysium auf seine Kerkerwand.

Der Betrug besteht darin, daß das künstlerische Bild der gegenwärtigen Wirklichkeit nicht entspricht; es ist jedoch ein lieblicher Betrug, weil er schön vorgeführt wird und Schönheit vermittelt, weil er den Menschen wohltätig ist, indem er ihnen eine letztlich real-diesseitig gemeinte, für den Menschen als Gattungswesen erreichbare Erlösung in Glückseligkeit und Harmonie verheißt.

Schiller ist zu dem Ergebnis gekommen, daß Kunst in der Geschichte ihre humanisierende Funktion durch die Ausübung versittlichender Macht bestätigte. Er zieht daraus unverzüglich die Konsequenz einer höchsten Versicherung für die Mission der Künstler zu allen Zeiten der Menschheitsgeschichte: Künstler haben im „Gleichmaß" das Medium gefunden, mit dessen Hilfe der noch „wilde" Mensch annäherungsweise die Übereinstimmung mit dem grundsätzlich harmonisch-gesetzmäßigen Sein des Universums herstellte. Die „erste Kunst" sei in Gestalt elementarer Nachschöpfung – man darf an Goethes „einfache Nachahmung der Natur"[22] denken – „aus der Natur" herausgetreten; sodann sei eine „zweite, höhere Kunst" entstanden, nicht mehr bloß nachahmend, sondern eigenschöpferisch, selbstgestaltend. So wurde die Voraussetzung für eine entscheidende Stufe menschlicher Evolution, nämlich die Abtrennung und Emanzipation vom Tierzustand, damit die Gewinnung genuiner menschlicher Freiheit als Selbstbestimmung und Selbstgestaltung, geschaffen. „Durch euch" – die Künstler – „entfesselt, sprang der Sklave / Der Sorge" – der allein der Naturnotwendigkeit unterworfene Mensch – „in der Freude Schoß". Und dies ist für Schiller der Punkt, wo sich der Ansatz für Denken und damit Wissenschaft bildete:

Und Menschheit trat auf die entwölkte Stirn,
Und der erhabne Fremdling, der Gedanke,
Sprang aus dem staunenden Gehirn.

In dieser qualitativen Veränderung wurde der Mensch im eigentlichen Sinne zum Menschen geboren:

Jetzt *stand* der Mensch und wies den Sternen
Das königliche Angesicht ...

Dies ist die Voraussetzung für die erste glückliche Phase der Menschheitsgeschichte, für das „goldene Zeitalter", das Schiller in den folgenden Strophen besingt. Das „Ebenmaß" wird zum Sinnbild dieses Zustandes, die Poesie zum Mittel, mit dessen Hilfe der Mensch der Natur Übersicht und sich selbst Ordnung gibt:

Was die Natur auf ihrem großen Gange
In weiten Fernen auseinanderzieht,
Wird auf dem Schauplatz, im Gesange
Der Ordnung leicht gefaßtes Glied.

Schiller nimmt hier bereits Grundgedanken der acht Jahre später entstandenen Ballade „Die Kraniche des Ibykus" vorweg:

Vom Eumenidenchor geschrecket,
Zieht sich der Mord, auch nie entdecket,
Das Los des Todes aus dem Lied.

Die Leistung der Poesie gipfelt in der Ilias, die „des Schicksals Rätselfragen / Der jugendlichen Vorwelt" aufgelöst hat.

Schiller verweist freilich im folgenden darauf, daß das „Ebenmaß“ zu früh in die Welt getragen worden sei. Die noch jugendliche Menschheit hat den Kreis nicht schließen und also ihre Vollendung im verheißenden Ziel von Harmonie nicht erreichen können; das Leben ist in der Tiefe eines bewegungslos scheinenden Stroms der Geschichte verschwunden. Da wiederum haben die Künstler „aus kühner Eigenmacht / Den Bogen weiter durch der Zukunft Nacht“ geführt und somit der Menschheit die Empfindung und das Bewußtsein ihrer künftigen Möglichkeit bewahrt.

Der nächste große Abschnitt des Gedichts – die Strophen 18 bis 24 – ist der Antike, speziell der griechischen, als einem Höhepunkt in der Kulturgeschichte der Menschheit gewidmet, und die anschließenden Strophen schlagen den Bogen zur Neuzeit. Es bedarf hier – unter dem Aspekt unseres Themas – keiner eingehenderen Interpretation dieser Passagen.

Wichtig wird es für uns aber aufs neue, wenn Schiller in Strophe 27 den Stand des Verhältnisses von Kunst und Wissenschaft in der Neuzeit angesichts eines durchgreifenden, triumphalen Aufschwungs der Wissenschaft reflektiert und unter perspektivischer Sicht bewertet. Hier erscheint der Repräsentant wissenschaftlicher Erkenntnis und Aneignung der Welt, dessen große Leistung und dessen berechtigten Stolz Schiller nicht in Zweifel zieht, zugleich als übermütig und überheblich, als außer Selbsterkenntnis und Proportion geraten. Hier findet man kritische Töne gerade in Beziehung auf die der Kunst zugewiesene Rolle. Und hier ist Schiller nun wirklich mit seiner unmittelbaren Gegenwart befaßt:

Wenn auf des Denkens freigegebnen Bahnen
Der Forscher jetzt mit kühnem Glücke schweift
Und trunken von siegrufenden Päanen
Mit rascher Hand schon nach der Krone greift,
Wenn er mit niederm Söldnerslohne
Den edeln Führer zu entlassen glaubt
Und neben dem geträumten Throne
Der Kunst den ersten Sklavenplatz erlaubt . . .

Indessen bleibt der lyrische Sprecher gelassen. Er hängt die Gewichte wieder richtig: Die Künstler können den übermütigen und überheblichen Nachbarn von der andern Fakultät ruhig verzeihen. Es wird kein Zweifel gelassen, daß der Vollendung Krone glänzend über dem Haupt der Künstler schwebt und sie einst krönen wird:

Mit euch, des Frühlings erster Pflanze,
Begann die *seelenbildende Natur;*
Mit euch, dem freudigen Erntekranze,
Schließt die *vollendende Natur.* (Hervorhebung – H.-D. D.)

Schiller entwirft vor den Künstlern, ihre Menschheitsmission ohne Einschränkung umreißend, das Bild einer Zukunft, von deren Heraufkommen er zutiefst durchdrungen und überzeugt ist. Sowenig er nunmehr – im Gegensatz zu den „Göttern Griechenlands" – die großartigen und notwendigen Leistungen der Wissenschaft herabsetzt oder gar für entbehrlich erklärt, den entscheidenden Part bei der Aufgabe, diesen Entwurf des Menschen zu realisieren, überträgt er doch ohne Zögern der Kunst. Erkenntnis, Denken, Wissenschaft sind ihm wie Kunstschöpfertum nur Mittel zum Zweck: Sie dienen der Freisetzung und Selbstvollendung des menschlichen Gattungswesens in der künftigen Zeit. Es ist für ihn keine Frage, daß im Zusammenspiel von gleichermaßen Notwendigem und Unentbehrlichem die Kunst als Schönheit produzierende und vermittelnde Tätigkeit des Menschen den ersten Rang einnehmen muß. Denn das Menschenbild Schillers, dessen Kulminationspunkt im bürgerlich-humanistischen und idealistischen Begriff von Persönlichkeit gegeben ist, gründet sich auf das Ziel einer Vollentfaltung und Ganzheit, dessen Beförderung und Erreichung er einzig und allein der Kunst zutraut, nicht indessen der Wissenschaft. Auch wenn das hier nicht polemisch-kritisch artikuliert wird wie später in den Briefen „Über die ästhetische Erziehung des Menschen": In der Bindung der Menschheitsvollendung an die Ganzheit produzierende Wirksamkeit der Kunst schwingt zugleich der Zweifel an den Möglichkeiten der Wissenschaft mit, sofern es um dieses zentrale Problem humaner Entwicklung geht. Das einseitige und unvollkommene Menschentum seiner Gegenwart als Ergebnis fortschreitender Arbeitsteilung sieht Schiller nicht losgelöst vom Wirken der Wissenschaften und ihrer ständig wachsenden und sich mehrenden Disziplinen. Für ihn steht fest, daß Wissenschaft zwar Fortschritt schafft, zugleich aber vereinseitigt und spezialisiert. Deshalb bedarf die Menschheit um so mehr eines Organs, das ihre Ganzheitlichkeit und Vollendungsmöglichkeit im Bewußtsein erhält und in der Lebenspraxis fördert. Dieses Organ ist die Kunst. Ihre Funktion ist gewissermaßen die Integration, ja die „Aufhebung" aller Errungenschaften und Siege der Wissenschaften, die bei all ihrer Produktivität die Tendenz zum Einzelnen und Vereinzeln nicht abschütteln können, in den übergreifenden Zusammenhang der Menschwerdung, der Menschheitsemanzipation.

Die schöpferische Kunst umschließt mit stillen Siegen
Des Geistes unermeßnes Reich.
Was in des Wissens Land Entdecker nur ersiegen,
Entdecken sie, ersiegen sie für euch.
Der Schätze, die der Denker aufgehäufet,
Wird er in euren Armen erst sich freun,
Wenn seine *Wissenschaft, der Schönheit zugereifet,*
Zum Kunstwerk wird geadelt sein . . .

(Hervorhebung – H.-D. D.)

Deshalb feiern die Schlußstrophen auch dieses Gedichts die Kunst als höchste humanisierende Kraft. Je siegreicher sich Schönheit durchsetzt, desto reicher – so sieht es Schiller – die Welt, desto voller die Natur, desto schwächer die Schicksalsmacht für den Menschen. Und deshalb werden die Künstler aufgerufen, die Menschen immer höher „der Dichtung Sonnenleiter still" hinaufzuführen, bis das Ziel erreicht ist:

Zuletzt, am reifen Ziel der Zeiten,
Noch eine glückliche Begeisterung,
Des jüngsten Menschenalters Dichterschwung,
Und – in der *Wahrheit* Arme wird er gleiten.

Hier wird deutlich: Schiller stellt sich als künftige Lösung des Problems eine Synthese von Schönheit und Wahrheit vor. Cypria, die Göttin der Schönheit, soll sich schließlich als Urania, die Göttin der Wahrheit, enthüllen. Man muß dieses poetische Bild als nachhaltige Bestätigung der Vorrangstellung auffassen, die Schiller der Kunst als der höchsten humanisierenden Kraft zusprach. Zugleich bedeutet das nicht die Negation der Wissenschaft und ihrer Erkenntnisse. Der Begriff der Wahrheit, um den es hier geht, dürfte wohl eine weitergefaßte Wahrheit meinen, die als entscheidenden Kern die Humanität, die Emanzipation und Selbstvollendung des Menschen in sich begreift, und damit allerdings auch den zeitgenössischen Anspruch auf Vorherrschaft der Wissenschaft, dem sich Schiller konfrontiert sah, polemisch bestreiten.

So leuchtet ohne weiteres ein, warum das Gedicht in eine hochgespannte Aufgabenstellung für die Künstler und in eine genau gefaßte Wesens- und Funktionsbestimmung der Poesie mündet. Die Künstler werden aufgefordert, einer humanitäts- und schönheitsfeindlichen Wirklichkeit gegenüber kompromißlos zu sein und das Ideal von Menschheit zu verteidigen. In diesem Sinne ist auch zu verstehen, warum es heißt:

Von ihrer Zeit verstoßen, flüchte
Die ernste Wahrheit zum Gedichte
Und finde Schutz in der Kamönen Chor.

Poesie in Abwendung von der Wirklichkeit und im Widerspruch zu ihr, das meint unter den Bedingungen einer antagonistischen, ahumanen gesellschaftlichen Ordnung für Schiller nicht Resignation und Flucht, sondern die Bewahrung und Erweiterung der Humanität. Kunst ist für Schiller unter den gegebenen geschichtlichen Bedingungen demgemäß nur denkbar und akzeptierbar als Gestaltung eines geschichtlich zur Realisierung aufgegebenen Bildes und Ideals, als subjektive Antizipation einer wirklichen höchsten Zukunft der Menschheit. So heißt es in klarer Vorwegnahme des 9. Briefes „Über die ästhetische Erziehung des Menschen“:

Erhebet euch mit kühnem Flügel
Hoch über euren Zeitenlauf;

Fern dämmre schon in eurem Spiegel
Das kommende Jahrhundert auf![23]

Es ist klar, daß diese Programmatik der einer Widerspiegelung der Wirklichkeit entgegengesetzt ist; nicht zufällig hat das Problem konkreter Historizität und zudringender Wirklichkeit auch dem Dichter Schiller immer wieder große Schwierigkeiten bereitet. Gleichwohl betont Schiller im „Künstler"-Gedicht doch nachdrücklich, daß er sich die Kunst, die er bewußt anstrebt, nicht als langweilig-monotone, schablonenhafte Ausmalung eines abstrakten Ideals denkt. Vielmehr sollen sich die Künstler „am Thron der hohen Einigkeit" „auf tausendfach verschlungnen Wegen / Der reichen Mannigfaltigkeit" umarmend entgegenkommen. Die Metapher von der Brechung des Lichts in sieben Farben und ihrer Wiedervereinigung durch das Prisma, die von der letzten Strophe des Gedichts entwickelt wird, unterstreicht diese Tendenz noch einmal deutlich.

Der Blick auf das Gedicht „Die Künstler", dieses große Bild der Kulturgeschichte und -perspektive der Menschheit, Analyse gegenwärtiger und Programm künftiger Humanitätsentwicklung, bestätigt, was schon bei der Betrachtung des Gedichts „Die Götter Griechenlands" erkennbar geworden war: Schillers Konzept ästhetischer Erziehung, das in den späteren „Erziehungs"-Briefen ausdrücklich auch unter dieser Begrifflichkeit vorgetragen wurde, war bereits am Ende der achtziger Jahre, und das heißt auch: vor der Französischen Revolution, in allen wesentlichen Elementen voll ausgebildet. Die spätere philosophisch-theoretische Fassung von 1795 setzt die Akzente angesichts der gründlich veränderten weltgeschichtlichen Konstellation und der dadurch auf die Tagesordnung gesetzten politischen Fragestellung sicherlich prägnanter: Analyse und Polemik reagieren auf die aktuelle Herausforderung. Aber eine tiefgreifende konzeptionelle Wandlung liegt nicht vor. So ist also Schillers Programmatik ästhetischer Erziehung als einer der wesentlichen theoretischen Grundpfeiler der „Kunstperiode" nicht die idealistisch-illusionäre, kleinbürgerlich-verschreckte Reaktion auf die Französische Revolution und die durch sie aufgeworfenen geschichtlichen Widersprüche. Natürlich ändert das nicht die inhaltliche Einschätzung und Bewertung, aber es drängt auf ein komplexeres Verständnis der Ursachen, Motive, Ziele dieser Konzeption. Und andererseits werden dadurch die „Erziehungs"-Briefe selbst auch in ihrer positiven Gerichtetheit, in ihrem eine antagonistische Gegenwart übergreifenden humanistischen Impetus besser begreifbar.

Schon ein Jahr später machte Schiller in seiner Rezeption der Gedichte Bürgers[24] die literaturkritische Anwendung seiner in den großen Gedichten entwickelten Programmatik auf die gegenwärtige literarische Praxis. Und bei dieser Gelegenheit, am Anfang der Rezension, faßte er noch einmal die Problematik Wissenschaft und Kunst, die ihn so tief beschäftigt hatte, zusammen. Schon der erste Satz ist darauf gerichtet: Er ermißt „die Gleichgültigkeit, mit der unser philosophierendes Jahrhundert auf die Spiele der Musen herabzusehen anfängt", in Hinsicht auf ihre Folgen für die Poesie, insbesondere für die lyrische Gattung. Auch hier ist ersichtlich, daß Schiller keine Zweifel am Voranschreiten der Kultur in seiner Epoche hegte, indes auch nach dem Preis, nach den Verlusten in diesem Prozeß fragte: Es wäre „für den Freund des Schönen", so heißt es, „ein sehr niederschlagender Gedanke, wenn diese jugendlichen Blüten des Geists in der Fruchtzeit absterben, wenn die reifere Kultur auch nur mit einem einzigen Schönheitsgenuß erkauft werden sollte". Zielbewußt bringt er demgegenüber seine eigene Konzeption von der Funktion der Kunst für die Humanitätsentwicklung ins Spiel: „Vielmehr ließe sich auch in unsern so unpoetischen Tagen, wie für die Dichtkunst überhaupt, also auch für die lyrische, eine sehr würdige Bestimmung entdecken; es ließe sich vielleicht dartun, daß, wenn sie von einer Seite höhern Geistesbeschäftigungen nachstehen muß, sie von einer andern nur desto notwendiger geworden ist. Bei der Vereinzelung und getrennten Wirksamkeit unsrer Geisteskräfte, die der erweiterte Kreis des Wissens und die Absonderung der Berufsgeschäfte notwendig macht, ist es die Dichtkunst beinahe allein, welche die getrennten Kräfte der Seele wieder in Vereinigung bringt, welche Kopf und Herz, Scharfsinn und Witz,

Vernunft und Einbildungskraft in harmonischem Bunde beschäftigt, welche gleichsam den *ganzen Menschen* in uns wieder herstellt."

Gerade deshalb, so schlußfolgert Schiller, kann es der Kunst wie dem Künstler nicht erlassen werden, die Errungenschaften des Jahrhunderts sich anzueignen, sich auf die Höhe auch der wissenschaftlichen und philosophischen Erkenntnis zu erheben: „Dazu aber würde erfodert, daß sie selbst mit dem Zeitalter fortschritte, dem sie diesen wichtigen Dienst leisten soll; daß sie sich alle Vorzüge und Erwerbungen desselben zu eigen machte. Was Erfahrung und Vernunft an Schätzen für die Menschheit aufhäuften, müßte Leben und Fruchtbarkeit gewinnen und in Anmut sich kleiden in ihrer schöpferischen Hand. Die Sitten, den Charakter, die ganze Weisheit ihrer Zeit müßte sie, geläutert und veredelt, in ihrem Spiegel sammeln und mit idealisierender Kunst aus dem Jahrhundert selbst ein Muster für das Jahrhundert erschaffen. Dies aber setzte voraus, daß sie selbst in keine andre als *reife* und *gebildete* Hände fiele. Solange dies *nicht* ist, solange zwischen dem sittlich ausgebildeten, vorurteilsfreien Kopf und dem Dichter ein andrer Unterschied stattfindet, als daß letzterer zu den Vorzügen des erstern das Talent der Dichtung noch als Zugabe besitzt, solange dürfte die Dichtkunst ihren veredelnden Einfluß auf das Jahrhundert verfehlen und jeder Fortschritt wissenschaftlicher Kultur wird nur die Zahl ihrer Bewunderer vermindern." Es ist in unserem Zusammenhang nicht mehr wichtig, zu verfolgen, wie Schiller dieses Konzept – mit tiefer Berechtigung und mit großer Ungerechtigkeit zugleich – am Schaffen Bürgers demonstrierte. Genug daß er auch hier den Anspruch der Kunst nur über eine synthetisierende, die geistige Höhe, die wissenschaftlichen und philosophischen Errungenschaften der Zeit voll einbeziehende Wirksamkeit für vertretbar und realisierbar hielt. Nicht Kunst gegen Wissenschaft, sondern Nutzung wissenschaftlicher Erkenntnis in der Poesie als Voraussetzung für die Erfüllung der unverwechselbaren und unabtretbaren Mission der Kunst, darum ging es ihm.

Die idealistischen Züge und polemischen Übersteigerungen

in Schillers Positionsbildung – auch in Hinblick auf das Verhältnis von Kunst und Wissenschaft – bedürfen keiner Hervorhebung und Widerlegung; sie zu erkennen und unter Kritik zu stellen ist leicht. Deutlich sichtbar tritt jedoch hervor, daß die Entwicklung von Schillers Auffassungen den Gewinn von Erfahrungen und Erkenntnissen verrät; die idealistischen Prämissen, die unverändert blieben, verhinderten, wie beeinträchtigend sie immer wirken mochten, nicht das Wachsen und Reifen der Erkenntnis. Was uns betrifft, so scheint es durchaus nützlich zu sein, über die humanisierenden Funktionsaspekte, die Schiller in seiner Kunstkonzeption herausarbeitete, auch für die heutige Problemlage von Humanitätsentwicklung nachzudenken. Das Interesse des ganzen Menschen, das ethische Wirkungsmoment im Ästhetischen und Künstlerischen sind dabei gewiß besonderer Beachtung wert.

Goethes Dichtungen im Umbruch der Epoche

Helmut Brandt

Der widersprüchliche Held

Goethes Faustgestalt im Lichte der Gretchentragödie

Die Gretchentragödie ist nach Umfang und Gehalt das Hauptstück des sogenannten „Urfaust". Später, im weiteren Entwicklungsprozeß der Faustdichtung, kamen Prolog und Wette, Osterspaziergang, Teufelspakt und Walpurgisnacht hinzu, die Relationen verschoben sich dementsprechend, doch die Gretchenhandlung – nunmehr in den Wettvertrag zwischen Gott und Teufel eingebettet – blieb auch in der Tragödie Erstem Teil das Kernstück der dramatischen Handlung. Aber woher kommt sie überhaupt, die Gretchentragödie, und welche Bedeutung hat sie für die Entwicklung der Goetheschen Faustgestalt und ihrer Lebensproblematik?

Der Hinweis, daß die Buhlschaft mit den Weibern, der sexuelle Genuß von Anfang an zu den unchristlichen Sünden Fausts gehörte, daß etwa im „Faustbuch des Christlich Meynenden" von 1725 Faust von Luzifer die schöne Helena zur Beischläferin bekommt, ist keine hinreichende Erklärung für die Ausdehnung und das Gewicht der Gretchenhandlung in Goethes Dichtung, ja nicht einmal für ihr Vorhandensein. Beweiskräftiger die biographische Herleitung: Das Gretchenerlebnis der frühen Frankfurter Jahre,[1] die schuldhafte Liebe zu Friederike Brion – „ich hatte das schönste Herz in seinem Tiefsten verwundet"[2] – und der aus nächster Nähe erlebte Prozeß der Kindermörderin Susanna Margarethe Brandt, die am 14. Januar 1772 in Frankfurt enthauptet wurde[3]. Doch derartige Hinweise bezeugen nur die Erlebnisgrundlage der Gretchenhandlung und insofern die Erlebnisgrundlage der Faustdichtung überhaupt. Wie aber kamen Fauststoff und Gretchenhandlung zusammen?

Für die Sage hegte Goethe, schon bevor er nach Straßburg kam, ein eingewurzeltes Interesse.[4] Man darf gleichwohl vermuten, daß sie ihre frühe poetische Gestalt bei Goethe erst und in dem Maße erlangte, als er die Möglichkeit sah, gerade in ihr seine drängendsten Lebenserfahrungen auszusprechen. Mit der Gretchentragödie gewann und verschaffte er sich hierfür den entscheidenden Spielraum. Mit ihr vor allem – was übrigens auch die spontane Art der Niederschrift bekräftigt – machte er das Faustsujet zum Organ bekenntnishafter Dichtung und die Faustfigur zum Träger einer neuartigen Lebensproblematik und der mit ihr gegebenen Konflikte.

Diese These bedarf freilich einer Präzisierung. Goethes Kühnheit bei der Aufnahme und Umbildung der überlieferten Faustdichtung ist oft betont worden. Er hat den Stoff aus den Niederungen der Jahrmarktsunterhaltungen in die große Literatur gehoben, er hat aus dem von der protestantischen Orthodoxie verfemten Teufelsbündner, aus dem geistig hochfahrenden, unbotmäßigen Sünder den um Erkenntnis ringenden Menschen gemacht. Er hat aber vor allem über das aufklärerische Erkenntnis- und Wahrheitsstreben hinaus, das bereits in Lessings Faustprojekt bejaht worden war, das Verlangen des Individuums nach seiner vollen Emanzipation ins Zentrum der Dichtung gerückt. Diese Wendung von Stoff und Problem wurde jedoch erst und mit aller Schärfe der sich daraus ergebenden Widersprüche im Zuge der Gretchenhandlung realisiert, also in jener Handlung, die Goethe gegen alle Überlieferung inmitten der alten Faustfabel groß und breit ansiedelte. Die Faustgestalt im Verlauf der Gretchenhandlung betrachten heißt daher zugleich und insbesondere, die emanzipatorische Haltung Fausts und die ihr zugrunde liegende Auffassung vom Menschen in der Brechung dieser Liebesgeschichte zu sehen.

Eine derartige Betrachtung darf sich auf den Urfaust beschränken, ja, sie muß es sogar, weil sie die Wendung, die sich in und mit Goethes Auffassung vollzog, historisch prägnant bestimmen. Diese Einschränkung mindert nur scheinbar die Relevanz der Untersuchung. Gewiß, der „Urfaust" ist ein relativ selbständiges Werk. Die Faustdichtung, wie wir sie heute kennen, entstand erst im Prozeß einer jahrzehntelangen Ausbildung und Entwicklung. In sie gingen die persönlichen Erfahrungen eines langen Lebens und die geschichtlichen Erfahrungen einer wechselvollen Epoche ein, und in ihr prägten sich auch die entsprechenden geistigen Wandlungen Goethes aus. Doch Goethe selbst hat in seinem Brief vom 17. März 1832, dem letzten, den er vor seinem Tode schrieb, auf den frühen Gesamtentwurf der Faustdichtung noch einmal ausdrücklich hingewiesen – schon vor sechzig Jahren habe ihm die Konzeption des „Faust" „jugendlich von vorne herein klar"[5] vorgelegen. Tatsächlich läßt sich allen späteren Wandlungen der Faustdichtung zum Trotz die Behauptung wagen: Im „Urfaust" war die neue Auffassung vom Menschen, die eigentliche Keimzelle der Faustdichtung, bereits vorhanden. In der Gretchentragödie wurde sie zum erstenmal beispielhaft entfaltet.

I

Erste Begegnung: Faust, der Teufelsbündner, spricht Gretchen, das gerade aus der Kirche kommt, auf offener Straße an:

> Mein schönes Fräulein, darf ich's wagen,
> Mein Arm und Geleit Ihr anzutragen?[6]

Gretchen erwidert:

> Bin weder Fräulein weder schön,
> Kann ohngeleit' nach Hause gehn.

Nicht nur Schülern und Studenten muß man heute erklären, daß die Anrede „Fräulein", in unserer Gesellschaft noch gebräuchlich für ledige junge Mädchen und Frauen, seinerzeit den verheirateten Damen adliger Herkunft vorbehalten war. Das Bürgermädchen hieß „Jungfer" oder „Mamsell". Der Kommentator wird in dem Zusammenhang vielleicht auch darauf hinweisen, daß das Ansprechen eines unbekannten Mädchens auf offener Straße als ungehörig galt und sicher als ehrenrührig, wenn man ihr ohne zwingenden Anlaß Arm und Geleit anbot, nicht, weil es inzwischen die Gewohnheit junger Männer wäre, sich solcherweise dem anderen Geschlecht zu nähern, sondern weil jene Anfrage und Replik von Faust und Gretchen derart geläufige, vom Text abgelöste Wendungen geworden sind, daß ihr konkreter, situationsbedingter Sinn leicht überlesen wird. Das freilich gilt für die Begegnung von Faust und Gretchen überhaupt, deren Liebesgeschichte, gemäß der in Deutschland historisch entwickelten Apologie der Faustfigur und des Faustischen, auch hierzulande noch oft genug falsch gelesen wird.[7] Gegen solche überkommenen Klischeevorstellungen ist, um den Blick auf die wirkliche Problematik zu lenken, der tatsächliche Wortlaut erneut geltend zu machen, der vom Autor imaginierte Vorgang vom Text her zu entwickeln.

Fausts Anbiederung auf offener Straße ist eine Unverschämtheit. Später wird er Gretchen deswegen ausdrücklich um Verzeihung bitten, und sie wird darauf, sein Verhalten damit nachträglich charakterisierend, antworten:

Ach, dacht ich, hat er in deinem Betragen
Was Freches, Unanständiges gesehn,
Daß ihm sogleich die Lust mocht wandeln,
Mit dieser Dirne gradehin zu handeln?

Fausts „chevalereske" Art zu werben, ist nun keineswegs ein Versehen, sondern Ausdruck seiner inneren Haltung und seiner sehr handgreiflichen Absichten gegenüber dem Mädchen. Das unmittelbar der Straßenszene nachfolgende Gespräch mit Mephisto eröffnet Faust: „Hör, du mußt mir die Dirne schaffen!" Auf dessen Entgegnung, daß es sich um ein unschuldiges Kind handle, folgt die unverblümte Antwort: „Ist über vierzehn Jahr doch alt." Und Faust behandelt den Teufel seiner Einwände wegen wie einen bedenklichen Philister:

Mein Herr Magister Lobesan,
Laß Er mich mit dem Gesetz in Frieden!

„Gesetz", das ist hier die herrschende Sitte, die gesellschaftliche Konvention, mit der er nichts im Sinne hat. Er will sich nicht einmal, wie der Teufel des größeren Vergnügens wegen empfiehlt, vierzehn Tage Zeit für die Eroberung nehmen, er will die „Dirne" noch heute nacht umarmen.

Hätt ich nur sieben Tage Ruh,
Braucht keinen Teufel nicht dazu,
So ein Geschöpfchen zu verführen.

Worauf der Teufel bekanntlich antwortet: „Ihr sprecht schon fast wie ein Franzos."

Das ist also der tatsächliche Auftakt in der Begegnung Faust – Gretchen: Er will das Mädchen geliefert haben, und zwar im Nu, ohne eigenen beschwerlichen Aufwand. Er verlangt keine innerliche Zuneigung des Partners, sucht sie auch nicht im Ergebnis einer längeren Werbung zu gewinnen; selbst die Verführung, weil sie Zeit kostete, will er nicht in Kauf nehmen. Er will nichts anderes, als seine aufgeregte Begierde so rasch wie möglich stillen. Als sich Mephisto außerstande erklärt, das Mädchen im Handumdrehen zu servieren, fordert er wenigstens ein Surrogat:

Schaff mir ein Halstuch von ihrer Brust,
Ein Strumpfband meiner Liebeslust!

Erst die nachfolgende Szene, die mit Gretchens Monolog eröffnet wird – „Ich gäb was drum, wenn ich nur wüßt, / Wer heut der Herr gewesen ist" –, zeigt nach ihrem Abgang einen allerdings rasch veränderten Faust. Der begehrliche Liebhaber, dem Mephisto, anstatt Halstuch und Strumpfband zu liefern, einen Besuch in Gretchens Kammer ermöglicht hat, wird in dieser Umwelt wie mit einem Zauberschlag verwandelt:

Wie atmet rings Gefühl der Stille,
Der Ordnung, der Zufriedenheit,
In dieser Armut welche Fülle!
In diesem Kerker welche Seligkeit!

Auf einmal geht ihm im genauen Sinne des Worts eine Welt auf, die Welt, in der Gretchen webt und lebt. Das himmelstürmende

Genie, das doch die große Weltfahrt versuchen und die Dirne nur im Vorbeigehen nehmen wollte, gibt sich auf einmal dem heimlich gefühlten Glück der Idylle hin, will sich ganz in sie versenken. Zur Kennzeichnung der menschlich-sozialen Sphäre fallen wichtige Begriffe, geradezu Parolen der Sturm-und-Drang-Bewegung: Hütte, Armut, Reinheit, Ordnung, Tätigkeit und zugleich patriarchalisch-christliche Kennworte: Väterthron, Ahnherr, mütterliche Unterweisung, Heiliger Christ (Weihnachtsgeschenk), Himmelreich, eingeborener Engel. In diesem Sinne erreicht Fausts Monolog seinen Gipfel mit der Wendung: „Und hier mit heilig reinem Weben / Entwürkte sich das Götterbild."

Auf diesem höchsten Punkt beseelter Empfindung erfolgt natürlicherweise der Umschlag – Faust wird sich wieder bewußt, was er hier tatsächlich suchte. Da er das Mädchen nicht sogleich in Besitz nehmen konnte, wollte er wenigstens einen erotischen Ersatz, Halstuch und Strumpfband, in seine Hand bekommen. Statt dessen hat er etwas ganz anderes, die menschlich intakte Welt des Kleinbürgermädchens, gefunden und atmet sich nun in deren Dunstkreis satt. Die endlich gewonnene Einsicht aber, daß es sich bei dem begehrten Mädchen um einen Menschen aus schlichter, redlicher Welt handelt, nicht nur um eine hübsche, zum Beischlaf reizende „Dirne", macht ihm den schäbigen Grund seines Besuchs doppelt fühlbar. Die Haltung, mit der er Gretchens Kammer betrat, war fragwürdig, die Haltung, mit der er sie verläßt, ist zumindest zwiespältig. Die Manier, in der er sich Gretchen näherte, hat auch das Erlebnis ihrer reinen Welt beschädigt: Der heimliche Besuch war eigentlich ein angemaßter Ersatz für den noch nicht gehabten Beischlaf.

Der vorliegende Widerspruch in seiner allgemeinen Form scheint evident: Das unmittelbare Verlangen nach dem handgreiflichen Lebensgenuß einerseits und nach einer höheren, menschlichen Existenz andererseits. Man könnte ihn mit der Formel fassen, mit der ihn Faust selber in dem freilich später geschriebenen Osterspaziergang umreißt: „Zwei Seelen wohnen, ach! in meiner Brust . . ." Doch in der Gretchentragödie selbst ist dieser Widerspruch auf eine tief eindringliche Weise als sozialer Widerspruch gefaßt. Keine Frage, daß Faust nach dem Besuch in der Kammer Gretchen tatsächlich zu lieben beginnt – doch keine Frage auch, daß er sich in allen praktischen Belangen nicht nur wie ein Liebender, sondern immer zugleich wie ein Verführer verhält. Der „große Hans" wird wohl in Liebchens Kammer ziemlich klein, doch in dem Augenblick, wo er noch folgerichtig überlegt, ob er dieses Abenteuer nicht auf immer aufgeben sollte, erscheint der Teufel und gewinnt ihn ohne große Mühe dafür, das begonnene Spiel fortzusetzen. Und er wird es trotz wachsender Liebe zu Gretchen als „großer Hans" bis zum bitteren Ende spielen. Nichts ist dafür kennzeichnender als der Ausgang der Kammerszene.

Im ersten Streit mit Mephisto, da er auf den raschen Besitz des Mädchens drang, endete die Kontroverse mit der Forderung, Mephisto möge schnellstens ein Geschenk für sie besorgen, worauf der Teufel einigermaßen treffend entgegnet, der Herr verhalte sich wie ein Fürstensohn. Als er unter dem starken Eindruck von Gretchens Kammer bereits entschlossen ist, den Liebeshandel aufzugeben, betritt Mephisto mit dem Schmuckkästchen die Szene und überredet den schwankenden Liebhaber, die Eroberung, wie geplant, fortzusetzen: „Ich sag Euch, es sind Sachen drein, um eine Fürstin zu gewinnen." Als Schmuck, würdig einer Edelfrau, begreift ihn auch Gretchen, und sie reflektiert über seine verführerische Kraft: „Nach Golde drängt, / Am Golde hängt / Doch alles! Ach wir Armen!"

Der kostbare Schmuck für das kleine Bürgermädchen, um es noch einmal ausdrücklich zu sagen, ist kein Zeichen der Liebe, sondern ein Mittel vor allem zum Zwecke seiner Verführung. In diesem Sinne hat der Schmuck innerhalb der Gretchentragödie nicht bloß eine dramaturgische, sondern auch eine die innere Haltung der Personen kennzeichnende Funktion. Nicht zufällig apostrophiert Mephisto Faust als Fürsten- und Prinzensohn. Das entspricht zwar nicht seiner sozialen Herkunft, charakterisiert aber sehr wohl sein soziales Verhalten. Man hält zwar das kleine Mädchen nicht mehr aus wie der Adlige seine Mätresse, aber letztlich kauft oder verführt man sie doch mit kostbarem Schmuck. Dem entspricht sehr genau die erste Anrede Gretchens als „Fräulein“, die Faust dann als „Dirne“ haben will. Gleicherweise verfährt Mephisto während seines Besuchs bei Frau Marthe: Auch er nennt Gretchen „Fräulein“, um sie zur Verführung reif zu machen. Zu diesem Vorgehen paßt dann das Schlafmittel, dazu die Art und Weise, den ganzen Liebeshandel heimlich, hinter dem Rücken nicht nur von Mutter und Bruder, sondern der ganzen bürgerlichen Gesellschaft abzuhandeln.

Das zweifelhaft Gemischte von Fausts Zustand und Haltung wird vollends deutlich, noch bevor es zu der entscheidenden, vom Teufel vorbereiteten Begegnung mit Gretchen in Frau Marthes Garten kommt. Faust empfängt nach seinem Besuch in Gretchens Kammer Mephisto schon wieder in leidenschaftlicher Erwartung: „Wie ist's? Will's fördern, will's bald gehn?“ Auf dessen Entgegnung – „Ach, bravo! find ich Euch im Feuer!“, mit dem Zusatz, er solle sie heute abend bei Frau Marthe sehen, diesem zum „Kuppler- und Zigeunerwesen“ auserlesenen Weib – reagiert er freilich mit Entrüstung. Von dem Makel, daß es sich bei seiner Liebe um ein krummes Geschäft, um eine mit Schwindel, Schmuck und Kuppelmutter hergestellte Verbindung handelt, kurz, um ein „teuflisch Lügenspiel“, will er nun nichts mehr wissen. Er beruft sich auf die innere Wahrheit, die Glut und Leidenschaftlichkeit seiner Empfindung. Die ganze Szene läuft darauf hinaus, daß Faust gegen Mephistos Anschauung, im Grunde ziele doch alles auf Verführung ab, seine höhere Liebe verteidigt, genauer, daß er gegen die tatsächliche Praxis seines Handelns die Wahrheit seiner inneren Empfindung geltend macht. Mephistos abschließendem Wort „Ich hab doch recht“ vermag Faust allerdings nicht mehr entgegenzusetzen als: „Denn du hast recht, vorzüglich weil ich muß.“

Darin liegt immerhin das Eingeständnis, daß der wirkliche, unter den von Faust eingegangenen Bedingungen allein mögliche Verlauf dieser Liebe, allen gegenteiligen Anstrengungen Fausts zum Trotz, letztlich des Teufels ist. Mephisto greift nicht nur in allen Szenen lenkend und störend ins Gespräch ein, um den „sinnlich übersinnlichen Freier“ auf den nüchternen Boden der Tatsachen zurückzuholen, er gibt dieser Liebe auch überall den Abdruck seiner Teufelsklaue. Der Schmuck, der Schlaftrunk, die Ermordung des Bruders, das niederträchtige Kuppelwesen – am Ende erklärt sich alles aus dem einfachen Grund, daß der große Herr das kleine Mädchen haben will, ohne Rücksicht auf die gesellschaftlichen Bedingungen und Folgen, ohne soziale Verantwortung vor allem gegenüber der geliebten Frau. Eine soziale Tragödie also? Davon ist nirgends die Rede, das wird von Faust in keinem Punkt reflektiert. Eine soziale Tragödie, gewiß – aber in einem umfassenderen Sinn, als sich das bisher darstellte.

2

Der Held der frühen Faustdichtung steht am Ende einer literarischen Jugendentwicklung, die Goethe auf der Suche nach einem Bild des Menschen zeigt, das jenseits der traditionellen Vorstellungen lag. Richtung und Verlauf dieser Suche lassen sich am leichtesten äußerlich fassen: Die Liebeshelden der Leipziger Epoche wurden spätestens seit Straßburg durch welthistorische Führergestalten verdrängt. Mahomet und Caesar, Brutus, Götz und Prometheus sind die prägnanten Figuren, über die die Pläne, Fragmente und Dichtungen jener Jahre hinreichend Auskunft geben. Die Feststellung, daß der Frankfurter Patriziersohn am stärksten von allen Stürmern und Drängern Führer und Volkshelden, den für die Gemeinschaft wirkenden Menschen wieder ins Zentrum der Dichtung rückt, nachdem sich die Dichter der fünfziger und sechziger Jahre gerade der Darstellung der öffentlichen Lebenssphäre weitgehend entzogen hatten, ist sicher richtig. Sie genügt aber nicht, um die neuen Vorstellungen Goethes, den tiefgehenden Wandel seines Menschenbilds hinreichend zu kennzeichnen.

Caesar und Mahomet sind in der Tat welthistorische Führergestalten. Der Mahomet im Gleichnis des Goetheschen Gedichts ist es im besten Sinne des Worts: Zuflucht und Erhebung, sammelnde und gesammelte Kraft des Volkes wie der große Strom, der in sich alles Wünschen und Wollen aus den Tiefen des Landes vereinigt, der ernährt, trägt, verbindet und alle und alles machtvoll zum gemeinsamen Ziel führt. Freilich, von dem Mahometentwurf ist uns eben nichts als dieser Gesang geblieben, was darauf hindeutet, daß die im Bild des Stroms gefaßte Führergestalt am Ende das eigentlich Gültige und Bleibende dieses Entwurfs war: Ein schöner, hinreißender Traum von einem gebahnten sozialen Leben, ein Gegenentwurf zur Ohnmacht und Zusammenhanglosigkeit des öffentlichen Lebens in Deutschland, ein Traum allerdings, der nicht nur die deutsche Wirklichkeit himmelweit überstieg, sondern auch von allen realen Widersprüchen der geschichtlichen Bewegung absah. Auch Caesar, obgleich der Stoff Goethe länger beschäftigte und der Dramenplan am Ende weiter gediehen war, erwies sich als Held, der für den jungen Goethe zumindest partiell auch immer eine Identifikationsfigur sein mußte, letztlich als ungeeignet.[8] Es ist hier nicht der Ort, darüber im einzelnen Vermutungen anzustellen. Immerhin ist es bemerkenswert, daß Goethes Sympathie, wie seine Beiträge zu Lavaters „Physiognomischen Fragmenten" zeigen, von Caesar auf Brutus überging, bemerkenswert nicht nur deshalb, weil er sich damit vorübergehend zu den Parteigängern der freiheitlichen Brutusverehrung gesellte, sondern weil er fast am Ende seiner Jugendentwicklung in der Charakteristik des römischen Republikaners einen grundlegenden Zug seiner neuen Heldenvorstellung noch einmal scharf umriß. Er nannte dort Brutus den Trefflichsten, den nur ein Jahrhundert von Trefflichen in Stufen hervorbringen konnte: „Er kann keinen Herrn haben, kann nicht Herr sein. Er hat nie seine Lust an Knechten gehabt. Unter Gesellen mußt er leben, unter Gleichen und Freien. In einer Welt voll Freiheit edler Geschöpfe würd er in seiner Fülle sein. Und daß das nun nicht so ist, schlägt im Herzen, drängt zur Stirne, schließt den Mund, bohrt im Blicke! Schaut hier den gordischen Knoten, den der Herr der Welt nicht lösen konnte."[9] Doch wer konnte ihn lösen? Sofern Goethe eine Verwirklichung republikanischer Freiheit, die er hier als Lebensbedingung individueller Größe voraussetzte, überhaupt für möglich hielt – unter den deutschen Bedingungen des 18. Jahrhunderts war auf sie in absehbarer Zeit nicht einmal zu hoffen. Brutus konnten zeitgenössische Dichter wohl in Versen feiern, aber ihn als Helden eines Dramas zu zeigen, welchen Bezug zur zeitgenössischen Wirklichkeit hätte das gehabt? Wo waren in Deutschland die Republikaner, deren Gesinnung er in geschichtlicher Entsprechung hätte ausdrücken können?[10]

Doch der Kommentar zum Brutusporträt, der frühestens im Herbst 1774 entstanden ist, verdeutlicht nur mit besonderer Prägnanz einen längst angelegten Grundzug in der Heldenauffassung des jungen Goethe. Die hier entwickelte Idee der Freiheit hatte schon Jahre zuvor in der „Geschichte Gottfried von Berlichingens mit der eisernen Hand" prototypischen Ausdruck gewonnen. An diesem verspäteten Ritter der Reformationszeit enthüllte Goethe, wie einem starken, rechtschaffenen Menschen in der heraufkommenden Welt des Feudalabsolutismus der Platz und die Kraft genommen wird, frisch ins Leben hineinzuwirken, auch die Luft, frei zu atmen, und wie er in einer Welt, wo die Gleichen und Freien verschwinden, am Ende selber gebunden und erdrosselt wird.

Zwischen dem frühen Drama und dem Brutusfragment liegt aber auch die Prometheusode. In der Gestalt des antiken Halbgotts fand Goethe den mythischen Helden, mit dem er den Gegensatz von oben und unten, von himmlischer und irdischer Existenz, von Tyrannei und Freiheit aufs umfassendste formulieren konnte. Erde und Hütte, Herd und Glut sind Lebensstätte und Ausweis einer mitfühlenden Menschheit, die sich den herzlosen, von Opfersteuern und Gebetshauch lebenden Göttern überlegen weiß, weil sie ihr von Leiden und Widersprüchen erfülltes Dasein aus eigener Kraft lebt und sichert. Die Prometheusode ist in diesem Sinne einer der gedanklich weitreichendsten Entwürfe des jungen literarischen Bürgertums, das den historischen Führungsanspruch seiner Klasse mit dem Hinweis auf seine Arbeits- und Erfindungskraft, seine mitmenschliche Anteilnahme und Solidarität bekundet, auch mit seinem Willen und seiner Einsicht, das tatsächliche Leben, gemischt aus Schmerzen und Freuden, in seiner vollen Widersprüchlichkeit auf sich zu nehmen und als Antrieb selbständigen Handelns zu begreifen. Doch diese Konzeption realisierte sich allein – und das vor allem ermöglichte ihre bündige dichterische Form – in der mythischen Fassung der menschlichen Probleme.[11]

Goethes Heldensuche vollzog sich also, wie sein Jugendwerk hinreichend belegt, in einer beträchtlichen Abfolge literarischer Versuche. Während anfangs die Bevorzugung der großen Führergestalten schlechthin kennzeichnend zu sein schien, zeigte sich im Verlaufe dieser Entwicklung, daß Goethe seine spezifischen Helden erst mit Götz, Prometheus, Werther und Faust, also mit den Repräsentanten der menschlichen Emanzipation, fand. Als er mit Werther und Faust seine neue Vorstellung auf der Höhe europäischer Problematik formulierte, war bereits ein qualitativ neuer Typ des bürgerlichen Helden geschaffen. Daß sich Goethe über dessen neuartigen Charakter im klaren war, zeigt sich am deutlichsten dort, wo er seine Auffassung in ausdrücklicher Polemik gegen herrschende Positionen entwickelte. Das geschah in prononciertester Weise in der im Herbst 1773 erschienenen Farce „Götter, Helden und Wieland", die darum im folgenden näher betrachtet werden soll.

Die aus aktuellem Anlaß entstandene Gelegenheitsdichtung wandte sich, wie der sprechende triadische Titel mit dem maliziösen „und" deutlich genug sagt, gegen Wieland, speziell gegen dessen Auffassung von Göttern und Helden. Der Vierzigjährige, damals neben Klopstock und Lessing der erste Schriftsteller Deutschlands, zu Recht berühmt als der Autor des im gleichen Jahr in neuer Fassung erschienenen „Agathon", hatte die „Alkestis" des Euripides bearbeitet. Er hatte aus dem antiken Drama ein modernes Singspiel gemacht, in einer Reihe von Briefen die Gründe für seine weitgehenden Änderungen dargelegt und die Vorzüge seiner Neufassung gegenüber dem Original obendrein kräftig herausgestrichen. Seine Überarbeitung lief insgesamt darauf hinaus, das alte Stück einem modernen tugendhaften Publikum so angenehm zu machen, daß selbst die „Gegenstände des Entsetzens ... zu Quellen des Vergnügens"[12] würden. Der jugendliche Farcendichter Goethe aber ließ den neumodischen Bearbeiter der griechischen Dichtung in die antike Unterwelt zitieren, wo er, aus nächtlichem Schlaf gerissen, in seiner bürgerlichen Schlafmütze erscheint und dergestalt Euripides und den Helden der antiken Mythe Rede zu stehen hat. Dabei muß Wieland (und mit ihm der Leser) erfahren, wie wenig die Vorstellungen des modernen Schriftstellers mit der Wirklichkeit der antiken Götter und Helden, mit dem tatsächlichen Altertum gemein haben. Seine ganze Bearbeitung, so wird Wieland unumwunden gesagt, zeuge allein von der Fähigkeit, nach „Sitten und Theaterkonventionen" Natur und Wahrheit zu verschneiden, am Ende alles zu einem gleichartigen Brei zusammenzurühren.[13]

Goethe traf mit dieser übrigens ziemlich derben Polemik durchaus den Nerv der Sache. Das antike Drama hatte trotz seines glücklichen Ausgangs einen tragischen Grund von existentieller Tiefe. Admet, der, in der Fülle des Lebens stehend, dem Todesgott verfallen ist, nimmt das Opfer seiner von ihm geliebten Frau an, die an seiner Stelle dem Todesgott in die Unterwelt folgt. Wieland aber glaubte, der Delikatesse seines tugendsamen Publikums eine derartige Haltung des Helden nicht zumuten zu dürfen. So erfand er die neue Version, derzufolge Admet nicht mehr vor die Entscheidung gestellt wird, das Opfer seiner Frau anzunehmen oder abzulehnen – er erfährt von ihm erst, als sie sich bereits in die Hand des Todes gegeben hat. Mit dieser starken Operation hatte Wieland dem antiken Stück seine tiefste Problematik tatsächlich exstirpiert. Gerade die Hervorkehrung des unbedingten, ja unbedenklichen Lebensverlangens von Admet verstand Goethe mit Recht als die großartige realistische Leistung des Euripides bei der dramatischen Aneignung der alten Mythe.

Man hat Goethes Farce wie seine Kontroverse mit Wieland gewöhnlich für einen bloßen Ausbruch jugendlichen Übermuts gehalten. Schließlich war sie gegen den Willen ihres Autors veröffentlicht worden, und der hatte sich obendrein mit Wieland auch bald wieder vertragen. Doch beiläufig ist nur die Entstehung; der Spaß selber mit seiner fraglos zugespitzten Polemik kam aus der Mitte des Goetheschen Denkens und offenbart eine Differenz, die Wieland und Goethe auch später, als zwei in wichtigen Fragen verbündete bürgerliche Dichter noch immer scheidet – eine Differenz übrigens, die vielleicht zum Teil erklärt, warum Wieland anders als seine großen Zeitgenossen so wenig ins 19. Jahrhundert hinein wirkte.

Jene Vorstellung von Tugend, nach deren Gesetz und Maßstab – Goethe zufolge – Wieland seine Menschen konstruierte, war für Goethe selbst nur noch eine poetische Imagination, die Helden, die diese Vorstellung verkörperten, demzufolge bloße Theaterhelden, anatomische Mißgeburten, außerstande, im wirklichen Leben auch nur einen Augenblick zu existieren. Goethes Polemik verteidigte im Admet des Euripides die sinnlich-heidnische Auffassung vom Menschen und attackierte zugleich ihre „Überwindung" durch Wieland, wenn nicht als „schmählichste Verachtung", so doch als leichtfertige Verleugnung der menschlichen Natur. Der von ihm formulierten Kritik lag in der Tat eine Auffassung vom Menschen zugrunde, derzufolge die Wirklichkeit einer humanen Welt allein aus der Selbstverwirklichung der menschlichen Natur hervorgehen konnte. Auf die verzweifelte Verteidigung des Tugendbegriffes durch den fiktiven Wieland – „Tugend muß doch was sein, sie muß wo sein"[14] – antwortet Goethe durch den Mund seines Herkules: „Wer hat daran gezweifelt? Und mich dünkt, bei uns wohnte sie, Halbgöttern und Helden. Meinst du, wir lebten wie das Vieh, weil eure Bürger sich vor den Faustrechtszeiten kreuzigen? Wir hatten die bravsten Kerls unter uns."[15] Und auf die erneute Frage, was er „brave Kerls" nenne, antwortet Goethes Herkules: „Einen, der mitteilt, was er hat. Und der reichste ist der bravste."[16]

Dieser Gegensatz von „Bürger" und „bravem Kerl" darf freilich nicht wörtlich genommen werden. „Bürger" ist hier im Sinne der „Frankfurter Gelehrten Anzeigen" ein Mitglied jener „polierten Nation", die ihre Mitwelt nicht anders als nach dem herrschenden Schema von Tugend und Laster zu beurteilen vermag und sich auch demgemäß verhält. Wieland als ihr vermeintlicher Sprecher wird darum folgerichtig als „Hofrat und Prinzen-Hofmeister zu Weimar"[17] apostrophiert. In Wahrheit ist jener konstruierte Gegensatz von „Bürger" und „bravem Kerl" der Ausdruck einer in jedem Falle bürgerlichen, aber im Prinzip doch verschiedenen Auffassung über das, was Pflicht und Aufgabe des Individuums und damit Sinn und Zweck des Lebens ist. Es ist der Gegensatz von einer – woher auch immer abgeleiteten – sittlichen und sozialen Norm einerseits und dem Recht auf individuelle Verwirklichung und schöpferische Entfaltung des einzelnen andererseits.

Im Namen von Vernunft und Tugend hatte die bürgerliche Aufklärung ihren Kampf gegen Adel und Kirche geführt. Die Herrschaft von Vernunft und Tugend schien dem Bürgertum zugleich die entscheidende Voraussetzung, um die widerstreitenden Interessen der Stände, aber auch die der Individuen innerhalb ihrer jeweiligen Gemeinschaft zu versöhnen und so ein menschliches Zeitalter heraufzuführen. Unter dieses Gesetz stellten darum auch und gerade ihre großen politischen Denker wie Rousseau und nicht weniger ein Politiker wie Robespierre den individuellen Menschen. Noch am Ende des Jahrhunderts werden bürgerliche Aufklärer Tugend definieren als die vollkommene Übereinstimmung menschlicher Kräfte und Handlungen unter der Gesetzgebung der Vernunft. Goethe hingegen sah – wie auch andere Stürmer und Dränger – in den überkommenen Begriffen von Vernunft und Tugend zugleich einengende Prinzipien, normierende Kräfte, die gerade das Beste, was der Mensch zu geben hatte, nämlich sich selbst mit dem natürlichen Reichtum seiner Kräfte und Begabungen, ersticken konnten. Damit setzte er Vernunft und Tugend keineswegs außer Kraft, er relativierte nur, wenn auch gründlich, ihren abstrakten Absolutheitsanspruch. Gegen das konventionelle Schema, das die Menschen zwingt, ihr Tun und Denken nach den herrschenden Prinzipien von Tugend und Laster einzurichten, setzte Goethe das Recht des einzelnen, sich selber mitzuteilen. Tüchtig und brav war demzufolge jeder, *der mitteilt, was er hat* – das eben war die Tugend der Halbgötter und Helden! Mitteilung aber ist der einfachste und elementarste soziale Akt: jemanden in den Mitbesitz einer Sache setzen, die einem nur selber gehört, die man aus sich selbst hervorgebracht, sich selbst verwirklichend geschaffen hat.

Nicht zufällig ist es Herkules, der große Arbeiter, dem

Goethe diese neue Definition von Tugend in den Mund legt und der sich in diesem Zusammenhang folgerichtig rühmt, in einer Nacht fünfzig Buben ausgearbeitet zu haben. In der Farce äußert sich die Tugend der Mitteilung im Zeugungsakt des Helden, in der Prometheusode in der universellen Schöpferkraft des Titanen. Beide sind den Menschen hilfreich, stehen ihnen den Göttern gegenüber bei; beide sind sie große, der Gemeinschaft der Menschen dienliche Arbeiter, nur daß den Aktionen des Prometheus – über die herkulischen Abenteuer hinaus – das neue, von den Göttern unabhängige Verständnis des menschlichen Lebens zugrunde liegt, das zugleich die neue Vorstellung von Tugend und Humanität einschließt.

Die Freiheit, sich mitzuteilen, das zu geben, was man hat, und das zu sein und zu werden, was man ist, Existenz zu erlangen, statt bloß zu existieren, das ist die Idee der Emanzipation, die Goethe als Vertreter der europäischen Aufklärung in die Weltliteratur einbrachte und gegen die rationalistisch verflachten Vorstellungen von Tugend, Gesetz und Vernunft als humanes und zugleich realistisches Prinzip in seiner Dichtung geltend machte. Wenn es Tugend ist, sich andren mitzuteilen, so ist eine tugendhafte Welt von der Freiheit des Individuums zu tätiger Mitteilung abhängig. Diese neue Auffassung, die die ungehemmte Entfaltung des Individuums und der menschlichen Natur zum Ausgangspunkt und Maßstab der gesellschaftlichen Betrachtung machte, war der revolutionäre Keim des Goetheschen Menschenbilds. In ihm waren aber auch alle Probleme enthalten, die mit der weiteren Entwicklung der bürgerlichen Gesellschaft und der ihr innewohnenden Widersprüche zu Tage traten. Goethes neue Sicht wurde nur deshalb so folgenreich, konnte nur darum so tief und andauernd wirken, weil sie letztlich das wiedergab, was die ökonomisch-gesellschaftliche Entwicklung auf die weltgeschichtliche Tagesordnung gesetzt hatte: die Freisetzung des bürgerlichen Produzenten.

Unter den emanzipatorischen Helden der Goetheschen Jugendwerke ist Faust der Held mit den reichsten Widersprüchen. Sie aber offenbaren sich am stärksten, erfährt er selber am tiefsten in der Geschichte seiner Liebe zu Gretchen.

Für bedeutende Helden vor oder neben Faust, für Götz und Prometheus, war die Liebe kein Feld ihrer freiheitlichen Bestrebungen oder Erfahrungen. Auch ist Götz Faust gegenüber der fertige Mann. Wenn seine Gesinnungen im Gespräch mit Bruder Martin im ausdrücklichen Gegensatz zu den christlichen Tugenden des Mönchs – Armut, Keuschheit und Gehorsam[18] – erscheinen, so weiß sich Götz im vollen Besitz aller „unchristlichen" Güter: Er verteidigt den Lebensgenuß, das Eigentum und das Recht auf Selbstbestimmung als Voraussetzungen seines freien und produktiven Daseins. Er ist der Held in seiner Fülle, der weiterhin unter Gleichen und Freien leben will und schließlich zugrunde geht, weil die geschichtliche Entwicklung seiner ritterlichen Freiheit den Garaus macht. Auch Prometheus ist solcherweise ein fertiger Mann, der seinen Kampf um Selbstbestimmung in klarer Abgrenzung gegen seine Feinde, die autokratischen Götter, und ihre ungerechte Ordnung führt. Beide Selbsthelfer, der historische wie der mythische, kämpfen vor allem für einen freiheitlichen Zustand des öffentlichen Lebens, in dem sie ungehindert wirken können.

Nun ist es keineswegs so, daß die Liebe als Möglichkeit höchster menschlicher Begegnung von Goethe nicht schon vordem entdeckt worden wäre. Die Sesenheimer Lieder zeigen eine bis dahin unbekannte Gleichheit und Freiheit in der wechselseitigen Mitteilung und Hingabe der Liebenden, die Liebe selbst als sublimsten Ausdruck naturgegebener Kraft- und Lebensentfaltung, so daß in diesen Gedichten die Vorstellung eines neuen oder künftigen Menschentums bereits gegenwärtig scheint. Auch im „Götz" und Prometheusfragment spielt die Liebe durchaus eine Rolle, nur eben nicht als Teil der Emanzipationskämpfe der Helden. Doch ebendas ist im „Werther" und „Faust" der Fall; in ihnen erscheint der Typus des neuen um seine Freiheit und Selbstverwirklichung ringenden Helden zum erstenmal als Liebhaber, oder er erfährt doch wie Faust die Möglichkeiten und Grenzen seiner Selbstbefreiung insbesondere in der Liebe.

Die leidenschaftliche Vereinigung mit Gretchen, im Widerspruch zur ursprünglichen Absicht, sie leichthin zu verführen, gehört zu den erstaunlichen Wendungen in Goethes Führung und Entwicklung der Faustfigur. Der Gelehrte, der sich der Vergeblichkeit seiner lebenslangen akademischen Bemühungen inne geworden ist, der in seinem tiefsten Verlangen, Welt und Natur im Grunde zu erfassen, umsonst den Geist des Makrokosmos beschworen hat und den Anblick des Erdgeists zu ertragen nicht imstande war, ergibt sich dem Teufel, um im sinnlichen Genuß die Weite der Welt zu erfahren. Doch kaum ist er aus der Enge seines professoralen Gefängnisses ausgebrochen, begibt er sich erneut und freiwillig in ein Gefängnis kleiner Verhältnisse, bleibt er bei einem jungen, unschuldigen Ding hängen, weil er in der Beschränktheit ihres schlichten Daseins alles Glück des Lebens zu finden glaubt. „Weh! Steck ich in dem Kerker noch? / Verfluchtes dumpfes Mauerloch . . .", so rief der verzweifelnde Faust, und „In diesem Kerker welche Seligkeit!" frohlockt er nur wenig später unter dem Eindruck von Gretchens Kammer. Eine erstaunliche Doppelung: Er geht aus dem einen Kerker hinaus, um in den anderen hineinzugehen, freilich in einen Kerker der Seligkeit. Hierin, in dieser paradoxen Entscheidung für den „seligen Kerker", scheinen fürs erste alle Widersprüche beschlossen. Daß die kleine Welt Gretchens, sie selber in ihrer Beschränktheit, das „arm unwissend Kind", dem gelehrten Herrn, mehr noch, dem „Unmensch ohne Zweck und Ruh", auf die Dauer nicht genügen können, scheint evident. Aber nicht weniger offensichtlich ist, daß der umhergetriebene Faust gerade in der kleinen Welt, in der starken Liebe des einfachen Mädchens, wenngleich nur vorübergehend, sein höchstes Glück findet.

Nun sah Goethe die Liebe, indem er sie als Äußerung der Natur verstand, auch dem Prozeß der Natur unterworfen. So wie sich Prometheus mit der Postulierung seiner autonomen

Existenz zu einem Leben bekennt, das Leiden und Weinen, Genuß und Freude gleicherweise einschließt, so anerkennt der Dichter Lust und Schmerz, Willkommen und Abschied auch als gleicherweise zur Liebe gehörig. Doch es geht in der Begegnung mit Gretchen weniger um den allgemeinen Wesensprozeß der Liebe, um die Polaritäten ihres Erlebens, ihr natürliches Werden und Vergehen, deren Besonderheit liegt vielmehr darin, daß Faust gerade bei diesem einfachen Mädchen alles Glück der Liebe findet und doch bei ihr nicht bleiben kann oder will.

Den untreuen Liebhaber hatte Goethe bereits im „Götz" dargestellt. Weislingen bricht sein Verlöbnis mit Marie und verfällt der dämonischen Gewalt Adelheids. Er verrät damit nicht nur die schlichte Frau, sondern auch die menschliche Welt Gottfrieds und verschreibt sich gleichzeitig dem Glanz, der Karriere sowie den Kabalen des höfischen Lebens. Im Falle Clavigos ist die alternative Entscheidung zwischen Beaumarchais' Schwester und der höfischen Karriere noch offensichtlicher. In beiden Fällen tradiert Goethe bis zu gewissem Maße ein älteres Schema der empfindsamen Literatur. Geradezu umgekehrt sind Anlage und Durchführung der Liebesgeschichte im „Werther". Der treue Held insistiert nicht nur auf seiner Liebe, er stellt sich mit seinem Bekenntnis für Lotte und Wahlheim zugleich in absoluten Gegensatz zu Hof und Karriere. Eben dadurch wird deutlich, daß er nicht einfach an einer unglücklichen Liebe zugrunde geht, sondern an der Unvereinbarkeit seiner Gesinnungen mit der Wirklichkeit des öffentlichen Lebens, einem Zustand, der ihn drängt und verleitet, seine ganze Existenz allein auf diese Liebe zu setzen, und mit der er, da sie sich nicht erfüllt, dann zwangsläufig scheitert. Freilich ist Werther trotz seines produktiven Drangs nach Tätigkeit eine stark sich hingebende Natur – nicht zufällig finden bestimmte Partien des „Ganymed" im Brief vom 10. Mai ihre Entsprechung –, so daß er in der ergebenen Liebe zu Lotte und im sympathetischen Leben im Volk weitgehend Befriedigung findet. Aber wie lange wohl? Wahlheim ist letztlich eine Idylle, ein poetisch bewahrtes Stück natürlicher Welt in der tatsächlichen Welt, aus der man sich – ob nun mit oder ohne Lotte – auf die Dauer nur unter Ausschaltung seines Bewußtseins und unter Verzicht auf öffentlich wirksames Handeln ausgliedern kann. Im Faust werden die analogen Widersprüche anders gefaßt. Einmal, weil Faust selbst in seinem Lebensverlangen und Erkenntnisstreben viel unbedingter als Werther ist, weil er sein „idyllisches" Glück tatsächlich findet, die kleine Welt ihm aber nicht genügt, weil Gretchen ein „eingeborener Engel", aber auch Angehörige der bürgerlichen Gesellschaft ist, mit einem Wort, weil beide, Faust und Gretchen, den im Wertherroman weitgehend nach außen verlagerten Widerspruch auch in und mit sich selber auszutragen haben.

Gretchen gehört als Kleinbürgermädchen zu den Gestalten aus dem werktätigen Volk, über dessen Zusammensetzung, Charakter und Anziehungskraft Goethe in seiner Rezension „Charakteristik der vornehmsten europäischen Nationen"[19] seine eigentümlichen Vorstellungen deutlich entwickelt hat und mit dem sich der Dichter aus seinem Bedürfnis nach harmonischer Übereinstimmung mit der Welt um so mehr verbunden fühlte, als die Sphäre der Großen zu innerer Anteilnahme nicht einlud: „Ach dieser Zauber ist's, der aus den Sälen der Großen und ihren Gärten flieht, die nur zum Durchstreifen, nur zum Schauplatz der aneinander hinwischenden Eitelkeit ausstaffiert und beschnitten sind. Nur da, wo Vertraulichkeit, Bedürfnis, Innigkeit wohnen, wohnt alle Dichtungskraft, und weh dem Künstler, der seine Hütte verläßt, um in den akademischen Pranggebäuden sich zu verflattern!"[20] Dieser Auffassung entspricht dann auch der wiederholte Versuch Goethes, in der Einfachheit des naturverbundenen Volkslebens die Einfachheit, Größe und Schönheit antiker Existenz über die Jahrtausende hinweg in seiner gegenwärtigen Gestalt wiederzufinden, exemplarisch in dem Gedicht „Der Wandrer" von 1772. Und gewiß ist das ganze Wahlheim, dieses Ineins von Homer, Liebe, Kindern, Landleuten und Natur aus dieser Grundauffassung heraus entwickelt.

In Gretchen aber schuf Goethe ein Mädchen aus dem Volk, das mit so vielen Vorzügen zugleich die Borniertheiten ihrer

Herkunft besitzt. Sie ist eine dumpfe Kleinbürgerin, gebunden an die sozialen, religiösen und moralischen Vorstellungen ihrer Umwelt. Sie besitzt die charakteristische Selbstgerechtigkeit des in seinem Tun und Denken niemals verunsicherten Menschen und hat Faust gegenüber zugleich das Gefühl sozialer und geistiger Unterlegenheit. Erst die Liebe zu ihm, ihr starker erotischer Trieb, den Goethe mit poetisch kühner Realistik verdeutlicht, machen sie ahnungsweise hellsichtig und lassen sie das Gehäuse ihrer Herkunft durchbrechen. In ihrer Liebe zu Faust durchläuft sie eine Revolution. Als Liebende streift sie alle Fesseln der Konvention ab, gibt sie alles, was sie hat und ist, dem Geliebten selbstlos hin. Doch für diese Emanzipation gibt es in der bestehenden Ordnung keinen Raum und keine Billigung, und von Faust allein gelassen, vermag sie dem ungeheuren Druck der herrschenden Gewalten und ihres von diesen Gewalten beeinflußten Gewissens nicht mehr standzuhalten. Inszenierungen, die Gretchen vornehmlich als Engel oder vornehmlich als borniertes Kleinbürgerkind darstellen, verkennen einfach die weitreichende Dialektik in der Anlage und Entwicklung der Figur, verkennen vor allem die bewegende Kraft ihrer Liebe, mit der Goethe sie derart exemplarisch verherrlichte.

Hegel hat in seinen späten Aphorismen bemerkt, Goethe habe „sein Leben lang die Liebe poetisch gemacht – sein Werther – (an diese Prosa sein Genie verschwendet)“[21]. Das ist unverkennbar mit Distanz gesagt und mit vergleichendem Blick auf die klassischen Dichter der Antike, die eine solche Hoch- und Wertschätzung der Liebe nicht kannten. Erst die romantischen Dichter haben ihr nach Hegel eine solche Stellung eingeräumt. Tatsächlich ist Goethe einer der großen Repräsentanten der Liebesdichtung in der Weltliteratur. Doch wenn er der Liebe einen so hohen Rang anwies – im Tiefurther Journal von 1782 heißt sie „die Krone der Natur“[22] –, dann ist das mehr als das Ergebnis einer persönlichen Bestimmtheit oder Disposition, es ist zugleich und vor allem Ausdruck und Folge jener neuartigen Auffassung vom Individuum. Wenn es dessen höchste Aufgabe war, sich selbst zu verwirklichen, sich brüderlich hinzugeben und mitzuteilen, dann war es nur folgerichtig, in der Liebe einen solchen höchsten Zustand menschlicher Selbstverwirklichung zu sehen, wo das Individuum je mehr es sich realisiert desto mehr geben und je mehr es gibt, desto reicher werden kann. So kann die Selbstverwirklichung des Liebenden, ja der bloße Zustand der Liebe, höchste Selbstlosigkeit sein. Auch in diesem Sinne konnte Goethe über seine Jugendzeit in „Dichtung und Wahrheit" schreiben: „Uneigennützig zu sein in allem, war meine Lust, meine Maxime, meine Ausübung, so daß jenes freche spätere Wort ‚Wenn ich dich liebe, was geht's dich an?' mir recht aus dem Herzen gesprochen ist."[23] Bereits am 15. Dezember 1772 schrieb er an Kestner über seine Leidenschaft für Lotte: „... und dass ich sie so lieb habe ist von jeher uneigennützig gewesen"[24]. Diese Uneigennützigkeit und mit ihr die unverstellte natürliche Empfindung, die er so sehr suchte, fand Goethe wie viele Dichter nach ihm gerade unter einfachen Leuten. Wie tief ihn, zumal in seiner Jugendzeit, diese Vorstellung bestimmte, zeigt noch der „Egmont", wo er nunmehr auch dem welthistorischen Helden das im Verborgenen blühende Bürgermädchen beigesellt, weil der hochgestellte, mit Königen und Fürsten verkehrende Egmont erst in ihrer Gegenwart ganz Mensch ist und sein darf. Und der Schluß ist zumindest erlaubt, daß Goethes persönliche Entscheidung für Christiane Vulpius auch in solchen Vorstellungen und Erfahrungen ihren Grund hatte.

Die wunderbare Entfaltung Gretchens zur großen Liebenden ist, so gesehen, eine der weitreichendsten Verheißungen des Goetheschen Werks, die der Autor nicht nur im Zuge seiner schönen Frauengestalten noch mehrfach einzulösen versucht hat. In dem Fragment „Die guten Weiber" wird 1802, also noch vor Fourier, ausdrücklich festgestellt, daß die Emanzipation der Männer ohne die Emanzipation der Frauen nicht möglich sei.[25] Tatsächlich hat Goethe diese demokratische Gesinnung seines Frühwerks zeitlebens nicht aufgegeben. Wenn Gretchen am Ende des zweiten Teils der Tragödie Faust zu sich emporhebt, hat sie außerhalb der Szene, aber auch außerhalb der realen Menschheitsgeschichte den Prozeß der Emanzipation bereits mit durchlaufen. Fausts unendliches Streben, sein Wille zur produktiven Veränderung der menschlichen Verhältnisse ist auch eine Antwort auf ihre Tragödie.

So gelang es dem jungen Goethe, inmitten der das bürgerliche Leben einschränkenden und erstickenden Verhältnisse seinen Vorstellungen von Freiheit und Selbstverwirklichung des Individuums poetische Gestalt zu geben, ohne die Realität selber zu verdrängen oder gar zu verleugnen. In den großen Liebestragödien Werthers und Fausts vermochte er Existenz und Anspruch einer künftigen Humanität, und zwar aus der sinnfälligen Darstellung des bürgerlichen Lebens heraus zu entwickeln und gerade dadurch die beschränkende Gewalt der Verhältnisse zu zeigen, die ihre menschliche Entfaltung verwehrten. Im „Werther" geschieht das vor allem in der Entgegensetzung von „polierter Nation" einerseits und der Welt der einfachen Leute und Liebenden andererseits. Im „Urfaust" gibt es diese zumindest tendenziell reine Scheidung der Lager nicht mehr. Gretchen mit ihrem großen Fond an natürlicher Menschlichkeit ist anders als Lotte von den Gesinnungen und Verhältnissen ihrer engen Welt stark geprägt. Ihre ganze Liebe ist eine Auseinandersetzung mit den äußeren wie inneren Widersprüchen ihrer Existenz, und erst sie ermöglicht die eminente realistische Vertiefung dieser Gestalt und ihrer Geschichte. Das aber gilt nicht weniger für den Titelhelden selbst.

Goethes Faust ist ein Befreier, aber einer, der die Freiheit im Bündnis mit dem Teufel sucht. Die Einsicht, daß der Anspruch auf individuelle Selbstverwirklichung und Freiheit mißbraucht wird, ihre Inanspruchnahme vor allem auf Kosten der Mitmenschen gehen kann, hat der vorweimarische Goethe vielfach und gründlich reflektiert. Als Clavigo Marie verlassen hat, tröstet ihn sein Freund Carlos mit allerlei Argumenten über letzte Bedenklichkeiten hinweg, am Ende mit dem Hinweis auf das Ausnahmerecht des großen Menschen, sich selbst zu verwirklichen: „Und was ist Größe Clavigo? Sich in Rang und Ansehen über andere zu erheben? Glaub es nicht! Wenn Dein Herz nicht größer ist als andere Herzen, wenn Du nicht imstande bist, dich gelassen über Verhältnisse hinauszusetzen, die einen gemeinen Menschen ängstigen würden, so bist du mit all deinen Bändern und Sternen, bist mit der Krone selbst nur ein gemeiner Mensch."[26] Die Ambivalenz solcher Auffassungen wird deutlich, wenn man bedenkt, daß es nicht nur Goethes eigene Maxime war, seine Existenz so hoch wie möglich zu steigern, sondern daß die Auffassungen von Carlos denjenigen Mephistos offenkundig entsprechen.[27]

In „Stella", dem „Schauspiel für Liebende", wird das Resultat dieses Rechts auf Selbstverwirklichung bereits auffällig ironisiert. Fernando, der Frau und Tochter verlassen hat, weil die eheliche Bindung alle seine Kräfte angeblich erstickt, ihm den Mut der Seele raubte, ihn einengte, der in die freie Welt ging, um alles, was in ihm lag, zu entwickeln, wird von seinem Verwalter, wenn er viele Jahre später mit seiner zweiten Frau heimkehrt, mit folgendem Resümee konfrontiert: „Wir gingen durch, wir gingen in die freie Welt; – und flatterten auf und ab, heraus, herein und wußten zuletzt mit all dem freien Mut nicht, was wir für Langerweile beginnen sollten – – daß wir uns wieder über Hals und Kopf gefangengeben mußten, um uns nicht eine Kugel vorn Kopf zu schießen –"[28] Es sei dies der Spott, so der Verwalter: „Über das, was Sie so oft sagten, nie taten, über das, was Sie wünschten, nie fanden und auch oft nicht einmal suchten."[29] Ähnlich wird in „Claudine von Villa Bella" Grugantino, der zum Libertin gewordene Sohn aus vornehmem Haus, über seinen gesellschaftlichen Ausbruch am Ende so reflektieren: „Wo habt ihr einen Schauplatz des Lebens für mich? Eure bürgerliche Gesellschaft ist mir unerträglich! Will ich arbeiten, muß ich Knecht sein; will ich mich lustig machen, muß ich Knecht sein. Muß nicht einer, der halbwegs was wert ist, lieber in die weite Welt gehn? . . . Dafür will ich auch zugeben, daß wer sich einmal ins Vagieren einläßt, dann kein Ziel mehr hat und keine Grenzen; denn unser Herz – ach! das ist unendlich, solang ihm Kräfte zureichen!"[30]

Wie sehr sich Goethe der Ambivalenz dieses Problems bewußt war, bezeugt die Tatsache, daß er selber – in einer für den hier erörterten Sachverhalt exemplarischen Weise – auf die Zusammengehörigkeit auch seiner gegensätzlichen Helden hingewiesen hat. Nachdem 1818 das verschollene, Fragment gebliebene Prometheusdrama in einer Abschrift wieder aufgetaucht war, bat Goethe Freund Zelter, das Manuskript nicht zu offenbar werden zu lassen, denn gedruckt, käme es „unserer revolutionären Jugend als Evangelium recht willkommen“[31]. Er fährt in diesem Brief vom 11. Mai 1820 fort: „Da wir einmal von alten, obgleich nicht veralteten Dingen sprechen, so will ich die Frage tun, ob Du den ‚Satyros‘, wie er in meinen Werken steht, mit Aufmerksamkeit gelesen hast. Es fällt mir ein, da er eben, ganz gleichzeitig mit diesem ‚Prometheus‘, in der Erinnerung vor mir aufersteht, wie Du gleich fühlen wirst, sobald Du ihn mit Intention betrachtest. Ich enthalte mich aller Vergleichung, nur bemerke, daß auch ein wichtiger Teil des ‚Faust‘ in diese Zeit fällt.“[32]

Sicher sah Goethe das revolutionäre Jugendwerk inzwischen mit beträchtlicher Distanz. Er spricht ausdrücklich von seinen „Jugendgrillen“[33], hielt sich aber gleichwohl zugute, daß dieses „widerspenstige Feuer“, das zuletzt in verderbliche Flammen auszubrechen drohte, das Element einer geschichtlichen Bewegung war, die er schon vor einem halben Jahrhundert als solche erkannt hatte.[34] Der Hinweis auf „Satyros“ ist darum auch mehr als der bloße Versuch, die im Prometheusdrama formulierte Rebellion nachträglich zu relativieren. Goethe hatte mit Prometheus und Satyros zwei gegensätzliche Brüder geschaffen. Beide nennen sich Söhne des Zeus, berufen sich auf ihre Göttlichkeit und damit auf das Recht unbedingter Selbstverwirklichung. Doch während Prometheus seine Göttlichkeit durch Arbeit, Schöpfertum und soziale Verantwortung, also durch wirkliche Autarkie legitimiert, ist sie für Satyros nur der Ausweis für den hemmungslosen, selbstsüchtigen Genuß, für Verführung und falsches Prophetentum. Wenn Goethe im Brief an Zelter abschließend bemerkt, daß auch ein wichtiger Teil des „Faust“ in diese Zeit falle, so darf man ihn – vor allem weil es der „Urfaust“ selber nahelegt – so verstehen, daß die gegensätzliche Auslegung von Freiheit und Selbstverwirklichung durch Prometheus und Satyros in der Faustgestalt als widersprüchliche Einheit erscheint.

Faust will Gretchen verführen, verführt sie dann auch wirklich und lernt sie doch tief und aufrichtig lieben; er flüchtet sich in die Welt einer scheinbaren Idylle, agiert aber in Wahrheit, wenn auch nur heimlich, in der Realität dieser Gesellschaft, wie alle seine Taten zeigen: Er verführt ein lediges Bürgermädchen, wird schuldig am Tod der Mutter, ermordet den Bruder und läßt am Ende die von ihm geschwängerte, von kirchlicher und staatlicher Gewalt wie von ihrem Gewissen gleichermaßen verfolgte Frau hilflos sitzen. Er hat in dieser Liebe alle Rechte humaner Freiheit in Anspruch genommen – und mißbraucht. Selbst dort, wo er seine geistig überlegenen Gesinnungen überzeugend formuliert, wie im Religionsgespräch mit Gretchen, entzieht er sich praktisch seiner sozialen Verantwortung – er wird und will Gretchen nicht heiraten. Der hochgesinnte Held und leidenschaftlich liebende Mann hat im hemmungslosen Verlangen, seine Liebe zu befriedigen, Mord und Verbrechen auf sich geladen. Gretchen selbst spricht am Ende auf ihre Art das Urteil, wenn sie sich weigert, mit ihm – als dem Gesellen des Teufels – aus dem Kerker zu fliehen. Doch das alles hat Faust, wenn auch bedenkenlos, so doch nicht in teuflischer Absicht getan. Er sieht sich schließlich in Folgen verstrickt, die er nicht gewollt hat, und wird sich einer Schuld bewußt, unter der er, wenn er sie auf sich nimmt, an sich und seinem Leben absolut verzweifeln muß. Der Untergang Gretchens ist wohl ein zwangsläufiger, aber kein notwendiger: Inmitten dieser Liebe als einer Geschichte von der mißbrauchten Freiheit gab es nicht nur den berechtigten Anspruch Fausts auf Selbstverwirklichung, sondern in der Liebe der beiden einen Zeitraum wirklicher Erfüllung, die über die Tragödie hinausweist.

So war mit diesem Werk, und zwar eindringlicher als bisher, gefragt: Welche Möglichkeiten und Grenzen sind dem einzelnen gegeben, der sich in der gegenwärtigen Gesellschaft unbedingt verwirklichen will, und wie müßte die Gesellschaft beschaffen sein, in der er, wenn er diese Freiheit tatsächlich gebraucht, als moralisches Wesen handeln und existieren kann? Die zweite Frage war deshalb so wichtig, weil sich mit ihr in der Konstellation Faust–Gretchen ein weiterer Widerspruch auftat, den damals kein anderer Dichter mit solcher Prägnanz erfaßte.

Die Vereinigung des bürgerlichen Helden mit dem Mädchen aus dem Volk war über das persönlich Wünschbare hinaus zeitgemäßes Programm. Der geistige und sittliche Führungsanspruch des jungen Bürgertums bekundete sich auch und gerade in der Solidarisierung mit dem Volk als dem Träger des natürlichen, werktätigen Lebens. Wie aber konnte dieses Bündnis hergestellt werden, wenn doch Freiheit nur unter Gleichen und Freien möglich ist, nur in einer Gesellschaft ohne Herren und ohne Knechte? Innerhalb dieses Widerspruchs entwickelte sich im Keim bereits das weitere Paradoxon; die bürgerlichen Schriftsteller forderten im Zuge der Emanzipation ein freiheitliches Individuum, das seine Humanität mit der Berufung auf das einfache Volk legitimiert, das sich aber, indem es sich als bürgerliches Individuum entwickelte, in Wahrheit immer stärker von den werktätigen Schichten des Volkes entfernte. So ist die Liebe zwischen Faust und Gretchen Programm und Realität zugleich, einzulösende Verheißung und Aufdeckung aller realen Widersprüche, die gerade mit der Emanzipation des bürgerlichen Individuums vorerst einmal vertieft werden. Der „Urfaust" entstand historisch zu einem Zeitpunkt, wo Goethe die soziale Vereinigung von Oben und Unten in Gestalt der Liebesgeschichte entwerfen konnte, ihr Scheitern als unumgänglich zeigen mußte und so die Größe der Aufgabe umriß, die die Menschen auf dem Wege ihrer künftigen Befreiung noch zu leisten hatten.

Die hier umrissenen Antinomien wie der gesamte damit erörterte Sachverhalt korrespondieren wesentlich mit der gleichzeitig entwickelten Kunstform. Goethes Vorstellung von der naturgemäßen Selbstbestimmung des Menschen, der möglichst komplexen Entfaltung seiner Kräfte und Fähigkeiten fanden ihre Entsprechung in der Suche nach einer gleicherweise autonomen Kunst, in der sich der Mensch als tätige Natur in seiner ganzen Fülle aussprach, in Werken wie die ewige Natur selbst, „alles Gestalt und alles zweckend zum Ganzen"[35]. In dem kunsttheoretisch bedeutenden Brief an Herder vom 10. Juli

1772 wird ebenso wie in dem wenige Monate später in Druck gegangenen Aufsatz „Von deutscher Baukunst" dieser Zusammenhang von emanzipatorischem Menschenbild und neuem Kunstprogramm mit erstaunlicher Komplexität offenbart. Der „Faust" aber gehört wiederum zu jenen Jugendwerken Goethes, in denen sich sein neues Bild des Menschen am überzeugendsten als Natur ausspricht. Merck schrieb im Januar 1776: „Sein Faust ist ... ein Werk, das mit der *größten Treue* der Natur abgestohlen ist, und die ‚Stella', wie ‚Clavigo' sind aufrichtig nichts mehr als *Nebenstunden.* Ich erstaune, so oft ich ein neu Stück zu ‚Fausten' zu sehen bekomme, wie der Kerl zusehends wächst, und Dinge macht, die ohne den großen Glauben an sich selbst und den damit verbundenen Muthwillen ohnmöglich wären."[36] Dieser freien, uneingeschränkten Weise dichterischer Mitteilung kamen auch und gerade die Ausdrucksformen der Volksdichtung zugute. Das Faustsujet selber in seiner „löschpapiernen" Überlieferung, Volkslied, Hans-Sachsischer Knittel, die Sprache überhaupt – in keiner der großen Dichtungen Goethes erfolgt der Rückgriff und freie Gebrauch dieser Tradition derart vehement und produktiv und in keinem wird sie so sehr Ausdruck eines höchst individuellen und gegenwärtigen Menschentums. Doch auch hier zeigt die weitere Entwicklung, daß diese Tradition, so lebendig sie in Goethes Werk blieb und auf späteren Stufen erneuert wurde, mit der raschen Entwicklung des bürgerlichen Individuums und der Konzentration auf seine neuen Lebensfragen anderen Ausdrucksformen weichen mußte.

Man hat Goethes Äußerungen bei der Wiederaufnahme des „Faust" in den neunziger Jahren, seine oft zitierten Bemerkungen über den „Dunst- und Nebelweg"[37], von der „nordischen Barbarey"[38], dem „Hexenproducte"[39], meist nur als Abneigung des Dichters verstanden, der sich für die Helle und Klarheit klassizistischer Dichtungsformen entschieden hatte. Doch Goethes schwieriges Verhältnis zur frühen Gestalt seiner Faustdichtung, die langwierigen Bemühungen um ihre Wiederaufnahme und Weiterführung waren keine bloße Formfrage und, soweit sie eine waren, hingen sie mit der Problematik des inzwischen nach Form und Gehalt gleichsam erstarrten „Urfaust“ zusammen. In diesem Jugendwerk hatte Goethe die Forderung nach dem freien Individuum mit so unmittelbarer Stärke und so tiefgreifendem Widerspruch aufgeworfen, daß er angesichts seiner eigenen dichterischen Entwicklung und angesichts der mit der Französischen Revolution tatsächlich realisierten bürgerlichen Freiheit sich zur Erörterung von Fragen gedrängt sah, die ihn seit 1789 zwar andauernd und quälend beschäftigten, auf die eine Antwort zu geben er aber gerade damals kaum imstande war.

Der Pakt mit dem Teufel befreite Faust aus dem Kerker seiner unfruchtbaren Gelehrtenexistenz, bot und gab ihm die Welt, ermöglichte die volle ungehemmte Entfaltung zu allem nur wünschbaren Tun. Doch Goethe, indem er mit der Emanzipation des Individuums die menschlich diesseitige Lösung der Lebensfragen auf neue Weise propagierte, zeigte gleich am Anfang, wie alle die großen humanen Forderungen, Schaffen und Genießen, die Liebe selbst, die sämtlich zu ihrer Verwirklichung einer neuen Freiheit bedürfen, durch den Mißbrauch ebendieser Freiheit entarten können. So tritt im Augenblick, da Goethe seine Vorstellung des freien Menschen am Lebensstoff der Gegenwart erprobte und fortschreitend konkretisierte, die Dialektik der neuen Problemstellung sogleich voll in Erscheinung, am tiefsten in den großen Liebesgeschichten, im „Werther“ und im „Faust“. Dabei ging es keineswegs um den abstrakten Gegensatz von Individuum und Gesellschaft. In der neuen Vorstellung vom freien Menschen trat vielmehr eine neue Idee der Gesellschaft zutage, die die Vorstellungen der vorausgehenden Etappe der Aufklärung hinter sich läßt. Goethes Auffassung von Emanzipation zeigt bereits ganz auf die bürgerliche Gesellschaft und die ungeheure Problematik ihres Freiheitsgebrauchs.

Hans Jürgen Geerdts

Goethe: „Ich saug' an meiner Nabelschnur“

Lyrisches aus dem Jahr 1775

Um sich dem Bann Lili Schönemanns zu entziehen, aber auch dem Drängen einiger Freunde nachgebend, trat Goethe im Mai 1775 eine Reise an, die ihn im Juni in die Schweiz führte. Am 15. Juni unternahm er in anregender Gesellschaft eine Fahrt auf dem Züricher See. In den Aufzeichnungen, die Reise und Seefahrt spiegeln, finden sich Verse, die später unter dem Titel „Auf dem See“ in den „Schriften“ von 1789 veröffentlicht wurden. Im 18. Buch von „Dichtung und Wahrheit“ wurden sie im biographischen Zusammenhang erneut zitiert. Doch geht es in nachfolgenden kurzen Betrachtungen weniger um die Bekundungen der Biographie und gar nicht um deren sicherlich interessante Details. Vielmehr soll auf das Gedicht als objektiv poetisches Zeugnis der Jugendlyrik Goethes eingegangen werden, das wie in einem Fokus poetische Bilder vermittelt, die für den Dichter überaus charakteristisch sind. Spontan notiert besitzt es gerade in seiner ersten Fassung jenen Zug von betonter Subjektivität, die in einer oft zitierten Bemerkung in der Winckelmann-Schrift viel später formuliert wird: „Denn wozu dient alle der Aufwand von Sonnen und Planeten und Monden, von Sternen und Milchstraßen, von Kometen und Nebelflecken, von gewordenen und werdenden Welten, wenn sich nicht zuletzt ein glücklicher Mensch unbewußt seines Daseins erfreut.“[1] Im Gedicht Goethes wird allerdings die Weltfreude im ästhetischen Ausdruck höchst bewußt, wie denn überhaupt die Verse alles Dunkle und Dumpfe meiden und helle Klar-

heit aussprechen. Sie bilden einen Höhepunkt deutscher Lyrik.
Aus dem Tagebuch der Reise in die Schweiz:

15. Junius 1775, aufm Zürichersee

Ich saug' an meiner Nabelschnur
Nun Nahrung aus der Welt.
Und herrlich rings ist die Natur,
Die mich am Busen hält.
Die Welle wieget unsern Kahn
Im Rudertakt hinauf,
Und Berge wolkenangetan
Entgegnen unserm Lauf.

Aug mein Aug, was sinkst du nieder?
Goldne Träume, kommt ihr wieder?
Weg, du Traum, so gold du bist,
Hier auch Lieb und Leben ist.
Auf der Welle blinken
Tausend schwebende Sterne,
Liebe Nebel trinken
Rings die türmende Ferne,
Morgenwind umflügelt
Die beschattete Bucht,
Und im See bespiegelt
Sich die reifende Frucht.

Kennzeichnend auch für dieses Gedicht des jungen Goethe ist das Hervorheben des „Ich", das Betonen des persönlichen originären Erlebens. Im Gegensatz zu früheren Perioden deutscher Lyrik, in denen zeitgemäße Konvention das lyrische Ich beschränkte, ist es nun bestimmend für Aussage und Struktur geworden. Seit den „Sesenheimer Liedern" kennen wir die so bedeutsame Umwälzung der lyrischen Gestaltung im Sinne des „Mailieds", eben das radikale Beziehen auf die unaustauschbare Persönlichkeit („Wie herrlich leuchtet / *Mir* die Natur!" – Hervorhebung H.-J. G.). Im Gedicht „Auf dem See" nun steht das Wort „Ich" ganz am Anfang der Aussage. Es bezieht von vorneherein alles, was folgt, auf das lyrische Subjekt, hat also – beabsichtigt oder nicht – durchaus einen programmatischen Effekt. Wie tief Goethe aber die Bedeutung seiner ästhetischen Entscheidung verstand, zeigt der Umstand, daß in den späteren Fassungen das „Ich" in die zweite Zeile rückt und damit die ursprüngliche Radikalität aufgehoben wird, ein bekannter Vorgang bei allen nachfolgenden Goetheschen Bearbeitungen der ersten Texte. Dagegen wird das „Ich" der ersten Fassung sofort in seiner Aktivität vorgestellt, nämlich in der Aneignung der Welt, also der Wirklichkeit. Das Bekenntnishafte, zugleich heftig Verlangende, das die lyrische Wendung ausdrückt, erhält durch die eigenartige Bildhaftigkeit poetische Verstärkung. Das Subjekt verlangt die Wirklichkeit, sie ist ihm das „Mütterliche". Hier wird das Neue der Goetheschen Gedichte auch von ihrem Moment schöpferischer Sprachphantasie her deutlich, selbst wenn in den darauf folgenden zwei Versen eine nochmals recht konventionelle Wendung erscheint. Dennoch verbleibt die Impression der engen Naturbindung, auf die der Dichter hinweist; „Natur", also Realität ist ihm primäre Quelle seines Daseins, muß allerdings aktiv erschlossen werden. Ohne das „Saugen", ohne die subjektive Aktivität bleibt Wirklichkeit fremd und unergiebig. Die Aneignung der Wirklichkeit durch den Dichter setzt für Goethe bewußtes Erleben dieser Wirklichkeit voraus!

Jedoch erst die im zweiten Teil der Strophe ausgedrückte Integration des „Ich" in die Bewegung des Lebens gibt ihr die große innere Spannung, die sie auszeichnet. Äußeres Kennzeichen dieser Spannung ist der nun vermerkbare Wechsel vom „Ich" zum „Wir".

Die Welle wieget unsern Kahn
Im Rudertakt hinauf,
Und Berge wolkenangetan
Entgegnen unserm Lauf.

Gewiß, die reale Situation des auf dem See Reisenden läßt ihn die Begleiter der Fahrt nennen. Wesentlicher ist jedoch die Verallgemeinerung, die angestrebte Verbindung des Dichters mit anderen Menschen, so daß nun die Polarität Natur – Menschheit dichterisch voll sichtbar werden kann. Darüber hinaus erscheint das große weltliterarische Motiv der Lebensfahrt, das Goethe in der ersten Hälfte der siebziger Jahre immer erneut lyrisch behandelte, vor allem in den Hymnen. Gipfel der Nutzung des Motivs ist sicherlich das Gedicht „Seefahrt“. In „Auf dem See“ ist demgegenüber noch nicht die Fülle der lyrischen Bezogenheiten zu entdecken, die im anderen Gedicht so eindrucksvoll sind. Doch erhält es im Sinne des Kurzgedichts durch den Lakonismus seiner Verse jenen Zug zum Prägnanten, vertieft Symbolischen, der erst viel später, nämlich in den neunziger Jahren das Doppelgedicht „Meeresstille – Glückliche Fahrt“ zum großen poetischen Ereignis werden ließ.[2] Die Fahrt auf dem See wird in der poetischen Formung zum Spiegel der Lebensreise, worauf schon das Wort „hinauf“ hindeutet. Dieses „Hinauf“ ist aus den geographischen Gegebenheiten zu erklären. Das Wort erhält jedoch ohne Zwang sofort sinnbildliche Bedeutsamkeit im Sinne zu erwartender Steigerung des Lebens. Dem entspricht auch das „Entgegnen“ der Berge, ihr Näherrücken im dynamischen Prozeß der Bewegung des Kahnes. Wasser und Berge gelten als Entsprechungen. In „Mahomets-Gesang“ ist eine ähnliche Bezogenheit zu entdecken, wenn der brausende Strom sich mit dem Himmel zum gewaltigen lyrischen Bild vereinigt. Mag auf dem Züricher See der dithyrambische Elan gemäßigter, ruhiger erscheinen, auch hier bewirkt die Polarität von Fahrt und Ankunft ein ganz dialektisches Erfassen von Zeit und Raum. Die Insassen im Kahn erleben ihre Fahrt nicht nur in der Bewegung, sondern auch in der konkreten Erwartung des Ziels der Reise, ähnlich der Situation, die im späteren Gedicht „Glückliche Fahrt“ erscheint. Das Wasser, Symbol des sich wandelnden und verändernden Lebens, hier in Gestalt der Welle, wiegt die Reisenden „hinauf“, allerdings nicht als passive Gäste, sondern im Einklang mit dem „Rudertakt“, demnach als Folge der Tätigkeit der Seefahrer. Diese Tätigkeit hat alle Attribute des Planvollen und Zweckmäßigen; hier ist keine Spur von Spontaneität und „Treibenlassen“: Der Ort der Bestimmung wird erkannt und angesteuert, ein Ort, der bewußt gesucht wird bei allem Ungewissen, Unbestimmten, das ihn kennzeichnet („wolkenangetan"). Das ist die konkrete Reisesituation, aber auch die allgemeine Lebensstimmung, in der sich der Dichter befindet, der in der reizvollen Landschaft veranschaulicht sieht, was seinen inneren Vorstellungen entspricht. Selten ist in Goethes Lyrik eine solche immense Übereinstimmung von Subjektivem und Objektivem zu finden wie in dieser Strophe, in der alles Wirkliche lyrisch „aufgezehrt" wird, wie denn andererseits der Dichter sich in seinen Intentionen ganz rein zu äußern vermag. Reim und locker-strenge Rhythmik sind Zeichen, die dieses Urteil bestätigen können.

Die nächste andersartige Strophe scheint – wie nicht selten bei Goethe – auf den ersten Blick problematischer zu sein. Zu diesem ersten Eindruck mag der Umstand beitragen, daß hier das Suchen und Ringen im Gestalten deutlich Spuren hinterlassen hat. Reflexion und Bildhaftigkeit sind in ihrem Bezuge beim raschen Niederschreiben nicht ganz vereinheitlicht worden. Andererseits gehört es eben zu den Besonderheiten des Gedichts, daß die hier vermerkbare Antinomie objektiv strukturbildend wirkt und wirken muß, demnach die lyrische Leistung gerade aus dem angebotenen Widerspruch zwischen konkreter Lebensbezogenheit und allgemeiner Lebensstimmung erwächst. Zunächst gelten die Verse der Reminiszenz an die ferne Geliebte. Das ambivalente Verhältnis zu Lili ist in kurzer, aber eindrucksvoller Weise dargestellt.

Die Betroffenheit, die der Gedanke an Lili auslöst, die Sehnsucht nach den „goldnen Träumen" wird dann rasch verdrängt durch die Entschiedenheit, die Gedanken in andere Richtungen zu lenken.

Weg, du Traum, so gold du bist,
Hier auch Lieb und Leben ist.

Der hohe Wert, den der Dichter seiner Beziehung zu Lili beimißt, betont durch das Wort „gold", das für Goethe stets große Valenz besitzt, wird relativiert. Allerdings ist dies Relativieren nur der Versuch, sich über die Beschwernis zu heben, der dritte und vierte Vers dieser Strophe bekunden dies eindeutig: Sie sind zweifellos die schwächsten im ganzen Gedicht. Sie finden ihr stärkeres Gegenstück in „Vom Berge in die See“ (Aus dem Reisetagebuch):

Wenn ich, liebe Lili, dich nicht liebte,
Welche Wonne gäbe mir dieser Blick?
Und doch, wenn ich, Lili, dich nicht liebte,
Wär', was wär' mein Glück?

Dies Gegenstück erscheint gelungener. Andererseits besticht die Jugendfrische, ja die Naivität der Aussage in „Auf dem See“, was die Lili-Erinnerung angeht. Sofort schließen sich nun jedoch Verse an, die das persönliche Erleben wiederum zu verallgemeinern suchen. Wie so oft in der Jugendlyrik Goethes nimmt ein Landschaftsbild die poetische Intention auf. Wiederum gelingt die sinnliche Schilderung der räumlichen Bezogenheit von „unten“ und „oben“, beim Anblick der auf den Wellen blinkenden tausend schwebenden Sterne. Tag und Nacht verschmelzen in einer einzigen Zeitspanne. So wird eine äußerst umfassende Dimensionalität gewonnen, die in den nächsten Versen kühn bis an die Grenzen des Faßbaren erweitert wird. „*Liebe* Nebel trinken / rings die türmende Ferne“ – das von Goethe gern genutzte Beiwort bewirkt die innere Beziehung des Autors zu einer Welt, die in steter Bewegung und Veränderung ist. Im Spiel und Gegenspiel der Elemente wird aber nun die eigene innere Bewegung reflektiert, wird diese zugleich in Zusammenhang mit dem gesamten natürlichen Geschehen gebracht. Die Integration des Menschen in die Natur, wie Goethe sie verstand, erhält derart ihren adäquaten dichterischen Ausdruck. Dieser luzide Ausdruck steigert sich dann nochmals im Schlußbild der Strophe:

Morgenwind umflügelt
Die beschattete Bucht,
Und im See bespiegelt
Sich die reifende Frucht.

Die Beziehung zwischen Wasser und Land, zwischen Morgen und Reifezeit ist hier in ihrer ganzen lyrischen Dialektik verdeutlicht worden. Die „reifende Frucht" versinnbildlicht das zu erwartende, ersehnte Lebensziel. So wie das „Ich" betont das Gedicht einleitet, ist an seinem Ende das Frucht-Symbol nachdrücklich abschließendes sprachliches Finale. Aus den Unentschiedenheiten und Widersprüchen muß sich – so meinen es die Schlußverse – endlich jener schöpferische Gewinn einstellen, der auf der Lebensfahrt erzielt werden soll. Übrigens haben diese abschließenden Symbole später nachfolgende Gestaltung erfahren. Im berühmten Gedicht Friedrich Hölderlins „Hälfte des Lebens" werden sie allerdings an den Anfang gesetzt:

Mit gelben Birnen hänget
Und voll mit wilden Rosen
Das Land in den See ...[3]

Wenn auch in anderer Zielsetzung, so wird auch bei Hölderlin das Spannungsvolle der elementaren Berührung, das Überleiten vom Festen zum Fließenden, die Spiegelung der Frucht im Wasser zum transparent Bedeutungsvollen. Die Verschränkung von Erreichtem und Erwartetem, von Blühen und Ernte bezeugt die Bewußtheit im Erfassen der objektiven und subjektiven Prozesse. Das „Ich" des Dichters ordnet sich in die Entwicklung ein, es setzt Vertrauen in den Fortschritt der Natur, als deren Teil es sich empfindet, und weiß um die schließliche Lösung der Konflikte.

In diesem Sinne ist das so eruptiv entstandene Gedicht „Auf dem See" zu begreifen. In der für Goethe charakteristischen Art seiner Lyrik, die den Übergang zu den später ausgeprägten idyllischen oder elegischen Werken bezeichnet, vereinigt es thematisch Natur und Liebe mit philosophischen Reflexionen. Die Relevanz dieser Reflexionen ist unübersehbar, auch wenn das Ganze den Eindruck großer Leichtigkeit und Heiterkeit erweckt. Gerade der Wechsel zwischen fröhlicher Bewältigung der „Fahrt" und elegischer Belastung verstärkt das Bekenntnis zur Natur, zur uneingeschränkten Liebe zum realen Dasein.

In der späteren Fassung ist im Sprachlichen wenig, in der Bedeutsamkeit denn doch einiges verändert worden. Wie schon gesagt, hat der Dichter den Anfang umgestaltet, indem er das lyrische Subjekt zurückdrängte:

Und frische Nahrung, neues Blut
Saug' ich aus freier Welt;
Wie ist Natur so hold und gut,
Die mich am Busen hält!

Aus der „herrlichen“ Natur ist eine sicherlich blassere „holde“ und „gute“ geworden – der Elan des unbefangenen Reisenden wird gedämpft. Aus den „lieben“ Nebeln wurden „weiche“ Nebel, also auch hier muß der Eindruck des Glättens, des Zurücknehmens der Emotion entstehen. So wird denn sicherlich der Leser im Rückschauen auf die poetische Leistung die Fassung des Reisetagebuches vorziehen, gerade weil ihre Unmittelbarkeit so außerordentlich eindrucksvoll erscheint und die Phantasie des Dichters, aber auch sein poetisches Neuerertum sich hier voll entfaltet haben.

Das Frucht-Motiv wurde wenig später von Goethe nochmals aufgenommen und in einem seiner schönsten Gedichte genutzt. Genannt „Im Herbst 1775“ – schon im gleichen Jahr veröffentlicht –, erhielt es in den „Schriften“ 1789 den Titel „Herbstgefühl“. Wiederum ein Kurzgedicht, einstrophig und ganz lakonisch, ist dies zarte poetische Gebilde Zeugnis der großen Meisterschaft des Dichters in einem Schaffensjahr, das in mehr als einer Beziehung ein Jahr seines Lebensumschwunges genannt werden muß.

Fetter grüne, du Laub,
Das Rebengeländer,
Hier mein Fenster herauf.
Gedrängter quillet,
Zwillingsbeeren, und reifet
Schneller und glänzend voller.
Euch brütet der Mutter Sonne
Scheideblick, euch umsäuselt
Des holden Himmels
Fruchtende Fülle.
Euch kühlet des Monds

Freundlicher Zauberhauch,
Und euch betauen, ach,
Aus diesen Augen
Der ewig belebenden Liebe
Voll schwellende Tränen.

Lob des Reifens und Preis des Wachsens sind die Momente in dieser Bilderfülle, die schon dadurch, daß sie als „Fülle“ erscheint, das Frucht-Motiv voll ausschöpft. Der Überfluß im Spiegeln des Reifevorgangs bezeugt die völlige Aufhebung des Wirklichen in die lyrische Struktur. Diese selbst aber ist geformt als das Verhältnis von Kleinem und Großem, so wenn die quillenden Beeren des Weins mit Sonne und Mond in Zusammenhang gebracht werden und der Himmel in seiner „fruchtenden Fülle“ den Reifeprozeß noch steigert. So wird die ganze Welt als unendlich fruchtbar empfunden, ja, diese Fruchtbarkeit wird als ihr wesentlichstes Merkmal erkannt. Nichts bleibt statisch; das Gedicht lebt von den Verben der Bewegung, von der Aktivität der Natur, die allenthalben Wachsen befördert. Die Reihung der Bilder dieses Werdens und Wachsens führt zur enthusiastischen Steigerung des Motivs. Aus der hymnischen Ansprache des Weinlaubs und der Früchte erwächst die Benennung von Sonne, Himmel und Mond, so daß der ganze Raum des Sichtbaren und Naturhaften vom Autor ausgeschritten werden kann. Dabei kommt es denn auch gleich anfangs zu jener leichten „Unvernunft“ im Sinne bewußter sprachlicher Ungenauigkeit, die der alte Goethe in den „Maximen und Reflexionen“ als dem Lyrischen gemäß bezeichnet hat. Bei der Überarbeitung des Gedichts ist die Unschärfe allerdings beseitigt worden: Aus „Das Rebengeländer“ wurde „Am Rebengeländer“. Der kosmischen Naturbezogenheit gesellt sich dann die Menschheitsbezogenheit des Dichters hinzu. In den letzten Versen des Gedichts ist wiederum verallgemeinert worden, was Goethe im Jahr 1775 bewegte. Die Beeren werden betaut von den Tränen des Menschen, von Liebestränen. Die „Liebe“ meint hier nicht mehr allein den einzelnen Fall menschlicher Bewegtheit, sondern ist das Wort für den gesamten Reichtum menschheitlicher Lebenszugewandtheit. Denn diese Liebe ist ja „belebende Liebe“, die nicht lediglich als Kennzeichen der Wehmut und Entsagung und schon gar nicht nur im engsten biographischen Bezuge verstanden werden kann. Vielmehr ist der Abschluß des Gedichts auf die positive Eingliederung des Menschen in die Natur, also Wirklichkeit gerichtet, ohne daß die Widersprüche verkannt werden, ohne daß das Merkmal der individuellen Beschränkung übersehen wird. Tragik bleibt nicht ausgeklammert. Aber sie erhält den Aspekt des Überwindens im Fortschreiten des Lebens. – Goethes Lyrik aus dem Jahr 1775 ist große deutsche Lyrik, in vielem noch weiter aufzuschließen, jedenfalls mehr als bisher in das geistig-kulturelle Bewußtsein der heute Lebenden zu rücken.

Hans Richter

Die Stimme der Frau in Goethes Gedicht

Warum dieses Thema? Handelt es sich um ein Desiderat auf Vollständigkeit ausgehender Goethe-Forschung? Handelt es sich um einen speziellen Beitrag zu einem literarischen Goethe-Denkmal, das den Zeitgenossen als Gegenstand fragloser Pietät angetragen werden soll? Es ist gerade umgekehrt: Die Wirklichkeit der Gegenwart, unser eigenes Leben legen uns das Thema nahe und ermuntern mich zu dem beschränkten und doch nicht ganz bescheidenen Versuch, Altes neu, Klassisches, heute und hier, in unserem Interesse unbefangen und womöglich unkonventionell zu lesen.

Keine der zeitgenössischen Literaturen, das wurde in der Debatte des VIII. Schriftstellerkongresses als Meinung einer sowjetischen Literaturwissenschaftlerin zitiert, habe so vieles und soviel Nachdenkenswertes über die Frau auszusagen wie die Gegenwartsliteratur der Deutschen Demokratischen Republik.[1] Der Name der Kollegin blieb ungenannt, war aber leicht zu erschließen: Es handelte sich um Tamara Motyljowa, eine äußerst belesene, weltliterarisch bewanderte Frau; ihr Zeugnis, ihre Zuständigkeit wird kaum jemand anfechten wollen. Schriften und Besuche aus der westlichen Welt bekunden zugleich, daß es auch dort ein wachsendes Interesse von Germanistinnen speziell an Werken der DDR-Literatur über die Frau und an literarischen Arbeiten von Frauen aus der DDR gibt. Es ist ganz offensichtlich und für uns nicht sonderlich überraschend: Die gründlich gewandelte Stellung und Rolle der Frau im Leben unserer Gesellschaft, in allen Lebensbereichen des modernen sozialistischen Industriestaats DDR vielfältig zu beobachten, macht allerdings in der Welt von sich reden, und zwar gerade dank der vermittelnden Wirkung ihrer Reflexion in der Literatur. Es dürfte auch nicht sehr viel überraschender gefunden werden, daß sich im literarisch vermittelten Gespräch über Heutiges nicht nur Vergleiche mit Gleichzeitigem von anderswoher, sondern auch Bezugnahmen auf Früheres und Tradiertes ergeben. Wir haben zwar, wie mir scheint, leider noch immer nicht recht gelernt und genügend geübt, dem Erbe der Vergangenheit alles das auch wirklich abzugewinnen, was wir davon haben könnten. Aber immerhin (sage ich mit der nötigen Ironie): In der aktuellen Diskussion über die angedeuteten Gegenstände ist auch Goethe schon gelegentlich zu Wort gekommen.

Wie das? Und mit welchen Werken? Zum „Steirischen Herbst 1977" in Graz gab es ein Podiumsgespräch über das Thema: „Männersprache – Frauensprache / Frauenliteratur – Männerliteratur". Eberhard Panitz, der neben zwei weiteren Kollegen dort den Schriftstellerverband der DDR vertrat, beschwor in seinem Beitrag gleich anfangs den Schatten Goethes herauf. Noch ehe er eigene Überlegungen vortrug, referierte er, was laut Eckermanns Aufzeichnungen am 18. Januar 1825 im Hause Goethe zum Grazer Rundtischthema gesprochen worden sein soll. Er ging dabei vergleichsweise behutsam mit Goethe um und verzichtete auf allgemeine Urteile über ihn. Aber jener bekannte Satz des Klassikers, wonach die Dilettanten und die Frauen schwache Begriffe von der Poesie hätten, wurde nicht nur vollständig zitiert, sondern auch ausdrücklich als „ein böser Hieb von Goethe auf die Frauen"[2] eingeführt. Sicher entstand dadurch noch nicht der Eindruck, Goethe habe gern und grundsätzlich gegen die Frauen gehauen, aber vielleicht doch, milde gesagt, der leise Verdacht, daß es wirklich ratsam sei, dem „großen Alten"[3] den Rücken zu kehren und sich von ihm bei den modernen Angelegenheiten nicht weiter stören zu lassen. Ein derartiges Erinnern daran, daß Goethe kein Frontkämpfer der Frauenbewegung war, hat ja auch seine Tradition; Panitz führt, übrigens doch nur ganz beiläufig, auf seine Weise das weiter, was Franz Carl Endres[4], Theodor Lessing[5] und viele andere vor ihnen gemacht haben. Es muß natürlich auch jedem unbenommen bleiben, geäußerte Meinungen beim Wort zu nehmen und Meinungen zu den Meinungen zu äußern. Nur: Im Grunde weiß Panitz schon, worauf es eigentlich ankäme; seine wesentliche These lautet nämlich ganz richtig: „Die Literatur, ob vom Mann oder der Frau geschrieben, für Mann *und* Frau zumal, gibt vielen Stimme – Männern und Frauen, und günstigenfalls sind die Stimmen echt, wahr, gültig."[6] Eben: Nicht was der Schriftsteller als Person beiseite spricht oder auch öffentlich zu Protokoll gibt, sondern was sein *Werk* sagt, das ist doch wohl die Frage. Goethe ins Gespräch über die Frau zu ziehen, das muß nicht unter Ausschluß seiner (in Prosa oder im sentenziösen Vers) pur geäußerten Ansichten von der Frau geschehen. Aber er war nun einmal zuerst und zuletzt Dichter, und so müßte endlich ernsthaft versucht werden, auch in dieser Sache den Dichter durch seine Dichtung zu vernehmen.

In solchem Sinne soll hier der etwas eigensinnige Versuch unternommen oder wenigstens angedeutet werden, Goethes poetisches Votum in Sachen Frau durch das Abhören der Frauenstimmen in seinen Gedichten zu ermitteln. Und als eine vorläufige Orientierung dafür übernehme ich hypothetisch die einschlägige Bemerkung aus einem langen brieflichen Reisebericht der Caroline Sartorius an ihren Bruder. Aus Weimar kaum zurückgekehrt, schrieb diese Frau eines Göttinger Professors am 27. Oktober 1808 unter dem frischen Eindruck des Umgangs mit Goethe, von dessen jüngst entstandenen, noch ungedruckten, aber wirksam rezitierten Sonetten ausgehend: „Schön waren sie alle; am schönsten aber die in welchen er *Sie* sprechen ließ und mit deren Zartheit ich nichts zu vergleichen wüßte, wie es denn wohl noch nie einen Dichter gegeben hat, der in das Weibliche Gemüth so tiefe Blicke gethan, und es ist als habe das ganze Geschlecht von der Edelsten bis zur Niedrigsten ihm beichte geseßen."[7] Das ist, wie sich herausstellen wird, eine höchst schätzenswerte Anregung. Bei allem Enthusiasmus verführt Frau Sartorius uns doch nicht bloß zum begeisterten

Lesen. Sie bezeichnet genau einen wichtigen Gedichttyp und erinnert uns so, wenngleich nur indirekt, an unsere zünftigen Pflichten, veranlaßt uns zum Nachdenken über die konzeptionellen, methodisch-technischen bzw. formalen Voraussetzungen dafür, daß in Goethescher Lyrik wieder und wieder weibliche Personen direkt zu Wort kommen.

Die Grundvoraussetzungen dafür sind ganz unspezifischer Natur: Die eine lautet in der elegant-lakonischen Gestalt, die ihr Heinrich Mann am 25. Juli 1905 in einem Brief an seine Freundin Ines Schmied gibt: „. . . als Künstler hat man beide Geschlechter . . ."[8] Das komische Gegenstück dazu liefert Peter Hacks, wenn er seine Monodramenheldin Charlotte von Stein den dreist fingierten Goethe-Satz berichten läßt: „Aber ich bin kein Mann, Lotte. Ich bin Goethe."[9] Neben der künstlerpsychologischen Voraussetzung steht, gleichrangig, die weltanschaulich-methodische. Sie wurzelt in dem intensiven und objektfreudigen Weltverhältnis des Dichters Goethe, sie ergibt sich aus dem produktiven Zusammenwirken von eindringender Beobachtungsgabe, sinnlich-gegenständlich arbeitender Einbildungskraft und unerschöpflichem Gestaltungsdrang. Wenn sich lyrische Poesie allenthalben aus der sprachlichen Entfaltung anschaulicher Situationen entwickelt, kann sie auch leicht zum Ort des fiktiven Agierens von Personen neben oder vor dem lyrischen Subjekt werden. Gewiß, sie muß es nicht; aber bei Goethe wird sie es bezeichnenderweise. Greifen wir zum beliebigen Beispiel:

Mein Mädchen ward mir ungetreu,
Das machte mich zum Freudenhasser;
Da lief ich an ein fließend Wasser,
Das Wasser lief vor mir vorbei.

Da stand ich nun, verzweiflend, stumm;
Im Kopfe war mir's wie betrunken,
Fast wär ich in den Strom gesunken,
Es ging die Welt mit mir herum.[10]

Die Konzentration auf die Befindlichkeit des Sprechers ließe sich kaum gesteigert denken; seine Verfassung aber könnte durchaus weiter beschrieben werden. Nichts davon; ein Partner tritt in den Vorgang ein:

Auf einmal hört ich was, das rief –
Ich wandte just dahin den Rücken –,
Es war ein Stimmchen zum Entzücken:
„Nimm dich in acht! Der Fluß ist tief.“[11]

Das Gedicht hat noch einmal soviel Strophen; nur sagt das liebe Mädchen Käthchen darin außer seinem Namen kein Wort mehr. Ihr entzückendes teilnehmendes Stimmchen hat die Rettung bereits bewerkstelligt; der Schmerz unseres Helden um den Verlust von Käthchens Vorgängerin ist schon vergessen. Das sind Verse von charmanter Heiterkeit und ohne tiefere Bedeutung; Verse immerhin, in denen ein weibliches Stimmchen laut wird und sogleich erhebliche Wirkung zeitigt. Verse, die vom „Divan“-Dichter wirklich noch nichts ahnen lassen und dennoch schon auf ihn vorausdeuten. Oder vorsichtiger formuliert: Hatem erinnert ganz von ferne an jenen frühen Geretteten, wenn er seine Begeisterung für Suleika so ausspricht:

Wie sie sich an mich verschwendet,
Bin ich mir ein wertes Ich;
Hätte sie sich weggewendet,
Augenblicks verlör ich mich.[12]

Auf dieses Schlüsselwort wird zurückzukommen sein. Vorerst ging es um den exemplarischen Hinweis auf das selbstverständliche Erscheinen und die mögliche Bedeutung weiblicher Stimmen als episodischer Bestandteile beliebiger Goethescher Gedichte. Ein großes Gegenstück zu diesem ersten Beispiel stellt „Der Fischer“ dar: Die Titelfigur ist nicht der Sprecher, sondern eine völlig stumme Person, das Objekt der Balladenhandlung; zu Wort kommt nur das feuchte Weib, das aus den Fluten auftaucht. Ihre Stimme füllt fast völlig den Raum der zwei mittleren von den insgesamt vier Strophen des Gedichts; ihre anklagend-lockende Rede versinnlicht die verführerische Wirkung des Wassers, die den Fischer zu Tode befördert. Stofflich und im Ton extrem anders, strukturell und technisch dennoch verwandt, steht in einiger Entfernung daneben noch die „Erklärung eines alten Holzschnittes, vorstellend Hans Sachsens poetische Sendung“: Die reich ausgestattete Szene zeigt den schweigend in seiner Werkstatt sitzenden Meister, dem „ein junges Weib / mit voller Brust und rundem Leib“[13] gegenübertritt, eine fast allegorische Figur von schöner Beredsamkeit. Nachdem sie den Dichter Sachs hinreichend gefordert und beraten hat, folgt ihr als zweite Weibsperson und Rednerin die Muse mit ihrem relativ kurzen Weihespruch, um schließlich auf das Mädchen im Garten hinzuführen. Beide Gedichte sind für uns freilich Sonderfälle; die Regelfälle lassen sich auf zwei ganz einfache, doch vielfältig behandelte und verwandelte Grundmuster zurückführen.

Das erste ist das Rollengedicht mit weiblichem Sprecher. Schon seine Häufigkeit im Werk Goethes weist auf die besondere Neigung und Fähigkeit des Dichters, der Frau durch die bloße Fiktion ihres eigenen Sprechens eine plastische, in sich geschlossene dichterische Gestalt zu geben. Von dieser Möglichkeit wird in der lyrischen Weltliteratur freilich seit eh und je und gar nicht einmal ganz selten Gebrauch gemacht. Die Mädchenklage, uns als Volkslied geläufig, kennt schon die altgriechische Literatur. Als ein Prachtstück besonderer Art sei nur Theokrits großes „Zauberlied der verlassenen Simaitha“ erinnert. Aber Goethe zeichnet sich vor allen deutschsprachigen Vorgängern und Folgern mit der Ausnahme Bertolt Brechts dadurch aus, daß er in seiner Lyrik eine ganz beträchtliche Reihe differenzierter Frauengestalten mittels des Rollenmonologs aufbaut. Wie wenig ein solches Verfahren als selbstverständlich erscheinen kann, wird indirekt auch daraus ersichtlich, daß eine anspruchsvolle Spezialstudie zum Thema „Gestaltungen des Frauen-Bildes in deutscher Lyrik“, 1933 von Oskar Walzel in der Reihe „Mnemosyne“ herausgegeben, die Form des Rollenmonologs weder begrifflich-systematisch noch induktiv-analytisch am Beispiel wahrnimmt, obwohl ihr Verfasser erklärtermaßen gerade die „Aufspürung von Formen“[14] anstrebt. Wir dürfen uns hier nicht mit weitläufigen Exkursen aufhalten; aber schon ein paar flüchtig vergleichende Blicke helfen viel klären:

Rollengedichte mit Sprechern weiblichen Geschlechts finden sich, wenn man bei Zeitgenossen Goethes sucht, am ehesten und originellsten noch bei Johann Heinrich Voß, bei Bürger schon weniger, bei Schiller gar nicht (es sei denn, man wolle solche lyrischen Drameneinlagen wie die Liedtexte der Amalie oder der Thekla in Anspruch nehmen), bei Hölderlin im Grunde auch nicht (denn die lange Versdichtung „Emilie vor ihrem Brauttag", die *eine* Ausnahme, ist überhaupt ein Sonderfall in seiner Lyrik). Heinrich Heine, dessen Lieder und Gedichte sich häufig genug auf Frauen beziehen und gelegentlich auch Frauennamen als Überschriften tragen, hat nur einen einzigen echten Rollenmonolog einer Frau geschrieben; es ist das „Lied der Marketenderin", das die bekannten Eigenarten von Heines Bild der Frau[15] auf eine bestürzend drastische, fast allzu drastische Weise bestätigt. Der Befund ist um so bemerkenswerter, als Heine ja im übrigen von Goethes Lyrik nicht wenige Anregungen erhalten und verarbeitet hat. Auch die anderen nachfolgenden Lyriker des 19. Jahrhunderts machen von den durch Goethe entwickelten Möglichkeiten nur selten oder (wie Frau Annette von Droste-Hülshoff) gar nicht Gebrauch; nach Brentano halten da Keller und Mörike noch die Spitze.

Das Rollengedicht mit weiblichem Ich ist bei Goethe in so vielen Fällen und Ausprägungen vorhanden, daß sich ein systematisierendes Unterscheiden nahelegt. Eine erste Gruppe bilden die nicht adressierten, also gleichsam reinen oder echten Monologe. Sie können selbständig, ohne ein sinnlich greifbares Bezugsfeld gesetzt sein; sie können aber auch in den Kontext anderer Werke gehören, in sie schon durch die Entstehung organisch eingebunden oder nachträglich eingefügt bzw. für den Zweck der Einfügung geschrieben worden sein. Eine andere Gruppe bilden die adressierten Rollengedichte, solche also, deren Inhalt und Redestil beim Aufnehmenden die Vorstellung eines oder mehrerer Partner bzw. Adressaten erzeugt. Auch diese Gruppe ist wieder auf die gleiche Weise zu differenzieren. Sie umfaßt sowohl völlig unabhängige als auch in den Zusammenhang anderer Werke gehörende Texte. Einige Beispiele können das Wesen dieser Typen, ihre jeweiligen Möglichkeiten und den Sinn ihrer Unterscheidung leicht verdeutlichen.

Echte, selbständig gesetzte Rollengedichte sind „Die Spinnerin" und das frei nachgedichtete „Finnische Lied". Ich zitiere hier lieber ein drittes Beispiel, den naiv-komischen „Wunsch eines jungen Mädchens", der – wie ein wirklicher Stoßseufzer gemeinhin auch – ohne Adressierung vorgetragen wird:

O fände für mich
Ein Bräutigam sich!
Wie schön ist's nicht da,
Man nennt uns Mama.
Da braucht man zum Nähen,
Zur Schul nicht zu gehen;
Da kann man befehlen,
Hat Mägde, darf schmälen,
Man wählt sich die Kleider,
Nach Gusto den Schneider.
Da läßt man spazieren
Auf Bälle sich führen,
Und fragt nicht erst lange
Papa und Mama.[16]

Daß das hintergründiger ist, als es sich auf den ersten Blick ausnimmt, weiß jeder mit Goethe halbwegs Vertraute; es wird aber ganz stark spürbar, wenn wir nun als Exempel für den nicht adressierten und in ein anderes Werk integrierten Rollenmonolog eine gedichtartige Passage aus dem ersten Auftritt des Singspiels „Die Fischerin" wählen. Dortchen, Tochter eines Fischers und Braut eines Fischers, wartet des Nachts allein verärgert auf die ewig nicht heimkehrenden Männer, die sie nach ihrer Erfahrung in der Schenke vermuten muß. Zur Gestaltung dieser Situation gibt ihr Goethe neben umfangreichen Prosapartien den folgenden Verstext:

Für Männer uns zu plagen,
Sind leider wir bestimmt.
Wir lassen sie gewähren,

Wir folgen ihrem Willen:
Und wären sie nur dankbar,
So wär noch alles gut.

Und rührt sich im Herzen
Der Unmut zuweilen:
Stille! heißt es,
Stille, liebes Herz!

Aber ich will auch nicht länger
Allen ihren Grillen folgen,
Alles mir gefallen lassen;
Will nach meinem Kopfe tun![17]

Man mag diese Zeilen als Dichtung unbedeutend finden, und niemand wird bestreiten wollen, daß Goethe Tieferes geschrieben hat. Aber er baut diese drei Strophen immerhin in eine Rolle ein, die mit beträchtlichem künstlerischem Gewicht versehen wird: Sie beginnt mit dem „Erlkönig" und endet mit dem herrlichen litauischen Brautlied aus Herders Volksliedersammlung. Doch vor allem ist festzuhalten: Das Stück, die Figur und der Monolog bieten Goethe eine Gelegenheit, dem Mädchen aus dem Volk einen kräftigen und übrigens durch die Handlung und den halbwegs harmonischen Schluß des Singspiels keineswegs aufgehobenen Protest gegen ein, wie wir wissen, jahrhundertelang millionenfach erzwungenes und bis heute weithin erwartetes Rollenverhalten der Frau in den Mund zu legen. Während der hungrige Strumpfwirker von Apolde nur als stummer Zeitgenosse in einen Brief[18] eingeht, erhält die hier gegen das Männerjoch sich auflehnende Frau eben die bemerkenswerte Chance, entschieden und deutlich in eigener Sache laut zu werden. Man wird lange suchen müssen, ehe man in gleichzeitiger oder späterer Literatur Vergleichbares findet. Auch bei einer Frau wie der Karschin bleibt solche Suche vergeblich, obgleich ihr Leben nicht sonderlich leicht war.

Unter den adressierten Rollengedichten, die hier in Betracht kommen, befindet sich eines der für unser Thema allerwichtigsten und eines der schärfsten sozialkritischen Gedichte, die

Goethe überhaupt geschrieben hat: „Vor Gericht". Die ledige Schwangere verweigert den Vertretern der Obrigkeit die von ihnen geforderte Auskunft. Sie nimmt sich das Recht, das Urteil über sich selber zu sprechen, ihr eigenes Leben zu leben, und sie besitzt die Souveränität, beiläufig noch die Unterschiede von Geburt und Stand in ihre völlige Nullität zurückzuweisen (um hier mit einem Wort Schillers an Goethe vom 5. Juli 1796, das den Schluß des „Wilhelm Meister" betrifft, etwas Collage zu treiben). Die Strophen dieses Rollenmonologs haben nicht die enormen weltanschaulichen Dimensionen und nicht die ganze künstlerische Gewalt des „Prometheus"; unbeschadet dessen sind sie doch eine recht genaue weibliche Entsprechung dazu. Die Frau, die da zu Wort kommt, spricht aus einem völlig adäquaten trotzigen Selbstbewußtsein und mit dem gleichen Anspruch auf das Recht, ihr Leben selbst bestimmen und alle anmaßende Bevormundung abweisen zu können. Es bleibt ein bis heute erstaunliches Phänomen: In der Mitte der siebziger Jahre des 18. Jahrhunderts entwirft der Lyriker Goethe (und *nur* er) das Bild einer Frau, die sich unerschrocken von aller obrigkeitlichen Bevormundung befreit, ihre Ankläger in die Schranken weist, die scheinhafte Moral und Wertorientierung einer nach Besitz und Stand gestuften Gesellschaft für null und nichtig erklärt.

Das folgende Beispiel für das adressierte Rollengedicht trägt einen völlig anderen Charakter. Ich verweise auf das letzte von Mignons Liedern, mit dem sich das Mädchen kurz vor ihrem Ende gegen die Abnahme des Gewandes wehrt, das man ihr angelegt hatte, damit sie bei der Weihnachtsbescherung den Engel spielen könne: „So laßt mich scheinen, bis ich werde/ Zieht mir das weiße Kleid nicht aus!"[19] Man mag fragen: Zählt Mignon überhaupt mit, wo vor allem von der Frau zu sprechen ist? Tatsächlich gehört zu den von ihr nicht zu bewältigenden Lebensaufgaben wohl auch die, sich in eine geschlechtsspezifische Rolle zu finden. Und eben ihr letztes Gedicht spricht ja gerade ruhig-hoffnungsvoll von einer Welt, wo nicht „nach Mann und Weib"[20] gefragt wird. Das gibt Anlaß zu einer grundsätzlichen Bemerkung, die wichtig genug ist, unseren

Gedankengang aufzuhalten: Es gehört zu den Qualitäten der hier erörterten Lyrik, daß sie Mann und Frau nicht mit der unerbittlichen Strenge der Wirklichkeit nach festen Rollenkriterien unterscheidet, sondern beide immer wieder in ihrer Einheit als Menschen begreift. Doch zurück zum letzten Lied Mignons. Obwohl es durch Natalies Bericht an Wilhelm Meister fest in den Handlungszusammenhang des 8. Buches eingebaut ist, hat Goethe es davon wieder isoliert und in seine Gesammelten Gedichte aufgenommen, wo dann allerdings an die Einbindung in den Roman erinnert wird: Alle ihm entnommenen Texte bilden bekanntlich eine spezielle Gruppe unter der Überschrift „Aus Wilhelm Meister". Obgleich jedes Gedicht eine in sich gerundete poetische Welt ist, müssen sie doch alle, das eine mehr, das andere weniger, im Kontext mit dem Roman gelesen werden, um recht verstanden werden zu können.

Dadurch werden wir sacht auf eine weitere Gestaltungsmöglichkeit aufmerksam gemacht, die an dieser Stelle der Systematik ihren Platz erhalten muß. Sie ist oben zunächst noch unerwähnt geblieben, aber für die Entwicklung der Goetheschen Lyrik kommt gerade ihr eine ganz außerordentliche Bedeutung zu. Es handelt sich um eine Erscheinung, die ich das *replizierende* Rollengedicht nenne, weil es auf ein vorgegebenes Gedicht vom gleichen oder von einem anderen Autor antwortet und dabei doch (wenigstens tendenziell) ein eigenständiges Gebilde darstellt. Ein besonders simpler und zugleich sinnfälliger Kasus stammt aus dem Jahre 1814. Der Sänger und Komponist Karl Melchior Jakob Moltke hat Gottfried August Bürgers Gedicht „Mollys Wert" vertont. Zu den drei übertreibend-überschwenglichen Strophen mit ihren gutgemeinten Peinlichkeiten („Ja, wenn ich der Regente / Von ganz Europa wär / Und Molly kaufen könnte; / So gäb ich alles her"[21]) schreibt Goethe zwei Gegen-Strophen. Sie sind syntaktisch direkt an Bürgers Text angebunden, verweisen auf ihn zurück, können aber dennoch auf Grund ihres Inhalts als eine eigenständige Äußerung gelten. Goethe läßt das hochgepriesene Mädchen ernüchternd und anspruchsvoll zugleich antworten;

ihr replizierendes Rollengedicht schließt mit einem ganz Goetheschen Programm für Liebende: „Nur immer Lieb und Treue, / Und weiter braucht es nichts.“[22] Wenig später wendet der Dichter dieses Gestaltungsprinzip dann im großen Stil an, wenn er nicht Mollys Liebhaber und Molly selber, sondern Hatem und Suleika in Strophen, Strophengruppen und ganzen Gedichten miteinander sprechen läßt; aber davon darf augenblicklich noch nicht die Rede sein.

Zunächst bleibt das zweite Grundmuster vorzustellen, durch dessen Anwendung und Entwicklung sich Goethe vielfältige Gelegenheiten schafft, der Frau im Gedicht Platz und Stimme zu sichern. Auch dabei handelt es sich wieder nicht um eine Erfindung Goethes, sondern vielmehr um die bewußte Nutzung von Vorgefundenem, das es wiederum bei Theokrit und im Volkslied der verschiedensten Nationen und dann, zu Goethes Zeiten, auch bei Klopstock, Voß und anderen gibt, ein Phänomen, das sehr einfach zu erkennen und doch schwer zu benennen ist. Man kann es als Wechselgesang oder Dialoggedicht bezeichnen, doch haben beide Bezeichnungen ihre Ungenauigkeiten. Es muß sich nicht um sonderlich singbare und betont lyrische Gebilde handeln, und es handelt sich nicht einmal immer um echte Dialoge. Es dürfen darunter auch nicht solche Gedichte verstanden werden, in denen sich das lyrische Subjekt in die Darstellung gestalthaft einbezieht und dabei mit einem weiblichen Gegenüber in eine Gesprächssituation eintritt, wie beispielsweise in der „Zuneigung“ von 1784 oder in der herrlichen Elegie „Euphrosyne“. Vom Wechselgesang abzusetzen bliebe eigentlich auch jene Art Duett, wie sie sich am Anfang von „Jery und Bätely“ findet, wo das Mädchen eine Strophe singt, die der hinzukommende männliche Partner dann mit einem leicht abgewandelten Wortlaut wiederholt.[23] Andererseits muß respektiert werden, daß Goethe die Bezeichnung Gespräch auch dann verwendet, wenn es sich um eine Zusammenstellung von Strophen räumlich getrennter Sprecher handelt, wie bei dem Gedicht „Äolsharfen“, das die getrennten Reaktionen gerade getrennter Liebender auf ihre Trennung als korrespondierende Äußerungen zu einem Ganzen vereinigt.

Als Wechselgesang oder Dialoggedicht gelten uns alle in sich geschlossenen Texte, die grundsätzlich vollständig, d. h. ohne weitere Zutaten, aus Äußerungen von einander abwechselnden, einander poetisch gleichgestellten Rollensprechern bestehen. Bei Theokrit sind es z. B. die beiden Kuhhirten Battos und Korydon, bei Schubart ein Wanderer und der Pegasus, bei Klopstock u. a. die Sonne und die Erde oder die Lerche und die Nachtigall, bei Voß (in der Idylle „Die Leibeigenen") Michel und Hans, bei Goethe aber eigentlich immer Menschen (eine seltene Ausnahme bildet das Dialoggedicht „Der Junggeselle und der Mühlbach") und bezeichnenderweise auch so gut wie immer männliche und weibliche Partner. Wechselgesänge oder Dialoggedichte gibt es in Goethes Lyrik in den verschiedensten Formen und Dimensionen, mit gleichmäßig bemessenen Dialoganteilen der verschiedenen Sprecher, aber auch mit sehr ungleichmäßig verteilten Rollen. Dem langen, locker gefügten, in freien Rhythmen gestalteten Sturm-und-Drang-Gedicht „Der Wandrer" mit vielfachem, ungeregeltem Redewechsel zwischen dem Wanderer und der jungen Frau steht das kurze Gedicht „Das Wiedersehn" gegenüber, ein streng geformtes Wechselgespräch, das nur aus einer Rede und einer Antwort besteht, und beide Sprecher, Mann und Frau, bekommen nur je acht Zeilen Raum (nämlich vier Distichen). Neben der antikisierenden, knappen und konzentrierten Elegie steht andererseits die heiter und locker dahinfließende Reimstrophenfolge des Dialoggedichts „Wandrer und Pächterin".

Am weitesten wird das Prinzip des Redewechsels in einem Dialoggedicht getrieben, das bisher verhältnismäßig wenig Beachtung gefunden und wenig Wertschätzung erfahren hat, in der Elegie „Der neue Pausias und sein Blumenmädchen". Daß Wolfgang Vulpius sie in seinem Buch über Christiane aufmerksam und liebevoll wahrnimmt, versteht sich von selbst und ist ihm dennoch zu danken, obzwar man ihm nicht ganz folgen kann, wenn er meint, Goethes Frau habe das Gedicht „ganz auf sich beziehen"[24] dürfen. Vulpius nennt die Elegie nicht ohne Grund eine „der anmutigsten Dichtungen Goethes"[25] und betont mit vollem Recht ihre Nähe zu den „Römischen Elegien". Erich Trunz dagegen hat sie aus seiner Gedichtauswahl der Hamburger Ausgabe von Goethes Werken ausgespart (obwohl er in die gleiche Auswahl sogar Kleindramen wie „Künstlers Erdewallen" einbezog). Und der Band 7 unserer großen „Geschichte der deutschen Literatur" *scheint* eine Begründung dafür nachzuliefern. Die Einwände, die dort gegen diese und andere Elegien vorgetragen werden,[26] will ich hier nicht erörtern, sondern nur meinerseits dagegen einwenden, daß die Kritik die eigentliche Substanz des Gedichts verfehlt.

Denn welche Bewandtnis hat es mit diesem „Neuen Pausias"? Bemerkenswert, daß Schiller ihn offenbar sehr schätzte, daß dessen Freund Körner ihn geistreich und bewundernd kommentierte, was Goethe wohlwollend zur Kenntnis nahm,[27] und daß der Verfasser selbst ihn bedeutend genug fand, um ihn noch im Jahre 1812 in Teplitz der Kaiserin eigenmündig vorzulesen; zu einer Zeit also, da diese Arbeit schon über fünfzehn Jahre alt war und der Lyriker nicht wenige gewichtige Arbeiten jüngeren Datums verfügbar hatte. Ein besonders eingängiges Gedicht mag es gewiß nicht genannt werden. Das daran äußerlich Auffällige wirkt wohl eher befremdlich als einladend. Ein langes Zitat aus der „Naturgeschichte" des älteren Plinius geht dem Text als eine Art Anmerkung voran (das Prinzip der Noten kündigt sich an), und dann folgt eine ganz ungewöhnlich lange Reihe von Distichen, in ständigem Wechsel einem *Er* und einer *Sie* in den Mund gelegt. Gegen Ende des Ganzen erhöht sich die Frequenz sogar noch; da werden drei von diesen Distichen stichomythisch aufgelöst, d. h., die Gesprächspartner teilen drei der Zweizeiler zeilenweise unter sich auf. Der Redewechsel erfolgt insgesamt nicht weniger als sechsundsechzig Mal. Ein Rekord von statistischem Interesse, aufzunehmen in eine Sammlung von Kuriositäten aus der Welt der Literatur? Nein, ein aus dem Inhalt folgender Hinweis auf den besonderen Stellenwert des Gedichts. Denn daß der formbewußte Dichter eine solch vielgliedrige und lange Wechselrede aufbaut, ohne daß dafür substanzielle Gründe vorliegen, läßt sich wohl kaum denken.

Der Titel kündigt einen *neuen* Pausias an, das Plinius-Zitat informiert über den alten griechischen aus dem 4. Jahrhundert vor Beginn unserer Zeitrechnung: „Pausias von Sicyon, der Maler, war als Jüngling in Glyceren, seine Mitbürgerin, verliebt, welche Blumenkränze zu winden einen sehr erfinderischen Geist hatte. Sie wetteiferten miteinander, und er brachte die Nachahmung der Blumen zur größten Mannigfaltigkeit. Endlich malte er seine Geliebte, sitzend, mit einem Kranze beschäftigt. Dieses Bild wurde für eins seiner besten gehalten und die Kranzwinderin oder Kranzhändlerin genannt, weil Glycere sich auf diese Weise als ein armes Mädchen ernährt hatte.“[28] Goethe nimmt alle Motive auf, die in dieser Vorgabe stecken. Der *neue* Pausias ist allerdings Dichter, nicht Maler, aber eben doch auch ein Künstler. Seine Geliebte bleibt das (einst arme, für Geld arbeitende) Blumenmädchen. Der Wetteifer findet statt, indem sie beide in glücklicher Gegenwart und schöner Harmonie zugleich ihre Künste ausüben. Dies allerdings bildet nicht als Stoff den hauptsächlichen Gegenstand der Darstellung, wenn es auch zunächst stofflich bestimmend bleibt. Das Gespräch setzt ein und entwickelt sich anfangs durch die Impulse der Frau: Sie gibt ihrem Partner Hinweise, wie er ihr behilflich sein kann. Als Bewunderer und gleichzeitig als Handlanger nimmt er an ihrer Beschäftigung teil. Er empfängt von ihr Zeichen liebevoller Zuneigung (sie küßt ihn), aber auch die Mahnung, sein eigenes Talent zu gebrauchen, statt den alten Pausias um sein Vermögen malerischer Verewigung der Blumensprache zu beneiden. Man sieht schon aus dieser dürren Wiedergabe, die den wirklichen Reichtum der sprechenden Persönlichkeit nicht erfassen kann, daß hier das Bild einer Frau aufgebaut wird, die ihrem Partner völlig ebenbürtig ist. Und der eigentliche durchgängige Gegenstand der Darstellung (für die der Wettstreit ein untergeordnetes Motiv wird) ist nichts anderes als die Ebenbürtigkeit der Partner und die aktive Partnerschaft Ebenbürtiger, eine unauflösliche Wechselseitigkeit im Verhältnis von Mann und Frau als vollkommen selbständigen Individuen und dabei fest verbundenen Wesen. Die Wechselrede mit ihrer zugleich lebhaften Frequenz und ruhig fortschreitenden Bewegung sondert und vereinigt ständig die beiden Sprecher. Die objektiven gesellschaftlichen Bedingungen menschlichen Glücks bleiben freilich unerörtert. Die subjektiven, in den Menschen selbst liegenden aber werden dafür vom Dichter mit einer seltenen Vollständigkeit demonstriert: Mann und Frau haben sich befähigt, das Leben tätig-schöpferisch zu genießen. Sie bilden als Paar eine harmonische Einheit, obwohl und weil sie, jeder für sich, unverwechselbare und unterschiedene Persönlichkeiten sind. Sie haben einander ständig etwas zu sagen und zu geben. Und ihr Verhältnis umgreift alle Seiten des Lebens. Kunst und Alltag, Erinnerung und Gegenwart, Geist und Sinnlichkeit sind organisch-selbstverständliche Einheit. Sprachliche Gestalt aber gewinnt das alles über die volle Nutzung der Möglichkeiten, die Goethe dem Dialoggedicht abgewinnt. Und die Stimme der Frau? Sie ist die Stimme eines Menschen, eines weiblichen Menschen, der seines Partners und seiner selbst ganz gewiß sein kann und ist.

Es wäre abwegig, in der Gestalt des Blumenmädchens nur Christiane sehen zu wollen. Und wenn Goethes Frau in Wirklichkeit einmal Ähnliches verlauten ließ wie die Partnerin des neuen Pausias, dann handelte es sich wahrscheinlich eher um einen Nachvollzug als um eine Vorgabe. Es ist ein Jahr nach der Entstehung des Gedichts, als Christiane ihrem Mann schreibt: „Mit Deiner Arbeit ist es schön: was Du einmal gemacht hast, bleibt ewig; aber mit uns armen Schindludern ist es ganz anders. Ich hatte den Hausgarten sehr in Ordnung, gepflanzt und alles. In Einer Nacht haben mir die Schnecken beinahe alles aufgefressen, meine schöne Gurken sind fast alle weg, und ich muß wieder von vorne anfangen."[29] Objektiv ist diese Stimme wirklich im Gedicht enthalten, wenn es heißt:

> Nur ein vergängliches Werk entwindet der Hand sich des
> Mädchens
> Jeden Morgen; die Pracht welkt vor dem Abende schon.[30]

Und es hilft uns den Sinn für den weltanschaulichen Gehalt der Elegie öffnen, wenn wir dazu die Erwiderung lesen:

Auch so geben die Götter vergängliche Gaben und locken
Mit erneutem Geschenk immer die Sterblichen an.[31]

Das Gleichnishafte des Gedichts ist damit endlich auch sinnfällig geworden. Als Entwurf einer idealen Partnerschaft modelliert es wünschenswertes Leben schlechthin, enthält es auch das Idealbild einer Frau, deren Stimme aber immer und ganz irdische Stimme bleibt.

Nicht unbemerkt sollte schließlich bleiben, wenn es um die Auffassung und wertende Einordnung des „Neuen Pausias" geht, was durch die Entstehungsgeschichte eindringlich genug dokumentiert wird, aber bislang wohl dennoch nicht recht wahrgenommen worden ist: In der Elegie „Der neue Pausias und sein Blumenmädchen" hat die Frau alle die Möglichkeiten ihrer Selbstverwirklichung, die ihr in den viel und mit Recht gerühmten Balladen „Die Braut von Korinth" und „Der Gott und die Bajadere" fehlen. Die drei Gedichte sind innerhalb von knapp drei Wochen, also gleichsam in einer unmittelbaren Folge entstanden. In beiden Balladen erhalten übrigens die weiblichen Figuren jeweils die entscheidenden Redeanteile. Die letzten sechs von insgesamt achtundzwanzig Strophen der „Braut von Korinth" gehören ganz der Titelgestalt, die schon vorher ausgiebig zu Wort kommt; sie klagt darin mit Vehemenz ihre Mutter und jenen christlichen Ungeist an, der den Verlust ihres Liebesglücks verschuldet hat. Weniger auffällig und bewußt ist vielleicht, daß auch die Bajadere, die Heldin der anderen Ballade, mit verhältnismäßig großer Ausführlichkeit bekennend und fordernd zu Wort kommt. Über die Ausübung bloßer Pflicht gegenüber Gott Mahadöh zu einer wirklichen Liebenden geworden, fordert sie nun ihr Recht. Beide Balladen, erwiesenermaßen große und wirksame Gedichte, lassen Frauenstimmen in bedeutender Weise Menschenrechte geltend machen und bewegen uns bis heute. Aber bezogen auf den „Neuen Pausias", erscheinen sie lediglich als dessen tragische Variationen. Oder umgekehrt: Die Probleme der tragischen Balladen werden im „Neuen Pausias", freilich in Gestalt einer lyrischen Utopie und idyllisch gewandet, im voraus glücklich gelöst. Damit soll überhaupt nichts gegen die großartigen Balladen, aber einiges gegen die ungerechtfertigte Unterschätzung und einseitige Bewertung der Elegie gesagt sein.

Was der Verfasser des „Neuen Pausias“ innerhalb eines einzigen Gedichts geprobt hat, das glückliche und beglückende Austauschen beziehungsreicher Äußerungen Liebender, wendet er ein Jahrzehnt später auf neue Weise an. Der Zyklus Sonette von 1807/08 hat zum Zentrum eine Art lyrischer Wechselreden bzw. poetischen Briefwechsels. Hier wird nun endgültig verschmolzen, was wir zuvor als zwei getrennt sich entwickelnde Grundmuster beobachtet hatten. Rollenmonologisch konzipierte und ausgeführte Gedichte treten in eine dialogische Beziehung, das eine wird dem anderen zum replizierenden Gegenstück. Dabei erweist sich eben, wir erinnern uns, die von Frau Sartorius gerühmte Fähigkeit Goethes, weibliche Psychologie dichterisch zu fassen und vorzuführen. Das gilt wohl besonders für das Sonett IV („Das Mädchen spricht“) mit seiner genialen Herausforderungstaktik. Doch muß auch hier wieder betont werden, daß bei Goethe die Frau nicht auf eine fixe Frauenrolle festgelegt ist und das, was sie sagt, oft in einem ganz tiefen und allgemeinen Sinne menschlich ist. Das Sonett IX läßt sich in grammatischer Sicht wirklich nur als Äußerung des Mädchens verstehen. Aber die Erfahrung, dem geliebten Partner schreiben zu müssen und eigentlich nichts als Liebe ausdrücken zu wollen und sie im Grunde doch nicht ausdrücken zu können, wird auch dem Liebenden männlichen Geschlechts nicht fremd sein müssen, und das Motiv des stummen, sprachlos-staunenden Vor-dem-Geliebten-Stehens ist sicher nicht unbedingt an das weibliche Geschlecht gebunden:

> Warum ich wieder zum Papier mich wende?
> Das mußt du, Liebster, so bestimmt nicht fragen:
> Denn eigentlich hab ich dir nichts zu sagen;
> Doch kommt's zuletzt in deine lieben Hände.
>
> Weil ich nicht kommen kann, soll, was ich sende,
> Mein ungeteiltes Herz hinübertragen

Mit Wonnen, Hoffnungen, Entzücken, Plagen:
Das alles hat nicht Anfang, hat nicht Ende.

Ich mag vom heut'gen Tag dir nichts vertrauen,
Wie sich im Sinnen, Wünschen, Wähnen, Wollen
Mein treues Herz zu dir hinüberwendet:

So stand ich einst vor dir, dich anzuschauen,
Und sagte nichts. Was hätt ich sagen sollen?
Mein ganzes Wesen war in sich vollendet.[32]

Die letzte Steigerung erfahren Goethes lyrische Ausdrucksmöglichkeiten mit und in seinem „West-östlichen Divan", und mit ihnen entfalten sich darin auch neue, weiterentwickelte Ausdrucksmöglichkeiten der Frau. In einer Arbeit über die Sonette hat Hans-Jürgen Schlütter, ein bürgerlicher Germanist unserer Tage, als Grundtatsachen dieses Zyklus behauptet: „Die Liebe des Mannes ist ‚enthusiastisch', begeistert, schwärmerisch, die weibliche dienstfertig, gefällig."[33] Wie wenig das trifft, muß hier nicht gezeigt werden. Nur: In den „Divan" ließe sich derlei noch sehr viel schwerer hineinlesen als in die „Sonette". Enthusiastisch wird von beiden Seiten gesprochen, wenn auch nicht durchgängig. Aber wo wären auf seiten Suleikas die Dienstfertigkeit und die Gefälligkeit, wenn sie auf den Partner gleich in ihrem ersten Antwortgedicht, replizierend, mit den Worten zugeht: „Gib dich mir aus freier Wahl"?[34] Dank der Anverwandlung beziehungsreicher morgenländischer Poesie und dank ihrer vielfältigen Durchgeistigung stehen sich die neuen Partner auf einer neuen Höhe gegenüber. Aus der beschränkt-idyllischen Szene des „Neuen Pausias" ist ein Reich ohne spürbare Grenzen geworden. Das Rollenspiel bewährt sich als Akt der Emanzipation. Was Hatem und Suleika an Freiheit des Blicks und der Haltung gewinnen, das gewinnen sie auch an geistigem Bewegungsraum und poetischer Bewegungsfreiheit. Die Liebe wird so zum weltumgreifenden Ereignis. Sie ist, der dialektische poetische Vorgang demonstriert es in allen seinen Schichten und Formen, schöpferische Vervielfältigung, produktives Um-, In- und Miteinander. Dabei ist nicht entscheidend, daß Marianne von Willemer als wirkliche erotische Partnerin Goethes auch zu ebenbürtigen dichterischen Leistungen gelangt und Strophen von ihr selbst (sozusagen als dokumentarische Literatur) in den „Divan“ eingehen, obgleich das als Symptom durchaus seine eigene Bedeutung hat. Entscheidend ist vielmehr, daß die Liebesbeziehung als eine totale menschliche Beziehung zum Gleichnis des Lebens und die Geliebte – jenseits aller üblichen topischen Verkürzungen – zum konkreten Inbegriff des Lebens wird. Es ist so, wie Hatem sagt: „Von Suleika zu Suleika / Ist mein Kommen und mein Gehn.“[35] Suleika aber sagt, und das ist nun allerdings die wirkliche Stimme Mariannes (ihr Adressat ist der Westwind, Gegenstand jedoch der Partner und die Liebe zu ihm):

Eile denn zu meinem Lieben,
Spreche sanft zu seinem Herzen;
Doch vermeid, ihn zu betrüben,
Und verbirg ihm meine Schmerzen.

Sag ihm aber, sag's bescheiden:
Seine Liebe sei mein Leben,
Freudiges Gefühl von beiden
Wird mir seine Nähe geben.[36]

Und mit den Worten Goethes erklärt sie:

Nimmer will ich dich verlieren!
Liebe gibt der Liebe Kraft.
Magst du meine Jugend zieren
Mit gewalt'ger Leidenschaft.
Ach! wie schmeichelt's meinem Triebe,
Wenn man meinen Dichter preist.
Denn das Leben ist die Liebe,
Und des Lebens Leben Geist.[37]

Die Stimme der Frau in Goethes Gedicht – das ist eine Summenformel nur für einen sehr begrenzten Teil seines Werks; doch auch der hat seine eigene Ganzheit. Erinnern wir uns nochmals an die Bemerkung der Caroline Sartorius. Von Goethes Kennerschaft in den Angelegenheiten des weiblichen Gemüts ausgehend, meinte sie, es sei, als habe ihm das ganze

12 Ansichten

Geschlecht von der Edelsten bis zur Geringsten Beichte gesessen. Klingt das nicht wie eine Aufforderung zu dem Versuch einer Übersicht über die Vertreterinnen dieses Geschlechts, die bei Goethe zu Wort kommen? Ob wir dabei Gefahr laufen, in ein vordergründig-stoffliches Verfehlen des dichterischen Angebots zu geraten, wird sich beim Versuch selbst leicht herausstellen.

Stimme erhalten in Goethes Lyrik weibliche Wesen verschiedensten Alters und unterschiedlichster Art: vom rustikalen Geschöpf bis zur übersinnlichen, gottähnlichen Gestalt; vom knabenhaften, tragisch umwitterten Kinde Mignon bis zum Chor der eitlen, auf Suleika eifersüchtigen Mädchen, die alle, aber jede für sich, von Hatem besungen werden möchten; vom pubertierenden Mädchen bis zur früh Vollendeten und zu der um ihr Liebesglück Betrogenen; von der in glücklicher Abgeschiedenheit lebenden jungen Mutter bis zur mißvergnügten Alten, die ihre längst reife Tochter bei Gelegenheit eines Mummenschanzes endlich an den Mann zu bringen hofft; von der bekehrten Spröden bis zum verwandelt-geläuterten Freudenmädchen; von der leidenschaftlich Begehrenden bis zur Verlassenen; von der Hoffenden bis zur Verzagenden; von der mit leichtem Sinn und Lust Liebenden bis zu den ledigen Schwangeren, deren eine der Zukunft mit stiller Sorge entgegensieht, deren andere selbstbewußt-rebellisch ihr Recht verficht, deren dritte aber, von Schuld und Verzweiflung überwältigt, zugrunde geht. Selbst die soziale und berufliche Bestimmtheit der aus Goethes Gedichten sprechenden Frauengestalten ist beträchtlich. Eine genaue und vollständige Gesellschaftspyramide läßt sich freilich aus ihnen nicht konstruieren. Aber daß es da die Frau des Landmanns und die Bajadere und die Fischerstochter und die Blumenbinderin gibt, die Müllerin und die Magd oder Kellnerin, nicht zu reden von der Schauspielerin, das möchte man schon sorgfältig zur Kenntnis nehmen, denn wo gäbe es (Brecht wieder ausgenommen) in deutscher Lyrik ein Bild der Frau von solcher sozialer Genauigkeit?

Allem summierenden Überschauen fehlte ein wichtiges, sinngebendes Element, wenn sich dabei nicht Integrierendes, Übergreifendes, Durchgängiges ergäbe. Was also stiftet die Einheit in der Vielfalt, was gibt der Menge das Höhere, Verbindend-Bedeutende? Die vorhin zitierte tendenziös verallgemeinernde „Sonetten"-Auslegung von Hans-Jürgen Schlütter provoziert uns zur pointierten Gegenthese: An den Frauen und Liebenden, die in Goethes Gedicht selbst zur Sprache kommen, ist vor allem der Zug zum eigenen Anspruch, der Drang zur Mündigkeit, die Entfaltung von Selbstbewußtsein und die Erprobung selbstbewußten Handelns zu beobachten. Die Überschau macht eine Linie deutlich, die von Annette bis zu Suleika reicht. Hans Kaufmann hat an Goethes Gedicht für Frau von Stein vom 14. April 1776 als das wesentlich Neue herausgekehrt, daß darin „die Geliebte nicht mehr einfach Objekt des Begehrens, sondern selbständiges Subjekt, ein Mensch . . . in seiner eigenen menschlichen Existenz"[38] ist, und das hat seine völlige Richtigkeit. Aber mindestens ebenso bemerkenswert ist, daß dieses Subjektsein auch seine gestalterische Konsequenz findet: der Dichter Goethe räumt der Frau alle ihre Rechte ein, indem er sie sich in seiner Poesie selbst vertreten läßt. Und der Anfang dazu ist immerhin schon gemacht, wenn eines von den anakreontischen Gedichten des Leipziger Studenten, ein Rollengedicht, dem Mädchen die verbale Initiative wiederholten Liebesspiels einräumt:

Annette an ihren Geliebten

Ich sah, wie Doris bei Damöten stand,
Er nahm sie zärtlich bei der Hand;
Lang sahen sie einander an,
Und sahn sich um, ob nicht die Eltern wachen,
Und da sie niemand sahn,
Geschwind – Genug, sie machten's, wie wir's machen.[39]

Annette eröffnet so den Reigen, der durch Goethes ganzes Werk reicht. Man erinnere sich: Ihr folgt Philine mit dem losen Lob der Nacht als der schöneren Hälfte des Tages. Ihr wiederum folgt jene bezeichnende Schöne, die sich die Freiheit nimmt und den Stolz besitzt, dort bedingungslos zu lieben, wo sie Liebe empfindet; ich meine das Mädchen im lange verheimlichten „Tagebuch", das sich dem keck zugreifenden Gast mit sehr anspruchsvoller Bewußtheit hinzugeben anschickt:

Ich zaudre noch, die Kerzen auszublasen,
Nun hör ich sie, wie leise sie auch gleitet,
Mit gierigem Blick die Hochgestalt umschweif ich,
Sie senkt sich her, die Wohlgestalt ergreif ich.

Sie macht sich los: „Vergönne, daß ich rede,
Damit ich dir nicht völlig fremd gehöre.
Der Schein ist wider mich; sonst war ich blöde,
Stets gegen Männer setzt ich mich zur Wehre.
Mich nennt die Stadt, mich nennt die Gegend spröde;
Nun aber weiß ich, wie das Herz sich kehre:
Du bist mein Sieger, laß dich's nicht verdrießen,
Ich sah, ich liebte, schwur, dich zu genießen.

Du hast mich rein, und wenn ich's besser wüßte,
So gäb ich's dir; ich tue, was ich sage."[40]

Suleika aber schließlich fordert: „Gib dich mir aus freier Wahl . . ."[41]

Haben wir unseren Anfang ganz aus dem Sinn verloren? Ich denke, wir haben die Stimme der Frau, die uns aus Goethes Gedicht entgegenklingt, immer hier und heute vernehmen und den Eindruck gewinnen können: Sie geht uns ganz unmittelbar an, und das trotz jener von Panitz erinnerten problematischen Bemerkungen, denen sich manche anderen schroffen oder gar derben Sprüche Goethes leicht anreihen ließen. Aber gilt, so mag man gewissenhaft fragen müssen, was Goethe die Frauen sagen läßt, wirklich so wörtlich und unbedingt? Hat er es nicht selbst grundsätzlich fragwürdig gemacht? Es ist wahr: Da gibt es den Beleg dafür, daß der Staatsmann Goethe das Todesurteil über eine arme Sünderin gegengezeichnet hat. Und da gibt es unter den gern benutzten Notaten Eckermanns auch noch dieses, wonach Goethe am 22. Oktober 1828 erklärte: „Die Frauen . . . sind silberne Schalen, in die wir goldene

Äpfel legen. Meine Idee von den Frauen ist nicht von den Erscheinungen der Wirklichkeit abstrahiert, sondern sie ist mir angeboren oder in mir entstanden, Gott weiß wie. Meine dargestellten Frauencharaktere sind daher alle gut weggekommen, sie sind alle besser, als sie in der Wirklichkeit anzutreffen sind."[42]

Das seltsame Selbstbekenntnis, ob es nun wörtlich so gelautet hat oder nicht, ändert aber nicht das mindeste an der Wahrheit des Dichterwortes. In ihm kommt zu großem Ausdruck, was das Bürgertum seinerzeit als neue, produktive Klasse durch seine besten Köpfe an Menschenmöglichkeiten entdeckte, für sich, aber mehr noch für uns. In ihm kommt, meine ich, auch zu großem Ausdruck das immer strebende Bemühen eines Mannes, der zeitlebens den Schock und das Trauma eines schweren Schulderlebens (das ich aus dem Schluß der Erzählung vom Frankfurter Gretchen[43] herauslesen muß) schöpferisch zu überwinden hatte und nicht zuletzt deshalb nach dem oben schon zitierten Motto schreiben mußte:

Wie sie sich an mich verschwendet,
Bin ich mir ein wertes Ich;
Hätte sie sich weggewendet,
Augenblicks verlör ich mich.[44]

Das allerletzte Wort soll – folgerichtig und themengerecht – aus weiblichem Munde stammen. Der ins Paradies versetzte Dichter des „Divan" bekommt es dort auch als letztes Wort zu hören. Es frappiert, wie das ganze Gedichtbuch, durch die Einheit von Leichtigkeit und Tiefe, von Geist und Sinnlichkeit, und es erweist sich als ein höchst emanzipiertes Wort:

Sing mir die Lieder von Suleika vor:
Denn weiter wirst du's doch im Paradies nicht bringen.[45]

Walter Dietze

Libellus Epigrammatum

Die Situation ist diese, daß Goethe, kaum von seiner ersten, in ihren Ursachen und Folgen so eminent bedeutsamen Italienreise zurückgekehrt, keine zwei Jahre später erneut nach Italien aufbricht. Diesmal führt ihn ein fürstlicher Auftrag nach Süden. Er soll die Herzoginmutter Anna Amalia, die gerade im Begriffe ist, einen ausgedehnten Italienaufenthalt zu beenden, auf halbem Wege abholen und dann bis nach Hause begleiten. Als Treffpunkt ist Venedig ausgemacht. Abreise dorthin, von Jena aus, am 13. März 1790. Rückkehr nach Weimar am 18. Juni. Gleich danach eine abermalige Störung des häuslichen Lebensbereichs. Serenissimus, der an preußischen Manövern in Schlesien teilnimmt (dem sogenannten Schlesischen Feldlager), beordert den Poeten in sein Gefolge. Von Juli bis Oktober: Dresden, Breslau, Grafschaft Glatz, Landeshut; dann mit Karl August weiter nach Tarnowitz, Krakau, Czenstochau, Wieliczka; „fern von gebildeten Menschen“, wie eine versifizierte Notiz lautet.[1] Heimkehr in niedergeschlagener Stimmung.

Aus dieser unruhevollen Zeit resultiert die Entstehungsgeschichte der „Venetianischen Epigramme“.[2] Ein Nebenwerk, gewiß.[3] An Wert und Rang und Bedeutung im entferntesten nicht vergleichbar jenen großen und weiterwirkenden künstlerischen Zeugnissen, die während der ersten italienischen Reise zustande gekommen oder unmittelbar danach ausgeführt worden sind. Die Epigramme stehen in eigentümlichem Gegensatz, ja Widerspruch zu gleichzeitig verlautbarten ästhetischtheoretischen Maximen; genaugenommen weder einfache Nachahmung der Natur, noch Manier, noch gar Stil.[4] Im Formalen seltsam unvollendet, weder den Autor recht befriedigend noch seine Ratgeber, Freunde und Kritiker.[5] Aber, trotz alledem, durchaus kein nebensächliches, weil beiläufig entstandenes, künstlerisch nicht recht geglücktes, dann schnell wieder vergessenes Werk. Der eigentümliche Stellenwert, der den „Venetianischen Epigrammen" auf dem langen, schwierigen Schaffensweg Goethes zuzumessen ist, wurde bislang kaum erkannt, geschweige denn zuverlässig ermittelt. Hier steht Nachholebedarf an. Wir wollen versuchen, wenigstens einen Teil davon aufzuarbeiten.

Vielfalt der Themen und Motive, und diese nicht eben sorgfältig disponiert und wohl geordnet, kennzeichnet die kleine Sammlung von rund 130 Einzelstücken als ein ziemlich diffuses Konvolut, dem das Prädikat harmonischer Vollendung keinesfalls zugeschrieben werden könnte. Eines der Epigramme winkt ein bißchen ab und meint, man dürfe die Frechheit dieser Unordnung nicht allzu hoch veranschlagen, handle es sich doch nur um „Überschriften", die Welt selber habe „die Kapitel des Buchs".[6] Und das Motto lautet gar:

Wie man Zeit und Geld vertan,
Zeigt das Büchlein lustig an.

Indessen dürfte, mustert man die Gesamtheit seiner Texte, der Ausdruck „lustig" zu deren Charakteristik nur sehr bedingt brauchbar sein. Andere Töne klingen da wesentlich stärker, manchmal aufdringlich stark an: Töne des Unmuts, der Unzufriedenheit, des Grimms und des Zorns, des Übermuts und der Resignation, gelegentlich auch solche mißmutiger Verdrossenheit und schlecht verhehlten Kummers. Eine eigentümliche, manchmal besänftigende, manchmal aggressive Melancholie durchzieht die künstlerische Gestaltung.

Mit diesem emotionalen Kolorit sind auch die fünf Hauptaspekte ausgestattet, unter denen solche „Überschriften" die „Kapitel" eines „Buchs" bezeichnen wollen, das die „Welt" in sich aufnehmen möchte. Einigermaßen genau lassen sich diese

Aspekte durch die fünf Stichworte Italien, Erotica, Ästhetica, Politica und Antiklerikalität bezeichnen – womit freilich auch wieder nur eine behelfsmäßige, nachträglich eingefügte, dem Werk selbst nicht immanente Systematik gemeint sein kann. Wir reden hier von Aspekten einer künstlerischen Schaffensweise, nicht (oder doch nur höchst bedingt) von kompositorischen Elementen in der Werkstruktur selbst.[7]

Das Erlebnis Italiens auf seiner zweiten Reise dorthin war für Goethe recht dunkel schattiert. Von einer beinahe krankhaften Reizbarkeit erfüllt, nahm er schon unterwegs Anstoß an allem und jedem. Leider, so setzen die ersten Reflexionen ein:

Leider wend ich den Rücken der einzigen Freude des Lebens;
  Schon den zwanzigsten Tag schleppt mich der Wagen dahin.
Vetturine trotzen mir nun, es schmeichelt der Kämmrer,
  Und der Bediente vom Platz sinnet auf Lügen und Trug.
Will ich ihnen entgehn, so faßt mich der Meister der Posten,
  Postillone sind Herrn, dann die Dogane dazu!
„Ich verstehe dich nicht! du widersprichst dir! du schienest
  Paradiesisch zu ruhn, ganz, wie Rinaldo, beglückt."
Ach! ich verstehe mich wohl: es ist mein Körper auf Reisen,
  Und es ruhet mein Geist stets der Geliebten im Schoß.

Und gleich das vierte Epigramm summiert diese Stimmungen, indem es Auftakt und Schlußpointe kunstvoll verschränkt:

Das ist Italien, das ich verließ. Noch stäuben die Wege,
  Noch ist der Fremde geprellt, stell er sich, wie er auch will.
Deutsche Redlichkeit suchst du in allen Winkeln vergebens;
  Leben und Weben ist hier, aber nicht Ordnung und Zucht;
Jeder sorgt nur für sich, mißtrauet dem andern, ist eitel,
  Und die Meister des Staats sorgen nur wieder für sich.
Schön ist das Land; doch ach! Faustinen find ich nicht wieder.
  Das ist Italien nicht mehr, das ich mit Schmerzen verließ.

Gründe für derart aufgestauten Mißmut gab es genug. Die Anreise der Herzoginmutter nach Venedig verzögerte sich und verurteilte den Wartenden zu sechs Wochen nervöser Untätigkeit. Da er die Stadt nicht verlassen durfte, im ungewissen blieb, sich widerwillig Zerstreuung suchen mußte, wurde dieser Aufenthalt jetzt, im Frühjahr 1790, so ziemlich das Gegenteil dessen, was der erste, im Herbst 1786, an Wohlbehagen und aufrichtigem Interesse freigesetzt hatte. Vor allem vermochte Goethe nicht zu verwinden, daß er, durch den herzoglichen Auftrag zu unfreiwilligem Scheiden aus Weimar veranlaßt, dort alles hatte zurücklassen müssen, was ihm lieb und teuer und unersetzlich war; unersetzlich, weil es sich um neuerworbene materielle und ideelle Güter handelte. Dort zu Hause lagen seine dichterischen und naturwissenschaftlichen Arbeiten, die hier in der Lagunenstadt nicht fortgesetzt werden konnten (1790 war der „Versuch, die Metamorphose der Pflanze zu erklären" erschienen); mit der ihm eigenen, oft zu robustem Egozentrismus neigenden Sensibilität war sich Goethe sofort der ärgerlichen Tatsache bewußt geworden, daß sein eben erst wiedergewonnener Schaffensdrang unter diesen Umständen gefährlich stagnierte. Und dort zu Hause wartete vor allem, neben altvertrauten und neugewonnenen Freunden und Bekannten, Christiane mit dem am Ende des Vorjahres (am 25. Dezember 1789) geborenen Sohn August auf ihn. Kein Wunder also, daß es Goethe mit allen Fasern seines Herzens dorthin zog und daß er es nicht fertigbrachte, sich in Geduld zu fassen.

Die Ungeduld machte ihn mitunter sogar ungerecht, sie schärfte seinen kritischen Blick, aber sie trübte ihn auch. Zwei Briefe, unmittelbar nach der Ankunft geschrieben, enthalten viel Herbes und Derbes.[8] An Herder: „Ich sollte Euch allerlei Guts sagen, und ich kann nur sagen, daß ich in Venedig angekommen bin. Ein wenig intoleranter gegen das Sauleben dieser Nation als das vorige Mal. Recht wunderbar ists, daß ich das Tagebuch meiner vorigen Reise mitzunehmen vergessen habe, also meinen alten Pfaden nicht folgen kann und wieder von vorne anfangen muß. Das ist indessen auch gut. Von der Herzogin hör und seh ich nichts. Ich habe mich eingerichtet, daß ichs abwarten kann. Ich will das Wassernest nun recht durchstören. Wie einfach und wie kompliziert sind doch alle menschliche Dinge! Ich wohne am Rialto, ungefähr 20 Häuser näher als der Scudio di Francia, auf derselben Seite. Habe einen Wirt, wie Musäus war, und ich bin schon leidlich zu Hause. Meine Elegien sind wohl zu Ende; es ist gleichsam keine Spur dieser Ader mehr in mir. Dagegen bring ich Euch ein Buch Epigrammen mit, die, hoff ich, nach dem Leben schmecken sollen." Und an Karl August: „Übrigens muß ich im Vertrauen gestehen, daß meiner Liebe für Italien durch diese Reise ein tödlicher Stoß versetzt wird. Nichts, daß mirs in irgendeinem Sinne übel gegangen wäre, wie wollt es auch? Aber die erste Blüte der Neigung und Neugierde ist abgefallen ..." Dies letztere scheint überhaupt das entscheidende Argument zu sein. Denn auch epigrammatisch heißt es:

Eine Liebe hatt ich, sie war mir lieber als alles!
  Aber ich hab sie nicht mehr! Schweig, und ertrag den Verlust!

Meint das Distichon die verlorene Liebe zu Italien? Da es sich doch offensichtlich nicht auf ein bestimmtes Liebeserlebnis, auf eine bestimmte Frauengestalt beziehen läßt? Gab es diese Ahnung von einem gewaltigen „Verlust", die Goethe inmitten aller sarkastischen Auslassungen beschlichen haben mag? Vieles und Gewichtiges spricht für die Annahme, daß ihn das Kontrasterlebnis dieser Reise im Vergleich zur ersten tief und verletzlich berührte.

Infolgedessen zog Goethe gerade hier und jetzt, in Venedig 1790, eine selbstkritische Bilanz des eigenen Schaffens und Vermögens, die sich trotzig und erbarmungslos zeigt wie selten sonst, ehe dann wieder, nach weiterem Besinnen, dem subjektiven Wollen doch noch Chancen eingeräumt werden, wenngleich diese Chancen auch wieder beschränkt sind, weil die objektiven Faktoren, nämlich die „gute Gesellschaft", nichts mehr herzugeben scheint an wirklicher „Gelegenheit". Man muß die Texte selbst zu Worte kommen lassen, um sich vom Auf und Ab, vom Hin und Her dieser Meditationen und Gefühlsregungen eine angemessene Vorstellung machen zu können.

Zunächst eine harte, schonungslose recherchierende Selbstbeurteilung. Was sie, sich steigernd zu ungnädiger Aburteilung, in sechs Versen zusammenfaßt, war bislang aus dem Munde gerade dieses immens begabten, auch häufig sehr selbstgerechten und selbstbewußten Autors noch keineswegs zu vernehmen gewesen:

Vieles hab ich versucht, gezeichnet, in Kupfer gestochen,
Öl gemalt, in Ton hab ich auch manches gedrückt,
Unbeständig jedoch, und nichts gelernt noch geleistet;
Nur ein einzig Talent bracht ich der Meisterschaft nah:
Deutsch zu schreiben. Und so verderb ich unglücklicher Dichter
In dem schlechtesten Stoff leider nun Leben und Kunst.

Darauf folgt eine Verallgemeinerung, die vom Ego abstrahiert und nun vor einem ebenso provokatorischen Pauschalurteil nicht zurückschreckt:

Sämtliche Künste lernt und treibet der Deutsche, zu jeder
Zeigt er ein schönes Talent, wenn er sie ernstlich begreift.
Eine Kunst nur treibt er und will sie nicht lernen, die Dichtkunst.
Darum pfuscht er auch so; Freunde, wir haben's erlebt.

Und schließlich wird der Bogen zurückgeschlagen zu einem energischen Trotzdem, das auf eine skeptische Frage eine ermunternde, wenn auch allgemein-verschwommene Antwort bereithält:

Eines Menschen Leben, was ist's? Doch Tausende können
Reden über den Mann, was er und wie er's getan.
Weniger ist ein Gedicht; doch können es Tausend genießen,
Tausende tadeln. Mein Freund, lebe nur, dichte nur fort!

Seltsam. Hier hantiert einer mit Fragen an das Schicksal, der, im kulanten Vergleich zur überwiegenden Mehrzahl seiner Vorläufer und Zeitgenossen, vielleicht am wenigsten Anlaß gehabt hätte, hypochondrische Grimassen zu schneiden und bekümmerte Attitüden vorzuweisen. Zweifellos meint er es ernst mit solchen Fragestellungen, denn er kommt immer wieder auf sie zurück. Was ihn bedrückt, spricht er bedenkenlos aus, sichtlich ohne zu zögern, aber auch ohne zu jammern.

Was mit mir das Schicksal gewollt? Es wäre verwegen,
Das zu fragen; denn meist will es mit vielen nicht viel.
Einen Dichter zu bilden, die Absicht wär ihm gelungen,
Hätte die Sprache sich nicht unüberwindlich gezeigt.

Trost und Ermutigung findet er dann am ehesten noch von den Gegenfragen her, die ihm gestellt werden oder die er sich selbst stellt. Gegenfragen, die nun das Problem eines gesellschaftlichen Auftrages, einer gesellschaftlichen Gelegenheit von Kunst und Literatur aufwerfen, freilich ohne es im Rahmen der epigrammatischen Form mehr als eben nur streifen zu können. Ein dialogisches Doppeldistichon lautet so:

„Hast du nicht gute Gesellschaft gesehn? Es zeigt uns dein Büchlein
Fast nur Gaukler und Volk, ja was noch niedriger ist."
Gute Gesellschaft hab ich gesehn; man nennt sie die gute,
Wenn sie zum kleinsten Gedicht keine Gelegenheit gibt.

Was hier Streiflicht bleibt, bleiben muß, lediglich im Selbstgespräch erörtert wird, ist dennoch eines jener sozialen Probleme, die im ästhetischen Problemkatalog des Jahrhunderts einen wichtigen Platz einnehmen. Insofern ist es kein Zufall, daß sich erheblich später, im Reflexions- und Rezensionsspiegel des Wilhelm-Meister-Komplexes, genau diese Frage als durchaus unabgegolten herausstellen und zu heftigen Diskussionen Anlaß geben wird.

Auf höchst interessante Weise ist demnach die rücksichtslose Italienkritik der „Venetianischen Epigramme" mit einer nicht minder scharfen Kritik an ästhetischen Positionen und Kontrapositionen verknüpft. Gegenüber dieser dominierenden Duplizität treten Reflexionen über die eigenen naturwissenschaftlichen Bemühungen weit in den Hintergrund, beschränken sich auf eine Verteidigung botanischer und optischer Studien und verteilen einen Seitenhieb gegen Isaac Newton.[9] In Sachen Kunst und Kunsttheorie aber wiederholt sich die eigentümliche Ambivalenz zwischen Selbstverriß und Selbstbestätigung noch einmal in variierter, mehr objektivierter Form: im Blick auf das

Land Italien als Träger einer antiken Tradition und Überlieferung.

In den „Römischen Elegien“ war dieses Thema mehr oder weniger zentral, jedenfalls als zur Sache selbst gehörig und dementsprechend auch ausführlich behandelt worden. Diesmal erscheint es so ziemlich en passant, intoniert sogleich den Beginn, wird aber dann schnell von anderen Themen verdrängt. Das erste Epigramm entwickelt ein Motiv, bei dem zweifellos ein Goethescher Lieblingsgedanke Pate gestanden hat: wie bewundernswürdig in ihrer Schönheit und nachahmenswert in ihrer philosophischen Tiefe die auf antiken Grabmälern anzutreffende Darstellung des Lebens sei.[10] Hier sind optimistische, heidnisch-lebensbejahende, zukunftsorientierte Akzente gesetzt:

So überwältiget Fülle den Tod; und die Asche da drinnen
  Scheint, im stillen Bezirk, noch sich des Lebens zu freun,
So umgebe denn spät den Sarkophagen des Dichters
  Diese Rolle, von ihm reichlich mit Leben geschmückt.

Das Optativische dieser Schlußwendung (sie wird im zweiten Epigramm noch durch eine Anrufung Virgils verstärkt)[11] bleibt indessen nur Auftakt, die eingeschlagene Linie wird nicht intensiv weiterverfolgt. Im Gegenteil. Eine Realitätsbeobachtung aus dem modernen, dem gegenwärtigen Venedig, führt zur Umkehrung, zur Umstülpung, zur Negation des antikisierenden Motivs und bringt in seiner Pointe eher bedrückte, pessimistische Empfindungen zum Ausdruck:

Diese Gondel vergleich ich der sanft einschaukelnden Wiege,
  Und das Kästchen darauf scheint ein geräumiger Sarg.
Recht so! Zwischen der Wieg und dem Sarg wir schwanken und schweben
  Auf dem Großen Kanal sorglos durchs Leben dahin.

War hier, dem Ansatz nach, eine Konfrontierung von antiker und moderner Welt, mindestens von antikem und modernem Italien beabsichtigt? Sollte hier das Verhältnis der alten, antiken Welt zu Leben und Tod einem nicht mehr naiven, einem differenzierten Bewußtsein gegenübergestellt werden? Wir wissen es nicht. Da das Ganze Andeutung bleibt, Hinweis und Streiflicht, können wir nicht mehr als eine Vermutung aussprechen.

Jedoch läßt der „Libellus Epigrammatum" noch an anderer Stelle Heidnisches, Unbekümmert-Antikes recht uneingeschränkt hervortreten, und auch diesmal wieder in hintergründiger, dennoch unübersehbarer Vermittlung und Korrespondenz zu Gegenwärtigem und Eigenem. In dieser Beziehung repetieren die „Venetianischen Epigramme" wichtige Prinzipien der „Römischen Elegien", im Denkansatz wie in der künstlerischen Gestaltungsweise. Freilich, der Glücksfall schöner, gelungener Vollendung, wie er seinerzeit aus einer Mischung, ja Legierung von Elegischem und Heiterem zustandegekommen war, wiederholt sich nur auf vergleichsweise tieferem Niveau. Die Stimmung der fünften Elegie etwa,[12] die das lyrische Ich Begeisterung auf „klassischem Boden" empfinden und zugleich der Geliebten „des Hexameters Maß leise mit fingernder Hand" auf den Rükken zählen läßt, diese Stimmung scheint unwiederholbar verloren. Aber das Korrespondenzprinzip bleibt erhalten. Es ist einerseits an den Erlebnisbereich Christiane Vulpius in Weimar, andererseits an den Situationsbezirk Goethe in Venedig gebunden, und in beiden Fällen kommt es dadurch zum Tragen, daß immer wieder antike Motive, Bilder, Metaphern, Reminiszenzen auftauchen.

Nicht nur, daß, wenn eindeutig von Christiane die Rede ist, stets erneut Amor und Morpheus, Aurora und Phöbus, Aphrodite und Äolus mit allergrößter Selbstverständlichkeit zugegen sind, gleichsam, als wären sie nicht versunkene mythologische Figuren außerhalb einer realen Welt, sondern Leidende und Handelnde wie das Ich und das Du, wie Christiane und Goethe selbst. Anscheinend ist es ganz und gar unmöglich, den Gefühls- und Gedankenreichtum in den Beziehungen zur fernen Geliebten im Thüringischen anders auszudrücken, anders Gestalt gewinnen zu lassen als gerade mit Hilfe dieser Figuren- und Problemreservoirs. Das bekannteste, das berühmt gewordene unter den Christiane-Gedichten der „Venetianischen Epigramme" – wirkt es nicht deshalb so eindrucksvoll, weil es, sozusagen mit verblüffender Originaltreue, den Stil und den Typ (respektloser gesprochen: die Machart) einer antiken „Inschrift“ oder „Aufschrift“ zu treffen weiß?

Welch ein Mädchen ich wünsche zu haben? ihr fragt mich. Ich
hab sie,
Wie ich sie wünsche, das heißt, dünkt mich, mit wenigem viel.
An dem Meere ging ich und suchte mir Muscheln. In einer
Fand ich ein Perlchen; es bleibt nun mir am Herzen verwahrt.

Natürlich sprechen diese vier Zeilen auch davon, wie tief Goethe damals ergriffen gewesen sein mag von der Begegnung mit dem Blumenbindermädchen in Weimar und von allem, was sich aus dieser Begegnung in so kurzer Frist entwickelt hatte. Noch ein Vierteljahrhundert später, als er sich ausnahmsweise entschließt, der Geliebten ein Gedicht zu widmen und es ihr zuzusenden, hat sich die Motivstruktur nicht gewandelt, wohl aber ihre Ausformung: Diesmal wird nicht das Muschel- und Perlengleichnis bemüht, sondern das Gleichnis vom Blümchen im Walde, das in den heimischen Garten verpflanzt wird, damit es weiter zweigen und blühen kann.[13] Vielleicht waren die einschneidenden Lebenserfahrungen, die Goethe zwischen 1790 und 1813 zu machen hatte, unumgängliche Voraussetzung dafür, daß es ihm schließlich gelang, in ergreifender, volksmäßiger Schlichtheit auszudrücken, was damals in Venedig noch der Folie antikisierender Gestaltungsweise bedurfte: das Gefühl einer unendlichen, ihn tief erschütternden Dankbarkeit gegenüber solch schicksalhafter Begegnung.

Denn: es gehört auf den ersten Blick zu den beinahe unerklärlichen Ungereimtheiten, auf den zweiten Blick wohl doch zu den typisch Goetheschen Charaktereigenschaften, daß er nun, da er sich seiner „Neigung zu dem zurückgelassenen Erotio und zu dem kleinen Geschöpf in den Windeln“ soeben bewußt geworden ist und beide brieflich der Obhut und Fürsorge seines Weimarer Herzogs anempfiehlt,[14] sich in Venedig beträgt, als sei dies alles nie gewesen, und sich mit der Pose des Lebemannes und Flaneurs umgibt. Ist es wirklich Pose und Verstellung? Oder spricht sich mehr und Bedeutenderes aus in diesem Betragen? Menschlich-Allzumenschliches allein? Egozentrismus und Genußsucht? Oder gar moralische Rigorosität, die sich ihrer selbst so gewiß ist, daß sie allen Anfechtungen und Anwürfen keck die Stirn zu bieten gedenkt? Ein schwieriges Problem.

Alles, was ihr wollt, ich bin euch immer gewärtig,
Freunde, doch leider: allein schlafen! – ich halt es nicht aus.

Unumwunden und ohne viel Federlesen wird das ausgesprochen, und es darf angenommen werden, daß der Sachverhalt, der bezeichnet wurde, nicht nur auf dem Papier steht, sondern auch in Wirklichkeit zutraf. Zwar „Faustinen find ich nicht wieder", heißt es an anderer Stelle;[15] aber Ersatz ist reichlich vorhanden und wird reichlich genossen. „Lacerten" tauchen auf – Mädchen, die wie Eidechsen über die Straßen und Plätze huschen, den Gast in Schlupfwinkel, Spelunken und Tavernen locken und den Fremdenverkehr auf ihre Weise betreiben –, „*sie* zeigt sich geschäftig, nicht du" lautet eine bedeutungsvolle Anmerkung. Dutzendweis offenbar die Partnerinnen, wenn keine Prahlerei dabei ist, und dutzendweis auch gleich die Spielarten: sorgfältig wird angemerkt, daß alle „zwölf Kategorien Amors" durch- und ausprobiert worden seien. Eine christliche Denunzierung fleischlicher Liebe als Sünde hat natürlich innerhalb solcher Auffassungen überhaupt keinen Platz.

Wobei die letzte Anspielung offensichtlich noch mehr meint und ein bißchen darauf angelegt ist zu schockieren. Denn das Problem der Doppelgeschlechtlichkeit tritt nicht nur in feineren oder kompakteren Andeutungen bei einer „Bettine" hervor, einem Gauklermädchen, zart, feingliedrig, knabenhaft;[16] es wandert auch motivbildend durch mehrere Epigramme, mit diversen „Bübchen", die „lebendigen Reiz" erwecken, und einem mehr durchsichtigen als vorsichtigen Jupiter-Ganymed-Vergleich.[17] Ein anderes Distichon sagt frei heraus: „Knaben liebt ich wohl ..."

Für den konventionellen Geschmack der Zeit waren die Erotica, die hier entstanden sind, ungehemmt und frei genug. Noch in manchen Goethe-Ausgaben auch neueren Datums fehlen sie ganz oder sind behutsam stückweise aussortiert. Selbst in der überlieferten Handschrift, die umfangreicher ist als alles, was jemals zum Druck gelangte, sind einige Stücke getilgt, von welcher Hand auch immer.[18] Ziemlich sicher dürfen wir annehmen, daß nach dem subjektiven Selbstverständnis des Autors dabei eine Haltung angenommen wurde, die frei und hemmungslos sein wollte in antik-heidnischem Sinne, und Goethe daher ganz ohne Scheu sofort aufschreibt, was als Erlebnis gesucht und gefunden worden war.[19] Auch haben vermutlich die zurückliegenden, jahrelang qualvoll ertragenen gesellschaftlichen Hemmungen eine Rolle gespielt, die Goethe sich selbst in dem berühmt gewordenen „Verhältnis" zu Charlotte von Stein auferlegt hatte: sie waren schon seinerzeit in Rom, erst recht durch seine Beziehung zu Christiane gewaltig und gewaltsam durchbrochen worden. Jetzt fallen sie ganz von ihm ab. Und weder das Gefühl beruhigender Beständigkeit, das diese Christiane-Beziehung so sehr von anderen unterscheidet, noch die zu erwartende Entrüstung des Weimarer Publikums vermögen Goethe davon abzuhalten, diese neue emotionale Situation künstlerisch zu gestalten. Mehr noch. Er unterteilt das neu gewonnene, neu angeeignete Lebensgefühl nicht etwa in ungleiche Hälften oder moralische Alternativen, in einerseits Venedig hier, andrerseits Weimar dort. Sondern er verbindet und vereinigt die beiden Pole miteinander, so gut es eben geht. Bei manchen Epigrammen wird offensichtlich mit Fleiß die Unklarheit produziert, ob sie sich auf ein venetianisches Mädchen oder auf ein Mädchen, auf das Mädchen in Weimar beziehen. Zum Beispiel:

Glücklich ist die Beständige, die den Beständigen findet,
    Einmal nur sich verkauft und auch nur einmal gekauft wird.+

Oder:

Lange sucht ich ein Weib mir; ich suchte: da fand ich nur
        Dirnen;
    Endlich erhascht ich dich mir, Dirnchen: da fand ich ein
        Weib!

In beiden Fällen sind beide Interpretationsvarianten möglich. Umgekehrt ist auch dort antik-heidnische Freiheit zu finden, wo sie sich eindeutig auf Christiane bezieht:

Arm und kleiderlos war, als ich sie geworben, das Mädchen;
  Damals gefiel sie mir nackt, wie sie mir jetzt noch gefällt.

Man kann sich geradezu bildhaft vorstellen, wie bei den Weimarer Geistlichen und Hofdamen die Beffchen gebebt und die Mienen sich verzogen haben mögen, von nachträglich garantiert vollzogener heimlicher Goutierung nicht zu reden. Goethe aber lästert:

Ob erfüllt sei, was Moses und die Propheten gesprochen,
  An dem heiligen Christ, Freunde, das weiß ich nicht recht.
Aber das weiß ich: erfüllt sind Wünsche, Sehnsucht und Träume,
  Wenn das liebliche Kind süß mir am Busen entschläft.

Wird in diesem Vierzeiler das erotische mit dem antiklerikalen Thema auf bezeichnende Weise konfrontativ verknüpft, so folgen ringsum die Blasphemien einander auf dem Fuße. Bei der Publikation seiner Epigramme scheint den Autor allerdings Angst vor der eigenen Courage beschlichen zu haben. Denn außer einigen Seitenhieben, die er gegen „die Pfaffen" allgemein und gegen übertriebene Karfreitagswundergläubigkeit verteilt,[20] überläßt er dem engültigen Druckmanuskript nur zwei derartige Stücke, die sich beide gegen das wichtigste Symbol christlichen Glaubens wenden: eins, in dem das Kreuz Jesu Christi nur als Tertium comparationis fungiert, und ein anderes, das eine Bewertung des Christentums vornimmt, die an Deutlichkeit nichts zu wünschen übrig läßt. Nämlich:

„Alles erklärt sich wohl", so sagt mir ein Schüler, „aus jenen
  Theorien, die uns weislich der Meister gelehrt."
Habt ihr einmal das Kreuz von Holze tüchtig gezimmert,
  Paßt ein lebendiger Leib freilich zur Strafe daran.

Und dann:

Vieles kann ich ertragen. Die meisten beschwerlichen Dinge
  Duld ich mit ruhigem Mut, wie es ein Gott mir gebeut.

Wenige sind mir jedoch wie Gift und Schlange zuwider;
Viere: Rauch des Tabaks, Wanzen und Knoblauch und †.

Dieses „Kreuz" am Ende der letzten Zeile wurde, offensichtlich auf Goethes Anweisung hin, in Zeichenform gesetzt, und zwar, um Mißverständnismöglichkeiten grundsätzlich auszuschließen, als eines mit kürzerem Quer- und längerem Längsbalken. Dennoch hat es nicht an Versuchen gefehlt, post festum abschwächende, begütigende Pseudoerklärungen zu liefern.[21] Durchaus überflüssigerweise, denn eine der Handschriften (H^{55}) hat an Stelle des Kreuzzeichens das ausgeschriebene Wort „Christ".

Der Christ also und das Christentum waren es, die Goethes Widerspruch hervorriefen. Seine antiklerikalen Epigramme sind in der überwiegenden Mehrzahl antichristliche. Vielleicht war dies der Grund dafür, daß sein Mut ausreichte, das epigrammatische Büchlein der Anna Amalia zu widmen, daß er sich aber gleichzeitig bei der Redigierung zum Druck entschloß, trotz der darin enthaltenen Erotica die Hauptmasse der antiklerikal-antichristlich eingerichteten Spitzenerzeugnisse doch lieber zu einem Schlummerdasein im Handschriftengrab zu verurteilen.[22]

Aber noch aus dieser Gruft heraus (zu Lebzeiten Goethes wurde nichts davon publik) sprechen sie bis heute eine kräftige, nicht minder ungehemmte Sprache gegen christliche Arroganz:

Was auch Helden getan, was Kluge gelehrt, es verachtete
Wähnender christlicher Stolz neben den Wundern des Herrn;
Und doch schmückt er sich selbst und seinen nackten Erlöser
Mit dem Besten heraus, was uns der Heide verließ.
So versammelt der Pfaffe die edlen leuchtenden Kerzen
Um das gestempelte Brot, das er zum Gott sich geweiht.+

Eigene Lebensideale werden abgegrenzt gegenüber christlichen, und es erfolgt sogar eine direkte, respektlose Anrede des Heilands selbst:

Viele folgten dir gläubig und haben des irdischen Lebens
Rechte Wege verfehlt, wie es dir selber erging.
Folgen mag ich dir nicht: ich möchte am Ende der Tage
Als ein vernünftiger Mann, als ein vergnügter mich nahn.
Heute gehorch ich dir doch und wähle den Weg ins Gebirge,
Diesmal schwärmst du wohl nicht. König der Juden, leb wohl!+

Von diesem Valet und Adieu gegenüber der Erlöserfigur ist es dann nicht mehr weit zur Formulierung antichristlicher Maximen in affirmativer, apodiktischer Form. Sie fällen ziemlich radikale Urteile.

Zum Erdulden ists gut, ein Christ zu sein, nicht zu wanken:
Und so machte sich auch diese Lehre zuerst.+

Was vom Christentum gilt, gilt von den Stoikern: Freien
Menschen geziemet es nicht, Christ oder Stoiker zu sein.+

Kein Zweifel, daß es, nimmt man alles in allem, gerade diese antispießbürgerlich-erotischen und antichristlich-religionsphilosophischen Passagen sind, die dem Gesicht der „Venetianischen Epigramme“ bis auf den heutigen Tag jugendliche Frische einigermaßen erhalten konnten, trotz der ältlichen Runzeln einer aus der antikisierenden Manier entspringenden klassizistischen Tendenz. Engels hatte ganz recht, wenn er, bei Gelegenheit einer Auseinandersetzung mit Thomas Carlyle, darauf hinwies, daß Goethe nicht gern mit „Gott“ zu tun gehabt und daß ihn das Wort unbehaglich gemacht hätte: „... er fühlte sich nur im Menschlichen heimisch, und diese Menschlichkeit, diese Emanzipation der Kunst von den Fesseln der Religion macht eben Goethes Größe aus.“[23] Um nichts zu übertreiben, müssen wir hinzufügen: das kleine, unterwegs und nebenbei 1790 in Venedig entstandene Werkchen kann gewiß nicht als das wichtigste Zeugnis für diese Größe in Anspruch genommen werden. Aber es gehört, wenngleich nur mit wenigen seiner Grundpositionen und mehr oder weniger deutlichen Stoßrichtungen, doch dazu.

Andrerseits ist unübersehbar, daß sogar auf diesen Glanz

ein seltsames, Flecken und Grauzonen erzeugendes Zwielicht fällt. Die schärfsten der antiklerikalen und antiphiliströsen Stachelreime werden zwar niedergeschrieben, aber bei der Veröffentlichung doch wieder eliminiert. Der „große Heide",[24] der hier so mannhaft gegen katholisches Christentum auftritt, wird keine zehn Jahre später im sogenannten „Atheismusstreit" um Johann Gottlieb Fichte eine wenig noble, erst ausweichende, dann kapitulantenhafte Stellung beziehen. Und der Schöpfer einiger der schönsten erotischen Gedichte deutscher Sprache aus diesem Zeitraum weiß sich, in Gemeinschaft mit Schiller, vor Entrüstung kaum zu fassen, den gerade erschienenen „Ardinghello"-Roman Heinses seiner „ausschweifenden Sinnlichkeit" wegen in Grund und Boden zu kritisieren.[25] Da ist auch Anmaßung dabei, mitten in der Ausschweifung, und der anscheinend unwiderstehliche Drang, immerfort selber die Maßstäbe zu setzen und anderen die Belehrungen zu erteilen.

Zwielichtiges, Ambivalentes, wohin man blickt. Und am schärfsten hervortretend, kraß und unverhohlen Widersprüche heraustreibend dort, wo in diesem seltsamen „Libellus" politische Positionen befestigt werden müssen, die sich gerade erst zu bilden beginnen, die noch schwankend sind, unausgegoren, unausgereift wie nur irgend etwas. Denn in diesem Frühsommer 1790 hatte Goethe, wie fast alle seine Zeitgenossen, damit zu tun, seine Meinungen und Gefühle, seine Eindrücke und Empfindungen zu artikulieren, die, seit Jahresfrist etwa, von den französischen Revolutionsereignissen unerbittlich herausgefordert wurden. Zunächst noch weit davon entfernt, die epochale Bedeutung dieser Vorgänge auch nur zu ahnen, fühlte er sich dennoch veranlaßt, sie in der Zwangspause seines Venedigaufenthaltes zumindest unter tagespolitischem Aspekt zu registrieren und zu bewerten. Wortwahl und Formulierungen verraten eindringlich, wie schwer ihm dies gefallen sein mag. Daher trägt alles, was an politischen Urteilsbildungen in die Kunstwelt dieser Epigramme eingesenkt werden konnte, den Stempel des zwar Unabweisbaren, aber auch des Vorläufigen, die Signifikanz einer Übergangsphase in einem noch lange andauernden Selbstverständigungsprozeß.

Dennoch überrascht das vergleichsweise tiefe Niveau von Goethes ersten Reflexionen in durchaus bestürzendem Sinne. Der ehemalige Stürmer und Dränger, der nach Weimar gegangen war und sich Enttäuschungen hatte einhandeln müssen, der dann von dort floh und im erneuten Korrektiv seiner ersten Italienreise abermals zu sich selbst finden wollte, sieht sich jetzt mit einem ganzen Komplex von Widersprüchen konfrontiert, wie er ihm in dieser Kompliziertheit und Hautnähe bisher wohl kaum begegnet war. Tastend, ja tappend sucht er nach Haltepunkten, nach festem, sicher gegründetem Land im rasch dahinströmenden Fluß gesellschaftlicher Bewegungen. Nicht immer trifft er dabei glückliche, zukunftsweisende Vorentscheidungen.

Vom Volk und seiner Fähigkeit, bestimmend in die Geschichte einzugreifen, scheint Goethe damals nicht viel zu halten, er schreibt ihm nur eine passive, unschöpferische, wenngleich bedauernswerte Rolle zu:

Warum treibt sich das Volk so und schreit? Es will sich
 ernähren,
 Kinder zeugen und die ernähren, so gut es vermag.
Merke dir, Reisender, das, und tue zu Hause desgleichen!
 Weiter bringt es kein Mensch, stell er sich, wie er auch will.

Oder, ins Metaphorische gewendet und sehr überraschend von einem zu hören, der bei Gelegenheit eine ganz andere Auffassung vom Amboß-Hammer-Gleichnis[26] verlautbarte:

Diesem Amboß vergleich ich das Land, den Hammer dem
 Herrscher,
 Und dem Volke das Blech, das in der Mitte sich krümmt.
Wehe dem armen Blech, wenn nur willkürliche Schläge
 Ungewiß treffen und nie fertig der Kessel erscheint.

Der abschätzige Akzent, der hier auf dem Begriff „Volk“ gesetzt wird, ist unübersehbar. Erhebliche Verstärkung erfährt solche Pejoration noch dadurch, daß „Volk“ terminologisch weitgehend mit „Menge“ oder gar „Pöbel“ identifiziert, mindestens jedoch angenähert erscheint. Der Menge gelinge es nie, „für sich zu wollen“, der Pöbel, als ein ständig Betrogener, zeige sich ungeschickt und wild. Derartige Schlußfolgerungen reichen nicht eben weit. Man merkt ihnen förmlich an, daß das meiste von dem, was sie an kurzschlüssigen Verallgemeinerungen zu bieten haben, mitgeprägt ist von mehr oder weniger konterrevolutionären Berichterstattungen über die tollen Tage in Paris und den französischen Provinzen.

Übrigens ist von solchem „Toll“-Sein, von solcher „Tollheit“ im epigrammatischen Kontext mehrfach die Rede. Gemeint ist mit diesem Begriff zweierlei. Zunächst eine eigentlich unvernünftige, törichte Haltung, die, abnorm und unerwartet, mit den „tollen“ Ereignissen (dem Revolutionsbeginn also) streckenweise sympathisierte:

Tolle Zeiten hab ich erlebt und hab nicht ermangelt,
Selbst auch töricht zu sein, wie es die Zeit mir gebot.

Dabei sollte allerdings, worauf schon Werner Krauss verwies,[27] durchaus offenbleiben, ob das „Ich“, das hier zu Worte kommt, sich auf Goethe persönlich bezieht oder ob ein unpersönliches „man“ als lyrisches Subjekt vorauszusetzen sei. Beide Varianten oder gegenseitige Überlagerungen sind immerhin denkbar. Interessanter, auch progressiver präsentiert sich der zweite Begriffsinhalt jener „Tollheit“. Er projiziert das Phänomen unausgegoren-heftiger Revolutionsbegeisterung auf die Dialektik von Freiheit und Sklaverei, Freiheit und Knechtschaft und entwikkelt aus dieser Gedankenverbindung einen prinzipiellen politischen Anspruch, der Ernst macht mit humanitärer Emanzipation aus den Fesseln und Ketten des Feudalismus:

Jene Menschen sind toll, so sagt ihr von heftigen Sprechern,
Die wir in Frankreich laut hören auf Straßen und Markt.
Mir auch scheinen sie toll; doch redet ein Toller in Freiheit
Weise Sprüche, wenn ach! Weisheit im Sklaven verstummt.

Man darf nicht vergessen, daß der „Libellus Epigrammatum“ aus Venedig auch derart kompakt fortschrittliche Gesinnungen enthält. Daß sie zunächst noch ganz vereinzelt stehen, gleichsam wie ein Fremdkörper innerhalb ganz andersgearteter Positionen, ist so verwunderlich nicht: da es sich doch um die allererste, die früheste Stellungnahme Goethes zu den ihn überraschenden und überwältigenden Umwälzungen handelt.

Vielfältig sind die Gründe, die ihn damals zwingen, Frankreichs Schicksal als bedauernswert, als „traurig" zu empfinden. Was seit dem Bastillesturm geschehen war, bot scheinbar nicht den geringsten Anlaß, positiv korrigierend auf sein mißtrauisches Zögern einzuwirken, das den Volksmassen keine schöpferische, geschichtsbildende Kraft einräumen wollte. Im Gegenteil. Das Gewaltsame und Gewalttätige, das sich in diesen politischen Umwälzungen manifestierte, erschien ihm geradezu als Bestätigung seiner These, hier würde nur eine Form der Tyrannei durch eine andere Form der Tyrannei ersetzt. Eine bedenkenswerte, weil völlig negative Bilanz:

Frankreichs traurig Geschick, die Großen mögen's bedenken;
Aber bedenken fürwahr sollen es Kleine noch mehr.
Große gingen zugrunde: doch wer beschützte die Menge
Gegen die Menge? Da war Menge der Menge Tyrann.[28]

Es geschieht also im Grunde beiden recht: den Unterdrückten, denn sie vermochten es nicht, die Tyrannei abzuschaffen; aber auch den Unterdrückern, da doch jetzt „französisch" mit ihnen geredet und verfahren wird. Sogar ein Moment der Schadenfreude schwingt wohl mit in einschlägigen Überlegungen:

Lange haben die Großen der Franzen Sprache gesprochen,
Halb nur geachtet den Mann, dem sie vom Munde nicht floß.
Nun lallt alles Volk entzückt die Sprache der Franken.
Zürnet, Mächtige, nicht! Was ihr verlangtet, geschieht.

Vor allem aber sind es Goethes radikale Verdikte gegen die Theoretiker der Revolution, die ihn daran hindern, seinen getrübten Blick zu reinigen, und die ein Zutrauen zu einem vernünftigen, sinnvollen, gewinnbringenden Gang des Revolutionsgeschehens gar nicht erst aufkommen lassen. Abschätzig, manchmal schneidend und sarkastisch, manchmal mit kaum gedämpftem Hohn, immer aber abwehrend und abwertend werden da die „Schwärmer" und „Freiheitsapostel" und „Demagogen" aufs Korn genommen, die verführen, wo sie führen wollen, die betrügen, wo Redlichkeit von ihnen gefordert wäre, deren Aktivität – gleichgültig, ob guten oder schlechten Willens vollzogen – der Sache und den Menschen mehr schadet als nützt. Drei Beispiele (die Epigramme 56, 52 und 50) stehen für viele:

Fürsten prägen so oft auf kaum versilbertes Kupfer
  Ihr bedeutendes Bild; lange betriegt sich das Volk.
Schwärmer prägen den Stempel des Geists auf Lügen und
    Unsinn;
  Wem der Probierstein fehlt, hält sie für redliches Gold.

Daher:

Jeglichen Schwärmer schlagt mir ans Kreuz im dreißigsten Jahre;
  Kennt er nur einmal die Welt, wird der Betrogne der Schelm.

Oder:

Alle Freiheitsapostel, sie waren mir immer zuwider;
  Willkür suchte doch nur jeder am Ende für sich.
Willst du viele befrein, so wag es, vielen zu dienen.
  Wie gefährlich das sei, willst du es wissen? Versuch's!

Alles in allem ist die Trübung des historischen Blicks unverkennbar, wenn man will, sogar erschreckend. Die Verse sind, im Ideengehalt wie in der künstlerischen Gestaltung, deutliches Zeugnis für ein Noch-nicht-fertig-Sein mit den Problemen. Aus unmittelbar zeitgenössischer, aus tagespolitischer Perspektive gelingt es diesem Blick nicht, die wirklichen geschichtlichen Zusammenhänge im aktuellen Geschehen zu erspähen. Der wechselseitige Theorie-Praxis-Bezug zwischen allgemein-humanistischem Fortschrittsdenken und direkt-politischem Aktionismus erscheint verschlossen, undurchdringlich, undurchschaubar.

Mit unausweichlicher Folgerichtigkeit sieht sich Goethe daher veranlaßt, die Frage nach solchen Theorie-Praxis-Beziehungen auch ins Subjektive zu wenden und für sich selbst, für seine eigene Existenz als Schriftsteller nach Antworten zu suchen. Abermals lenken dabei die gerade während des Venedigaufenthalts empfundenen Beklemmungen energische Aufmerk-

samkeit nach Deutschland, nach Weimar. In horazischer Art werden die „Götter“ als „Freunde des Dichters“ angerufen, um ihm akzeptable Schaffensbedingungen zu gewähren. Aber auch ein weltlicher Gott wird beschworen, ungleicher Größenordnung freilich, einer der kleinen „unter den Fürsten Germaniens“, der, gewissermaßen stellvertretend, solche Göttergeschenke bereits ausgeteilt und zur Verfügung gestellt hat. Es ist von den zwei Zusatzstücken (34a und 34b) in den „Venetianischen Epigrammen“ die Rede.

In offensichtlicher, komplementär angelegter Korrespondenz[29] begegnen sich epigrammatische Gebilde von 14 und 18 Zeilen. Zunächst:

Oft erklärtet ihr euch als Freunde des Dichters, ihr Götter!
  Gebt ihm auch, was er bedarf! Mäßiges braucht er, doch viel:
Erstlich freundliche Wohnung, dann leidlich zu essen, zu
    trinken.
  Gut; der Deutsche versteht sich auf den Nektar, wie ihr.
Dann geziemende Kleidung, und Freunde, vertraulich zu
    schwatzen;
  Dann ein Liebchen des Nachts, das ihn von Herzen begehrt.
Diese fünf natürlichen Dinge verlang ich vor allem.
  Gebet mir ferner dazu Sprachen, die alten und neu'n,
Daß ich der Völker Gewerb und ihre Geschichten vernehme;
  Gebt mir ein reines Gefühl, was sie in Künsten getan.
Ansehn gebt mir im Volke, verschafft bei Mächtigen Einfluß,
  Oder was sonst noch bequem unter den Menschen erscheint;
Gut – schon dank ich euch, Götter; ihr habt den glücklichsten
    Menschen
  Ehstens fertig: denn ihr gönntet das meiste mir schon.

Sodann:

Klein ist unter den Fürsten Germaniens freilich der meine;
  Kurz und schmal ist sein Land, mäßig nur, was er vermag.
Aber so wende nach innen, so wende nach außen die Kräfte
  Jeder; da wär's ein Fest, Deutscher mit Deutschen zu sein.
Doch was priesest du ihn, den Taten und Werke verkünden?
  Und bestochen erschien deine Verehrung vielleicht;

Denn mir hat er gegeben, was Große selten gewähren,
Neigung, Muße, Vertraun, Felder und Garten und Haus.
Niemand braucht ich zu danken als ihm, und manches bedurft ich,
Der ich mich auf den Erwerb schlecht, als ein Dichter, verstand.
Hat mich Europa gelobt, was hat mir Europa gegeben?
Nichts! Ich habe, wie schwer! meine Gedichte bezahlt.
Deutschland ahmte mich nach, und Frankreich mochte mich lesen.
England, freundlich empfingst du den zerrütteten Gast.
Doch was fördert es mich, daß auch sogar der Chinese
Malet mit ängstlicher Hand Werthern und Lotten auf Glas?
Niemals frug ein Kaiser nach mir, es hat sich kein König
Um mich bekümmert, und er war mir August und Mäcen.

Das zweite Stück, ein huldigendes „Lobgedicht", war vermutlich schon vor der zweiten Italienreise zu Papier gebracht und ursprünglich für die „Römischen Elegien" bestimmt gewesen,[30] erst nachträglich wurde es, wohl eindeutig des Komplementäreffekts wegen, der Epigrammenschar hinzugefügt (1800). Unaufgelöste, verblüffend offen dargelegte Ambivalenz auch hier: angemahnte Mäßigung einerseits, ganze Forderungskataloge andererseits: Verbitterung neben Zufriedenheit; sowohl Unmaß und Unverschämtheiten wie auch Bescheidung und Bescheidenheit; waches Bewußtsein dafür, daß für diese Gedichte[31] – und damit auch für die Weimarer Lebenswirklichkeit – der Vorwurf des Bestochen-Seins, des Sich-korrumpieren-Lassens nahezu unabwendbar, vielleicht sogar partiell berechtigt war; und dennoch, trotz dieser verkappten Selbstbezichtigung, die rigorose, nicht im mindesten verklausulierte Unterscheidung dessen, worauf es diesem Selbst ankommt: im Volke beansprucht es lediglich „Ansehn", bei den Mächtigen dagegen „Einfluß". Die Einordnung der Chancen eigener Wirkungsmöglichkeiten geschieht in völliger Übereinstimmung mit den Vorurteilen und Urteilen, die andere Epigramme über die französische Entwicklung gefällt hatten.

Im Zentrum dieses Problemkreises liegt deshalb auch, faßt man alle analytischen Momente zusammen, das Geheimnis des künstlerischen Stellenwertes der „Venetianischen Epigramme" begründet: als Zeitdokument ebenso wie (enger gefaßt) als Evolutionsmarkierung auf dem Schaffensweg Goethes. Der historische Moment, der in seinen gewaltigen Bedeutungsdimensionen als solcher nur unklar erahnt, aber noch nicht begriffen, dem zunächst eher mit Erschrecken denn mit Zutrauen begegnet werden kann, läßt, in mehrfachem Sinne, ein künstlerisches Zeugnis einer Übergangsphase entstehen. Angesichts seines Entstehungsaugenblicks konnte dieser „Libellus Epigrammatum" aus objektiven und subjektiven Gründen nicht mehr werden und nicht weniger, nichts anderes als ebenjene seltsame Legierung aus Nicht-mehr und Noch-nicht, die – wie schon auf die Zeitgenossen, so auch noch auf den heutigen Rezipienten – häufig den Eindruck der Fremdheit, der Distanz, der Kühle, der Zwiespältigkeit macht, den einer absonderlichen Gebrochenheit und mehrfachen Ambivalenz. Ein Werk des Übergangs, zugleich unabgeschlossen gegenüber der Vergangenheit und offen für die Zukunft. Goethe, der sich Wandelnde, mitten im fließenden Prozeß einer der vielen Wandlungen, die lebenslang für ihn existenzbedingend sind.

Unter diesem Betracht lassen sich nun doch „in dieser schwer faßbaren Schöpfung" (wie Nußberger sie stöhnend nennt)[32] einige Phänomene leichter und einsichtiger auf Funktionales und Wesentliches zurückführen. Beginn und Ende des vierten Epigramms erhellen die äußeren Entstehungsbedingungen, sogar auch diese selbst als Übergang:

Das ist Italien, das ich verließ . . .
Das ist Italien nicht mehr, das ich mit Schmerzen verließ.

Disparater Inhalt und disparate Form stellen das notwendige Resultat innerer Entstehungsbedingungen dar, die in diesem bewegten Übergangsmoment eine feste, abgeschlossene, abgerundete, wohlproportionierte und genau gegliederte Gestaltung nicht ermöglichen. Die Hand des Künstlers vermag nicht zu bändigen, kann nur mühsam und manchmal auch ungeschickt zusammenhalten, was als Problemkonstellation gerade zum Divergieren neigte und, jedenfalls zu gegebenem Zeitpunkt, gänzlich unvereinbar schien: dem Volke dienen zu wollen und es nicht eben hoch zu achten; seinem Fürsten zu dienen, ohne ein Fürstendiener zu werden; künstlerische Meisterschaft erwerben zu wollen und doch das eigene Talent mißtrauisch, fast verachtungsvoll anzuschauen; geborgene Häuslichkeit zu ersehnen und weltmännische Haltung zu praktizieren; der Geliebten in Weimar treu zu sein und ihr in Venedig untreu zu werden; den Anti-Philister herauszukehren angesichts der überdeutlich verspürten Gefahr, ständig selbst im Philistertum zu versinken; mit revolutionärer Tollheit insgeheim zu sympathisieren und öffentlich vor ihren Folgen dennoch zurückzuschaudern – und so weiter, und so fort. Die Frage beantwortet sich selbst, warum unter solchen Bedingungen kein in sich geschlossenes Kunstwerk entstand. Daß sie, im 19. Jahrhundert, vom rumpelnden Wagen ältlicher Goethe-Philologie einfach umfahren wurde, ist verständlich.[33] In neuerer Sekundärliteratur sind ihr, oft mit beträchtlichem Aufwand, nur Pseudoantworten erteilt worden.

Als ein Ausdruck fließender Übergänge präsentiert sich diese Epigrammatik in Hinsicht auf Goethes ganz individuelle Entwicklung als Künstler. Sie ist nicht mehr subjektive Bekenntnislyrik im Sturm-und-Drang-Stil und noch nicht klassische Volkskunst. Sie verbindet den Typ des „Gelegenheitsgedichts" anscheinend mühelos mit strengen antikisierenden Formen. Die Epigramme führen dennoch, geradezu und ohne Umschweife, Goethes Person selbst ein. Persönliches und lyrisches Ich kommen nebeneinander und nacheinander vor, manchmal aber auch vermischt miteinander und ineinander. Der Rückbezug auf die Antike scheint formal immer präsent und inhaltlich fortwährend aufgehoben, durchbrochen, preisgegeben und verabschiedet. Was die „Römischen Elegien" in dieser Beziehung zu versprechen sich anschickten, halten die „Venetianischen Epigramme" keineswegs – ob dies zum Nutzen oder zum Schaden der weiteren künstlerischen Entwicklung Goethes geschah, wäre ein besonderes, hier nicht zu erörterndes Problem. Fließende Übergänge schließlich auch insofern, als sich manche spätere Ausdrucksweisen des Genies gleichsam keimhaft ausbilden, in einem ganz frühen Stadium zeigen, sozusagen die „Xenien" (1797) andeuten oder die Spruchdichtungen der Spätlyrik oder das „Buch des Unmuts" im „West-östlichen Divan" (1819), sogar auch Haltungen und Grundsatzpositionen ankündigen, die zu entscheidenden Komponenten eines problemgeladenen Alterswerkes sich formieren werden: resignative Elemente und ironische im geschichtlich wohlbegründeten Optimismus, allererste Momente eines Sich-Bescheidens, eines Sich-Orientierens auf das Mögliche, einer so immerfort akzeptierten wie fortwährend abgewehrten und bekämpften „Entsagung".

In welchem Grade, ja ob überhaupt Goethe selbst sich des Übergangscharakters seiner hundert epigrammatischen Stücke bewußt war, läßt sich nicht exakt ermitteln. Die Umschreibungen, mit denen er sie bedenkt, lassen die Annahme eines solchen Bewußtseins vage zu, ohne es unwiderleglich bezeugen zu können. Allerdings liefert noch ein anderes Indiz gute Gründe dafür, eine solche Annahme berechtigt erscheinen zu lassen. Goethe hat es sich versagt, dieser zweiten Italienreise inmitten seines umfassenden Memoirenwerkes eine autobiographische Dokumentation einzuräumen – und dies nicht nur im Unterschied zur ersten, der großen Reise 1786/88, aus der ein geradezu programmatisches, grundsteinlegendes Werk entspringt, sondern auch in Übereinstimmung mit dem Umstand, daß auch das erste Jahrzehnt seines Wirkens in Weimar einer solchen Dokumentation nicht für würdig erachtet wurde. Sind es die gleichen, sind es ähnliche Gründe, die solch auffällig gedoppelte Askese verursachten? Sehr wahrscheinlich, sehr gut denkbar. Denn der künstlich erzeugte Nebelvorhang zurückhaltenden Schweigens deckt in beiden Fällen Wegstrecken zu, die kardinal mit Enttäuschung zu tun haben, mit nie ganz verwundener, und auch mit Vortäuschung und Selbsttäuschung. Die beiden Lücken im sonst nach und nach sehr präzise und nahtlos ergänzten autobiographischen Kontinuum sind verräterisch.

Es ist weder nötig noch möglich, dem „Libellus Epigrammatum" nachträglich eine Art autobiographischer Ersatzfunktion zu vindizieren, indem man es zu einem „Tagebuch in Distichen“ erklärt.[34] Es ist spekulativ, in ihm einen „vorausgeschickten Epilog“ oder ein „faunisches Satyrspiel“ sehen zu wollen oder gar nur ein „launisches Spiel der Langeweile und des Mißvergnügens“.[35] Es heißt beckmesserhaft und nicht weiterführend geurteilt, wenn das Unfertige des Epigrammbündels mit dem Vergleich abgewertet werden soll, man sei es bei Goethe nicht gewohnt, „so durch die Küche geführt zu werden, statt die fertige Mahlzeit in einem festlichen Raum vorgesetzt zu bekommen“[36]. Und man muß auch nicht extra, um der direkten, satten Realitätsnähe des kleinen Sinngedicht-Florilegiums teilhaftig zu werden, eine spezielle Sinnbildtheorie oder ein „Prinzip gnomischer Apperzeption“ bemühen.[37] Die ausgewählten Beispiele mögen genügen. Fast ausnahmslos alle zusammenfassenden Urteile, die bisher von der Forschung über die „Venetianischen Epigramme“ gefällt wurden, münden in Fehlurteilen, weil die „Epigramme“ nicht ins richtige Verhältnis zur wirklichen Situation, in der sich Goethe befand, gesetzt wurden. Noch sind sie nicht allseitig widerlegt.

Freilich wird man sich nun auch wieder hüten müssen, die Zielsuche künftiger Forschungen zum Libellus-Epigrammatum-Komplex einseitig als bloße Negation bisheriger Fehlurteile einrichten zu wollen. Um noch einmal auf die autobiographischen Manifestationen zurückzukommen: da sprechen Goethes nachträgliche Entscheidungen doch eine eindeutige Sprache und lassen, wenn auch eigentümlich verdeckt, eine bilanzierende Einschätzung ziemlich eindeutig erkennen. Aufs Ganze gesehen hat er niemals und nicht im geringsten darin geschwankt, den Erlebnis- und Erkenntnisgewinn der Italienreise von 1786/88 für sich als gravierend, bedeutend, ja entscheidend anzusehen. An diesem Gewinn hat die Venedigreise des Jahres 1790 prinzipiell nichts zu verändern oder zu verringern vermocht, höchstens daß sie ihm hier und da ein anderes Licht, einen anderen Akzent aufsetzen konnte. Eher umgekehrt: die Reisebeschreibungen von 1816/17 und 1829 verweisen, indem sie den ungeheuren Folgenreichtum des ersten Italienaufenthaltes ins Zentrum aller Aufmerksamkeit rücken, die in Venedig gewonnenen Ansichten und Einsichten bedenkenlos an die Peripherie. Und als sich Goethe im Jahre 1822 die Materialien einer für 1797 geplant gewesenen Reise zusammenstellen ließ, entschied er unmißverständlich: dieser Materialsammlung, die sich eigentlich auf seine dritte Italienreise bezog, gab er den Titel „Vorbereitung zur *zweiten* Reise nach Italien"! (Hervorhebung – W. D.)

Wie denn? Sollte damit die wirkliche zweite Italienreise, 1790, mit all ihrem Ungemach und mitsamt dem „Libellus Epigrammatum" einfach aus der Erinnerung getilgt, schlechthin als gar nicht geschehen aufgefaßt werden? Doch wohl nicht. Aber eine präzise Unterscheidung fand statt: ein Reisen im eigenen Interesse gegen ein Reisen im fremden Interesse. Die Fahrt über die Alpen, damit eine Herzogin heimgeleitet werden könne, wo doch so viel Wichtigeres zu tun gewesen wäre, verliert unter diesem Blickwinkel soviel an Bedeutung, daß ihr Episoden- und Intermezzo-Charakter kaum mehr des Berichtens wert erscheint.

So ist es gekommen, daß die kleine Epigrammsammlung ganz allein diesen Venedigbesuch stellvertretend zu repräsentieren hat, begleitet nur noch von einigen wenigen Briefen. Keine Frage, daß sie durch diese isolierte Einzeldarstellung noch mehr an Wert gewinnt.[38] Auch wenn spezifisch Goethesche Souveränität, das Allgemeine im Besonderen, das Wesentliche im Unwesentlichen, das Typische in der Vielfalt zu erkennen, sich in ihr nur stammelnd und stockend ausspricht, sich erst übt und dabei das Lehrgeld einiger mißglückter Experimente zu zahlen hat – auch dann noch geht es nicht an, diesen Wert zu unterschätzen.

Heinrich Macher

Wilhelm und Werner

Zur Persönlichkeitskonzeption in Goethes „Wilhelm Meister“

Die Emanzipation des bürgerlichen Individuums im Deutschland des 18. und beginnenden 19. Jahrhunderts ist ein zentrales Problem der Goetheschen Dichtung. In den „Wilhelm-Meister“-Romanen gestaltete Goethe diese Problematik mit Hilfe einer Individualkonzeption, deren Dynamik von der Spannweite ihrer Fragestellung herrührte: Die bürgerliche Hauptforderung des 18. Jahrhunderts nach Freiheit für den einzelnen, nach ungehinderter Entfaltung seiner Anlagen und immer größerer Befriedigung seiner materiellen und geistigen Interessen[1] wird hier konfrontiert mit den realen Möglichkeiten ihrer Verwirklichung in einer ständisch-feudalen, später im Ansatz bereits kapitalistischen Gesellschaftsordnung.

Über diese Problematik liegen bereits größere Untersuchungen vor.[2] Gerade sie machen deutlich, wie wünschenswert weitere Einzelstudien sind, die wichtige Detailfragen des Goetheschen Werkes stärker in ihrer Entwicklung fassen. In diesem Sinne will der vorliegende Aufsatz einen Beitrag zur Untersuchung der Persönlichkeitskonzeption des Dichters leisten. Er beschäftigt sich anhand eines begrenzten Gegenstandes, an den Beziehungen zwischen Wilhelm und Werner in den „Meister“-Romanen, mit der Frage, auf welch unterschiedliche Weise und wie weitgehend beide Romanfiguren die epochale Freiheitsforderung in ihrer Persönlichkeit und Lebensweise umsetzen können und wie Goethe den Widerspruch zwischen dem absoluten Anspruch des einzelnen auf Entfaltung seiner

Individualität und der Bedingtheit des Menschen zu lösen versuchte.

Goethe wies in einer Äußerung zu Eckermann (25. Dezember 1825) selbst auf die Bedeutung der Details im Roman „Wilhelm Meisters Lehrjahre" (1795/96) hin: „Den anscheinenden Geringfügigkeiten des ‚Wilhelm Meister' liegt immer etwas Höheres zum Grunde, und es kommt bloß darauf an, daß man Augen, Weltkenntnis und Übersicht genug besitze, um im Kleinen das Größere wahrzunehmen."[3] In der Tat zeigen sich bei der Analyse der Beziehungen zwischen Wilhelm und Werner Ansatzpunkte für eine klarere Konturierung der Persönlichkeitskonzeption Goethes, wenn man die Veränderungen beachtet, die an beiden Figuren bei der Umarbeitung von „Wilhelm Meisters theatralischer Sendung" (1777–86, ediert 1910) zu den „Lehrjahren" vorgenommen wurden.

Im Fragment wird Werner bereits mit Beginn der Reise Wilhelms aus der Handlung entlassen, nachdem er sich in den Gesprächen mit Wilhelm über Kunst und Handel als nüchterner und praktisch denkender Geschäftsmann ausgewiesen hat. In den „Lehrjahren" dagegen ist er fast bis zum Ende der Romanhandlung auf diese oder jene Weise präsent (X, 298 ff., 515, 522 ff., 597)[4]. Goethe betont nunmehr die Kontrastfunktion der Figur vor allem dadurch, daß Wilhelms Anspruch auf Selbstverwirklichung ausdrücklich in der Konfrontation und Auseinandersetzung mit Werners Ansichten und Lebensgang entwikkelt wird. Das wird an jener Stelle deutlich, wo Wilhelm eine Entscheidung über seine Beziehung zum Theater treffen muß: Zwar gibt auch hier wie in der „Sendung" der Tod seines Vaters den Ausschlag, doch wird dieser jetzt ausdrücklich durch einen Brief Werners mitgeteilt. Dieser im Auszug in den Text eingefügte Brief enthält neben einer relativ breiten Schilderung seiner Lebenssituation ein „lustiges Glaubensbekenntnis", das Werners philiströs-utilitaristische Denkweise enthüllt: „. . . seine Geschäfte verrichtet, Geld geschafft, sich mit den Seinigen lustig gemacht und um die übrige Welt sich nicht mehr bekümmert, als insofern man sie nutzen kann" (X, 300). Die Funktion dieser Briefstelle ist u. a., Wilhelms Widerspruch herauszufordern und ihn zur Darstellung seiner Gegenposition zu veranlassen. Tatsächlich bestärkt gerade dieser Brief Wilhelm in seinem Entschluß, beim Theater zu bleiben, denn „das Ideal, das ihm sein Schwager vom Glück des bürgerlichen Lebens vorzeichnete, reizte ihn keineswegs; vielmehr ward er durch einen heimlichen Geist des Widerspruchs mit Heftigkeit auf die entgegengesetzte Seite getrieben. Er ... schien in seinem Entschlusse nur desto mehr bestärkt zu werden, je lebhafter Werner, ohne es zu wissen, sein Gegner geworden war" (X, 301). Im Antwortbrief erteilt Wilhelm folgerichtig Werner eine Absage, nachdem er seine Auffassung begründet hat, daß das Theater in einer ständisch-feudal strukturierten Welt die einzige öffentliche Wirkungsstätte für den Bürger sein könne. Seine Vorstellungen von Selbstverwirklichung gipfeln in dem Wunsch, „mich selbst, ganz wie ich da bin, auszubilden" (X, 302), denn: „Ich habe nun einmal gerade zu jener harmonischen Ausbildung meiner Natur, die mir meine Geburt versagt, eine unwiderstehliche Neigung." (X, 304)

Nach diesem Briefwechsel zu Beginn des 5. Buches erfährt der Leser längere Zeit nichts mehr über Werner, der bis zu der bezeichnenden Gegenüberstellung am Ende des 8. Buches im Hintergrund bleibt. Der Autor unterläßt es jedoch keineswegs, auf die fortdauernden Beziehungen zwischen seinen Helden aufmerksam zu machen: Spätestens bei ihrer Wiederbegegnung im 8. Buch wird dem Leser klar, daß das von Werner (X, 301) und Jarno (X, 515) erwähnte, zum Verkauf stehende Gut identisch ist; die Kaufverhandlungen sind schließlich der Anlaß für Wilhelms und Werners erneutes Zusammentreffen. Werner ist es auch, der durch das Zurückhalten der Briefe Marianes an Wilhelm die Liebestragödie der beiden beschleunigt, was wir jedoch erst durch Wilhelms Gespräch mit der alten Barbara im 8. Kapitel des 7. Buches erfahren.

Damit Werner in den „Lehrjahren" seine wesentlich klarere ideelle Gegenspielerposition beziehen kann, bedarf es einer qualitativen Veränderung der Figur, die Goethe dadurch herbeiführt, daß er ihr Philistertum verstärkt und in einen geschichtlichen Kontext bringt, dessen Folie die Familiengeschichten Wilhelms und Werners sind. Werden im Fragment die zunehmende Entfremdung Wilhelms von seiner Familie sowie die Verständnislosigkeit des Vaters für die Probleme und Bedürfnisse seiner Kinder noch vorwiegend auf die zerrütteten Familienverhältnisse im Meisterschen Hause zurückgeführt, so tritt in den „Lehrjahren" ein anderes Motiv in den Vordergrund: Wilhelms Konflikt mit seiner Familie ist jetzt das Resultat einer Entwicklung des väterlichen Handelshauses, die sowohl für den Niedergang eines alten Kaufmannsgeschlechts als auch für die Wandlung traditioneller bürgerlicher Lebensformen charakteristisch ist. Der Verkauf der vom Großvater vererbten Kunstsammlung durch den Vater, der in Wilhelms Kindheit erfolgte, macht das evident: Um mit der allgemeinen ökonomischen Entwicklung Schritt halten zu können, veräußert der alte Meister jenen Teil seines Besitzes, zu dem er die geringste innere Beziehung hat. Dieser Vorgang macht den Bruch auch äußerlich sichtbar, den Wilhelms Vater mit der traditionellen bürgerlichen Lebensform innerlich längst vollzogen hat. Er symbolisiert den Übergang zu einem neuen Typus von Kaufleuten, bei dem die der vorangegangenen Generation noch eigene Einheit von Arbeit und Lebens- bzw. Kunstgenuß eigentümlich auseinanderfällt. Das durch die Transaktion erworbene Geld stellt für diesen Verlust kein Äquivalent dar, wenn es auch in geschäftlicher Hinsicht zunächst seinen Zweck erfüllt. Das Leben in Wilhelms Vaterhaus zeigt zum Zeitpunkt des Romangeschehens unterdessen alle Merkmale jener Veräußerlichung der Kultur, die ein erstes Anzeichen für die innere Widersprüchlichkeit der neuen bürgerlichen Existenzweise ist: Wilhelms Erziehung ist allein auf seinen späteren Eintritt ins Geschäft orientiert, und an die Stelle eines von Kultur und Lebensgenuß geprägten Lebensstils ist eine äußerliche Prachtentfaltung getreten, deren Nutznießer nicht einmal die Familienangehörigen selbst sind. Im Haushalt ist zwar alles „solid und massiv", aber Gelegenheit, sich dieser Pracht zu erfreuen, gibt es kaum. Gäste sind selten, „denn eine jede Mahlzeit ward ein Fest, das sowohl wegen der Kosten als wegen der Unbequemlichkeit nicht oft wiederholt werden konnte. Sein Haushalt ging einen gelassenen und einförmigen Schritt, und alles, was sich darin bewegte und erneuerte, war gerade das, was niemanden einigen Genuß gab." Lebensgenuß und -freude finden sich dagegen noch im Hause des alten Werner, der „gut essen und womöglich noch besser trinken" will und dabei immer gern Freunde und Fremde als Gäste um sich hat, dessen äußerer Lebensrahmen (er lebt „in einem dunkeln und finstern Hause" und arbeitet „in der engen Schreibstube am uralten Pulte" – X, 41) jedoch in krassem Widerspruch zu den von ihm selbst verkündeten Genußmaximen steht.

Ansätze für die hier beschriebene Historisierung des Konflikts sind bereits in der „Sendung" vorhanden. Schon dort hat das von Wilhelms Großvater begründete Handelshaus der Meisters „unter der Verwaltung des Vaters ... viel von seinem bürgerlichen Glanze verloren" (IX, 374), auch wird Wilhelms Abneigung gegen das Gewerbe des alten Meister bereits damit motiviert, daß er den Handel „von Jugend auf in seiner kleinlichsten Gestalt", in Form der eintönigsten „Krämerei" (IX, 376) vor Augen hatte. Die Ausweitung dieser Ansätze zur relativ breit entfalteten Familiengeschichte in den „Lehrjahren" bringt jedoch eine erhebliche Konkretisierung des historischen Kontextes mit sich. Ausdruck dieser vertieften Konzeption, unter deren Zeichen die Umarbeitung erfolgte, sind die an den Figuren Werner und Wilhelm vorgenommenen Umbildungen.

Bei dem Werner der „Sendung" werden die philisterhaften Züge seines Wesens, die sich vor allem in seiner Einstellung zur Liebesbeziehung Wilhelm – Mariane sowie zu Fragen der Kunst zeigen, vom Autor wohl schon deutlich hervorgehoben, daneben ist aber in ihm der Geist seiner Vorväter zumindest partiell noch lebendig: Mit Energie und Umsicht macht er sich nach seiner Heirat mit Wilhelms Schwester daran, das Haus seines Schwiegervaters zu erneuern und dessen Unternehmen zu sanieren. Dabei vergißt er keineswegs, „da er das Notwendige bald geendiget fand, auch an das Vergnügliche zu denken, um solches, wenn es ihm die Kasse erlauben würde, nach und nach zu vollenden" (IX, 374). Er reinigt den mit allerlei Gerümpel verstellten Hof und bereitet die Wiederherstellung einer künstlichen Grotte im Garten als geselliges Zentrum des Hauses vor, um „bei dem springenden Wasser sonntags mit guten Freunden ein Glas Wein zu trinken und eine Pfeife zu rauchen". Bevor er sich seinen Geschäftsbüchern zuwendet, „spekulierte er auf neue Orangenkästen, bunte Scherben, fremde Gewächse, womit er seinen hangenden Garten auszieren und sich zwischen den Schornsteinen ein kleines Paradies schaffen wollte" (IX, 375). Werner hat keineswegs den weiten Horizont der Generation seiner Vorväter, was sich vor allem an seiner Haltung zur Kunst äußert, die ihn nur interessiert, insofern man aus ihr seinen „Nutzen ziehen" kann (IX, 347). Dennoch vermag er wenigstens noch – wenn auch nur in bescheidenem Maße – von der Vereinigung von Arbeit und Genuß zu träumen. Ihm nimmt man es sogar noch ab, wenn er sein Gewerbe, das er mit kapitalistischen Methoden einem neuen Glanze zuführen will, ganz im Geiste der Großväter enthusiastisch preist (IX, 375 ff.).

Dem Werner der „Lehrjahre" hingegen geht im Hinblick auf seine Lebensführung dieser Zug ins Weite gänzlich ab. Goethe betont nun sein Philistertum, wenn er ihn an Wilhelm schreiben läßt: „Nun mußt du aber ja nicht denken, daß es uns eingefallen sei, das große, leere Haus in Besitz zu nehmen. Wir sind bescheidener und vernünftiger ... Deine Schwester zieht nach der Heirat gleich in unser Haus herüber, und sogar auch deine Mutter mit. [–] ‚Wie ist das möglich?' wirst du sagen; ‚ihr habt ja selbst in dem Neste kaum Platz.' Das ist eben die Kunst, mein Freund! Die geschickte Einrichtung macht alles möglich, und du glaubst nicht, wieviel Platz man findet, wenn man wenig Raum braucht. Das große Haus verkaufen wir, wozu sich gleich eine gute Gelegenheit darbietet; das daraus gelöste Geld soll hundertfältige Zinsen tragen." (X, 299)

Für den Werner der „Lehrjahre" ist die in Wilhelms väterlichem Hause verkörperte alte Kaufmannstradition keine Größe mehr; die bei den Großvätern noch vorhandene, selbst vom Werner der „Sendung" noch teilweise ins Auge gefaßte Einheit von Arbeit, Genuß und Lebenskultur ist bei ihm völlig verlorengegangen.

Wie problematisch deren Realisierung für Goethe bereits

in den neunziger Jahren geworden war, zeigt auch das Versepos „Hermann und Dorothea" (1797). Dort gibt es noch den reichen Kaufmann, der ein glanzvolles, „flottes" Leben führt: Er fährt im Landauer spazieren (III, 584) und läßt seine Töchter Klavier spielen und Mozart singen (III, 596). Sein Lebensstil weckt wohl noch hinsichtlich des äußeren Glanzes Assoziationen an die Generation von Wilhelms Großvater, sieht man jedoch genauer hin, erweist sich auch bei ihm die Kultur als Schein, als bloßes Dekor. Der großartige soziale Zug des Leben-und-Leben-Lassens, der eine wahrhaft kulturvolle Lebensweise stets begleitet und den man selbst noch bei Werners Vater antrifft, ist längst verlorengegangen. An der Einstellung dieser Kaufmannsfamilie zu Hermann als dem Vertreter der weniger begüterten und gebildeten Volksschichten kann man ganz im Gegenteil deutlich ein Moment von Unkultur erkennen, die – sozial gesehen – ein Symptom der sich verstärkenden Abkapselung der sogenannten „kulturtragenden Schicht" ist. Für die Repräsentanten des Kleinbürgertums im Epos, z. B. den philiströsen Apotheker, ist unterdessen ein solch großzügiger Lebensstil unerreichbar geworden. Sie können es dem reichen Nachbarn nicht nachmachen, „der bei seinem Vermögen / Auch die Wege noch kennt, auf welchen das Beste zu haben" ist (III, 601), und so ergeht sich der Apotheker denn bei der Betrachtung des prächtigen nachbarlichen Kaufmannshauses in wehmütigen Reminiszenzen an vergangene Zeiten. Damals besaß er selbst noch eines der schönsten Häuser des Städtchens. Es war mit Gemälden geschmückt und hatte sogar einen Garten mit künstlicher Grotte. Daß letztere mit dem gleichen Vokabular beschrieben wird (III, 601), das schon Werner in der „Sendung" zu diesem Zweck gebrauchte (IX, 374), läßt auf Goethes inzwischen skeptischere Sicht auf das Bürgertum schließen: Der bescheidene Anspruch auf Glück und Lebensgenuß im Kreise seiner Familie und Freunde, von dessen Verwirklichung Werner noch träumen konnte, ist mittlerweile für den Apotheker unwiederbringliche Vergangenheit geworden.

Das Auseinanderfallen von Leben und Kunst sowie von Arbeit und Genuß ist in den „Lehrjahren" nicht nur in den unterschiedlichen Vätern, sondern auch in Wilhelm und Werner selbst in eine personale Alternative gefaßt, die ihren Ausdruck in der zunehmenden Differenzierung beider Romanfiguren findet. Freilich stand Wilhelms reiche Individualität bereits im Fragment im Gegensatz zu Werners eingeengter Persönlichkeit. Hinter Wilhelms viel umfassenderem Lebensanspruch war daher ganz deutlich ein Menschenbild des Dichters zu erkennen, dessen entscheidender Ansatzpunkt die Forderung nach der ungehinderten Entfaltung *aller* Anlagen des Individuums war, ganz ähnlich wie im vorhergehenden Roman „Die Leiden des jungen Werthers" (1774). Dort allerdings stellten Werthers „Krankheit zum Tode" (IX, 165) und sein Selbstmord nicht nur das Ergebnis des Zusammenstoßes eines „genialen" Individuums mit einer erstarrten Gesellschaft dar, sondern waren auch Resultat einer Lebenshaltung, bei der die Subjektivität und die Empfindsamkeit des Helden in eine Dimension hineingesteigert wurden, die der intellektuellen Kontrolle entglitt, zum Verlust der schöpferischen Kräfte und schließlich zur Selbstzerstörung führte. Im Gegensatz dazu wird Wilhelm bereits in der „Theatralischen Sendung" aus einer Krisensituation, die der Werthers durchaus entspricht,[5] dergestalt herausgeführt, daß er auf dem Theater eine Gelegenheit zum Wirksamwerden, zur Bewährung erhält. Das Verhältnis des Helden zur Gesellschaft wird damit nicht mehr ausschließlich vom Standpunkt des Subjekts her gesehen. Indem die Wirklichkeit und deren aktive, schöpferische Bewältigung durch Wilhelm zum Hauptkriterium der Wertung gemacht wird, ist für Goethe die Voraussetzung für eine dialektische Sicht der Beziehungen zwischen dem Helden und seiner Umwelt gegeben. Auf den Brettern der Schaubühne – dem Hauptfeld seiner Bewährung – überwindet Wilhelm nach und nach eine Reihe von Illusionen über sich, das Theater und die Gesellschaft (Adel!), ohne daß indessen im Fragment die Goethesche Konzeption von der Entwicklung *aller* Anlagen des Individuums bereits aufgegeben wird. Das geschieht erst in den „Lehrjahren": Obwohl gerade hier der Anspruch des bürgerlichen Helden auf totale Emanzipation expressis verbis formuliert ist – in dem in der Erstfassung nicht enthaltenen Brief an

Werner (X, 302 ff.) –, wird er im Zusammenhang mit der Einfügung der Turmgesellschaft und Wilhelms weiterer Entwicklung nunmehr kritisch überprüft. Der Held, für den das Theater jetzt nicht mehr Endstation, sondern nur noch Durchgangsstadium ist, wird im Laufe der Romanhandlung nicht nur im Hinblick auf die Möglichkeiten des Theaters desillusioniert: Er muß erkennen, daß die Forderung, sämtliche Seiten seiner Persönlichkeit entwickeln zu können, nicht auf die bisher von ihm angestrebte Weise realisierbar ist, weil sie den Menschen von seinen Beziehungen zur Menschheit im allgemeinen und zu einer bestimmten Gesellschaft im besonderen abstrahiert. Wie ihm am Schluß des Romans von den Mitgliedern der Turmgesellschaft klargemacht wird, kann sich der einzelne nur im Zusammenhang mit der Gattung Mensch entwickeln: „Nur alle Menschen machen die Menschheit aus, nur alle Kräfte zusammengenommen die Welt. ... alles ... liegt im Menschen und muß ausgebildet werden; aber nicht in einem, sondern in vielen. Jede Anlage ist wichtig, und sie muß entwickelt werden. Wenn einer nur das Schöne, der andere nur das Nützliche befördert, so machen beide zusammen erst einen Menschen aus. ... Der Mensch ist nicht eher glücklich, als bis sein unbedingtes Streben sich selbst seine Begrenzung bestimmt“, klärt ihn Jarno auf (X, 579 f.). Und der Abbé warnt ihn: „Wer alles und jedes in seiner ganzen Menschheit tun oder genießen will, wer alles außer sich zu einer solchen Art von Genuß verknüpfen will, der wird seine Zeit nur mit einem ewig unbefriedigten Streben hinbringen“ (X, 601). Wilhelms Entwicklung findet in den „Lehrjahren“ einen vorläufigen Höhepunkt in der durch die eigenen Erfahrungen und die Mitglieder der Turmgesellschaft vermittelten Einsicht, sich als Teil eines größeren Ganzen zu begreifen und aus dieser Erkentnis heraus die eigene Verantwortung entsprechend zu bestimmen.

Werners Weg führt dagegen geradezu mit Notwendigkeit in die entgegengesetzte Richtung: Für ihn sind seine Mitmenschen nur interessant, „insofern man sie nutzen kann“ (X, 300) – eine Einstellung, die selbst vor dem Freund und Schwager nicht haltmacht, den er bei ihrem Zusammentreffen auf Lotharios

Gut „als eine Ware, als einen Gegenstand“ seiner „Spekulation an(sieht), mit dem sich etwas gewinnen läßt“ (X, 523). Wird für Wilhelm ein Wirken im Interesse des Ganzen Voraussetzung für die Entfaltung der eigenen Individualität, so ist es für den Spießer Werner charakteristisch, daß er gegenüber dem Gemeinwesen keinerlei Verantwortung empfindet. Angesichts der Reformpläne Lotharios muß er bekennen: „Ich ... (habe) in meinem Leben nie an den Staat gedacht; meine Abgaben, Zölle und Geleite habe ich nur so bezahlt, weil es einmal hergebracht ist“ (X, 532). Gerade die Umgestaltung Werners zum Bourgeois in den „Lehrjahren“ macht deutlich, mit welcher Skepsis Goethe bereits in den 90er Jahren bestimmte Momente bürgerlicher Entwicklung in Deutschland betrachtete, da der erkämpfte größere Spielraum für den einzelnen keineswegs die erhoffte allgemeine menschliche Emanzipation zur Folge hatte, sondern eine stärkere Divergenz von Citoyen und Bourgeois, Arbeit und Genuß, Kunst und Leben als jemals zuvor. Diese sich in Deutschland mit der zunehmenden Kapitalisierung verstärkenden Erscheinungen wurden von Goethe frühzeitig und scharfsichtig als *die* essentielle neue Gefahr für die Selbstverwirklichung des Individuums erkannt und in ihrer Widersprüchlichkeit dargestellt. Die Beziehungen zwischen Wilhelm und Werner in den „Lehrjahren“ machen das dialektische Herangehen Goethes an die Emanzipationsproblematik des modernen bürgerlichen Menschen deutlich: Die Widersprüche zwischen beiden Figuren ergeben sich nicht aus einer starren Entgegensetzung, sie sind vielmehr das Resultat einer dynamischen Wechselbeziehung, die auf den unterschiedlichen Existenzweisen und Lebenshaltungen, d. h. auf ihrer jeweiligen widersprüchlichen inneren Lebensproblematik beruht. Erst auf dieser Grundlage werden die vielfältigen Aspekte der Emanzipationsfrage anhand der zunehmenden Auseinanderentwicklung der Helden von verschiedenen Seiten her gefaßt, kann sich der äußere Gegensatz zwischen Wilhelm und Werner in aller Schärfe konstituieren. Die Korrektur und Konkretisierung des Ideals von der totalen Emanzipation des Individuums erfolgt daher auch von Werners Existenzproblematik her, wird doch gerade bei ihm das Unvermögen, sich als Individualität auszubilden, eingehend sozial und gesellschaftlich motiviert: Er ist als Produkt und Opfer der Verhältnisse geradezu Sinnbild jener Schillerschen Situationsbeschreibung des entfremdeten Menschen, die im 6. der Briefe „Über die ästhetische Erziehung des Menschen" (1795) vorgenommen wird. Werners physischer Niedergang (X, 522 f.) setzt in der Tat die Lage des sich einseitig auf das Geschäftliche konzentrierenden, eben nicht seine Anlagen ausbildenden und darum entfremdeten Subjekts ins Bild; er bildet sich, mit Schiller gesprochen, als Mensch „selbst nur als Bruchstück aus; ewig nur das eintönige Geräusch des Rades, das er umtreibt, im Ohre, entwickelt er nie die Harmonie seines Wesens, und anstatt die Menschheit in seiner Natur auszuprägen, wird er bloß zu einem Abdruck seines Geschäfts . . ."[6]

Goethe, der Schillers ästhetische Briefe genau kannte und sich nach der Lektüre von deren erster Hälfte dem Freund gegenüber zustimmend äußerte,[7] expliziert die Entfremdungsproblematik weniger theoretisch, er setzt sie mit einer Figur wie Werner vielmehr poetisch ins Bild. Bei diesem nämlich zeigt sich Entfremdung nicht nur an der Einstellung zur Gesellschaft und zu den Menschen als Einzelwesen, die ihm nur Vehikel zur Vermehrung seines Besitzes sind: Seine physische Degeneration (die ihn Goethe auch noch selbst kommentieren läßt – X, 523) ist der sichtbare Ausdruck für jenen später von Marx beschriebenen Vorgang der Selbstentfremdung des Menschen, der unter den Bedingungen der nationalökonomisch-kapitalistischen Arbeitsweise „keine freie physische und geistige Energie entwickelt, sondern seine Physis abkasteit und seinen Geist ruiniert"[8]. Ganz in diesem Sinne wird die äußerliche Gegenüberstellung Wilhelms und Werners zum Höhepunkt in der Begegnung der beiden Romanfiguren. Der direkte Vergleich ihres Äußeren (X, 522 f.) ist die poetische Versinnbildlichung der Tatsache, daß Werners Existenzweise zwangsläufig zur körperlichen und geistigen Verkrüppelung führt, während das auf menschliche Entfaltung gerichtete Bestreben Wilhelms wohltuende körperlich-physiognomische Auswirkungen hat.

Wenn Goethe sich jedoch einerseits mittels seiner epischen

Ironie von Werners Lebensweise und deren ins Auge fallenden Folgen distanziert, so faßt er diese andererseits als großer Realist auf dialektische Weise in ihren Widersprüchen und Bedingungen, die auch für Wilhelm von Belang sind. Zu diesem Zweck legt er – neben dem kontrastierenden – ein zweites, ebenfalls durchgängig vorhandenes Beziehungsfeld zwischen Wilhelm und Werner an, das ihr gegenseitiges Bedingtsein unterstreicht. Dieses Verfahren zeigt sich bereits deutlich im Gespräch über den Handel im 10. Kapitel des 1. Buches (X, 36–40). Schon Schiller hat darauf hingewiesen, daß Werners „Apologie des Handels" (X, 37 ff.) „herrlich und in einem großen Sinn" ist und es eine Leistung Goethes sei, „neben dieser die Neigung des Haupthelden noch mit einem gewissen Ruhm" zu behaupten.[9] Tatsächlich ist Werner in dieser Textstelle Wilhelm zunächst noch überlegen, seine realistischere Einschätzung der Welt und der Menschen dient dem Erzähler dazu, Wilhelms noch verschwommene und ziellose Schwärmerei zu ironisieren. Gegen Wilhelms illusionäre Vorstellungen setzt Werner unumstößliche ökonomische Fakten: Als Repräsentanten einer neuen, auf Welthandel, Marktlage und Akkumulation des Kapitals orientierten Form bürgerlich-kapitalistischen Wirtschaftens macht Goethe an dieser einen Stelle Werner zum Sprecher einer historischen Entwicklungstendenz, deren gesetzmäßiger Charakter für den Dichter nie in Frage stand. Aus der Erkenntnis, daß der Handel in der von ihm beschriebenen Ausprägung die neue, den gegebenen Verhältnissen adäquate Form des Erwerbs und der Eroberung der Welt ist, kann Werner hier noch ein Pathos beziehen, das seine Rechtfertigung in einer möglichen Verbindung zwischen der neuen Ökonomie und dem Glück der Menschen findet (X, 40). Seine Überlegenheit gegenüber Wilhelm ist freilich letzten Endes nur eine scheinbare, denn die von ihm am Schluß des Gesprächs über den Handel geäußerte Hoffnung, sein „Glück" nicht nur „in Zahlen allein" zu finden (X, 40), d. h. an der allgemeinen kapitalistischen Entwicklung auch als Persönlichkeit zu partizipieren, erweist sich als illusionäre Fehleinschätzung der eigenen Lage. Er kann die von ihm selbst geweckten Erwartungen dann in keiner Weise erfüllen, weil sich die von ihm mit produzierten Bedingungen zwangsläufig gegen ihn selbst wenden.

Ungeachtet dessen wird in den „Lehrjahren" dem Leser die historische Dimension seines Wirkens vor Augen geführt, denn seine Tätigkeit, vor allem seine finanziellen Transaktionen als Verwalter von Wilhelms väterlichem Erbe, bleibt im ganzen Roman eine entscheidende Voraussetzung für Wilhelms Entwicklung: Sie schafft nicht nur für ihn selbst die materiellen Bedingungen, sondern ist ökonomisch auch für die Realisierung der Pläne der Turmgesellschaft bedeutsam.[10] Andererseits bringen auch Wilhelms Aktivitäten dem Schwager Gewinn, und so ist es gewiß nicht ohne Ironie, daß in einem Brief von Werner an Wilhelm dem letzteren seine „Ausschweifungen" verziehen werden, „da doch ohne sie unser Verhältnis in dieser Gegend nicht hätte so gut werden können" (X, 598).

Goethe macht das Aufeinanderbezogensein beider Figuren auch in einer Textpartie sichtbar, die im Fragment noch fehlt und die in den „Lehrjahren" die schon erwähnte „Apologie des Handels" einleitet. Werner berichtet dort, wie er bereits in seiner Kindheit aus Wilhelms „theatralischen Feldzügen" Gewinn gezogen habe, und leitet daraus sein Credo ab: „Ich finde nichts vernünftiger auf der Welt, als von den Torheiten anderer Vorteil zu ziehen." Als Wilhelm darauf mit der Bemerkung, daß es „ein edleres Vergnügen wäre, die Menschen von ihren Torheiten zu heilen", seine philanthropische Gesinnung offenbart, hält ihm der Freund entgegen: „Wie ich sie kenne, möchte das wohl ein eitles Bestreben sein. Es gehört schon etwas dazu, wenn ein einziger Mensch klug und reich werden soll, und meistens wird er es auf Unkosten der andern" (X, 36 f.). Dies ist nicht nur eine Selbstrechtfertigung: Unbewußt antizipiert Werner bereits hier, was erst zu Beginn des 8. Buches offenkundig wird, nämlich die Tatsache, daß Wilhelms individualistisches Streben nach totaler Entfaltung seiner Subjektivität objektiv die Verkümmerung der Persönlichkeit anderer zur Voraussetzung hat. Daneben klingt in Werners Bemerkung noch eine andere wichtige nachrevolutionäre Erfahrung Goethes an: die soziale Kehrseite bürgerlichen Erwerbsstrebens, ein Motiv, das später der 5. Akt des „Faust II" wieder aufnehmen wird (VIII, 515 f.).

Überblickt man die ganze Dynamik der Beziehungen zwischen Wilhelm und Werner in den „Lehrjahren", wird klar, daß die Kritik an Werners Philistertum für Goethe kein Selbstzweck ist. Er will vielmehr auf die Gefahren aufmerksam machen, die dahinter stehen, auf die Verkümmerung der Persönlichkeit, den Verlust an menschlicher Integrität. Goethes Antwort auf diese Problematik ist daher auch nicht die totale Ablehnung einer Welt, die sich in Figuren wie Werner spiegelt, so wie man das etwa zur gleichen Zeit bei den Romantikern findet. Er sucht statt dessen nach einem Weg, auf dem das Individuum unter Anerkennung und Berücksichtigung der gegebenen Verhältnisse die Totalität seines Wesens bewahren kann. Aus diesem Grunde stellt er Werner, der sich aus den objektiven Zwängen seiner entfremdeten Existenz nicht lösen kann, einen Wilhelm als Alternative gegenüber. Dieser nämlich vermag nach vielen Irrungen und Wirrungen auf die veränderten geschichtlichen Bedingungen, denen sich der moderne bürgerliche Mensch zu stellen hat, aktiv und bewußt zu reagieren, indem er am Schluß des Romans seinen nur auf die eigene Person bezogenen Bestrebungen entsagt und sich als Gattungswesen begreift. Voraussetzung dafür ist die aus Wilhelms kompliziertem Entwicklungsprozeß resultierende Einsicht, daß wirklich soziales Verhalten über seinen bisherigen spontanen Altruismus hinausgehen und auf der bewußten Anerkennung sozialer und gesellschaftlicher Bindungen beruhen muß. Das Vermögen, sich dergestalt mit den objektiven Entwicklungsgesetzen der Gattung in Übereinstimmung zu bringen und sich auf diese Weise auch einer Deformierung der Persönlichkeit zu entziehen, gewinnt der Goethesche Held durch den subjektiven Akt der „Entsagung". Mit diesem Begriff kommt in den „Lehrjahren" eine Konzeption Goethes von der Rolle des Individuums in der Welt episch zum Tragen, die von außerordentlicher Relevanz in autobiographischer, künstlerischer und philosophischer Hinsicht ist und die von nun an bis ins späte Werk Goethes eine zentrale Stellung beibehält. Unter „Entsagung" ist zunächst eine von Goethe im ersten Weimarer Jahrzehnt entwickelte Lebenshaltung zu verstehen, mit deren Hilfe er die ihn bedrängenden existentiellen Probleme auf ganz individuelle Weise zu bewältigen suchte. Zu ihrem Zustandekommen trug – neben der ihn fast zur Resignation zwingenden gesellschaftlichen Misere – gewiß auch die komplizierte, von Verzicht gekennzeichnete Beziehung zu Charlotte von Stein bei.[11] Früheste briefliche Äußerungen zu dieser entsagenden Lebenshaltung stammen bereits aus dem Jahr 1782. So schreibt Goethe am 26. Juli an Plessing, „daß ich mitten im Glück in einem anhaltenden Entsagen lebe, und täglich bey aller Mühe und Arbeit sehe daß nicht mein Wille, sondern der Wille einer höhern Macht geschieht, deren Gedancken nicht meine Gedancken sind".[12] Und am 21. November heißt es in einem Brief an Knebel unter deutlicher Bezugnahme auf die Zustände in der Weimarer Residenz: „Der Wahn, die schönen Körner die in meinem und meiner Freunde daseyn reifen, müssten auf diesen Boden gesät, und iene himmlische Juwelen könnten in die irdischen Kronen dieser Fürsten gefaßt werden, hat mich ganz verlassen und ich finde mein iugendliches Glück wiederhergestellt."[13] Eine weltanschauliche Motivierung der Goetheschen Haltung ist noch nicht das bestimmende Charakteristikum dieser Briefstellen, wenngleich in der Auffassung, die menschliche Existenz sei durch eine „höhere Macht" determiniert, der Einfluß spinozistischen Gedankenguts unverkennbar sein dürfte.[14] Wichtiger scheint 1782 jedoch noch der vorwiegend subjektive und pragmatische Charakter dieser Form von Entsagung: Sie entsteht im wesentlichen auf empirischer Grundlage und dient dazu, die eigene Lebenspraxis zu bewältigen oder diese Bewältigung allenfalls noch dem seelisch zerrütteten Plessing gegenüber als Beispiel hinzustellen. Eine wirklich weltanschauliche Dimension erhalten die mit der entsagenden Lebenshaltung verbundenen Auffassungen der frühen achtziger Jahre erst durch die Italienreise und die naturwissenschaftlichen Studien der folgenden Jahre. Jetzt erst gewinnt Goethe jenes Maß an Gewißheit, an theoretischer Fundierung, das es ihm ermöglicht, seine Ansichten über die Stellung des Menschen in der Welt unter dem Begriff „Entsagung" auch poetisch zu verallgemeinern. Diese dichterische Erprobung der Entsagung erfolgt etwa seit der Mitte der neunziger Jahre unter Berücksichtigung der neuen, durch die Französische Revolution und die beginnende Kapitalisierung Deutschlands geschaffenen Bedingungen: In den „Lehrjahren“ bereits von großer Bedeutung, wird sie im späten Roman „Wilhelm Meisters Wanderjahre oder Die Entsagenden“ (1829) schließlich thematisch bestimmend. Was Goethe unter „Entsagung“ verstanden wissen will, geht nur aus gelegentlichen Äußerungen hervor. So lautet z. B. eine erst im Nachlaß aufgefundene Reflexion von 1795, also aus der Zeit der Arbeit an den „Lehrjahren“: „Jeder Mensch fühlt sich privilegiert. [–] Diesem Gefühl widerspricht [–] 1. die Naturnotwendigkeit, [–] 2. die Gesellschaft. [–] ad 1. Der Mensch kann ihr nicht entgehen, nicht ausweichen, nichts abgewinnen. Nur kann er durch Diät sich fügen und ihr nicht vorgreifen. [–] ad 2. Der Mensch kann ihr nicht entgehen, nicht ausweichen; aber er kann ihr abgewinnen, daß sie ihn ihre Vorteile mitgenießen läßt, wenn er seinem Privilegiengefühl entsagt“ (XVIII, 618 f.). Fast 20 Jahre später stellte Goethe das Problem im 16. Buch von „Dichtung und Wahrheit“ auf ähnliche Weise, jedoch ausführlicher und unter ausdrücklicher Bezugnahme auf Spinoza dar (XIII, 720 f.). Das zeigt, mit welcher Konsequenz Goethe an seiner Entsagungsidee festhielt, die seit den 90er Jahren geprägt war von der Anerkennung des gesetzlichen Laufes der Welt und des gesellschaftlichen Charakters des Menschen. Goethe erkannte klar, daß der einzelne sich nur insofern als Persönlichkeit entfalten kann, als dies in naturgesetzlichen, gesellschaftlichen und historischen Grenzen möglich ist. Seine philosophische Dimension erhält bei Goethe der Gedanke der Entsagung durch die Verbindung mit dem Freiheitsbegriff. Erst die bewußte Anerkennung seiner wirklichen Lage, d. h. seiner Möglichkeiten und Grenzen, seiner Beschränktheit in Zeit und Raum, seines Gebundenseins an die Gattung Mensch, befähigt das Individuum, tatsächlich frei zu handeln: „Es darf sich einer nur für frei erklären, so fühlt er sich den Augenblick als bedingt. Wagt er es, sich für bedingt zu erklären, so fühlt er sich frei.“ (XVIII, 479)

Entsagung ist somit eine Antwort Goethes auf die Frage, wie sich der Mensch in einer von Gesetzen bewegten, ihn einschränkenden Welt als Individuum bewahren kann: indem er sich aus freiem Entschluß diesen Gesetzen stellt, indem er in einem Akt der „Versittlichung des Notwendigen“[15] diese Einsicht zum moralischen und ethischen Maßstab seines Handelns macht. Nur auf diese Weise vermag er nach Goethes Meinung der Gefahr einer Zersplitterung seiner Kräfte, des Verlustes an humaner Substanz zu entgehen, der Gefahr, als Persönlichkeit wie Werner deformiert zu werden. Anneliese Klingenberg hat auf das aktivierende Moment eines solchen Entschlusses hingewiesen, der den Menschen aus seiner Unmündigkeit erhebt und sein Ausgeliefertsein an die Verhältnisse beendet.[16]

Bereits in den „Lehrjahren“ werden verschiedene, vom Autor unterschiedlich bewertete Varianten des Weges zu einer entsagenden Lebenshaltung vorgeführt. So ist Wilhelms Entwicklung erst dann – wenn auch nur vorläufig, worauf hingewiesen wird (X, 522) – beendet, als er erkennt, daß er seinen zu sehr ins Weite gerichteten Bestrebungen entsagen muß. Am Ende der Romanhandlung finden wir ihn zu „jeder Art von Entsagung“ bereit (X, 589). Sein Verzicht auf das Theater und die Anerkennung seiner sozialen Rolle und erzieherischen Verantwortung als Vater sind somit für den bürgerlichen Leser ebenso paradigmatisch wie Lotharios Einsichten für den adligen: *„Hier oder nirgend ist Amerika!“* und *„Hier oder nirgend ist Herrnhut!“* (X, 452 f.) muß der von seinem Amerikaabenteuer zurückgekehrte Lothario erkennen. Aus dieser Einsicht heraus will er seinen feudalen Privilegien entsagen, um einer „Aufhebung des Feudalsystems“ – wie es in einem Schema zum 8. Buch ausdrücklich heißt (X, 645) – den Boden zu bereiten, freilich nicht ohne präventive Motivation, denn diese Reformversuche verfolgen auch das Ziel, seinen Besitz „in den neuern Zeiten, wo so viele Begriffe schwankend werden“ (X, 532), gegen einen möglichen Verlust abzusichern.

Eine weitere Variante der Entsagung führen die „Bekenntnisse einer schönen Seele“ vor. Diese nämlich findet zu dem „Glücke, sich“ ihres „eignen Selbsts ... bewußt zu sein“ (X,

405), indem sie der Welt entsagt, „mit Freiheit" ihren Gesinnungen folgt und „sowenig von Einschränkung als von Reue" weiß (X, 440), wenn auch nicht ohne den Verlust einer aktiven, schöpferischen Weltbeziehung, den ihr quietistischer Rückzug zwangsläufig zur Folge hat. Daß Goethe eine solche Haltung mit deutlicher Distanz sieht, zeigen nicht nur die kritischen Bemerkungen Natalies über ihre Tante (X, 542 f.), sondern wird auch daran erkennbar, daß Lothario auf dem Höhepunkt der Romanhandlung am Ende des 8. Buches das „Prädikat" der „schönen Seele" unter Hinweis auf deren aktiven Weltbezug in ausdrücklicher Abgrenzung von der Tante auf Natalie ableitet. Diesen Vorgang – der auf eine Anregung Schillers zurückgeht[17] – hielt Goethe immerhin für so wesentlich, daß er ihn im schon erwähnten Schema zum 8. Buch (X, 645) eigens als Hauptpunkt vermerkte.

Die hier angeführten Beispiele veranschaulichen die Bedeutung des Entsagungsmotivs in den „Lehrjahren" und machen zugleich deutlich, daß es eine der bedeutendsten „Verzahnungen" zwischen den „Lehr-" und den „Wanderjahren" ist, auf die Goethe in seinem Brief an Schiller vom 12. Juli 1796 hinweist.[18] Am Schluß der „Lehrjahre" hat die von Goethe in den 90er Jahren entwickelte Konzeption von der Persönlichkeit in Gestalten wie Wilhelm, Natalie und Lothario bereits klare Konturen gewonnen. In den „Wanderjahren" wird sie unter wiederum veränderten geschichtlichen Bedingungen einer erneuten Probe unterzogen. Dabei steht die Dialektik zwischen Individuum und Gesellschaft unter einem noch stärkeren gesellschaftlichen Aspekt als je zuvor. Goethe sieht das Ziel des Individuums nicht mehr von vornherein in einer totalen Entfaltung seiner Subjektivität in der Art des „Werther"-Romans oder der „Theatralischen Sendung". Die Fragestellung lautet jetzt vielmehr, wie sich der einzelne Mensch – denn um diesen geht es Goethe immer noch – zum nützlichen Glied einer Gemeinschaft entwickeln kann, wie er es versteht, sein Individuelles in die gesellschaftliche Entwicklung einzubringen, ohne dabei seine Persönlichkeit aufzugeben: „. . . was leistest du denn eigentlich an deiner Stelle und wozu bist du berufen?" heißt

es dementsprechend einmal im Aufsatz „Vorschlag zur Güte"[19].
Dieses Ziel ist für den späten Goethe nur durch die Anerkennung eines an die spezifischen Qualitäten des einzelnen gebundenen Platzes in der Gemeinschaft zu erreichen: „Dilettantismus"[20] wird in diesem Zusammenhang zum Reizwort, „Spezialisierung" zum entscheidenden Stichwort. Im ersten Gespräch zwischen Wilhelm und Montan-Jarno – einer Schlüsselstelle des Romans – antwortet Jarno auf Wilhelms Bemerkung, man habe bisher „eine vielseitige Bildung für vorteilhaft und notwendig gehalten", es sei „jetzo die Zeit der Einseitigkeiten. ... Mach ein Organ aus dir, und erwarte, was für eine Stelle dir die Menschheit im allgemeinen Leben wohlmeinend zugestehen werde. ... Sich auf *ein* Handwerk zu beschränken, ist das beste. Für den geringsten Kopf wird es immer ein Handwerk, für den besseren eine Kunst sein, und der beste, wenn er *eins* tut, tut er alles, oder, um weniger paradox zu sein, in dem *einen*, was er recht tut, sieht er das Gleichnis von allem, was recht getan wird." (XI, 38 f.)

Mit der Forderung, der einzelne müsse sich zum „Organ" im Dienste der Menschheit machen, wird das Individuum prinzipiell unter einem gesellschaftlichen Aspekt gesehen. Der Spezialisierungsgedanke stellt dabei die historische Konkretisierung dieser Forderung dar, denn Goethe trägt damit der Tatsache Rechnung, daß infolge der gesellschaftlichen Entwicklung seit den neunziger Jahren (besonders der zunehmenden Kapitalisierung und Vergesellschaftlichung der Produktions- und Lebensweise der Menschen)[21] der Spielraum für das Individuum wieder kleiner geworden ist: „Vielleicht ist das, was wir bey der politischen Veränderung am meisten zu bedauern haben, hauptsächlich dieses, daß Deutschland, und besonders das nördliche, in seiner alten Verfassung den Einzelnen zuließ, sich soweit auszubilden als möglich, und Jedem erlaubte, nach seiner Art beliebig das Rechte zu thun."[22]

Auch Wilhelm macht sich zum „Organ": Seine Entwicklung ist erst dann wirklich beendet, als er seinen Platz als Wundarzt in der Gemeinschaft der Entsagenden findet, nachdem ihm seine Wanderschaft geholfen hat, allen ihn von diesem Ziel entfernenden Bestrebungen zu entsagen. Auch seine Liebe zu Natalie ist zeitweise von diesem Verzicht gekennzeichnet; erst am Schluß des Romans wird eine mögliche Vereinigung der Liebenden in Aussicht gestellt. Alle Mitglieder des Bundes finden, indem sie einen auf ihre individuellen Fähigkeiten zugeschnittenen Beruf ausüben, sowohl zu sich selbst als auch zur Gemeinschaft, in der allerdings für einen Werner, gäbe es ihn in den „Wanderjahren", kein Platz wäre.

Goethes Auffassungen von der Notwendigkeit einer Spezialisierung und der tätigen Einordnung des einzelnen in eine Gemeinschaft Gleichgesinnter werfen freilich die Frage auf, ob seine Persönlichkeitskonzeption nunmehr – gemessen an den Positionen der 70er und 80er Jahre – nicht eigentlich den Verlust des Individuellen, den Verzicht auf die Entfaltung der Totalität des menschlichen Wesens zur Folge hat. Mit der Frage, welche Auswirkungen die Spezialisierung auf den Menschen hat, beschäftigt sich bereits Schiller in seinen ästhetischen Briefen. Dabei räumt er zwar ein, daß die „Einseitigkeit in Übung der Kräfte" das Leistungsvermögen der Gattung potenziere, gibt jedoch zu bedenken, daß „die Individuen, welche sie trifft, unter dem Fluch dieses Weltzweckes leiden", da er sie zu „Knechten der Menschheit" mache. Schiller fragt kritisch: „Kann aber wohl der Mensch dazu bestimmt sein, über irgendeinem Zwecke sich selbst zu versäumen?" und schlußfolgert endlich: „Es muß also falsch sein, daß die Ausbildung der einzelnen Kräfte das Opfer ihrer Totalität notwendig macht."[23] Schiller führt das Zerreißen des „inneren Bundes der menschlichen Natur" durchaus dialektisch auf gesellschaftliche Zusammenhänge zurück,[24] sein Ziel jedoch, diese verlorengegangene „Totalität in unserer Natur"[25] wiederherzustellen, glaubt er nur über die ästhetische Erziehung des Menschen durch die Kunst erreichen zu können. Die mit dieser Ansicht zwangsläufig einhergehende wiederum undialektische Trennung der Kunst von der konkreten Wirklichkeit des Menschen führt dazu, daß Schiller die für das Bürgertum seiner Zeit entscheidende Frage nach der Bewältigung einer immer komplizierter werdenden Lebenspraxis in eine ferne Zukunft verschiebt. Bei Goethe hingegen, dessen Figuren von den „Lehr-“ bis zu den „Wanderjahren“ auch den Durchgang durch das Ästhetische nehmen, ist die Bewältigung der tatsächlichen Lebenspraxis des Bürgers seit den neunziger Jahren das wichtigste Kriterium für die Gültigkeit ästhetischer Maximen: Entscheidend ist, wie Kunst und Kultur das menschliche Schöpfertum anregen, wie sie zur Selbstverständigung des Menschen beitragen, ihm helfen, die Probleme zu lösen, die ihm vom Leben gestellt werden. Nicht in der Isolierung des Geistig-Ästhetischen vom Praktischen, sondern in deren Wechselbeziehung und gemeinsamen Ausrichtung auf die konkrete Lebenswirklichkeit des Menschen findet Goethe auf materialistische Weise einen Weg für das Bürgertum seiner Zeit: „Denken und Tun, Tun und Denken, das ist die Summe aller Weisheit ... Wer sich zum Gesetz macht, ... das Tun am Denken, das Denken am Tun zu prüfen, der kann nicht irren, und irrt er, so wird er sich bald auf den rechten Weg zurückfinden“ (XI, 277), läßt Goethe seinen Jarno-Montan in den „Wanderjahren“ sagen.

Von den „Lehrjahren“ bis zu den „Wanderjahren“ kann man beobachten, wie sich für Goethe das Schwergewicht immer stärker auf die Praxis, auf die schöpferische Tätigkeit des Menschen verlagert. Von der persönlichkeitsprägenden Kraft dieses Tuns ist er tief überzeugt. Indem der Mensch sich durch *gemeinschaftliche Tätigkeit* die Welt aneignet, freilich unter Anerkennung der ihm notwendig gesetzten Grenzen, gewinnt er die Freiheit über sich und seine Verhältnisse. Was Goethe somit in den „Wanderjahren“ beschreibt, findet später bei Marx in einem ganz anderen Kontext eine Entsprechung in der Erkenntnis, daß „die freie bewußte Tätigkeit der Gattungscharakter des Menschen“[26] ist, d. h., daß sich erst in der befreiten Arbeit das tatsächliche Wesen des Menschen voll entfalten kann und sich damit die Vermittlung des Gegensatzes zwischen Freiheit und Notwendigkeit erst über die praktische Tätigkeit des Menschen ergibt. Goethe hat diesen Vorgang, der zu einer Haltung der Gelassenheit und inneren Souveränität führt, im Aufsatz „Meteore des literarischen Himmels“ folgendermaßen beschrieben: „Mit den Jahren aber wächs't die Lust am Ergrübeln, Entdekken, Erfinden, und durch solche Tätigkeit wird nach und nach

Werth und Würde des Subjects gesteigert. Wer sodann in der Folge, bei'm Anlaß einer äußern Erscheinung, sich in seinem innern Selbst gewahr wird, der fühlt ein Behagen, ein eigenes Vertrauen, eine Lust die zugleich eine befriedigende Beruhigung gibt. ... Der Mensch erlangt die Gewißheit seines eigenen Wesens dadurch, daß er das Wesen außer ihm als seines Gleichen, als gesetzlich anerkennt."[27] In den „Betrachtungen im Sinne der Wanderer" heißt es entsprechend: „Wie kann man sich selbst kennenlernen? Durch Betrachten niemals, wohl aber durch Handeln. Versuche, deine Pflicht zu tun, und du weißt gleich, was an dir ist." Und gleich die nächste Maxime macht auf den inneren Zusammenhang zwischen tätigem Handeln und Pflicht aufmerksam: „Was aber ist deine Pflicht? Die Forderung des Tages" (XI, 298). Ganz in diesem Sinne ist auch Jarnos eindringliche Mahnung zu verstehen, Wilhelm möge, nachdem er den Entschluß gefaßt hat, Wundarzt zu werden, doch nun an dieser Perspektive und einer „entschlossenen Tätigkeit" (XI, 295) festhalten.

Von einer Preisgabe der Individualität des Menschen kann bei diesem Pflicht- und Tätigkeitsethos Goethes nicht die Rede sein: Sein Individuum unterwirft sich zwar mit der Entscheidung für eine zielgerichtete, spezialisierte Tätigkeit von außen gegebenen, objektiven Zwängen, aber dies ist seine freie Entscheidung, und in der Ausübung seiner Tätigkeit realisiert es sich sowohl als Gattungswesen wie als einzelner. So geht Wilhelms Berufswahl keineswegs nur darauf zurück, daß er die gesellschaftliche Notwendigkeit des Wundarztberufs einsieht, sondern auch auf eine innere Veranlagung, wie dem Leser in einem psychologisch subtil fundierten brieflichen Exkurs Wilhelms an Natalie mitgeteilt wird (XI, 282 ff.). Gerade dieser Umstand zeigt, daß auch noch der Persönlichkeitsbegriff des späten Goethe in seiner dialektischen Spannweite nicht nur etwas durch soziale Herkunft, Bildung und gesellschaftliche Umwelt Gewordenes, sondern auch – als Anlage, Begabung, Talent, sozusagen Disposition – ein in der Natur des Menschen liegendes Mitgebrachtes und damit höchst Individuelles einschließt. Einer der obersten Erziehungsgrundsätze in der „Pädagogischen Provinz“ ist daher, diese individuellen Besonderheiten der Zöglinge schnell herauszufinden und sie auf dieser Grundlage einer spezialisierten Bildung zuzuführen (XI, 155).

In diesem Zusammenhang ist auch die Frage zu sehen, inwieweit eine Spezialisierung im Sinne Goethes der von Schiller beschworenen „Totalität der menschlichen Natur“ widerspricht. Jarnos Bemerkung in den „Wanderjahren“ „... und der beste, wenn er *eins* tut, tut er alles, oder um weniger paradox zu sein, in dem *einen*, was er recht tut, sieht er das Gleichnis von allem, was recht getan wird“ (XI, 39) ist der Schlüssel für ihre Beantwortung: Jeder der Entsagenden nimmt, indem er auf seine Weise mit Bewußtsein das Rechte tut, am Ganzen teil, in seiner Tätigkeit spiegelt sich die Welt, die Totalität menschlichen Seins.[28] Daß dies bereits für den Wilhelm Meister der „Lehrjahre“ im Ansatz zutrifft, bemerkt Schiller sehr treffend, indem er als Hauptergebnis der Entwicklung des Helden hervorhebt, „daß er sich begrenzen lernt, aber in dieser Begrenzung selbst ... wieder den Durchgang zum Unendlichen findet“[29]. Dieses Schillersche Urteil impliziert schon etwas, was für das Menschenbild der „Wanderjahre“ dann wesentlich ist: den stark vermittelnden Charakter des Ideals vom „entsagenden“ Individuum, mit dem die Entwicklung der Goetheschen Persönlichkeitskonzeption abgeschlossen wird. Individuum und Gemeinschaft, Kunst und Leben, Denken und Tun – dies sind einige der Gegensätze, die durch „Entsagung“ miteinander in Einklang gebracht werden können. In dieser Vermittlung liegt zweifellos auch die praktische und philosophische Tragweite des Entsagungsgedankens, sofern er nicht als asketischer Weltverzicht oder die Versöhnung von Unvereinbarem mißverstanden wird, sondern als Aufforderung an den einzelnen, die Selbstverwirklichung der Persönlichkeit in der Übereinstimmung mit der Entwicklung der Gattung zu finden.

In dem künstlerischen Prozeß, der Goethe über viele Jahrzehnte hinweg zu diesem Ideal des „entsagenden“ Individuums führte, spielte die künstlerische Auseinandersetzung mit Figuren wie Wilhelm und Werner in der „Sendung“ und den „Lehrjahren“ eine bedeutende Rolle. Indem der Dichter die innere

Widersprüchlichkeit bürgerlicher Existenz an *beiden* Romangestalten reich entfaltete, vermochte er ein differenziertes und realistisches Bild des Bürgertums seiner Zeit zu geben. Dies findet seinen Ausdruck darin, daß Goethe hinter dem Spießer Werner auch den Angehörigen einer Klasse zu sehen vermochte, die große historische Leistungen vollbracht hatte und noch vollbrachte, daß er andererseits an Wilhelm die Möglichkeiten *und* Grenzen bürgerlicher Kultur und Bildung demonstrierte. Gerade Gestalten wie Wilhelm und Werner zeigen, daß Goethe die Widersprüche und Konflikte, die sich aus dem bürgerlichen Emanzipationsanspruch ergaben, einerseits mit scharfem, kritischem Blick sah, daß er andererseits die bürgerlich-kapitalistische Entwicklung ungeachtet dessen als historische Notwendigkeit betrachtete. Erst dieses Vorgehen ermöglichte die Tiefe und den dialektischen Reichtum der Goetheschen Bestimmung des bürgerlichen Menschen. In ihr wird schließlich hinter dem „entsagenden" Helden ein sozialer Entwurf erkennbar, der bedeutende Entwicklungsfragen der Epoche faßte und gleichzeitig über die begrenzte historische Realität im Deutschland der Goethezeit hinauswies.

Gisela Horn

Goethes autobiographische Schriften „Kampagne in Frankreich“ und „Belagerung von Mainz“

Historische Tatsachen und ästhetische Struktur

Die Stellung des Dichters zu den historischen Ereignissen seiner Zeit ist vielfach diskutiert worden. Die autobiographischen Schriften „Kampagne in Frankreich“ und „Belagerung von Mainz“ haben bemerkenswerterweise in diesem Zusammenhang bisher wenig Beachtung erfahren.[1] Sie werden in der Literatur zu Goethes Leben und Werk zumeist nur nebenbei erwähnt, oder aber ihre Kenntnisnahme reduziert sich beinahe ausschließlich auf den berühmten Ausspruch Goethes anläßlich der Schlacht von Valmy. Im wesentlichen hängt dies mit dem Charakter der autobiographischen Schriften selbst zusammen. Der Leser erwartet auf Grund der Titel von Goethes Lebensberichten die Darstellung historischer Vorgänge, die für die politische Entwicklung in Europa folgenreich waren. Doch das Angebot des Autors ist anderer Art: Hier erzählt einer, der den militärischen Vorgängen nur mäßiges Interesse entgegenbringt, der sich lieber über Natur und Kunst ausläßt als über Feldzüge und Blockaden, so daß der Leser der „Kampagne in Frankreich“ und der „Belagerung von Mainz“ auf den ersten Blick mehr Auskünfte über den Dichter, den Kunsttheoretiker und den Naturwissenschaftler Goethe erhält als über den Teilnehmer eines feudalen Feldzuges.

Allein mit dieser Lesart verkennt man den tatsächlichen politischen und weltanschaulichen Gehalt dieser autobiographischen Schriften Goethes. Er schließt sich auf, sobald man ihren Erzählcharakter einer näheren Betrachtung unterzieht. Der Stoff der Autobiographie ist durch den Gang des Lebens vorgegeben, und der Dichter ist in vieler Hinsicht an das Faktum gebunden. Seine Autorintention und seine rückschauende Beurteilung vergangener Lebensabschnitte, sein historisches Verständnis individueller und allgemeingesellschaftlicher Vorgänge bestimmen jedoch in hohem Grade die Auswahl, Anordnung und Darbietungsform der Lebenstatsachen. Darum ist nicht allein das, *was* erzählt wird, von Interesse; es gilt vielmehr auch zu untersuchen, *wie* hier erzählt wird.

Goethe hat seine Erlebnisse während des Frankreichfeldzuges und der Belagerung von Mainz erst dreißig Jahre später aufgeschrieben; diese beiden Zeitebenen, der Erlebnishorizont von 1792/93 und der Erfahrungsstand von 1820/22 waren für den Autor in ein Darstellungsverhältnis zu bringen. Über die Schwierigkeiten dieses Unterfangens schreibt Goethe am 10. Juni 1822 an Karl Friedrich von Reinhard: „Es ward mir manchmal wirklich schwindlich, indem ich das Einzelne jener Tage und Stunden in der Einbildungskraft wieder hervorrief und dabey die Gespenster, die sich dreyßig Jahre her dazwischen bewegt, nicht wegbannen konnte; sie liefen ein- und das anderemal wie ein böser Einschlag über jenen garstigen Zettel.“[2] Der Standpunkt des Autors, der 1820 zur Feder greift, um seine Erlebnisse aus den Jahren 1792/93 poetisch zu gestalten, ist nicht identisch mit dem Ich-Erzähler, der sich im wesentlichen in fiktiven Tagebuchaufzeichnungen äußert und scheinbar das Geschichtsbewußtsein und den Erfahrungsstand Goethes von 1792/93 repräsentiert. Will man die Welt- und Lebensansicht des Autors der „Kampagne in Frankreich“ und der „Belagerung von Mainz“ analysieren, so ist zunächst dieses Beziehungsfeld zu untersuchen.

Die „Kampagne in Frankreich“ sollte ursprünglich durch eine historisch-politische Betrachtung eingeleitet werden. Der Entwurf der später verworfenen Einleitung enthält eine Skizze der historischen Situation vom Friedensschluß zu Hubertusburg bis zu Beginn der Interventionskriege und eine kurze und wenig schmeichelhafte Charakteristik des französischen Revolutionsheeres von 1792. Dieser Entwurf ist jedoch von Goethe nicht ausgeführt worden, oder er ist nur unvollständig erhalten.[3] Der in einer Handschrift überlieferte erste Satz der „Kampagne in Frankreich", der später wieder gestrichen wurde, stellt die Beziehung zwischen diesem fragmentarischen Entwurf der Einleitung und den folgenden Aufzeichnungen her: „Soll ich nun, nach soviel topographischen und Localbetrachtungen ins Reiseleben wirklich eintreten, so erzähle ich daß ich gleich nach meiner Ankunft in Maynz Herrn von Stein den älteren aufsuchte, er war Königl. Preußischer Cammerherr und Oberforstmeister, der. . ."[4] Die endgültige Fassung des ersten Satzes der „Kampagne in Frankreich" führt den Leser dagegen unmittelbar in medias res: „Gleich nach meiner Ankunft in Mainz besuchte ich Herrn von Stein den Älteren, Königlich Preußischen Kammerherrn und Oberforstmeister, der eine Art Residentenstelle daselbst versah und sich im Haß gegen alles Revolutionäre gewaltsam auszeichnete."[5] Beide Erzähleingänge weisen auf ein zentrales Problem der autobiographischen Berichte über den Interventionskrieg hin: Goethe war dem Ruf des Herzogs, an dem Feldzug gegen das französische Revolutionsheer teilzunehmen, nur widerwillig gefolgt; die historische Entwicklung in Europa seit den Tagen von Valmy und Mainz hatte ihn in der Ablehnung dieses militärischen Unternehmens noch bestärkt – jetzt, 1820, als er sich vornimmt, eine auffällige Lücke in seiner mehrteiligen Lebensgeschichte zu schließen, kann er nicht umhin, sein distanziertes Verhältnis zu diesem Faktum seines Lebens auszudrücken. Er entscheidet sich dafür, jede direkte Parteinahme – und die wäre durch eine historisch-politische Einleitung geradezu herausgefordert worden – zu vermeiden und das Geschehen durch sich selbst sprechen zu lassen.

Der Text der „Kampagne in Frankreich" ist voller Beispiele für das Distanzierungsverfahren des Autors. Schon unter dem Datum des 23. August, des ersten Berichtstages, vermerkt der Ich-Erzähler zwei höchst unterschiedliche Begegnungen. Die erste führt ihn im Hause Stein in die Gesellschaft französischer Adliger und politischer Emigranten, die den Wunsch haben, möglichst rasch auf ihre Besitzungen zurückkehren und von den Assignaten noch üppiger leben zu können. Den folgenden

Abend verbringt er mit Sömmerrings, Huber und den Forsters im heitersten Einvernehmen. Es gründet sich darauf, daß man einander politisch wechselseitig schont: Die Freunde verleugnen ihre republikanischen Gesinnungen nicht, halten sich in ihren Äußerungen aber bewußt, daß Goethe als Feldzugsteilnehmer durch politisch engagierte Stellungnahmen in Verlegenheit gebracht würde. Durch diese beiden Episoden werden die sich gegenüberstehenden historischen Parteien episch in Szene gesetzt. In jedem der Berichte erfahren wir etwas über die Geisteshaltung der Kontrahenten, über deren Verhältnis zur Revolution und zu den Revolutionskriegen, kaum etwas jedoch über die Stellung des Erzählers zu diesen Ereignissen. Lediglich seine Situation wird erklärt: „. . . so eilte ich offenbar, mit einer Armee zu ziehen, die eben diesen Gesinnungen und ihrer Wirkung ein entschiedenes Ende machen sollte."[6] Durch diese beiden einführenden Szenen wird der Spannungsbogen, der sich aus den politischen Gegensätzen der konkreten historischen Situation ergibt, aufgenommen. Der Ich-Erzähler verhält sich zu beiden Polen scheinbar gleichermaßen distanziert. Er tritt als Beobachter, kaum als Beteiligter auf, kommentiert die Situationen, ohne sich selbst als handelndes Subjekt zu zeigen.

Was sich hier, in der Erzählhaltung des Ich-Erzählers der ersten Tagebucheintragungen, andeutet, wird von Goethe beinahe durchgängig für die gesamte Feldzugsbeschreibung beibehalten. Der Autor hat die Rollen verteilt: Der Ich-Erzähler ist Zuschauer. Nicht zufällig hat Goethe zahlreiche Metaphern dem Theaterleben entnommen. Da werden Feldzug und Belagerung als „Kriegstheater"[7] klassifiziert, die Vertreter des diplomatischen Korps erscheinen als Schauspieldirektoren, „welche die Stücke wählen, Rollen austeilen und in unscheinbarer Gestalt einhergehen, indessen die Truppe, so gut sie kann, aufs beste herausgestutzt, das Resultat ihrer Bemühungen dem Glück und der Laune des Publikums überlassen muß"[8]. Die Schlachtfelder muten wie ungeheure Amphitheater an, die Kämpfe sind amphitheatralisch.[9] Das Erzählen wird durch die Distanz bestimmt, die sich zwischen Publikum und Bühnengeschehen auftut, hier zwischen Goethe und den militärischen Ereignissen.

Diese Distanz realisiert sich in vielfältiger Weise und verleiht der „Kampagne in Frankreich" und der „Belagerung von Mainz" ihren memoirenhaften Grundcharakter. Goethe verzichtet weitgehend auf die Darstellung der inneren Zustände des Ich-Erzählers und stattet jenen mit einer distanziert-beobachtenden Haltung aus. In einigen Passagen wird der Ich-Erzähler ganz aufgehoben, an seine Stelle tritt der Pluralis modestiae. Die eigene Individualität wird der Gesamtheit untergeordnet, ist Teil einer agierenden Masse und äußert sich nur im Wir-Subjekt. Dies hängt zum einen mit der dargestellten Situation selbst – dem Krieg als Massenerlebnis – zusammen. Nicht das einzelne Individuum ist Akteur, sondern eine Gruppe. Das Individuum scheint funktionslos zu sein. Zum anderen hat es seinen Grund in der Haltung des Autors zum Geschehen, dieser verzichtet bewußt auf die Darstellung seiner eigenen Individualität, da ihr Aktionsraum in den militärischen Bereichen beschränkt ist und sich nicht zu entfalten vermag. Verstärkt wird dieser Eindruck durch die zahlreichen Passivkonstruktionen, besonders im ersten Teil der „Kampagne in Frankreich". Der häufige Gebrauch von Passiv- und Pluralformen richtet den Blick des Lesers auf das Geschehen und läßt die einzelnen Akteure, insbesondere das einzelne Individuum, zurücktreten.

Der distanziert-beobachtende Standpunkt des Ich-Erzählers ermöglicht jedoch auch gleichermaßen, die geschichtlich bedeutsamen Vorgänge aus einem weiten Blickwinkel zu bewerten. Als Beispiel dafür sei der vielzitierte Satz aus der „Kampagne in Frankreich" angeführt: „Von hier und heute geht eine neue Epoche der Weltgeschichte aus, und ihr könnt sagen, ihr seid dabeigewesen."[10] Die Schlacht von Valmy wird als historischer Wendepunkt markiert. Den Verlauf der militärischen Aktion deutet Goethe in seiner Schilderung der Ereignisse nur an, die Wirkung der Niederlage beschreibt er dagegen ausführlich: „Die größte Bestürzung verbreitete sich über die Armee. Noch am Morgen hatte man nicht anders gedacht, als die sämtlichen Franzosen aufzuspießen und aufzuspeisen, ja mich selbst hatte das unbedingte Vertrauen auf ein solches Heer, auf den Herzog von Braunschweig zur Teilnahme an dieser gefährlichen Expedition gelockt; nun aber ging jeder vor sich hin, man sah sich nicht an, oder wenn es geschah, so war es, um zu fluchen oder zu verwünschen."[11] Der Ich-Erzähler entzieht sich dieser um sich greifenden Bestürzung, indem er das militärische Ereignis auf seinen welthistorischen Sinn hin befragt. In epigrammatischer Kürze benennt er die historische Bedeutsamkeit der Stunde, seine Worte zeugen von großem historischem Weitblick.[12]

Goethes „Kampagne in Frankreich" und „Belagerung von Mainz" sind Teile einer großangelegten Lebensbeschreibung. Die in „Dichtung und Wahrheit" erfaßten Lebensabschnitte konnte Goethe noch zum größten Teil in autobiographischer Erzählform darbieten. Im Mittelpunkt steht hier die Darstellung des „Menschen in seinen Zeitverhältnissen", es wird gezeigt, „inwiefern ihm das Ganze widerstrebt, inwiefern es ihn begünstigt, wie er sich eine Welt- und Menschenansicht daraus gebildet und wie er sie, wenn er Künstler, Dichter, Schriftsteller ist, wieder nach außen abgespiegelt".[13] Die Außenwelt ist für den Autobiographen insoweit wichtig, wie sie an der Förderung oder Hemmung des Individuums Anteil hat. Die nachfolgenden Lebensjahre verlangten jedoch eine andere Behandlung durch den Autobiographen. In einem Eckermann-Gespräch heißt es dazu: „Überhaupt ist die bedeutendste Epoche eines Individuums die der Entwicklung, welche sich in meinem Fall mit den ausführlichen Bänden von ‚Wahrheit und Dichtung' abschließt. Später beginnt der Konflikt mit der Welt, und dieser hat nur insofern Interesse, als etwas dabei herauskommt."[14] In dem Gesamtschema zur „Kampagne in Frankreich" aus dem Jahre 1810, während eines Karlsbader Aufenthaltes an Riemer diktiert, verweist Goethe schon auf diesen für jenen Lebensabschnitt charakteristischen „Konflikt mit der Welt": „Schwer zu entziffernde Komplikation innerer Geistesverhältnisse und äußerer zudringenden Umstände. Auf Kunst und Natur drang ich los als auf Objekte, suchte nach Begriffen von beiden. Zerstörte alle Sentimentalitäten in mir und litt also Schaden am nahverwandten Sittlich-Ideellen. Neigte mich in solcher Hinsicht ganz zu einem strengen Realismus."[15]

Diese „Komplikation“ ist denn auch der Grund dafür, daß die „Kampagne in Frankreich“ und die „Belagerung von Mainz“ memoirenhafte Züge annehmen. Die komplizierten „inneren Geistesverhältnisse“ des Individuums, hervorgerufen durch die Konfrontation mit dem Krieg, entziehen sich weitgehend der poetischen Gestaltung. Es bleibt im wesentlichen der Bericht über die äußere Welt. An Stelle der empfindsam-subjektiven Form des Denkens und Gestaltens tritt ein „strenger Realismus“, mit dem sich die äußeren Umstände ins Bild fassen lassen, die Selbstbetrachtung jedoch nur teilweise möglich wird. Dieser Realismus, hier als feste Bindung an die äußere Welt, an die Realität, zu verstehen, ist gleichzeitig auch eine Form des Selbstschutzes. So finden wir in der „Belagerung von Mainz“ Passagen, in denen der Ich-Erzähler völlig aufgehoben zu sein scheint und ausschließlich militärische Vorgänge berichtet werden: „Den 1. Juli war die dritte Parallele in Tätigkeit und sogleich die Bocksbatterie bombardiert. Den 2. Juli. Bombardement der Zitadelle und Karlsschanze. Den 3. Juli. Neuer Brand in der St.-Sebastians-Kapelle; benachbarte Häuser und Paläste gehen in Flammen auf.“[16] Über das Empfinden Goethes angesichts der Zerstörung wird nicht direkt reflektiert, aber es drückt sich darin aus, daß hier nur die bloßen Tatsachen genannt werden, der Ich-Erzähler selbst jedoch keinen Aktionsraum bekommt – er scheint sich gleichsam hinter den nüchternen Fakten zu verbergen.

Kunst und Natur sind für Goethe in jener Zeit Fluchtpunkte, auf die er sich vor den Unbilden des Krieges zurückzieht. Kunsttheoretische Erörterungen und naturwissenschaftliche Betrachtungen nehmen darum in der „Kampagne in Frankreich“ und der „Belagerung von Mainz“ breiten Raum ein. Sie machen 1792 für Goethe den „Balken im Schiffbruch“[17] aus. Spricht Goethe in seinen autobiographischen Schriften über diese Bereiche, so setzt er sie auch durch die Erzählweise deutlich von den Kriegserlebnissen ab. Während im 1. Teil der „Kampagne in Frankreich“ und in der „Belagerung von Mainz“ das memoirenhafte Berichten weitgehend dominiert, ist dagegen der 2. Teil der „Kampagne in Frankreich“, in dem wir von Goethes Rückfahrt nach Weimar und seinen Begegnungen mit früheren Freunden, von seinen Disputen über Kunst, Natur und Weltaneignung erfahren, durch autobiographisches Erzählen bestimmt. In der „Zwischenrede“, die den 1. Teil der „Kampagne in Frankreich“ vom 2. Teil abhebt, begründet Goethe selbst diesen Wechsel der Darbietung: „Was aber in geselligen Zirkeln sich ereignet, kann nur aus einer sittlichen Folge der Äußerungen innerlicher Zustände begriffen werden; die Reflexion ist hier an ihrer Stelle, der Augenblick spricht nicht für sich selbst, Andenken an das Vergangene, spätere Betrachtungen müssen ihn dolmetschen.“[18]

Nach dem Feldzug ist Goethe von der Beschränkung frei, die er während seiner Teilnahme an den militärischen Vorgängen empfunden hatte. Dieser veränderten Situation trägt Goethe poetisch durch die Änderung seiner Erzählweise Rechnung. Der Blick auf die „innerlichen Zustände“ des Individuums, auf seine Handlungsräume und Aktivitäten wird freigegeben. Das autobiographische Erzählen verdrängt das memoirenhafte Berichten. Der Ich-Erzähler führt sich nun als aktiv Handelnder vor. In der „Belagerung von Mainz“ dann, in der wiederum vornehmlich militärische Aktionen den Gegenstand der Darstellung bilden, kehrt der Autor, dem Gang des Lebens folgend, zum memoirenhaften Berichten zurück.

Goethes autobiographische Schriften „Kampagne in Frankreich“ und „Belagerung von Mainz“ werden fast ausschließlich als Tagebucheintragungen dargeboten. Schon einmal hatte Goethe Teile seines autobiographischen Gesamtwerkes so behandelt. Zwischen dem Reisetagebuch der „Italienischen Reise“ und den Feldzugstagebüchern bestehen jedoch wesentliche Unterschiede. Begegnet uns in dem früheren Werk das Tagebuch in seiner ursprünglichen Gestalt als subjektive und intime Bekenntnisform des Individuums, in dem das Geschehen unmittelbar dargestellt wird, der Tagebuchschreiber nicht rückblickend, sondern aus der Situation heraus berichtet, so ist die hier betrachtete Tagebuchform nur Fiktion. Das Tagebuch dient zunächst vornehmlich dazu, die Feldzugserlebnisse zeitlich zu ordnen und in chronologischer Reihenfolge vorzutragen. Die Subjektivität und Naivität und damit die Ursprünglichkeit und

Erlebnisnähe, die das „Tagebuch der italienischen Reise für Frau von Stein" wie keinen anderen Teil von Goethes autobiographischem Gesamtwerk auszeichnen, sind mithin in der „Kampagne in Frankreich" und der „Belagerung von Mainz" kaum gegeben, denn es wird aus großer zeitlicher Distanz geschrieben. Die Rückblicksituation ermöglicht die „freiere Übersicht des Lebens"[19], durch die die subjektive Befangenheit des Autobiographen teilweise aufgehoben und eine relative Objektivierung des eigenen Ichs erreicht wird.

Wichtig ist nun – um an vorhergehende Überlegungen anzuknüpfen – die Beobachtung, daß diese Objektivierungstendenz nicht allein durch die Rückschau ermöglicht, sondern auch Ergebnis der Erzählweise ist. Der Ich-Erzähler verbirgt in den memoirenhaften Partien weitgehend seine eigene Subjektivität hinter den Ereignissen. Das Subjekt der Darstellung wird objektiviert, d. h., der Ich-Erzähler erscheint selbst als Objekt unter Objekten. Nicht die Entdeckung seiner inneren Zustände ist Gegenstand des Erzählens, sondern sein Zusammenhang mit der Welt und im weiteren Sinne die Welt selbst. Die Selbstdarstellung – ursprüngliches Anliegen der Autobiographie – wird Weltdarstellung. Diese Verlagerung hat ihren Grund in der Haltung des Autors zu den historischen Ereignissen. Schon 1792 hatte sich Goethe mit seiner durch die Bindung an den Herzog Karl August vorgegebenen Stellung im feudalen Heer, das gegen das revolutionäre Frankreich zog, nicht identifizieren können: „Gegen mein mütterlich Hauß, Bette, Küche und Keller wird Zelt und Marquetenterey übel abstechen, besonders da mir weder am Todte der Aristocratischen noch Democratischen Sünder im mindesten etwas gelegen ist",[20] schreibt Goethe zu Beginn des Feldzuges an Jacobi. Dreißig Jahre später, als die politische, ökonomische und wissenschaftliche Entwicklung immer nachdrücklicher auf die Unfähigkeit und Unzulänglichkeit des herrschenden Feudalsystems verwies, vermochte Goethe erst recht nicht mehr, seiner eigenen Person in dieser gegen den Fortschritt gerichteten militärischen Bewegung einen angemessenen Platz zuzuweisen.

Goethe hat seine veränderte Weltsicht in der „Kampagne in

Frankreich" und der „Belagerung von Mainz" selbst zum Diskussionsgegenstand erhoben, indem er seine eigenen Erlebnisse und die daraus neugewonnenen Ansichten in Gegensatz zu den politischen und philosophischen Anschauungen von Jacobi und zu denen von Plessing setzt. Diese Gegenüberstellungen machen vornehmlich den 2. Teil der „Kampagne in Frankreich" aus. Bei gemeinsamen literarischen Betrachtungen läßt Goethe erste widersprüchliche Gesinnungen offenbar werden, die er seinem „durch eine schreckliche Kampagne verhärteten Sinn"[21] zuschreibt. Der Freundeskreis um Jacobi hingegen will sich den veränderten Zuständen nicht anpassen und trachtet danach, „frühere Gefühle wieder durch ältere Arbeiten hervorzurufen"[22]. Besonders dem neugewonnenen „strengen Realismus" Goethes, der seine Kunst- und Naturbetrachtungen bestimmt, wird kein Verständnis entgegengebracht. Die „früheren Gefühle" sind für Goethe jedoch nicht mehr nachvollziehbar. Seine praktischen Erfahrungen korrespondieren nicht mit dem Erlebnisbereich der Pempelforter Freunde, an denen die jüngsten Ereignisse spurlos vorübergegangen zu sein scheinen. Wohl haben jene die historischen Veränderungen westlich des Rheins wahrgenommen, sie sind jedoch nicht bereit oder in der Lage, die Französische Revolution als zeitgeschichtliche Zäsur zu akzeptieren. Dagegen bemühen sie sich, durch Rückbesinnung auf vergangene Zeiten den neuen Veränderungen zu begegnen und sie so gleichsam aus ihrem Gesichtskreis zu verbannen.

Die Auseinandersetzung mit Jacobi ist für Goethe die Auseinandersetzung mit seiner geistigen Vergangenheit. Jacobi gilt als Repräsentant der Epoche der Sentimentalität. Diese Epoche ist für Goethe, besonders durch seine jüngsten Erlebnisse mit der Weltgeschichte, abgeschlossen. Den neuen Weg muß er nun allein beschreiten, und Goethe gedenkt 1822 in der „Kampagne in Frankreich" verbittert der Reaktion der früher Gleichgesonnenen, die seine neue Weltsicht nicht zu akzeptieren vermögen: „. . . ihrer Meinung nach konnt ich was Besseres tun und meinem Talent die alte Richtung lassen und geben. Sie glaubten sich hiezu um desto mehr berechtigt, als meine Denkweise sich an die ihrige nicht anschloß, vielmehr in den meisten Punkten gerade das Gegenteil aussprach. Man kann sich keinen isoliertern Menschen denken, als ich damals war und lange Zeit blieb."[23] Den Grund dieser für ihn schmerzlichen Isolation formuliert Goethe selbst in einem Gespräch mit Eckermann: „Meine ganze Zeit wich von mir ab, denn sie war ganz in subjektiver Richtung begriffen, während ich in meinem objektiven Bestreben im Nachteile und völlig allein stand."[24] Daß diese Wendung gegen den Pempelforter Kreis um Jacobi notwendige Voraussetzung für den Aufbruch in eine neue produktive Phase war, begründet Goethe vor allem in den Episoden um den Gelehrten Plessing. Goethe bringt hier in die „Kampagne in Frankreich" Erlebnisse aus dem Jahre 1777 ein, und er nutzt die Schilderung seiner damaligen Harzreise, um darzustellen, in welcher ausweglosen Situation sich der Mensch befindet, dem es nicht gelingt, sich neue Bereiche zu erschließen, die seine Produktivität und seine Schöpferkraft befördern. Mit Plessing wird uns ein hypochondrischer Gelehrter vorgeführt, der „von der Außenwelt niemals Kenntnis genommen, dagegen sich durch Lektüre mannigfaltig ausgebildet, alle seine Kraft und Neigung aber nach innen gewendet und sich auf diese Weise, da er in der Tiefe seines Lebens kein produktives Talent fand, so gut als zugrunde gerichtet"[25]. Der Existenz Plessings, den Goethe mit wenigen Strichen als Kleinbürger karikiert, hält der Dichter sein eigenes Credo entgegen: „man werde sich aus einem schmerzlichen, selbstquälerischen, düstern Seelenzustande nur durch Naturbeschauung und herzliche Teilnahme an der äußern Welt retten und befreien. Schon die allgemeinste Bekanntschaft mit der Natur, gleichviel von welcher Seite, ein tätiges Eingreifen, sei es als Gärtner oder Landbebauer, als Jäger oder Bergmann, ziehe uns von uns selbst ab; die Richtung geistiger Kräfte auf wirkliche, wahrhafte Erscheinungen gebe nach und nach das größte Behagen, Klarheit und Belehrung: wie denn der Künstler, der sich treu an der Natur halte und zugleich sein Inneres auszubilden suche, gewiß am besten fahren werde."[26]

Realistische Weltbetrachtung und produktives Handeln haben für Goethe ihre Grundlage in der Hinwendung zur Natur. Dieser Zusammenhang ist in zweifacher Hinsicht von Belang:

Goethes Wendung zur Natur, gerade während des Feldzuges, ist zum einen Abkehr von einer gesellschaftlichen Umwelt, die die schöpferische Entfaltung der menschlichen Produktivität nicht zuläßt, ist die Befreiung aus einem „düstern Seelenzustande". Zum anderen ist sie jedoch auch, und das wird im 2. Teil der „Kampagne in Frankreich" vornehmlich dargestellt, die Überwindung einer nur auf Innerlichkeit gerichteten Lebenshaltung. Naturbetrachtung und Kunst werden so für Goethe Alternativen zu der Beschränkung, die ihm durch die historischen Umstände auferlegt werden. Auf dieser Basis vermag er die „schwer zu entziffernden inneren Komplikationen" zu überwinden, seine Subjektivität zu entfalten, produktiv und schöpferisch zu wirken. Damit geht er einen entschiedenen Schritt über die bloße Resignation angesichts der historischen Situation in Deutschland hinaus, entsagt zwar der tätigen Teilnahme am gesellschaftlichen Leben, gewinnt für sich jedoch gleichzeitig neue Wirkungsbereiche, die ihm praktisches Handeln ermöglichen.

Die epische Struktur der autobiographischen Schriften „Kampagne in Frankreich" und „Belagerung von Mainz" wird durch das Kontrastprinzip bestimmt. In episodischer Verflechtung hält Goethe dem Chaos des Krieges das Gesetz der Natur, der Zerstörung die eigene Produktivität, der Vernichtung das Bewahren von Menschlichkeit entgegen. Die Anordnung der Episoden ist dabei abhängig vom zeitlichen Verlauf der Ereignisse. Während im 1. Teil der „Kampagne in Frankreich" hauptsächlich von Goethes Beteiligung am Feldzug der Interventen berichtet wird, ist der 2. Teil im wesentlichen der Schilderung von geselligen Kreisen und Weimarer Angelegenheiten vorbehalten. Die „Belagerung von Mainz" schließlich führt wieder zurück zum militärischen Ereignis und zum Kriegsgeschehen. Wir erleben Goethe einmal als Begleiter des Herzogs im Feldlager, das andere Mal als feinsinnigen Kunstkenner, der die Gemmensammlung der Fürstin Gallitzin bewundert und sich um das Weimarer Theaterleben bemüht, oder als Wissenschaftler, der die Phänomene der Natur studiert. Dieser Wechsel der Erlebnisbereiche ist durch den Gang der Ereignisse vorgegeben. Am

Ende der „Belagerung von Mainz“ bezeichnet Goethe den Gesamtkontrast, der diesen Lebensabschnitt prägte: „. . . aus dem schrecklichsten Kriegszustand wieder ins ruhige Privatleben zurückkehrend. . .“[27] Die Kontrastierung von „schrecklichstem Kriegszustand“ und „ruhigem Privatleben“ nutzt Goethe in seinen autobiographischen Lebensberichten als durchgängiges Darstellungsprinzip. Das „ruhige Privatleben“ bringt Goethe auf vielfache Weise in seinen Bericht über den Feldzug und die Belagerung von Mainz ein, während der „schrecklichste Kriegszustand“ den Hintergrund für seine Begegnungen in geselligen Kreisen auf der Heimreise ausmacht. So unterbricht Goethe immer wieder die Darstellung des Krieges, besonders im 1. Teil der „Kampagne in Frankreich“, mit Bildern idyllischer Zustände. Dabei setzt er die Idylle als Gegenbild zu den Zerstörungen und zum Chaos des Krieges. Unter dem Datum des 4. Oktober (1792) berichtet Goethe von den schweren Stunden in Grandpré, dem „Ort der Pest und des Todes“. Noch nie hatten ihn die anderen so niedergeschlagen erlebt. Unmittelbar an diesen Bericht schließt Goethe die Beschreibung eines „französisch-ländlichen, idyllisch-homerischen Zustandes“[28] an. Die Idylle von Sivry wird dem Leser vorgeführt. Ausführlich und detailliert schildert Goethe die Lebensweise französischer Bauern, ihre Sitten, Gebräuche und Lebensgewohnheiten. Alles scheint „der Ordnung gemäß“ zu sein, überall gewahrt man „eine entschieden bleibende Rangordnung“, nach überkommenem Zeremoniell verkehren die Familienmitglieder miteinander, werden die einzelnen Verrichtungen des Tages vorgenommen. Die Bauern begegnen uns in der Tracht des französischen Landvolkes. Die Haushaltgegenstände, von Goethe liebevoll und detailliert beschrieben, zeugen von jahrhundertealten Traditionen, und ebendiesen spürt Goethe in seiner Schilderung des Aufenthaltes von Sivry nach. Goethe erlebt in Sivry die Rettung eines auf der Flucht geborenen deutschen Kindes. Französische Bauern gewähren der erschöpften Mutter Unterkommen und Hilfe. Das Leben des neugeborenen Kindes, durch den Krieg bedroht, wird in der Idylle bewahrt. Sivry ist Gleichnis für eine Welt, in der sich alles nach Gesetz und Ordnung, nach uralten überkommenen Traditionen vollzieht. Bemerkenswert ist dabei, daß diese „kleine Welt“, mit der ein Gegenbild zum Krieg und damit zum Chaos und zur Gesetzlosigkeit entworfen wird, auf der Seite der Franzosen angesiedelt und so auch politisch akzentuiert ist. Auf die vorgeschichtliche Erscheinungsform solcher Zustände verweist Goethe mit dem bezeichnenden Attribut „idyllisch-homerisch“.

Goethe nutzt den Wechsel der Schauplätze, um den Kontrast von kriegerischem Feldzug und friedlicher Idylle, von Zerstören und Bewahren ins Bild zu setzen. In diesem Spannungsfeld bewegt sich der Ich-Erzähler. Durch den Befehl des Herzogs ist Goethe an den Feldzug gebunden, nur in wenigen Pausen vermag er sich seinen kunsttheoretischen und wissenschaftlichen Studien zu widmen, produktiv und schöpferisch zu wirken. So erfahren wir unter dem Datum des 12. Oktober von den schrecklichen Auswirkungen des verlorenen Feldzuges: da liegen zwischen umgestürzten Wagen und toten Pferden die Leichname der Soldaten, der Marsch wird erschwert durch fortwährende Plünderungen und aufgetürmte Hindernisse, „widerwärtige Greuelbilder“ bieten sich den Augen der Vorbeiziehenden. Der Weg führt von Longuyon nach Luxemburg. An dem neuen Aufenthaltsort nun vermag Goethe sich dem Kriegsgeschehen zu entziehen, er nimmt an einem ruhigen Ort das Konvolut zur Farbenlehre vor und arbeitet an seinen Manuskripten. Diese Situation empfindet er dabei als entschiedenen Kontrast zu seiner Umwelt: „Meine stille, von jedem Geräusch abgeschlossene Wohnung gewährte mir wie eine Klosterzelle vollkommenen Raum zu den ruhigsten Betrachtungen, dagegen ich mich, sobald ich nur den Fuß vor die Haustüre hinaussetzte, in dem lebendigsten Kriegsgetümmel befand und nach Lust das wunderlichste Lokal durchwandeln konnte, das vielleicht in der Welt zu finden ist.“[29] Die adversative Konjunktion „dagegen“ hebt die beiden unterschiedlichen Erlebnisbereiche voneinander ab: auf der einen Seite das „lebendigste Kriegsgetümmel“, auf der anderen Seite „Raum zu den ruhigsten Betrachtungen“. Diese Kontrastkonstellation kehrt in zahlreichen und vielfältigen Ausprägungen wieder. Es wird durchgängig deutlich, daß sich Goethe in seiner privaten Existenz in jener Zeit im wesentlichen von der Außenwelt abschließt.

„Glückselig aber der, dem eine höhere Leidenschaft den Busen füllte ..."[30] – diese Bemerkung Goethes in der „Kampagne in Frankreich" zielt auf die Bedeutung der wissenschaftlichen Beschäftigung für jenen Lebensabschnitt. Neben der Naturforschung sind es vor allen Dingen auch Begegnungen mit Kunstwerken, die Goethe die Möglichkeit geben, wenigstens für Augenblicke den Schrecken des Krieges zu entgehen. Noch 1829 erinnert sich Goethe in seinem Aufsatz „Das Römische Denkmal in Igel und seine Bildwerke"[31] an den Eindruck, den dieses Grabmal während seiner Beteiligung am Frankreichfeldzug 1792 hervorgerufen hatte. Das Monument, das um 250 u. Z. von reichen römischen Händlern errichtet wurde, ist inmitten des Moseldorfes Igel, nahe bei Trier an der alten Römerstraße nach Reims, gelegen. Goethe hat es in der „Kampagne in Frankreich" mehrmals erwähnt. Schon in der ersten Tagebucheintragung beschreibt Goethe das Denkmal; er lobt den architektonisch kunstvollen Bau und die Einbettung des Kunstwerkes in seine natürliche Umgebung. Auf der einen Bildtafel findet er den Familienkreis dargestellt – Eltern und Kinder sitzen gemeinsam beim Mahl, auf der anderen Tafel sieht er Gewerb und Handel auf verschiedene Weise abgebildet. Und Goethe gibt den beziehungsreichen Hinweis: „Denn eigentlich sind es Kriegskommissarien, die sich und den Ihrigen dies Monument errichteten, zum Zeugnis, daß damals wie jetzt an solcher Stelle genugsamer Wohlstand zu erringen sei."[32] Das zweite Mal begegnet es Goethe während des Rückzugs, „wie der Leuchtturm einem nächtlich Schiffenden" glänzt es ihm entgegen: „Vielleicht war die Macht des Altertums nie so gefühlt worden als an diesem Kontrast: ein Monument, zwar auch kriegerischer Zeiten, aber doch glücklicher, siegreicher Tage und eines dauernden Wohlbefindens rühriger Menschen in dieser Gegend."[33] Die Erfahrung der Niederlage des feudalen Heeres, der Schrekken und Leiden des Krieges ist dieser neuen Betrachtung des Denkmals vorhergegangen.

Der bei der ersten Erwähnung des Monuments nur angedeutete Zusammenhang von Familie, Handel, Gewerbe und Krieg wird nun im nachhinein bedeutsam. In seinem Aufsatz von 1829, der z. T. wörtlich die Darstellung des Monuments aus der „Kampagne in Frankreich" enthält, gibt Goethe den Hinweis, daß ihm noch kein Denkmal begegnet sei, „worin gewagt wäre, einen so widersprechenden Reichtum mit solcher Kühnheit und Großheit der betrachtenden Gegenwart und Zukunft vor die Augen zu stellen"[34]. Auf allen Tafeln findet Goethe „redliches, genußreiches Zusammenleben"[35] dargestellt. Der „widersprechende Reichtum" offenbart sich Goethe als dialektische Einheit. Die einzelnen Abbildungen – Amtsgeschäfte, Fabrikation, Transport, Familien- und häusliche Verhältnisse[36] – stehen in einem ursächlichen Zusammenhang und bedingen sich gegenseitig. Goethes Schlüsselwort für die Deutung der Relieftafeln und die Aufdeckung der Allegorien und mythologischen Andeutungen ist: Tätigkeit. Auf allen Relieftafeln sieht er den „rührigen Menschen" dargestellt, findet er „fröhlich tätiges Dasein" mitgeteilt – und er resümiert: „Aber eigentlich waltet überall die Tätigkeit vor."[37] Der Zusammenhang von Familie und Amt ist noch nicht zerrissen, der aktiv tätige Mensch kann sich noch uneingeschränkt in allen Bereichen entfalten. Jeder ist als Glied der Gemeinschaft für die Gemeinschaft tätig.

Goethe zeigt das Römische Denkmal in Igel als Gegenbild zu seiner eigenen Erfahrung. Die Einheit des Lebens, von der die Bildtafeln des antiken Kunstwerkes zeugen, ist aufgehoben. Der Krieg befördert nicht mehr den Gang des Gemeinwesens, wie Goethe es noch auf den Tafeln des antiken Bauwerkes dargestellt findet, sondern hat als ungerechter Krieg Zerstörung und Vernichtung zur Folge. Krieg und private Existenz vermag Goethe nur noch im Kontrast, nicht mehr als Einheit darzustellen. Dieser Bruch bestimmt auch Goethes Situation. Er ist Privatmann – Künstler und Naturwissenschaftler – auf der einen, Amtsperson – Begleiter des Feldherrn Karl August – auf der anderen Seite. Im privaten Bereich, im Abschluß von der Außenwelt, vermag Goethe produktiv und schöpferisch tätig zu sein. Dies ist ihm im öffentlichen Leben verwehrt. Er ist hier, als Teilnehmer an einem feudalen Feldzug, nur Beobachter und Zuschauer, kaum aktiv Handelnder. Goethes autobiographische Schriften „Kampagne in Frankreich“ und „Belagerung von Mainz“ sind Zeugnisse dieses Zwiespaltes: Die Zerrissenheit des Individuums, der Auseinanderfall von privater und öffentlicher Existenz bestimmen die Darstellung jenes Lebensabschnitts.

Joachim Müller

Augenblick und Ewigkeit

Zeit- und Raumsymbolik in Goethes poetischem Bezugskreis

Man weiß, wann und wie die beiden Gedichte „Eins und Alles" und „Vermächtnis" entstanden sind: das erste bereits im Oktober 1821, das zweite im Februar 1829, und zwar als Abwehr eines Zitats der aus dem Zusammenhang gerissenen und damit mißverständlichen beiden letzten Zeilen von „Eins und Alles".[1] Eckermann berichtet unter dem 12. Februar 1829, Goethe habe, nachdem er ihm „das frisch entstandene, überaus herrliche Gedicht: Kein Wesen kann zu nichts zerfallen usw." vorgelesen, gesagt, er habe „dieses Gedicht als Widerspruch der Verse: Denn alles muß zu nichts zerfallen, wenn es im Seyn beharren will usw. geschrieben, welche dumm sind, und welche meine Berliner Freunde, bey Gelegenheit der naturforschenden Versammlung, zu meinem Ärger in goldenen Buchstaben ausgestellt haben".[2] Dies plakative Transparent empfand Goethe als so provozierend, daß er seine eigenen Verse in solcher Fehlanwendung dumm nannte, weil sie dadurch verabsolutiert wurden und der Begriff des „Nichts" für das beharrende Sein stand, wodurch umgekehrt das Sein als Nichts mißdeutet werden konnte. Aber Goethe hatte mit dem vorangehenden Vers erst die beiden letzten Verse verstehbar gemacht; und *weil* für den Dichter gilt: „Das Ewige regt sich fort in allen", kann er mit dem konjunktionalen „denn" nur meinen: Das Beharren im Sein wäre ein Zerfallen in Nichts, was einem Erstarren gleichkäme. „Dumm" ist also das mögliche Unverständnis, in welche Richtung auch immer es zielt, und Goethes Unwillen galt solcher

Verkehrung des in seinen Versen enthaltenen Sinnes, den er nun mit dem Gedicht von 1829 zurechtrückte. Als Widerspruch gegen den Fehlgebrauch einiger acht Jahre zuvor geschriebenen Verse entstanden, wurde dieses Gedicht ein weltanschauliches „Vermächtnis" Goethescher Altersweisheit. Auch wenn der Dichter es nicht mehr in die Ausgabe letzter Hand aufnehmen konnte,[3] da der betreffende Band seit zwei Jahren abgeschlossen war, gehörten durch den Rückbezug die beiden Gedichte zusammen. „Vermächtnis" sah Goethe zuerst gedruckt, und zwar noch 1829. Er hatte es ans Ende von „Wilhelm Meisters Wanderjahren" gestellt, was nicht als eine redaktionelle Willkür und Notlösung anzusehen ist, sondern in sinnvollem Zusammenhang mit dem Gehalt der „Wanderjahre" stand.

Hier mögen die beiden Gedichte im Wortlaut folgen:

Eins und Alles

Im Grenzenlosen sich zu finden,
Wird gern der Einzelne verschwinden,
Da löst sich aller Überdruß;
Statt heißem Wünschen, wildem Wollen,
Statt läst'gem Fordern, strengem Sollen,
Sich aufzugeben ist Genuß.

Weltseele, komm, uns zu durchdringen!
Dann mit dem Weltgeist selbst zu ringen
Wird unsrer Kräfte Hochberuf.
Teilnehmend führen gute Geister,
Gelinde leitend, höchste Meister,
Zu dem, der alles schafft und schuf.

Und umzuschaffen das Geschaffne,
Damit sich's nicht zum Starren waffne,
Wirkt ewiges lebendiges Tun.
Und was nicht war, nun will es werden,
Zu reinen Sonnen, farbigen Erden,
In keinem Falle darf es ruhn.

Es soll sich regen, schaffend handeln,
Erst sich gestalten, dann verwandeln;
Nur scheinbar steht's Momente still.
Das Ewige regt sich fort in allen:
Denn alles muß in Nichts zerfallen,
Wenn es im Sein beharren will.

Vermächtnis

Kein Wesen kann zu Nichts zerfallen!
Das Ew'ge regt sich fort in allen,
Am Sein erhalte dich beglückt!
Das Sein ist ewig: denn Gesetze
Bewahren die lebend'gen Schätze,
Aus welchen sich das All geschmückt.

Das Wahre war schon längst gefunden,
Hat edle Geisterschaft verbunden,
Das alte Wahre, faß es an!
Verdank es, Erdensohn, dem Weisen,
Der ihr, die Sonne zu umkreisen
Und dem Geschwister wies die Bahn.

Sofort nun wende dich nach innen,
Das Zentrum findest du da drinnen,
Woran kein Edler zweifeln mag.
Wirst keine Regel da vermissen,
Denn das selbständige Gewissen
Ist Sonne deinem Sittentag.

Den Sinnen hast du dann zu trauen,
Kein Falsches lassen sie dich schauen,
Wenn dein Verstand dich wach erhält.
Mit frischem Blick bemerke freudig,
Und wandle sicher wie geschmeidig
Durch Auen reichbegabter Welt.

Genieße mäßig Füll' und Segen,
Vernunft sei überall zugegen,
Wo Leben sich des Lebens freut.

Dann ist Vergangenheit beständig,
Das Künftige voraus lebendig,
Der Augenblick ist Ewigkeit.

Und war es endlich dir gelungen,
Und bist du vom Gefühl durchdrungen:
Was fruchtbar ist, allein ist wahr,
Du prüfst das allgemeine Walten,
Es wird nach seiner Weise schalten,
Geselle dich zur kleinsten Schar.

Und wie von alters her im stillen
Ein Liebewerk nach eignem Willen
Der Philosoph, der Dichter schuf,
So wirst du schönste Gunst erzielen:
Denn edlen Seelen vorzufühlen
Ist wünschenswertester Beruf.

Im gegebenen thematischen Zusammenhang kann keine vollständige und eingehende Interpretation der beiden Gedichte geleistet werden. Im Hinblick auf die speziellen motivischen Bezüge ist nur eine partielle Analyse des Gedichtduos möglich.

Der Rückverweis von „Vermächtnis" auf „Eins und Alles", so daß man beide Gedichte als eine zweigliedrige Gruppe betrachten kann, erwächst gleich zu Beginn in direkter Aufnahme der Gedanken der drei letzten Verse von „Eins und Alles": Der vorletzten Zeile „Denn alles muß in Nichts zerfallen" wird der erste Vers von „Vermächtnis" als diametrale These entgegengehalten: „Kein Wesen kann zu Nichts zerfallen!" So weist der Dichter diejenigen, die die immanente lyrische Dialektik der drei letzten Zeilen von „Eins und Alles" zerstörten, indem sie eine Zeile isolierten, mit der wörtlichen Wiederholung des drittletzten Verses von „Eins und Alles" zurecht. Dort hieß es: „Das Ewige regt sich fort in allen", und der zweite Vers von „Vermächtnis" lautet: „Das Ew'ge regt sich fort in allen". Die Variante des synkopierten i erklärt sich wohl ganz einfach dadurch, daß dem Dichter erst bei der Wiederholung die metrische

Korrektheit bewußt wird. Die kontexturale Spannung indes ist in beiden Versgruppen anders: *Weil* das Ewige sich regt, kann es gar nicht zum Sein als einem statischen Befund erstarren. Ein Nichts ist in der Weltbewegung – das Hauptthema von „Eins und Alles" – nicht denkbar. Ein absoluter Stillstand, sei es auch nur für Momente, ist nur „scheinbar". In „Vermächtnis" wird nun als neue, sich aber aus dem Schluß von „Eins und Alles" ergebende lyrische These formuliert: „Das Sein ist ewig", weil das Sein selbst ewiges Sichregen ist, *denn* – dem Wortlaut nach die gleiche begründende Konjunktion wie in „Eins und Alles", vorletzte Zeile, aber gleichsam mit umgekehrter Richtung – dieses ewige Sein bewahrt nach immanenten Gesetzen das Lebendige, und bewahren heißt keineswegs beharren oder gar erstarren, sondern meint ein Aufheben, sowohl ein Aufsparen im zeitlichen Sinn für immer neue Wirkungsmöglichkeit als auch ein Integrieren in einen noch nicht realen, aber potentiellen Modus, der dann auch einen neuen Raum der Entfaltung schafft. Hier muß die Interpretation auf die Verse 13 bis 15 von „Eins und Alles" zurückgreifen: „Und umzuschaffen das Geschaffne, / Damit sich's nicht zum Starren waffne, / Wirkt ewiges lebendiges Tun." Das im ewigen Sein bewahrte Geschaffne wirkt als ein Ewig-Lebendiges. Das zweite Gedicht ist demnach alles andere als eine Zurücknahme des ersten. Man könnte von einer spiegelbildlichen Korrelation sprechen – das erste Gedicht erscheint im folgenden spiegelbildlich verkehrt. Dieses wiederum ist eine Spiegelung im Sinn einer durch Widerspruch komplementären Weiterführung des lyrischen Grundgedankens. So werden die beiden Gedichte bereits im Motivischen verklammert und in solcher Verklammerung variiert. Schaffen in der Weltbewegung ist für Goethe polarer Wechsel von Aufgehen des Einzelnen im „Grenzenlosen" (der ganymedische Pol) und Neuerschaffen in lebendigem Tun (der prometheische Aspekt), ein schaffendes Handeln, ein Wechsel von Gestalten und Verwandeln, von Erdenschwere und Geisteshöhe, oder mit anderen Goetheschen Kategorien: von Expansion und Kontraktion, Diastole und Systole. Weltseele und Weltgeist, wo immer man diese beiden Zentren der Weltbewegung situieren und wie man sie differenzieren mag,[4] verwirklichen sich als „unsrer Kräfte Hochberuf“. Auch dies präsentiert sich als ein kategorialer Komplex im lyrisch enthüllend-verhüllenden Fluß. Was noch nicht war, „nun will es werden“, und im Werden wird es – paradox genug – Sein, das ein ewig Bewahrendes, aber ständig neu zu Aktivierendes ist. Was sich in den Strophen 2 bis 5 von „Vermächtnis“ expliziert als Polarität von Entdeckung des wahren Allgesetzes einerseits und Innewerdung des menschlichen Gewissens als Innen-Binnen-Zentrum andrerseits, das sich sogleich mit den nach außen gerichteten Sinnen verbündet, um Welt zu schauen und Leben zu genießen, dabei den Sinnen ebenso trauend wie Verstand und Vernunft walten lassend, das wird dann in den drei Zeilen der Strophe 5 so resümiert:

> Dann ist Vergangenheit beständig,
> Das Künftige voraus lebendig,
> Der Augenblick ist Ewigkeit.

Die prägnante Triade erschließt das enge Verhältnis der jeweiligen polaren Bezüge: Vergangenheit und Künftiges umschließen bewegt-bewegend das Gegenwärtige, den Augenblick, der keinen Stillstand duldet, sonach ein schnelles Vorübergehen, ein nicht aufhaltsames Weitergehen bedeutet, zugleich aber Ewigkeit ist im Sinn des ewigen Seins als eines immerwährenden Sichregens, eines Seins *und* Werdens.

Man kann die These wagen: Wann und in welchem Zusammenhang auch immer Goethe von Augenblick und Ewigkeit spricht, reflektierend oder in poetischen Verwandlungen, ob beide je allein in einem Kontext stehen oder als eine Art Zwillingsformel verbunden sind, stets evozieren sie das Koordinatensystem von Vergangenheit, Gegenwart und Zukunft, das heißt eine Zeitfolge, die in jeder Gegenwärtigkeit ein Vergangenes aufhebt und ein Zukünftiges antizipiert. Merkwürdig freilich, daß zu Beginn der „Wanderjahre“, im 4. Kapitel, Wilhelm von Jarno erfährt, es gehöre „zu den sonderbaren Verpflichtungen der Entsagenden auch die: daß sie, zusammentreffend, weder vom Vergangenen noch Künftigen sprechen durften, nur das Gegenwärtige sollte sie beschäftigen“. Damit ist nun freilich das Vergangene nicht eliminiert und das Künftige nicht geleugnet, sondern als pädagogisches Prinzip, als pragmatische Didaktik empfiehlt es sich, daß insbesondere Jugendliche bei der Bewältigung gegenwärtiger Aufgaben nicht durch verklärende oder beklemmende Rückblicke aufgehalten oder durch übertriebene Erwartungen entmutigt werden. Doch fehlt weder in der „Pädagogischen Provinz" der geschichtliche Aspekt (vielmehr werden die ethnischen Prämissen der Religionen dargelegt, und beim Bergfest im 2. Buch entwickelt sich ein Gespräch über die Entstehung der Erde), noch kommen gegen Ende des Romans die Gesellschaftsprogramme der Binnensiedler wie der Auswanderer ohne Zukunftsprojekte und utopische Hoffnungen aus. Zugleich werden hier die zeitlichen Perspektiven eng mit räumlichen Vorstellungen verknüpft.

Ein Blick zurück in die „Lehrjahre" erschließt im 5. Kapitel des 8. Buches den Zusammenhang der drei Gezeiten: Im „Saal der Vergangenheit", in den Wilhelm im Haus von Natalies Onkel geleitet wird, ruft er angesichts der musealen Gegenstände und gegensätzlichen Erinnerungszeichen aus: „Welch ein Leben ... in diesem Saale der Vergangenheit! Man könnte ihn ebensogut den Saal der Gegenwart und der Zukunft nennen. So war alles und so wird alles sein! Nichts ist vergänglich, als der eine, der genießt und zuschaut." Die Vergänglichkeit des betrachtenden Subjekts – in der Zeitthematik ein neuer Aspekt – ändert nichts am objektiven Zeitenablauf, in dem sich jedes vergangene Geschehen, ob vergegenständlicht oder nur erlebt, in eine Gegenwart hineinbewegt, aus der es in eine Zukunft getragen wird. Was *wirklich* war, was wirklich *war, ist* in notwendiger Phasenverschiebung des Weltablaufs dann Gegenwart und *wird* Zukunft. Auch in solchem Bezug gilt das Wort aus dem Schluß von Goethes „Faust", daß alles Vergängliche ein Gleichnis des Unvergänglichen ist.

Im Laufe von Goethes Leben werden naturgemäß die Akzente in der Bewertung der Relationen von Augenblick und Ewigkeit, von Vergangenheit, Gegenwart und Zukunft unterschiedlich gesetzt, aber bei mancher Widersprüchlichkeit in einzelnen Aussagen ist sich Goethe durchweg des komplementären

Charakters der Zeitverhältnisse bewußt.[5] Im 14. Buch von „Dichtung und Wahrheit" kommt er beim Bericht über die mit Lavater und Basedow unternommene Rheinreise im Sommer 1774 auf Unterhaltungen zu sprechen, in denen ihm die Freunde ihre Meinungen „aufdringen" wollten. Sein Gemüt aber „wollte nicht geschulmeistert, sondern durch freies Wohlwollen aufgeschlossen und durch wahre Teilnahme zur Hingebung angeregt sein. Ein Gefühl aber das bei mir gewaltig überhandnahm und sich nicht wundersam genug äußern konnte, war die Empfindung der Vergangenheit und Gegenwart in eins: eine Anschauung, die etwas Gespenstermäßiges in die Gegenwart brachte. Sie ist in vielen meiner größern und kleinern Arbeiten ausgedrückt und wirkt im Gedicht immer wohltätig, ob sie gleich im Augenblick, wo sie sich unmittelbar am Leben und im Leben selbst ausdrückte, jedermann seltsam, unerklärlich, vielleicht unerfreulich scheinen mußte." Ein kaum je recht gewürdigter und auch tatsächlich etwas verschlüsselter Passus, der wohl etwa so zu verstehen ist: Die „Empfindung der Vergangenheit und Gegenwart in eins" bringt in die Gegenwart „etwas Gespenstermäßiges", das heißt doch wohl: macht ein in ihr noch enthaltenes, wenn auch zeitlich vergangenes Element transparent. „Gespenstermäßig" ist sicher nicht pejorativ gemeint, sondern bezieht sich auf die Empfindung der in der Gegenwart nachschwingenden Vergangenheit. Diese Empfindung mag den Lesern von Goethes Gedichten zuerst seltsam, unerklärlich, ja unerfreulich erscheinen, weil sich in ihr Vergangenheit als unmittelbares Leben ausdrückt, aber der Dichter hält sie für wohltätig, weil sie den poetisch gestalteten Erlebnis- und Erfahrungskreis vertieft. Man muß die Stelle aus dem 11. Buch hinzunehmen, wo Goethe, über die doppelte Rolle des Menschen nachdenkend, bei zunehmender Bildung „eine wirkliche und eine ideelle" unterscheidet. Er resümiert: „Der Mensch mag seine höhere Bestimmung auf Erden oder im Himmel, in der Gegenwart oder in der Zukunft suchen, so bleibt er doch innerlich einem ewigen Schwanken, von außen einer immer störenden Einwirkung ausgesetzt, bis er ein für allemal den Entschluß faßt, zu erklären, das Rechte sei das, was ihm gemäß ist." Hier ergibt sich ein Bezugssystem, in dem zwischen Gegenwart und Zukunft, Innen und Außen ein ewiges[6], unaufhörliches Schwanken herrscht, das zudem von äußeren Einwirkungen gestört, verunsichert wird, ein Zustand aber, in dem sich das dem Menschen Gemäße konstituiert, das sich als sein Wesen vergegenwärtigt und damit zugleich einem Zukünftigen Raum gibt. An Kestner schrieb schon der junge Goethe (23. September 1774): „Vergangenheit und Zukunft schweben wunderbar in einander." Vergangenheit und Gegenwart in eins, so hieß es schon, Vergangenheit und Zukunft aufeinander bezogen nun; „Im Gegenwärtigen Vergangnes" lautet die leitmotivische Überschrift eines Gedichtes im „Buch des Sängers" im „West-östlichen Divan". In der Gegenwart begegnen sich Vergangenheit und Zukunft. Gegenwart ist Vergegenwärtigung des Vergangenen wie Antizipation des Zukünftigen.[7] Keine Zeitphase steht für sich. Eine davon zu verabsolutieren, warnt Goethe oft. Das Tagebuch vermerkt am 26. Juli 1831 über Zelters letzten Besuch: „Vorhergängige bedeutende Unterredung über Vergangenes, Gegenwärtiges und Künftiges." Es ist für beide Freunde ein Lebenssystem. In den „Zahmen Xenien" (IV) faßt ein Spruch das dialektische Zusammen- und Ineinanderwirken der drei Zeitpotenzen konzis so: „Liegt dir Gestern klar und offen, / Wirkst du heute kräftig frei; / Kannst auch auf ein Morgen hoffen, / Das nicht minder glücklich sei."

Vergangenheit und Gegenwart in eins: Das ist auch die Kontinuität der *Geschichte*, Geschichte des Einzelmenschen wie der Menschheit. Goethe hatte ein ausgeprägtes Geschichtsbewußtsein, auch wenn er sich zuweilen skeptisch über geschichtliche Vorgänge äußert. Doch lebenslang beobachtet er engagiert „die größten Weltbegebenheiten" seiner Zeit. Geschichte verläuft für Goethe in Zeiten *und* Räumen. Alle Geschichte im Bereich des Menschen wie der Erde und des Kosmos steht unter raumzeitlichen Bedingtheiten. Er denkt hier ganz modern. Für ihn verläuft alles in *Epochen*, auch sein eigenes Leben, das er in seinen autobiographischen Schriften aus historischer Distanz darstellt. In den einleitenden Bemerkungen zu „Dichtung und Wahrheit" bezeichnet er es als „die Hauptaufgabe der Biographie", „den Menschen in seinen Zeitverhältnissen darzustellen". Das Individuum und sein Jahrhundert stehen in wechselseitiger Wirkung. Goethe geht in seiner Autobiographie „in die Welt- und Literargeschichte zurück", um sich in den Verhältnissen zu sehen, die auf ihn gewirkt haben und auf die er selbst wirkte (so an Cotta, 16. November 1810). Nach den Napoleonischen Kriegen gesteht er dem Schwager Schlosser (25. November 1814), bei der Niederschrift von „Dichtung und Wahrheit" habe er die durchlebte unruhige Zeit benutzt, um sich in sich selbst „historisch zu bespiegeln". So wird ihm sein eigenes Leben mit zunehmenden Jahren historisch. So gegenwärtig man lebt, kann man sich selbst geschichtlich werden.[8]

Das tiefste Geschichtserlebnis hat Goethe zweifellos in Rom, das er als „die Hauptstadt der Welt" empfindet, denn dieser „Mittelpunkt eines Reiches" präsentiert und repräsentiert eine Existenz von zweitausend Jahren, die sich nur schwer in ihren ineinandergeschlungenen Epochen durchdringen läßt. „Besonders liest sich Geschichte von hier aus ganz anders als an jedem Orte der Welt." Man fühlt sich in einem weltgeschichtlichen Zentrum, um das sich alles lagert und von dem alles ausgeht. „Man kann das Gegenwärtige nicht ohne das Vergangene erkennen ..." Epochen entfalten sich in der Folge der Zeiten. Winckelmann vor allem hat Goethe und seine Zeitgenossen „aufgeregt, die Epochen zu sondern" und die verschiedenen Stile als epochale Charakteristika wie zugleich als ästhetische Maßstäbe zu erkennen. Traditionsbewußtsein impliziert Traditionsverantwortung. Das bringt Goethe aus Italien nach Weimar mit. Es wurde eine der Konstituenten dessen, was man als deutsche Klassik bezeichnet, die niemals ein statisches Moment in sich trug. Denn eben diese Klassik kennzeichnet Goethe in seinem Prosahymnus auf Winckelmann von 1805 als Resultat eines Prozesses von Wirken und Werden im kosmischen Ganzen wie im menschheitlichen Bereich. Wenn sich im Menschen die kosmogonische Bewegung zu einem Gipfel steigert, so ist das nur in einer ins Unendliche weisenden Approximation zu verstehen. Wohl wagt Goethe die These: „... das letzte Produkt der sich immer steigernden Natur ist der schöne Mensch", aber

„selbst ihrer Allmacht ist es unmöglich lange im Vollkommnen zu verweilen und dem hervorgebrachten Schönen eine Dauer zu geben. Denn genau genommen kann man sagen, es sei nur ein Augenblick, in welchem der schöne Mensch schön ist."[9] Helena kommt im „Faust" zur bitteren Erkenntnis, daß „Glück und Schönheit dauerhaft sich nicht vereint". Immer wieder stellt Goethe wie zuerst im Gedicht „Das Göttliche" (1783), hier noch als Fähigkeit des Menschen behauptet, die Frage, wie dem Augenblick Dauer zu verleihen, wie „Dauer im Wechsel" (so der Titel des Gedichts von 1803) zu bewahren ist, aber er weiß stets um das Transitorische des Augenblicks. Dauer und Wechsel, vorübergehender Augenblick und Beständigkeit sind nur komplementär zu begreifen. Zu Eckermann sagt Goethe am 3. November 1823: „Jeder Zustand, ja jeder Augenblick ist von unendlichem Wert, denn er ist der Repräsentant einer ganzen Ewigkeit." Deshalb ist auch „die wahre Symbolik, wo das Besondere das Allgemeinere repräsentiert, ... lebendig-augenblickliche Offenbarung des Unerforschlichen" (Maximen und Reflexionen, Hecker 314). Indes, auch in solchem das Ewige symbolisch repräsentierenden Augenblick ist das Vergängliche alles Seins zu bedenken: „Nur scheinbar steht's Momente still" („Eins und Alles"). Der Jugendvertrauten Auguste von Stolberg bekennt der späte Goethe (17. April 1823): „Bleibt uns nur das Ewige jeden Augenblick gegenwärtig, so leiden wir nicht in der vergänglichen Zeit." Dazu stimmt der Satz in einem der letzten Briefe Goethes an Freund Zelter vom 11. März 1832: „Da nun eine Folge von konsequenten Augenblicken immer eine Art von Ewigkeit selbst ist, so war Dir gegeben, im Vorübergehenden stets beständig zu sein." Immer kommt es Goethe darauf an, die wechselseitige Bezüglichkeit von Augenblick und Ewigkeit, die Dialektik von Nähe und Ferne, das Aufeinanderangewiesensein von Vergänglich-Vorübergehendem und Beständig-Sicherneuerndem zu verdeutlichen. Faust, dessen Lebensthematik hier knapp zu berühren ist, bescheidet sich im großen Monolog zu Beginn des II. Teils, da sein Auge das „Flammenübermaß" „des ewigen Lichts", der Sonne, nicht ertragen kann, mit „des bunten Bogens Wechseldauer", wie ihn der Regenbogen im Wasserfall als farbigen Abglanz des Lebens spiegelt. „Wechseldauer“ ist das Goethesche Kompositum, das die Pole zusammenspannt, ohne sie in eins fallen zu lassen.

In *einem* Aspekt der Grundkonzeption der Faust-Dichtung geht es darum, ob man sowohl den Augenblick schlechthin als auch einen bestimmten Augenblick verewigen kann, und Faust wettet mit Mephisto, daß er niemals auch nur *einem* Augenblick seines Lebens Dauer zu verleihen wünschen wird. Nun geht ja die Diskussion der Forschung seit eh und je um die Frage, *ob* Faust in seiner Vision unmittelbar vor seinem leiblichen Tod einen Augenblick des Erfülltseins im Sinne der Wettformel festhält oder ob dieser Augenblick als potentiell in ferner Zukunft gedacht, erahnbar zwar, doch in ein Unendliches gerückt ist, und dies eben ist der Sinn des Textes.

Zuvor ist im Helena-Akt dies Grundmotiv in eine andere Richtung variiert. Der Dichter setzt die antike Schöne in einen dreitausendjährigen Bezug, wie er an Nees von Esenbeck am 25. Mai 1827 schreibt, und ähnlich, ausführlicher, liest man es in einem Brief an Boisserée vom 22. Oktober 1826: Die Helena-Episode, eine seiner ältesten Konzeptionen, könne nicht anders abgerundet werden als nur aufgrund der dramatisch heraufbeschworenen „Fülle der Zeiten, da es denn jetzt seine volle dreitausend Jahre spielt, vom Untergange Trojas bis auf die Zerstörung Missolunghis[10]; phantasmagorisch[11] freilich, aber mit reinster Einheit des Orts und der Handlung“. Man assoziiert auch die Verse im „Buch des Unmuts“ des „Divan“: „Wer nicht von dreitausend Jahren / Sich weiß Rechenschaft zu geben, / Bleib im Dunkeln unerfahren, / Mag von Tag zu Tage leben.“ Wer ohne Geschichtsbewußtsein in den Tag hinein lebt, wird keine Klarheit über sein Tun gewinnen. Freilich ist auch einmal „von der furchtbaren Last“ die Rede, „welche die Überlieferung von mehrern tausend Jahren auf uns gewälzt hat“ (Maximen und Reflexionen, Hecker 662), wovon „uns wenigstens für Augenblicke zu befreien“ Kunstwerke wie die Homerischen Gesänge allerdings die Kraft haben.

Noch vor dem Traum- und Phantasiespiel um Helena wird, zu Beginn der „Klassischen Walpurgisnacht“, ein konkretes geschichtliches Ereignis aus der Vergangenheit heraufgeholt, das zweitausend Jahre vor der szenischen Gegenwart stattfand: Erichtho, eine thessalische Zauberin, die, wie die Mythe überliefert, einst nach dem Ausgang der Schlacht zwischen Pompeius und Cäsar gefragt worden sein soll, erinnert an diese, die im Jahre 48 v. u. Z. Cäsars Sieg brachte und damit seine Imperialherrschaft begründete. Erichtho versetzt sich an den Vorabend der Schlacht zurück, den sie in raumzeitlicher Konsistenz faßt, und sie reflektiert: Geschichte ist Aufeinanderfolge von Machtkämpfen, die sich immerfort „Ins Ewige wiederholen ... Keiner gönnt das Reich / Dem andern ...", zweifellos ein skeptisch-pessimistischer Geschichtsaspekt, den der Dichter die Kunstfigur aussprechen läßt, ohne daß er sich damit identifiziert. Goethes persönliche Geschichtsauffassung ist, wie die Italienreminiszenz erwies, höchst differenziert. Er ist sich der objektiven Widersprüche der Geschichte stets bewußt. Allerdings klingt auch in Erichthos Monolog das Motiv von Fausts Machtbesessenheit zu Beginn des 5. Aktes voraus. Es vermischen sich weiter Erichthos – Zeit und Raum ebenso überbrückende wie raffende – Erinnerungen an alte Sagen und Mythen mit realen historischen Ereignissen. Zeitgeschichte wird aus der Distanz der Seherin zeitlos, Ewiges (das Wort in V. 7013) wird für einen Augenblick zum Machtkampf, der Geister und Epochen scheidet. Zeit hat Raumdimension, Raum hat Zeitfunktion. Die Verzeitlichung des Raumes und die Verräumlichung der Zeit sind wechselseitig miteinander verbunden.

Demgegenüber ist die „Klassische Walpurgisnacht" zeitlos und duldet keine Hierarchie. Weder Faust noch Mephisto besitzen Privilegien. Faust ist auf seiner Suche nach Helena abhängig vom guten Willen der mythischen Figuren, und Mephisto gar wird von den antiken Gespenstern verhöhnt und an der Nase herumgeführt.

Die Grundmotive aber von Augenblick und Ewigkeit, von Geschichte und Gegenwart werden durchgestaltet sowohl vor der Helena-Projektion im 1. Akt als auch in der Phantasmagorie des 3. Aktes. Als Faust dem Wunsch des Kaisers nachkommen will, Helena und Paris, die Musterbilder antiker Schönheit, vor sich zu sehen, und den Teufel unverzüglich damit bedrängt, muß dieser gestehen, daß ihm der mythische Bereich der Antike verschlossen ist. Immerhin weiß der Welterfahrene ein „Mittel", ein, wie er gesteht, ungern entdecktes „höheres Geheimnis". Man ist allerdings versucht zu fragen: ist's ihm wirklich so fatal, davon zu sprechen, oder will er sich nur wichtig machen, um seine Unentbehrlichkeit bei überraschenden und hochgesteigerten Wünschen Fausts zu unterstreichen? Man weiß das beim schillernden Wesen Mephistos nie. Faust muß sich selbst – dies ist das „Mittel" – zu den „Müttern" begeben: diese „Göttinnen thronen hehr in Einsamkeit, / Um sie kein Ort, noch weniger eine Zeit". Ort- und raumlos, so daß zu ihnen das Paradox eines Weges führt, der „Kein Weg" ist. Es sind approximative Begriffe, die Faust in der vorangehenden Szene in andrer Version bereits berührte, als er sich zum weitesten Gedanken höchsten Phantasieflugs bekannte und das Grenzenlose apostrophierte. Als Mephisto Faust mit dem „Begriff von Öd und Einsamkeit" schrecken will, was diesen selbst als absolute „Leere" nicht kümmern würde, als Mephisto das Grenzenlose als gefährliches Abenteuer „in ewig leerer Ferne" beschwört, reizt das den stets aufsässigen Faust erst recht, das „Leere" zu „ergründen, / In deinem Nichts hoff ich das All zu finden". Diese Einstellung kontrastiert motivisch zu Fausts radikalem Risikoentschluß in der Osternacht, in Hoffnung zu „neuen Ufern", zu „neuen Sphären reiner Tätigkeit" durchzudringen, jenseits der Erdgebundenheit den leiblichen Tod zu wagen, und „wär' es mit Gefahr, ins Nichts dahin zu fließen". Schaudern als Ergriffenheit bestärkt Faust in seinem Entschluß, die nun einmal von Mephisto eröffnete Möglichkeit wahrzunehmen, die Bilder von Helena und Paris bei den „Müttern" zu finden, die Goethe als urphänomenale Lebensquellen intendiert. Seltsam genug (doch hier nicht weiter zu erörtern), daß Mephisto, der keinen Zugang zu den Müttern hat und nur von einem Weg „Ins Unbetretene, Nicht zu Betretende" orakelt, der eben kein Weg ist, nicht nur Faust mit dem Zauberrequisit des Schlüssels versieht, sondern auch das Wesen und Gehaben der Mütter umschreibt als „Gestaltung, Umgestaltung, / Des ewigen Sinnes ewige Unterhaltung. Umschwebt von Bildern aller Kreatur". Einerlei ob diese mysteriösen Hinweise Mephistophelische Ironie sind oder dem Teufel in den Mund gelegte Goethesche Kosmologie, was näher liegt: ein dynamischer Seinsmodus ist in der Vielzahl der Bewegungsverben deutlich genug – das Ewigsein ist hier ein ewiges Bewegtsein – „nur scheinbar steht's Momente still", hieß es im Gedicht. Und Faust erfährt die „Mütter", wie er nach seiner Rückkehr aus dem mythischen Urgrund „großartig" verkündet, als Wesen in der Schwebe zwischen leer und ewig, einsam und gesellig, lebendig-regsam und „Ohne Leben", als das, was „einmal war" und deshalb sich regt, „denn es will ewig sein". Vergangenheit, Gegenwart und Zukunft in eins auch hier, eine ontologische Coincidentia oppositorum, in der Grenzenloses den Zusammenfall von scheinbarer Weltleere und kreatürlichen Bildungen im Unendlichen bedeutet. Dichterisch erfaßt Goethe damit Raumzeitkoordinaten, in denen die „Mütter" – modern gesprochen – eine vierte oder fünfte Dimension ahnen lassen, auch wenn Goethe diese Wesen in Fausts und Mephistos Worten sprachlich nur als dreidimensional umschreiben kann.

Mögen im dramatischen Geschehen der Faustdichtung insgesamt Zeiten und Räume, jahrtausendalte Geschichte und szenische Gegenwart aneinanderrücken, sich ineinanderschlingen, der Helena-Akt selbst bleibt ein phantasmagorisches Zwischenspiel, eine Traumhandlung. Helena, als ein ewiges Wesen zwischen Einst und Heute von Faust antizipiert, ist sich zu Beginn des 3. Aktes ihrer Identität nicht sicher: „Komm ich als Gattin, komm ich eine Königin? / Komm ich ein Opfer . . .?" Zweideutig ist alles, was ihr nun geschieht. Sie erscheint sich selbst als fragwürdig: „War ich das alles? Bin ichs? Werd ichs künftig sein, / Das Traum- und Schreckbild jener Städteverwüstenden?" In Helenas poetischer Vergegenwärtigung wird ihre abenteuerliche Lebensgeschichte integriert. Als Phorkyas-Mephisto ihr hämisch die Liebesinbrunst, die sie mit Achill genoß, vorhält, wird die phantasmagorisch Wiedererstandene vollends an sich selbst irre und gesteht in halbem Bewußtsein: „Ich als Idol ihm dem Idol verband ich mich. / Es war ein Traum, so sagen ja die Worte selbst. / Ich schwinde hin und werde selbst mir ein

Idol." Der Chor ihrer Dienerinnen reagiert darauf mit dem Vorwurf, daß die Königin statt trostvoller Lethegabe „aller Vergangenheit Bösestes" aufruft und den „Glanz der Gegenwart" wie „der Zukunft Mild aufschimmerndes Hoffnungslicht" verdüstert. Die temporale Trias fungiert an dieser Stelle als enttäuschtes Wunschbild. Zwischen Helenas hilflos-ohnmächtigem Hinschwinden, in dem sich ihre Identität aufzulösen droht, und dem Hinschwinden nach dem Tode Euphorions liegt die Begegnung mit Faust, dem sich durch „Großheit" auszeichnenden Helden. Diese Charakteristik durch Phorkyas ist natürlich nicht ohne spöttischen Unterton, denn Faust spielt ja die Rolle als mächtiger Herrscher nur mit Mephistos Künsten. Helena aber erahnt den „wunderbaren Heldenherrn". Eben noch vor dem spartanischen Palast mit der Todesstrafe für ihr einstiges Vergehen, die geduldete Entführung durch Paris, rechnend, findet sie sich mit Faust in eine mittelalterliche, zugleich barockartig-phantastisch ausgestattete Ritterburg versetzt. In ihr sind sie geschützt vor den angreifenden, doch von Fausts Heeresmacht, einem Teufelsaufgebot, zurückgeschlagenen Griechenscharen und finden das Glück der Gegenwart. Helenas Verwirrung ob des auf sie einstürmenden Vielerleis und ob der Verschränkung von Zeit- und Raumebenen beschwichtigt Faust überlegen-zärtlich: „Durchgrüble nicht das einzigste Geschick! Dasein ist Pflicht, und wär's ein Augenblick." Schien Helenas Abenteuer mit Achill „gegen das Geschick" (so Faust; Mephisto wertete es vollends ab), wird nun das Geschick synonym mit einmaligem Glücksfall. In unseren Überlegungen braucht die Frage nach der Wettformel nur mit dem Hinweis berührt zu werden, daß sich Faust ihr nur in einem konjunktivischen Satz annähert. Dieser Augenblick ist Arkadien, das sich als Traumglück zeit- und geschichtslos entfaltet, obzwar in Bildern einer archaischen Griechenlandschaft, und die Vermählung Fausts mit Helena sowie die Geburt Euphorions vollziehen sich poetisch real in einer utopischen Freizone, die in zwei Versen lyrisch präzisiert wird: „Denn wo Natur im reinen Kreise waltet, / Ergreifen alle Welten sich." Nach dem Tode des im kämpferischen Übermut nicht zu bändigenden Euphorion, der die Mutter magisch hinabzieht in die

Schattenwelt, erfährt Helena, ins Gestaltlose hinschwindend – und es ist ihr „schmerzlich Lebewohl" –, daß „Glück und Schönheit dauerhaft sich nicht vereint". Zeitlose Ewigkeit, Verewigung des Augenblicks ist eine Contradictio in adjecto; jener Vers aus „Vermächtnis": „Der Augenblick ist Ewigkeit" wird immer wieder von Goethe relativiert, dort im Gedicht als lyrische Summa aus nachwirkender Vergangenheit und voraus lebendiger Zukunft, hier im tragischen Ende des Helena-Idylls in der naturgesetzten Vergänglichkeit von Glück und Schönheit.

„Dauer im Wechsel" – so das Gedicht von 1803 – ist ein unerfüllbarer Wunsch; keine Stunde bleibt der frühe Blütenregen beständig, der Herbststurm vernichtet ihn, das Reifen der Früchte weicht neuem Keimen: „Gleich mit jedem Regengusse / Ändert sich dein holdes Tal, / Ach, und in demselben Flusse / Schwimmst du nicht zum zweitenmal." (Goethe nimmt hier den bekannten Spruch von Heraklit auf.) Selbst Festgebautes wie Mauern und Paläste sieht der Mensch „Stets mit andern Augen an", und daß die menschliche Welt der raumzeitlichen Dauerbewegung – oxymoral ausgedrückt wie „Wechseldauer" in „Faust II" – ausgesetzt ist, hat der Dichter oft genug erlebt und erlitten: „Weggeschwunden ist die Lippe, / Die im Kusse sonst genas . . ." Bedrückendes Beispiel eine Menschenhand: „Das gegliederte Gebilde, / Alles ist ein andres nun." Und sogar der Name des Menschen vergeht wie eine Welle, die zum Element eilt. Es gibt – so die Schlußstrophe von „Dauer im Wechsel" – nur den tröstlichen Appell: „Laß den Anfang mit dem Ende / Sich in *eins* zusammenziehn!" Augenblick und Ewigkeit in eins, Zeit ist relativ, Raum ein bewegter Bezug, indes auch: Zeit ist Bewegung, Raum ist Relation. Doch Goethe sieht im Menschen und in der Kunst die Möglichkeit, Vergängliches sich anzueignen und es somit zu verewigen: denn wohl verheißt „die Gunst der Musen / Unvergängliches . . ., Den Gehalt in deinem Busen / Und die Form in deinem Geist". Dauer verhält sich in Goethes Intention zu Wechsel wie Unvergängliches zu Vergänglichem, das freilich ein Gleichnis des Unvergänglichen ist, was ein kühner Spruch (in „Zahme Xenien" I) so akzentuiert:

„Nichts vom Vergänglichen, / Wie's auch geschah! / Uns zu verewigen, / Sind wir ja da." Verewigen meint hier das Vergängliche aufheben, nicht an ihm festhalten.

Noch einmal zurück zum „Faust". Von Erinnerungen erfüllt ist der Monolog Fausts zu Beginn des 4. Aktes: Die Wolkenballung über dem Felsengebirg wandelt sich fortwährend zu schönen Frauengestalten – Helena ist nur eine darunter – und „spiegelt blendend flüchtiger Tage großen Sinn". Flüchtiges wird gespiegelt zu neu Erlebbarem, das ebensowenig festzuhalten ist wie der zarte Nebelstreif, der „ein entzückend Bild" täuschend hervorruft: ist's ein „jugenderstes, längstentbehrtes höchstes Gut? / Des tiefsten Herzens frühste Schätze quellen auf . . ." Aurorens-Gretchens Liebe wird erinnert, „festgehalten" für einen Augenblick: „Wie Seelenschönheit steigert sich die holde Form, / Löst sich nicht auf, erhebt sich in den Äther hin / Und zieht das Beste meines Innern mit sich fort."[12] Wenn das Erinnerungsbild auch zu bleiben scheint, eine Art Fata Morgana, es entschwebt doch in den Äther und nimmt Fausts Bestes, sein Er-Innern mit sich fort. Erinnerung evoziert Hoffnung, wie Vergangenheit auf Zukunft weist. Der Kreuzpunkt ist die Gegenwärtigkeit des Augenblicks, den Faust in Arkadien genoß.

Was dann im 4. Akt folgt, ist *Geschichte*, Bürgerkrieg, der sich im *Raum* abspielt, in additiver Momenthaftigkeit, es geht buchstäblich Schlag um Schlag bis zum teuflisch bewirkten Sieg des Kaisers. Im 5. Akt hat die *Zeit* den Primat, nachdem zwischen dem 4. und 5. Akt ein langer *Zeitraum* vergangen zu denken ist: Der im 4. Akt als Fünfzigjähriger vorzustellende Faust, in der Jahre Vollkraft Planende und Organisierende (dem Teufel wieder zum Verdruß), ist zu Beginn des 5. Aktes „im höchsten Alter". Zu Eckermann sagt Goethe am 6. Juni 1831: „Der Faust wie er im fünften Act erscheint . . . soll nach meiner Intention gerade hundert Jahr alt seyn." Auch Philemon und Baucis sind uralt. Wieviel *Zeit* ist vergangen, in der sich der *Raum* völlig verändert hat, die Meeresküste durch Landgewinnung hinausrückte. Die Zeit verläuft in der Anfangsszene vom Tag in die „Tiefe der Nacht", in der des Lynkeus Weltlob jäh in die

Weltklage umschlägt. Er ist sich sogleich bewußt, daß mit der verbrecherischen Tat, die drei unschuldige Menschen tötete, Hütte und Kapelle vernichtete,[13] Jahrhunderte dahinsanken. Faust, der sich schuldig fühlt, da er dem Teufel zu viel Vollmacht gab, so daß er sich von aller magischen Verfallenheit an die Höllenmächte lösen möchte, wird von der Sorge heimgesucht, die freilich seinen Lebenswillen nicht zu brechen, seinen Tatendrang nicht zu lähmen vermag, und als sie ihn mit Blindheit schlägt, bekennt er wohl: die „Nacht scheint tiefer tief hereinzudringen“, doch zugleich erfährt er: „Allein im Innern leuchtet helles Licht . . .“ Des Geistes Auge spornt ihn zu neuen Plänen an. Verkörpert die Sorge die reißende Zeit, die den Menschen zu einem Nichts zu verzehren droht, so hält sich Faust bis zuletzt an eine immer Neues hervorbringende Zeit, in der Künftiges „voraus lebendig“ (so im Gedicht). Im Vorgefühl einer neu zu erschaffenden Welt, die einer „Völkerschaft“ von Millionen Raum bietet, genießt er antizipierend „den höchsten Augenblick“, während für den Teufel dies das Stichwort ist, zu glauben, er habe seine Wette gewonnen. Für ihn ist Fausts Vision nichts anderes als der armselige Wunsch, „den letzten, schlechten, leeren Augenblick“ festzuhalten. Höchster Augenblick steht gegen leeren Augenblick, künftiges Wirken gegen momentanes Erstarren. „Die Zeit wird Herr“ heißt für Mephisto: Faust zahlt der Zeit als dem mechanischen Ablauf seinen Tribut, und einst wettete er auch: falls er je den Augenblick festhalten wolle, sei Mephisto seines Dienstes frei: „Die Uhr mag stehn, der Zeiger fallen, / Es sei die Zeit für mich vorbei!“ Diese Verse kehren sich nun in Mephistos Munde gegen den damals so Hochgemuten selbst. Fausts Lebenszeit ist zu Ende, und damit – so hoffte der Widersacher ja stets – sei *alles* Leben auf Erden wie im Kosmos ausgelöscht, denn er ging doch die Wette mit dem Herrn nur ein, um an Faust das Exempel der totalen Lebensvernichtung zu statuieren – „Die Uhr steht still“: „Vorbei“ ist „ein dummes Wort“, weil für den Teufel alles Geschaffne so gut als nicht gewesen ist – „Vorbei und reines Nicht, vollkommnes Einerlei“. Er verhöhnt „das ewige Schaffen“, ihm ist nur „das Ewig-Leere“, das radikale Nichtsein gemäß. Indes hebt sich von diesem statischen Nihilismus, von der makabren szenischen Gegenwart der Grablegung wie von der schlimmen Vergangenheit der versklavten Lemuren Fausts hoffnungsfrohe Zukunft ab, die im Weiterexistieren seines „Unsterblichen", seiner Entelechie die poetische Garantie erhält. Der Epilog „Bergschluchten" baut noch einmal Raum um Räume auf: Sie ragen ins Unendliche hinein, in das Fausts Seelenkraft gehoben wird. Diese steigert sich im Glanz der das „Ewig-Weibliche" symbolisierenden Frauen-Trias – „Jungfrau, Mutter, Königin" – in die höchste Sphäre, in „die Ewigkeiten". Das Ewige ist für Goethe unendliche Bewegung in Zeit und Raum. Fausts Unsterbliches dauert fort in der Raumzeit des unendlich Ewigen. Das poetische Bezugsfeld geht auf im Gleichnis des Vergänglichen, das ein Hinan und Fortan (ein Goethescher Lieblingsgruß) unendlich ewiger Aufwärtsbewegung konstituiert.

Im lyrischen Bereich begegnet eine solche Bewegung, die ins Unendliche verläuft, im „Buch des Paradieses" des „Divan" schon mit der komparativisch-superlativischen Überschrift: „Höheres und Höchstes". Nach einer Reihe heiterer Strophen, die um die Schlüsselworte zum Paradies kreisen und dort „dem Fünf der Sinne" alle Entfaltung verheißen, folgert der Dichter, ihm sei es sicher, „*Einen* Sinn für alle diese" zu gewinnen, und er schließt mit den beiden den letzten Faustszenen nahen feierlichen Versen:

Und nun dring' ich aller Orten
Leichter durch die ewigen Kreise,
Die durchdrungen sind vom Worte
Gottes rein-lebendiger Weise.

Ungehemmt in heißem Triebe
Läßt sich da kein Ende finden,
Bis im Anschaun ewiger Liebe
Wir verschweben, wir verschwinden.

Ob Fausts Sphärenflug in danteskem Überlicht verschwimmt oder ob in ewigen Kreisen ewige Liebe, noch anschaubar, doch zugleich den ins Höchste Dringenden „verschweben" läßt, immer ist das Ewige das Bewegt-Bewegende, ein Höherheben und

Hinanziehen im „Faust"-Schluß, ein Hinaufdringen im Divan-Gedicht, indem alle menschliche Substanz unendlich wird, wie es im Ausgangsgedicht das Vermächtnis des erfüllten Augenblicks kündet.

In Versen aus den „Zahmen Xenien" (VI) fallen ewiges Fließen im Unendlichen, kräftiges Ineinanderschließen im tausendfältigen Gewölbe des Kosmos, strömende Lebenslust so in eins, daß „alles Drängen, alles Ringen . . . ewige Ruh in Gott dem Herrn ist, und Gott *ist* das unendliche All. Ebendie Verbindung des Attributs ewig sowohl mit Fließen als auch mit Ruh signifiziert noch einmal Goethes mehrdimensional polare Welt-Anschauung.

Geradezu raumzeitliche Koordinatenfiguren entwerfen zwei Versgruppen des späten Goethe (Zahme Xenien VI):

Nachts, wann gute Geister schweifen,
Schlaf dir von der Stirne streifen,
Mondenlicht und Sternenflimmern
Dich mit ewigem All umschimmern,
Scheinst du dir entkörpert schon,
Wagest dich an Gottes Thron.

Aber wenn der Tag die Welt
Wieder auf die Füße stellt,
Schwerlich möcht er dirs erfüllen
Mit der Frühe bestem Willen;
Zu Mittag schon wandelt sich
Morgentraum gar wunderlich.

Nächtliche Ausweitung in kosmische Fernen, ins ewige All, Aufhebung, Enthebung des apostrophierten Du, das als Spiegel des lyrischen Ich zu verstehen ist, bis an die Grenze des Entkörpertseins – ein volltönender melodischer Hochgesang. Darnach – in der zweiten Strophe – Heimholung des Erhobenen auf die Erde in die entzaubernde Tagewelt, die den nächtlichen Höhen- und Weitenflug eingrenzt ins Hic et nunc, und der noch in der Frühe wirkende beste Wille zur Entgrenzung, der noch aus der nächtlichen Auffahrt nachhallende „Morgentraum" wandelt sich „zu Mittag schon . . . gar wunderlich", wunderlich meint verwunderlicherweise, ernüchtert vollends das wieder auf die Füße gestellte Du-Ich. Tag und Nacht verhalten sich wie Erde zu Weltraum, wie Augenblick und Wandlung zu ewigem Flimmern und Schimmern, und Morgenfrühe steht zur mittäglichen Tagesmitte wie verfließender Traum zu hellem Bewußtsein. Das ganze Gebilde bewegt sich poetisch zwischen lyrischem Enthusiasmus und spruchhafter Ernüchterung und hat darin gerade seine lebendige Spannung. Die folgenden Verse sind mit einer Zeichnung Goethes versehen, die er selbst als Überschrift so faßte:

Schwebender Genius über der Erdkugel
Mit der einen Hand nach unten,
mit der andern nach oben deutend

Zwischen Oben, zwischen Unten
Schweb ich hin zu muntrer Schau,
Ich ergötze mich am Bunten,
Ich erquicke mich im Blau.
Und wenn mich am Tag die Ferne
Luftiger Berge sehnlich zieht,
Nachts das Übermaß der Sterne
Prächtig mir zu Häupten glüht,
Alle Tag und alle Nächte
Rühm ich so des Menschen Los;
Denkt er ewig sich ins Rechte,
Ist er ewig schön und groß.

Und dazu eine Variante:

Wenn am Tag Zenit und Ferne
Blau ins Ungemeßne fließt,
Nachts die Überwucht der Sterne
Himmlische Gewölbe schließt,
So am Grünen, so am Bunten
Kräftigt sich ein reiner Sinn,
Und das Oben wie das Unten
Bringt dem edlen Geist Gewinn.

Oben und Unten, Kosmos und Erdkugel, Tag und Nacht, ferne Berge und Übermaß, ja Überwucht der Sterne sind polare Zuordnungen. Schweben und sehnliches Ziehen, muntre Schau bunten Erdenrunds, prächtiges Glühen im blauen Himmelsraum ergänzen einander im Wechselspiel, in gegenseitiger Spiegelung. Der Genius ergötzt und erquickt sich an der vielfarbigen, unendlich bewegten Harmonie, wie sie etwa die Pythagoreer im Kosmos wahrnahmen. Doch alles Schweben zwischen Oben und Unten, aller Blick von oben nach unten richtet sich schließlich auf den Menschen. Ursache und Bedingung seiner Existenz sind in einem vieldimensionalen Raum identisch mit Folge und Wirkung seiner Bestimmung, und diese geheimnisvoll-offenbare Beziehung intensiviert sich durch das zweimalige Adverb ewig: Der ewig sich ins Rechte denkende Mensch, der auf sein Ziel zulebt – er stellt immer für Goethe eine Entelechie dar –, ist damit und darin schön und groß: ein dynamisches Bild humaner Erwartung ad infinitum. Der ewig das Rechte denkende und damit sich als das ewig schöne und große Wesen konstituierende Mensch ist eingebunden in das geschaute All und die ersehnte Ferne. Oben und Unten meint die Polarität von Tag und Nacht, Zeit und Raum, Erde und Kosmos, aber auch von reinem Sinn als kräftigem Sinnen und edlem Geist als dem denkend-erkennenden Weltorgan.

Ein Epigramm, „Heut und ewig" überschrieben, stellt der bloßen Aneinanderreihung der Einzeltage, nach der einem Gestern nur mechanisch additiv ein Heute folgt, die *Äonen* gegenüber: „Sie werden wechselnd sinken, werden thronen." So wie „der Geist sich fort und fort beflügelt", gibt erst der Blick in die Äonen den Maßstab für den Rhythmus geschichtlicher Epochen, der – wie es auch ein konsistentes Faustmotiv anzeigt – ebenso den Geist auf Höhen der Weltentwicklung fliegen läßt wie ein zeitweises Hinabsinken in ruhende Tiefen nicht ausschließt, und Faust weiß zuletzt: „Es kann die Spur von meinen Erdetagen / Nicht in Äonen untergehn." Gleiches Bild und Sinnbild im Schlußvers der Stanze „Hoffnung", der letzten in der Reihe „Urworte. Orphisch": „Ein Flügelschlag – und hinter uns Äonen!"

In der Genese der „Trilogie der Leidenschaft“ und in der Trilogie selbst ist mehrfach die Kontinuität von Vergangenheit, Gegenwart und Zukunft thematisiert. Sowohl im Verhältnis der drei die „Trilogie“ in ihrer endgültigen Abfolge konstituierenden Gedichte – „An Werther“, „Elegie“, „Aussöhnung“ – zueinander als auch innerhalb des jeweiligen lyrischen Verlaufs, besonders in der „Elegie“, verschranken sich mehrfach Zeiten und Räume.[14] Der Liebende will dem Augenblick des Wiedersehens Dauer verleihen. Obwohl er das Bewußtsein der Stund um Stunde verrinnenden Zeit nie ganz verliert, möchte er aus der Gegenwärtigkeit der Geliebten das „Gestrige“ wie das „Morgende“ ausklammern, aber es gelingt nie, kann nicht gelingen, den Augenblicksgenuß festzuhalten, so verlockend und versprechend die Gunst des Augenblicks erscheint. Die Tragik des Abschieds ist wie am Ende des Helena-Traums unvermeidbar.

Von dem unausgeführten Plan, einen „Roman über das Weltall“ zu schreiben, ist ein Fragment (1784, mit einigen Ergänzungen aus dem Nachlaß) erhalten, das, in der Diktion zwischen hymnischem Enthusiasmus und geologischer Reflexion wechselnd, dem Granit als dem ältesten Gestein und der tiefsten Gebirgsart der Erde gilt. Der Granit sei kosmogonisch als kristallisiertes Ganzes entstanden zu denken und bilde die unerschütterliche Grundfeste der Erde, deren weitgespannte zeitliche und räumliche Veränderungen und Entwicklungen sich am beharrenden Urgestein messen, das „vor allem Leben und über alles Leben“ ist. Dies aber hebt sich über Urgebirge und Wasser in unendlichen Zeiträumen immer höher hinaus, bis schließlich „der Menschengeist alles belebt“. Auch in diesem großartigen konzisen Prosastück gestaltet Goethe ein markantes Raumzeitbild.

Zwei Sprüche spiegeln die lyrischen und dramatischen Spannungen der scheinbar widersprüchlichen Einzelaspekte der Goetheschen Reflexionen zum Thema in besonderer Prägnanz und verschieben sie zugleich in jeweils andere Richtung. So wird der Raumzeitkomplex in seiner dimensionalen Relativität, wie er vorzüglich die Faustdichtung durchzieht, auch und gerade in der Kleinform präzisiert. Der eine, „Eigentum“, lautet:

Ich weiß, daß mir nichts angehört
Als der Gedanke, der ungestört
Aus meiner Seele will fließen,
Und jeder günstige Augenblick,
Den mich ein liebendes Geschick
Von Grund aus läßt genießen.

Faust im Arkadien-Hochgefühl wie der Liebende der „Elegie", sie empfangen den günstigen Augenblick als Geschenk eines liebenden Geschicks, wissen aber zuinnerst, daß Gunst und Liebe keine Dauer gewährleisten. Der andere, fast gegenbildliche Spruch:

Wer in der Weltgeschichte lebt,
Den Augenblick sollt er sich richten?
Wer in die Zeiten schaut und strebt,
Nur der ist wert, zu sprechen und zu richten.

Der Augenblick, mag ihm auch für einen Augenblick einmal Dauer verliehen worden sein, ist kein Maßstab für die Weltgeschichte, die sich als ein unaufhaltsamer Zeitenwechsel manifestiert.[15] Augenblick ist stets das Korrelat zu Ewigkeit, wie Ewigkeit und Dauer sich als Bewegung in einem unendlichen Fluidum entsprechen. Wohl ist es dem Menschen eingeboren, einen Halt im unaufhaltsamen Fluß des Geschehens, Dauer im Wechsel zu suchen. Indes erfährt er immer nur den von Augenblick zu Augenblick spürbaren, sichtbaren Wechsel, und dennoch braucht ihn nicht das Vergängliche zu lähmen. Denn es findet sich auch Unvergängliches im Wechsel der Zeiten, wenn es auch nie für *alle* Zeiten gültig ist. Goethe weiß um viele tröstende Maximen von der Art derjenigen im Gedicht „Dauer im Wechsel": „Laß den Anfang mit dem Ende / Sich in *eins* zusammenziehn!" Oder die schöne Bescheidung, wenn die Jahre dem Alternden vieles Gewohnte und Geschätzte nehmen: „Mir bleibt genug! Es bleibt Idee und Liebe" (im „Buch der Betrachtung" des „Divan").

Anfang und Ende, Augenblick und Ewigkeit, Zeit und Raum sind eins in der Korrelation. Der Kohärenz der Zeiten entspricht die Koexistenz der Räume. Die in den beiden Ausgangsgedichten in jeweils anderen Kontexten geprägte Versthese offenbart *einen* Schluß von Goethes Weisheit, *eins* seiner Lebensgeheimnisse:

Das Ewige regt sich fort in allen.

Augenblick als Ewigkeit *ist* Vergangenes, Gegenwärtiges und Zukünftiges als *eine* unaufhaltsame *Bewegung.* Sie konstituiert kosmische Unendlichkeit, Naturgeschehen, Weltgeschichte und Menschenexistenz als *einen* Zusammenhang.

Brunhild Neuland

Faust, die drei Gewaltigen und die Lemuren

Zur Beziehung von Mythos und Geschichte im Faust II

Die letzte große Lücke, die der einundachtzigjährige Goethe an seiner Faustdichtung schließen mußte, war der IV. und der Beginn des V. Aktes. Das Tagebuch weist für die Arbeitsperiode von Dezember 1830 bis zum Juli 1831 auch die erneute Durchsicht der bereits vorliegenden Szenen des V. Aktes aus, die „ajustiert und der Übereinstimmung näher gebracht“[1] wurden. Die besonderen Schwierigkeiten, vor die sich Goethe mit dem IV. und V. Akt gestellt sah und die wohl eher als die Stellung der Akte am Ende der Dichtung die späte Entstehung erklären, deutet das Gespräch mit Eckermann vom 2. Mai 1831 an. In bezug auf die Philemon-und-Baucis-Szenen äußerte Goethe: „‚Die Intention auch dieser Szenen ... ist über dreißig Jahre alt; sie war von solcher Bedeutung, daß ich daran das Interesse nicht verloren, allein so schwer auszuführen, daß ich mich davor fürchtete.‘“[2]

„Schwer auszuführen“ war eine Handlung, die mit Fausts „Umwendung zum Besitz“[3] entschieden die Frage nach den Möglichkeiten tätiger Weltaneignung stellte und dabei direkt auf die sozialen Grenzen menschlicher Emanzipation in der bürgerlichen Gesellschaft stieß. Poetische Bilder mußten für den widersprüchlichen Weltzustand gefunden werden, von dem Goethe in Briefen an Freunde immer wieder sprach. Sein letzter Brief sei stellvertretend für andere zitiert: „Der Tag ist wirklich so absurd und confus ... Verwirrende Lehre zu verwirrtem Handel waltet über die Welt.“[4]

Landgewinn ist der im IV. und V. Akt mehrfach wiederholte Grundvorgang der Handlung. Vielfache Spiegelungen erfährt in diesen Szenen das Problem, daß die durch Fausts Tätigkeit geschaffene Wirklichkeit nicht schön und die schöne Tat nicht wirklich ist.

Fausts Projekt, dem Meer bewohnbares Land abzuringen, hat zeitgenössische Hintergründe. Vermutlich regten die Sturmfluten im Winter 1824/25 und besonders die Vollmondspringflut vom 3. und 4. Februar 1825 mit ihren katastrophalen Verwüstungen weiter Teile der Nordseeküste Goethe zu diesem Handlungsteil an. Die 1825 entstandene naturwissenschaftliche Untersuchung „Versuch einer Witterungslehre" bestätigt, wie sehr Goethe die „traurigsten Meeres- und Küstenereignisse"[5] von 1824/25 beschäftigten. Aufschlußreich sind die Berührungspunkte zwischen der naturwissenschaftlichen Schrift und dem späteren dichterischen Werk. In dem „Versuch einer Witterungslehre" setzte er sich mit dem Sachverhalt auseinander, „daß das, was wir Elemente nennen, seinen eigenen wilden wüsten Gang zu nehmen immerhin den Trieb hat"[6]. Einzige Möglichkeit für den Menschen, sich gegen die Willkür der Elemente zu wehren, ist: „. . . gewahr zu werden, was die Natur in sich selbst als Gesetz und Regel trägt"[7]. Sinnlich konkret ist dieser Gedankengang im „Faust II" zu Beginn des IV. Aktes gefaßt. Von der Meereswoge heißt es:

> Sie schleicht heran, an abertausend Enden,
> Unfruchtbar selbst, Unfruchtbarkeit zu spenden;
> Nun schwillt's und wächst und rollt und überzieht
> Der wüsten Strecke widerlich Gebiet.
> Da herrschet Well auf Welle kraftbegeistet,
> Zieht sich zurück, und es ist nichts geleistet,
> Was zur Verzweiflung mich beängstigen könnte!
> Zwecklose Kraft unbändiger Elemente!

Faust erkennt als Gesetz, daß sich das Meer geringer Höhe wie geringer Tiefe fügen muß, und entwickelt daraus seine Dammbau- und Grabenpläne.

Da faßt ich schnell im Geiste Plan auf Plan:
Erlange dir das köstliche Genießen,
Das herrische Meer vom Ufer auszuschließen,
Der feuchten Breite Grenzen zu verengen
Und, weit hinein, sie in sich selbst zu drängen.

Goethes Natureinsicht, mitgetragen von seinen naturwissenschaftlichen Studien, führte ihn dazu, auf wesentliche Menschheitsfragen eine neue Antwort zu geben. Mephisto versuchte Faust zu Formen der Herrschaft zu verführen, die unschwer als die der feudalen Gesellschaft zu erkennen waren. Gleichgültig, ob er ihm die Rolle des patriarchalischen Landesvaters antrug, der sich in der Verehrung von Hunderttausenden nur selbst gefiel oder ob er ihm die Rolle des Lüstlings empfahl, dem „die Schönen im Plural“[8] gehören, immer war es das Angebot unnützen, selbstsüchtigen Genusses. Faust wies Mephistos Vorschläge entschieden zurück. Das Meer, seine zerstörerische Unproduktivität, forderte ihn zu einem Entwurf von Herrschaft und Genuß heraus, der menschliche Tätigkeit in sein Zentrum stellte. Faust entwirft sein Handeln dem Gesetz der Natur gemäß, die „gestaltetes Leben dem Gestaltlosen entgegensetzt“[9]. Menschliche Herrschaft und menschlicher Genuß erfahren dadurch eine neue geschichtsphilosophische Deutung. Im „köstlichen Genießen“ Fausts wird das Beherrschen der Natur als ein Freisetzen der menschlichen Natur bewußt gemacht. Menschliche Tätigkeit, die als produktive Weltaneignung zugleich humane Gestaltung der menschlichen Natur ist, vermag die Trennung von Genuß und Tat aufzuheben. Mit Bezug auf das Gesetz der Natur entwickelt Goethe im „Tatengenuß“ das dem Menschen Nötige. Es ist ein Entwurf, der das als Einheit sieht, was in der bisherigen menschlichen Geschichte getrennt war.

Zu Beginn des V. Aktes ist dem Meer durch Dämme und Deiche bewohnbares Land abgerungen. Dem Anschauenden bietet sich „ein paradiesisch Bild“ mit „Anger, Garten, Dorf und Wald“. Philemon zeigt dem Wanderer die Veränderungen, für diesen kaum glaubhaft.

So erblickst du in der Weite
Erst des Meeres blauen Saum,
Rechts und links, in aller Breite,
Dichtgedrängt bewohnten Raum.

Auch Lynkeus, der Türmer, besingt das schöne Bild der im letzten Licht der Sonne heimkehrenden Schiffe, die Faust den Reichtum fremder Weltgegenden bringen. Das schön Anzuschauende ist aber nur ein Teil der von Faust geschaffenen Welt. Das „paradiesisch Bild“, das Philemon von Fausts Werk entwarf, erscheint als Trug, wenn ihm Baucis hinzufügt:

Menschenopfer mußten bluten,
Nachts erscholl des Jammers Qual;

Trügerisch ist auch das Bild der friedlich heimkehrenden Schiffe. Von Mephisto und den drei Gewaltigen wurden sie nicht durch Handel erworben, sondern durch Piraterie anderen gewaltsam entrissen. Die Dissonanzen in den Szenen verschärfen sich, wenn der Türmer neben die Schönheit, die der Anblick des Kosmos und der Natur gewährt, „greuliches Entsetzen“ stellen muß, das ihn aus der „finstern Welt“ bedroht. Er erkennt, daß die Vernichtung des Lindenhügels und der Tod der beiden Alten und des Wanderers mehr ist als ein zufälliges Unglück. Fausts Verlangen nach Besitz des Lindenhügels führte dazu:

Was sich sonst dem Blick empfohlen,
Mit Jahrhunderten ist hin.

Schönes und Häßliches, Erhabenes und Schauriges bestimmt die Szenen. Fast unerträglich ist die Zuspitzung in der Szene, in der Faust das sinnvolle Zusammenwirken tätig-freier Menschen entwirft, die Lemuren aber nicht den von Faust geplanten Graben zur Realisierung dieser Vision aufbrechen, sondern sein Grab schaufeln. Die Entgegensetzung von Graben und Grab betont mit besonderer Sinnfälligkeit die für Faust unaufhebbare Spannung zwischen Wirklichem und Möglichem.

Fausts Entwurf der schönen menschlichen Tat zerbricht in einer Handlung, die sich mit der Besiedlung neugewonnenen Landes und mit dem Welthandel auf fortgeschrittenste Positionen der jüngsten, d. h. der bürgerlich-kapitalistischen Entwicklung bezieht. Er knüpft an jene Gesellschaftsformation an, die durch ihre Produktivität allen bisherigen überlegen ist. Indem er ihre Produktivität zur Sprache bringt, wird zugleich die tiefe soziale Fragwürdigkeit ihrer Resultate offenbar. Mit der ästhetischen Spannung zwischen schön und häßlich faßt Goethe den Grundwiderspruch der bürgerlichen Gesellschaft, die mit der Französischen Revolution die menschliche Emanzipation auf die weltgeschichtliche Tagesordnung setzte, ihre Realisierung aber in hohem Maß eingrenzte.

Auffallen muß, daß Goethe die soziale Relevanz der modernen Gesellschaft in einer Handlung ausstellt, in der neben Faust und Mephisto ausschließlich mythisch-phantastische Figuren agieren oder Figuren, mit denen sich mythische Geschichten verbinden. Es treten Philemon und Baucis auf, das antike Paar, von dem Ovid in den „Metamorphosen" berichtet, und Lynkeus, der Türmer, dessen Name mit dem des Steuermanns der Argonauten auf der Fahrt nach Kolchis übereinstimmt. Mythisch-phantastische Figuren sind die drei gewaltigen Gesellen, die Assoziationen zur Geschichte der Kriegshelden König Davids wachrufen, die vier grauen Weiber, die den Gestalten gleichen, die Aeneas am Eingang zur Unterwelt begegneten, und schließlich die Lemuren, antike Totengeister. Überdenkt man die Gliederung des Handlungskomplexes, der Fausts „Umwendung zum Besitz" zeigt, so wird er mit Fausts Entwurf von Landgewinn im IV. Akt eröffnet und mit der Vision der tätig-freien Menschheit im V. Akt abgeschlossen. Es sind Monologe, in denen die von Faust ersehnte direkte Beziehung zwischen Mensch und Natur als Möglichkeit humaner Existenz zur Sprache kommt:

Stünd ich, Natur! vor dir ein Mann allein,
Da wär's der Mühe wert, ein Mensch zu sein.

Diese Monologe umschließen jene Szenen, die die von Mephisto und den drei Gewaltigen praktisch durchgeführte Landgewinnung in einer Handlung ausstellen, in der Goethe von dem „unveräußerlichen Recht des Dichters, die Mythologie nach Belieben umzubilden, die Geschichte in Mythologie zu verwandeln"[10]

Gebrauch macht. Der in diesen Szenen hervortretende Zusammenhang zwischen Geschichte und mythischen Geschichten soll im folgenden näher betrachtet werden.

Wenden wir uns zunächst den drei Gewaltigen zu. Von Mephisto herbeigerufen, greifen sie in die feudalen Machtauseinandersetzungen zwischen Kaiser und Gegenkaiser ein. Es sind Kämpfe, in denen es nicht um wirkliche Lebensinteressen der Völker, sondern um die Restauration überlebter Herrschaftsverhältnisse geht. Das geschichtlich Unsinnige dieser Kämpfe stellt Goethe dar, indem die Heere nicht miteinander, sondern mit „Trug! Zauberblendwerk! Hohle[m] Schein" kämpfen. Mephisto putzt Gespenster mit alten Ritterrüstungen heraus und fordert den Elementen trügerische Spiele ab. Er bittet die Undinen um „Wasserlügen" und läßt das Gezwergvolk Feuererscheinungen vorspiegeln. In den Lüften klingt es „grell und scharf satanisch" vom zauberisch erneuerten Waffenlärm längst vergangener Parteienkämpfe. Geschichte und Natur werden aufeinander bezogen, wie es Goethe in dem Brief an Karl Jakob Ludwig Iken von 1827 schreibt: „Da sich gar manches unserer Erfahrungen nicht rund aussprechen und direct mittheilen läßt, so habe ich seit langem das Mittel gewählt, durch einander gegenüber gestellte und sich gleichsam in einander abspiegelnde Gebilde den geheimeren Sinn dem Aufmerkenden zu offenbaren."[11] Natur, die sich nur als „zwecklose Kraft unbändiger Elemente", als „Zauberei" entfaltet, spiegelt die feudalen Machtkämpfe als geschichtlich sinnloses Blendwerk. So problematisch wie sie sind auch die in ihnen freigesetzten menschlichen Kräfte, die Mephisto in Raufebold, Habebald und Haltefest „zusammenrafft". Ihr gespenstisch unnatürliches Wesen betont der Kaiser. Den von Raufebold geführten Kampf kommentiert er:

Erst sah ich *einen* Arm erhoben,
Jetzt seh ich schon ein Dutzend toben;
Naturgemäß geschieht es nicht.
. . .
Doch wie bedenklich! Alle Spitzen
Der hohen Speere seh ich blitzen;

Auf unsres Phalanx blanken Lanzen
Seh ich behende Flämmchen tanzen.
Das scheint mir gar zu geisterhaft.

Die drei Gewaltigen greifen in die blutig-farcenhaften Machtkämpfe ein und befestigen die alten Herrschaftsverhältnisse. Auf diese Weise erhält Faust den Meeresstrand als Lehn. Deutlich hebt Goethe Fausts Vorhaben, die auf „Der Völker breiten Wohngewinn" gerichtet sind, von den geschichtlich unsinnigen feudalen Kämpfen ab. Die drei Gewaltigen schufen aber nicht nur die materiellen Voraussetzungen für Fausts Dammbauprojekt, sondern sind auch weiterhin diejenigen, die für Faust Land gewinnen. Das heißt, daß Taten sowohl unter den feudalen wie den frühkapitalistischen Bedingungen Gewalttaten sind. War „Gib her!" der „Handwerksgruß", mit dem für Faust das Lehn erworben wurde, so gilt er auch für die Eroberung der Weltmeere und die Philemon-und-Baucis-Szenen. Den Hymnus des Lynkeus auf eine harmonische Welt:

Die Sonne sinkt, die letzten Schiffe,
Sie ziehen munter hafenein.

zerstört Mephisto:

Da fördert nur ein rascher Griff,
Man fängt den Fisch, man fängt ein Schiff,
Und ist man erst der Herr zu drei,
Dann hakelt man das vierte bei;
Da geht es denn dem fünften schlecht,
Man hat Gewalt, so hat man Recht.

Auch der Lindenhügel von Philemon und Baucis gelangt nur gewaltsam in Fausts Besitz. Lakonisch tut Mephisto den Tod der beiden Alten und des Wanderers ab:

Das alte Wort, das Wort erschallt:
Gehorche willig der Gewalt!

Mit den allegorischen Lumpen Raufebold, Habebald und Haltefest bringt Goethe die feudalen wie die frühkapitalistischen

Verhältnisse auf ihre soziale „Quintessenz“: Raufen – Rauben – Besitzen. Die allegorische Gestaltung, die „die Erscheinung in einen Begriff, den Begriff in ein Bild“[12] verwandelt, ist so die poetisch anschauliche Verdichtung außerordentlich komplexer gesellschaftlicher Erfahrungen Goethes. Der mythische Bezug der Figuren leistet dabei Entscheidendes. Die Regieanweisung, die das erste Auftreten der drei gewaltigen Gesellen ankündigt, gibt auch den Hinweis: „Sam. II, 23, 8.“ Unverkennbar regten die drei Kriegshelden König Davids Goethe zur Gestaltung von Raufebold, Habebald und Haltefest an. In dem Krieg der Israeliten gegen die Philister sind Jasobeam, Eleasar und Samma Vornehmste des Volkes, deren Geschlecht und Taten das Alte Testament sorgfältig verzeichnet. Jasobeam, der Sohn Hachmonis, erschlug achthundert Feinde Israels auf einmal. Von Eleasar, dem Sohn Dodos, des Sohnes Ahohis, heißt es: „Und der Herr gab ein großes Heil zu der Zeit, daß das Volk umwandte ihm nach, zu rauben.“[13] Der dritte, Samma, der Sohn Ages, des Harariters, verteidigt einen Linsenacker gegen die Philister. Von den biblischen Figuren macht Goethe in einer Weise Gebrauch, wie er es in dem 1827 erschienenen kleinen Aufsatz „Moderne Guelfen und Ghibellinen“ darlegt: „Nur kommt es darauf an, daß man das Gestalten der dichterischen Figuren vermannigfaltige und sich also dadurch der gerühmten Vorteile bediene, welche ein durch ein paar tausend Jahre erweiterter Gesichtskreis darbieten mag.“[14]

In die Umgestaltung von Jasobeam, der für sein Volk und seinen Gott tötete, zu Raufebold, der Händel um der Händel willen sucht, gehen Goethes Erfahrungen mit seinem Zeitalter ein.

Dies gilt auch für Eleasar, der als Habebald danach handelt: „Im Nehmen sei nur unverdrossen“, und für Samma, der als Haltefest, blind für alles andere, nur nach Besitz strebt. Mit Hilfe der mythischen Geschichte werden von Goethe mit Raufen – Rauben – Besitzen die sozialen Triebkräfte gegenwärtiger Geschichte bloßgelegt. „Drei Gewaltige“ ist ein höchst beziehungsreicher Name für Raufebold, Habebald und Haltefest. Sie haben die Wirklichkeit in ihrer Gewalt, weil sie das Gesetz gewaltsamer Weltaneignung voll ausnutzen. Die Mythe verhilft Goethe dazu, für die soziale Problematik feudalen wie frühkapitalistischen Geschichtsverlaufs „Gehalt, Gestalt und Form“[15] zu finden.

So deutlich sich die Figuren der drei Gewaltigen auf feudale und frühkapitalistische Sozialverhältnisse beziehen, so büßen sie doch nicht ihr mythisches Alter ein. Dadurch entstehen Verweisungszusammenhänge, die die gegenwärtige Geschichte historisieren. Diese erscheint jedoch nicht einfach als Wiederkehr des Gleichen, sondern als Vorgang, bei dem die überkommenen Tätigkeiten, unter veränderten Umständen fortgeführt, einen neuen sozialen Stellenwert erhalten. Töteten und raubten die Kriegshelden Davids im Interesse ihres Volks, ihres Königs und ihres Gottes, so handeln die drei Gewaltigen sozial zügellos, sie sind allein auf Besitz aus. Aus „Urgebirgs Urmenschenkraft ... zusammengerafft“, erscheinen sie wie ungebändigte Naturelemente, sind gespenstisch wie sie. Raufebold, Habebald und Haltefest werden von Goethe als Jüngling, Mann und Greis vorgestellt. Indem die Lebensalter allein durch Raufen – Rauben – Besitzen aufeinander bezogen sind, stellt sich im Vergleich zu den drei Kriegshelden Davids die Geschichte als Prozeß radikaler Reduktion der menschlichen Beziehungen heraus. Tätigkeit, allein „Mittel zum Schaffen des Reichtums überhaupt“[16], macht die drei Gewaltigen zu Unmenschen. Durch die mythische Tiefe der Figuren erscheinen sie als alt, aber nicht im Sinne von ehrwürdig. Tätigkeiten, so alt wie die biblische Mythe, sind an jenen Punkt gelangt, an dem sich materielle Produktivkräfte in soziale Destruktivkräfte verkehren. Die Taten der drei Gewaltigen sind Untaten; aus einstigen Helden wurden Lumpe. Indem von Goethe Mächtiges in seiner Negativität, Bestehendes als Altes, gespenstisch Beharrendes bloßgestellt wird, schafft er die Voraussetzung, Häßliches ästhetisch schön zu gestalten. In dem Aufsatz „Der Tänzerin Grab“ schrieb Goethe 1812: „Die göttliche Kunst, welche alles zu veredeln und zu erhöhen weiß, mag auch das Widerwärtige, das Abscheuliche nicht ablehnen. Eben hier will sie ihr Majestätsrecht gewaltig ausüben; aber sie hat nur *einen* Weg, dies zu leisten:

sie wird nicht Herr vom Häßlichen, als wenn sie es komisch behandelt ...“[17] In allen, auch den für ihn problematischen Situationen, erneuert Faust seinen Anspruch, „ein Mensch zu sein“, und widersetzt sich damit der von Mephisto und den drei Gewaltigen geschaffenen asozialen Praxis. Schon in der Szene „Palast“ reagierte er nicht auf die Forderung der drei Gewaltigen auf „Gruß und Dank“. Ihre Dienstfertigkeit, mit der sie das alte Paar und den Wanderer „weggeräumt“ haben, lehnt Faust in der Szene „Tiefe Nacht“ entschieden ab. Sie werden wie Komödienfiguren behandelt, deren Anspruch als unangemessen zurückgewiesen wird. Statt des Begehrten wird das ihnen Gemäße zuteil, statt Fausts Dank sein Fluch. Mit der komischen Behandlung der drei Gewaltigen gelingt es Goethe, Bedrohliches zurückzudrängen und im Zuschauer das Bewußtsein seiner Freiheit zu erzeugen. Durch die mythischen Verweisungen erscheint das in der Gegenwart Mächtige als geworden. Ihm wird der Charakter schicksalhafter Endgültigkeit genommen.

1818 schrieb Goethe in „Philostrats Gemälde“ zur griechischen Mythologie: „Ihre älteste Mythologie personifiziert die wichtigsten Ereignisse des Himmels und der Erde, individualisiert das allgemeinste Menschenschicksal, die unvermeidlichen Taten und unausweichlichen Duldungen eines immer sich erneuenden seltsamen Geschlechts.“[18] In den drei Gewaltigen individualisiert Goethe das „allgemeinste Menschenschicksal“ im Hinblick auf bisher „unvermeidliche Taten“. Es sind Figuren, mit denen Goethe die Produktions- und sozialen Verkehrsformen der Menschen so faßt, daß in den ausgestellten feudalen und frühkapitalistischen Formen die Geschichte der Menschheit als Geschichte gewaltsamer Weltaneignung hervortritt. Die in Mythologie verwandelte Geschichte ermöglicht Goethe, sie „aus dem Spezifischen mehr in das Generische“[19] zu wenden.

Hauptgesichtspunkt der Philemon-und-Baucis-Szenen des V. Aktes ist, mit den „unvermeidlichen Taten“ zugleich die „unausweichlichen Duldungen“ herauszuarbeiten. Der freie Umgang mit der Mythologie ist wiederum die poetische Bedingung dafür. Eine geradezu widersprüchlich wirkende Äußerung Goethes gegenüber Eckermann macht darauf aufmerksam: „Mein Philemon und Baucis ... hat mit jenem berühmten Paare des Altertums und der sich daran knüpfenden Sage nichts zu tun. Ich gab meinem Paare bloß jene Namen, um die Charaktere dadurch zu heben. Es sind ähnliche Personen und ähnliche Verhältnisse, und da wirken denn die ähnlichen Namen durchaus günstig.“[20] In der Szene „Offene Gegend“ wird durch die antiken Namen wie durch den Lebensbereich mit Hütte, Kapelle und Lindenhügel an die Mythe von Philemon und Baucis erinnert. Es ist die Geschichte von dem Paar, das Zeus und Hermes, die Phrygien in Menschengestalt durchwanderten, gastfreundlich aufnahm. Als Dank verwandelten die Götter die Hütte der Alten in einen Tempel und das umliegende Land in einen Sumpf. Sie erfüllten auch ihre Bitte, gemeinsam zu sterben. In verwandelter Gestalt, als Eiche und Linde, blieb das Paar im Tod vereint. Im „Faust“ ist der Lebensbereich der beiden Alten von dem Kolonisationswerk Fausts, „Weiter Ziergarten, großer, gradgeführter Kanal“, und seinem Palast umgeben. Die unterschiedlichen Landschaftstypen verweisen auf das Gegensätzliche dieser beiden Lebensbezirke. Inmitten der universalen Arbeitswelt Fausts, in der bezahlte Knechte die Natur technisch durchgestalteten, erscheinen Hütte, Gärtchen und Kapelle der beiden Alten als Idylle. 1821 schrieb Goethe zu „Wilhelm Tischbeins Idyllen“: „Alle kunstreichen idyllischen Darstellungen erwerben sich deshalb die größte Gunst, weil menschlich natürliche, ewig wiederkehrende, erfreuliche Lebenszustände einfach wahrhaft vorgetragen werden, freilich abgesondert von allem Lästigen, Unreinen, Widerwärtigen, worein wir sie auf Erden gehüllt sehn.“[21] So wird auch im „Faust“ die Idylle als Ort eingeführt, wo jeder des „Wohltuns Glück genießt“. Einander in Liebe zugewandt, bietet das alte Paar dem umhergetriebenen Wanderer Geborgenheit und Frieden. Der Lebensbereich von Philemon und Baucis ist Sinnbild natürlich gewachsener, die Zeiten überdauernder Humanität. Der durch Überlieferung fest in sich ruhende Bezirk der beiden Alten ist umgeben von Fausts Welt, für die gilt, von allem Besitz zu ergreifen und ständig ihre Grenzen zu erweitern. Durch

Landgewinnung und Schiffahrt wurde das Meer dem Menschen dienstbar. Aber es werden nicht nur „des Meeres Rechte" geschmälert, sondern auch das Lebensrecht von Menschen. Fausts Begehren, sich die Welt anzueignen, macht vor der Idylle der beiden Alten nicht halt. Baucis beschuldigt Faust:

Wie er sich als Nachbar brüstet,
Soll man untertänig sein.

Die Worte, mit denen Faust im V. Akt eingeführt wird, bestätigen den Verdacht von Baucis:

Verdammtes Läuten! Allzu schändlich
Verwundet's, wie ein tückischer Schuß;
Vor Augen ist mein Reich unendlich,
Im Rücken neckt mich der Verdruß,
Erinnert mich durch neidische Laute:
Mein Hochbesitz, er ist nicht rein,
Der Lindenraum, die braune Baute,
Das morsche Kirchlein ist nicht mein.

Erschreckend ist die Diskrepanz zwischen Fausts Entwurf der Weltaneignung im IV. Akt und seiner Praxis, in der sich Herrschaft in dem Drang realisiert, sich alles zu unterwerfen. Nicht der Landgewinn von „wenig Bäumen" ist für Faust entscheidend, sondern

Das Widerstehn, der Eigensinn
Verkümmern herrlichsten Gewinn.

Linden, Kapelle und Hütte bezeichnen jenen Bereich, in dem Menschen unabhängig von Faust ihr eigenes Leben führen. Hierdurch fühlt sich Faust herausgefordert. Beklemmend ist die Dialektik, die Goethe an Faust sichtbar macht: Seine ungezügelte Begier, sich Natur und Menschen zu unterwerfen, bedroht das Leben anderer, aber auch das eigene. Herrschaft muß Faust mit menschlicher Verarmung bezahlen. Dieser Tatbestand wird dadurch offensichtlich, daß Goethe die Funktion aufzeigt, die zentrale Werte bürgerlichen Selbstverständnisses für Faust haben. „Des allgewaltigen Willens Kür", einzig darauf gerichtet, menschliche Unabhängigkeit in Untertänigkeit zu zwingen, Gerechtigkeit, darauf aus, das Lebensrecht anderer als unrechten Eigensinn erscheinen zu lassen, verlieren ihren den Menschen in Freiheit setzenden Gehalt. Willensfreiheit und Gerechtigkeit entfalten nicht mehr den Reichtum menschlicher Kräfte und Beziehungen. Sie sind zum Werkzeug fremder und eigener Unfreiheit geworden. Die Entleerung wesentlicher Werte menschlicher Emanzipation wird in seiner weitreichenden Bedeutung aber erst dadurch einsichtig, daß Fausts Verhalten nicht einfach als moralisches Fehlverhalten erscheint. Mythische Verweisungen haben in diesem Zusammenhang die Funktion, subjektives Wollen in seiner objektiven Bedingtheit erkennbar zu machen. Fausts Aufforderung an Mephisto und die drei Gewaltigen

> So geht und schafft sie mir zur Seite! –

kommentiert dieser:

> Auch hier geschieht, was längst geschah,
> Denn Naboths Weinberg war schon da. (Regum I, 21)

Erinnert wird an die Geschichte König Ahabs, der durch Tausch oder Kauf den Weinberg des frommen Naboth erwerben wollte. Als Naboth die Angebote ablehnt, erfüllt Isebel den Wunsch ihres Mannes, indem sie Naboth wegen angeblicher Königslästerung steinigen läßt. Die biblische Geschichte hat im „Faust" vorgreifende Funktion. Es wird auf das Schicksal von Philemon und Baucis vorausgedeutet. Ihr Tod wird nicht mehr ihr Einswerden mit der Natur sein wie in der antiken Mythe. Durch das Eingreifen von Mephisto und den drei Gewaltigen wird er wie in der biblischen Geschichte brutal und gewaltsam vollzogen. Als die beiden Alten ihre Hütte, den Ort menschlicher Geborgenheit, nicht freiwillig verlassen, zünden sie Mephisto und die drei Gewaltigen an. Sie wird ihnen und dem sie verteidigenden Wanderer zum Scheiterhaufen. Die Philemon-und-Baucis-Mythe erhält durch die Kombination mit der biblischen Mythe von König Ahab mit der neuen Wendung zugleich ihren die Menschheitsgeschichte deutenden Gehalt. Wieder wird durch mythische Bezüge als Haupttendenz aller bisherigen Geschichte herausgestellt:

Das alte Wort, das Wort erschallt:
Gehorche willig der Gewalt!

An Faust wird sichtbar, wie diese Grundtendenz den Handlungsspielraum des Menschen einengt. Will er tätig werden, so kann er es nur innerhalb dieser Bedingungen. In den Fragmenten „Über die neuere Deutsche Litteratur" entwickelte Herder folgende Möglichkeit, von alten Mythen Gebrauch zu machen: „. . . aus der neuern Zeit und ihren Sitten der alten Mythologie einen neuen Zug so glücklich andichten zu können, daß das Neue ehrwürdig und das Alte verjüngt wird."[22]

In dieser Weise bezieht Goethe die alte Geschichte König Ahabs auf die neue Geschichte Fausts. Indem König Ahabs Verhalten so gegenwärtig wirkt wie Fausts Verhalten alt erscheint, entsteht eine poetische Konstellation, die die geschichtliche Zwangslage Fausts sichtbar macht. Er kann der Kontinuität des sozial negativen Geschichtsverlaufs nicht entkommen. Sein Streben nach Besitz als Aneignung fremden Besitzes, seine Herrschaft als Herrschaft über andere ist nicht einfach eine moralische Fehlleistung, sondern beschreibt genau den unsozialen Handlungsspielraum, den die menschliche Tätigkeit, freigesetzt durch Mephisto und die drei Gewaltigen, hat. Faust wird durch sein Begehren zum Mittäter und Mitschuldigen am Tod der beiden Alten und des Wanderers. Er ist beteiligt an den „unvermeidlichen Taten" Mephistos und der drei Gewaltigen, zugleich ist dies aber für ihn eine Situation, in der er „unausweichlichen Duldungen" ausgesetzt ist. So problematisch Fausts Wollen auch ist, so führt es doch nie zu einer Identität mit Mephisto und den drei Gewaltigen. Faust geht soweit, daß er den gewaltsamen Tausch wünscht, aber nicht die tödliche Vernichtung.

So geht und schafft sie mir zur Seite! –

bleibt eingeschränkt durch:

Das schöne Gütchen kennst du ja,
Das ich den Alten ausersah.

Fassungslos macht ihn deshalb das brutale Ergebnis seines Wollens. Durch die unverhältnismäßigen Folgen sind Wollen und Vollbringen durch eine Kluft voneinander getrennt. Faust muß erleben, daß seine Wünsche, ausgeführt von Mephisto und den drei Gewaltigen, von allen möglichen immer die schlimmstmögliche Wendung nehmen. In diesem Zusammenhang kommt Goethe auf das Problem der gespenstischen Welt zurück. In den feudalen Kämpfen fühlte sich Faust dem „Zauberblendwerk" überlegen. Für die vom Kaiser beobachteten gespenstischen Erscheinungen erfand er „natürliche" Erklärungen. Am Ende der Philemon-und-Baucis-Szenen hat sich seine Situation verändert. Direkt von dem Handeln Mephistos und der drei Gewaltigen betroffen, ist ihm nun selbst die Welt fremd und gespenstisch geworden.

> Nun ist die Luft von solchem Spuk so voll,
> Daß niemand weiß, wie er ihn meiden soll.

konstatiert er als zutiefst daran Leidender. Er reflektiert seine Situation, in der durch die Taten Mephistos und der drei Gewaltigen die sozialen Folgen seines Wollens für ihn unberechenbar geworden sind. Statt menschliche Freiheit im „Tatengenuß" zu gewinnen, bedroht ihn die Destruktion seiner menschlichen Kräfte. Was Goethe 1813 in „Dichtung und Wahrheit" formulierte, ist als noch immer gegenwärtiges Lebensproblem Untergrund dieser Faustszenen: „So manches, was uns innerlich eigenst angehört, sollen wir nicht nach außen hervorbilden; was wir von außen zu Ergänzung unsres Wesens bedürfen, wird uns entzogen, dagegen aber so vieles aufgedrungen, das uns so fremd als lästig ist. Man beraubt uns des mühsam Erworbenen, des freundlich Gestatteten, und ehe wir hierüber recht ins klare sind, finden wir uns genötigt, unsere Persönlichkeit erst stückweis und dann völlig aufzugeben."[23] Durch die mythischen Bezüge tritt die bürgerliche Individualproblematik im „Faust" „generisch", d. h. das menschliche Geschlecht betreffend, als Zusammenhang von „unvermeidlichen Taten und unausweichlichen Duldungen" hervor. Menschliches Handeln, bedingt durch die soziale Gestalt der Gesellschaft, erscheint zugleich als Leiden an ihren Widersprüchen. Es ist die der Faustgestalt zugrunde liegende geschichtliche Dialektik, die jene Interpreten verkürzen, die in Faust den „kapitalistischen Wirtschaftslenker“[24] oder den „Handelskapitalisten“[25] sehen.

Bis zum Ende seines Lebens ist Faust von Gespenstern umgeben, denn bis zu seinem Tod bleibt Fausts Herrschaft ein Herr–Knecht-Verhältnis. War dadurch Fausts Beziehung zu dem Lebensbereich der beiden Alten geprägt, so ist es auch das soziale Grundverhältnis in der von ihm selbst geschaffenen Welt. Schon zu Beginn des V. Aktes klingt dies an. Spricht Philemon von „Kluger Herren kühne Knechte“, die das Meer eindämmen, so fügt dem Baucis hinzu:

Tags umsonst die Knechte lärmten,
Hack und Schaufel, Schlag um Schlag;
Wo die Flämmchen nächtig schwärmten,
Stand ein Damm den andern Tag.
Menschenopfer mußten bluten,
Nachts erscholl des Jammers Qual;

Unmittelbar vor dem Tod Fausts verschärft Goethe die sozialen Dissonanzen des Herr-Knecht-Verhältnisses. Schon erblindet, plant Faust aufs neue:

Was ich gedacht, ich eil es zu vollbringen;
Des Herren Wort, es gibt allein Gewicht.
Vom Lager auf, ihr Knechte! Mann für Mann!
Laßt glücklich schauen, was ich kühn ersann.
. . .
Daß sich das größte Werk vollende,
Genügt *ein* Geist für tausend Hände.

Das Herr-Knecht-Verhältnis, scheinbar beglaubigt durch das göttliche Modell vom guten Herrn und Jahrhunderte als gesellschaftliche Grundkonstellation durchgesetzt, wird im Verlauf der nächsten Szene endgültig als unmenschlich zurückgewiesen. Faust fordert von Mephisto:

Wie es auch möglich sei,
Arbeiter schaffe Meng auf Menge,

Ermuntere durch Genuß und Strenge,
Bezahle, locke, presse bei!

Es wird von Goethe auf soziale Entwicklungen vorgedeutet, die sich im industriell schwach entwickelten Deutschland erst im Keim anbahnten. Mit dem Bild der fronenden Arbeitsheere, die die Natur kultivieren, rückt er aber scharf den tatsächlichen Widerspruch ins Licht, der die industrielle Welt des 19. Jahrhunderts kennzeichnen wird.

Es ist die Menge, die mir frönet,
Die Erde mit sich selbst versöhnet.

Was Faust als Voraussetzung für sein „größtes Werk“ erscheint, weist Goethe in der Handlung als seine letzte, tiefste Täuschung aus. Nicht Arbeiter, sondern Lemuren klirren mit den Spaten und nicht ein neuer Graben, sondern Fausts Grab wird geschaufelt. Fausts Plan, durch gegenwärtige Knechtung zukünftige Freiheit zu erkaufen, wird mit der äußersten Entschiedenheit zurückgewiesen. Seine Vision einer tätig-freien Menschheit und seinen durch die Lemuren angekündigten Tod stellt Goethe in einen tragisch-ironischen Zusammenhang. Dadurch erscheint die Aufhebung bisher „unvermeidlicher Taten und unausweichlicher Duldungen“ nicht als plane Verheißung; Fausts Grablegung durch die Lemuren ist ihr schmerzhaft widersprüchlicher Kontext.

In der bürgerlichen Sekundärliteratur werden die Lemuren immer wieder als Figuren interpretiert, die den „Ernst der Grablegungsszene“ kontrapunktisch durch ihre „scherzhaften ‚Ländlerverse‘“[26] hervorheben. Auch Heinz Hamm sieht in seinem 1978 vorgelegten Buch „Goethes ‚Faust‘“ in ihnen allein „die Häßlichkeit des Todes auf eine besonders fratzenhaft abstoßende Weise“[27] vorgestellt. Ohne Zweifel sind die Lemuren gespenstisch häßliche Figuren. Die antiken Totengeister führt Mephisto ein:

Herbei, herbei! Herein, herein!
Ihr schlotternden Lemuren,
Aus Bändern, Sehnen und Gebein
Geflickte Halbnaturen.

Diese Verse erinnern an Goethes Aufsatz „Der Tänzerin Grab" von 1812. Er deutet darin drei Reliefs eines spätantiken Grabmals, das Friedrich Karl Ludwig Sickler 1809 bei Cumae entdeckte. Von dem Relief, das die Tänzerin im „Tartarus, in der Region der Verwesung und Halbvernichtung"[28] zeigt, heißt es: „. . . alles gibt den Ausdruck des Stationären, des Beweglich-Unbeweglichen: ein wahres Bild der traurigen Lemuren, denen noch so viel Muskeln und Sehnen übrigbleiben, daß sie sich kümmerlich bewegen können, damit sie nicht ganz als durchsichtige Gerippe erscheinen und zusammenstürzen."[29] Im Hinblick auf den „Faust" ist Goethes Aufsatz aber vor allem dadurch interessant, daß er einen Zusammenhang zwischen der Grabplatte mit der Lemurengestalt der Tänzerin und den beiden anderen herstellt. Die Darstellung der Tänzerin als Lemure versteht Goethe als den mittleren Teil einer Trilogie, die sie zuerst in ihrem „leiblichen Zustande" und im letzten Bild in der „ewigen Schattenseligkeit" zeigt. Auch in der 1831 nochmals vorgetragenen Interpretation der drei Grabplatten besteht er auf ihrer Deutung als Trilogie, da sie sich ihm so als „schönes Kunstprodukt" erschließen. Er schreibt von einem „antiken humoristischen Geniestreich . . ., durch dessen Zauberkraft zwischen ein menschliches Schauspiel und ein geistiges Trauerspiel eine lemurische Posse, zwischen das Schöne und Erhabene ein Fratzenhaftes hineingebildet wird. Jedoch gestehe ich gern, daß ich nicht leicht etwas Bewundernswürdigeres finde als das ästhetische Zusammenstellen dieser drei Zustände . . ."[30] Diese Zeilen könnte man als Angebot zum Verständnis der letzten Szenen des „Faust" lesen. Zwischen die Handlung, die Landgewinn im Bezug auf die Widersprüche feudaler und frühkapitalistischer Geschichte gestaltet, und die Vision, in der Landgewinn identisch ist mit der „tätig-freien" Menschheit, ist auch hier mit den Lemuren „Fratzenhaftes hineingebildet".

Es gilt wohl gar ein weites Land,
Das sollen wir bekommen.

antworten die Lemuren auf die Aufforderung Mephistos „Herbei, herbei!" Offensichtlich machen unabgegoltene menschliche

Ansprüche diese Toten zu Wiedergängern. Sie erheben Anspruch auf „ein weites Land“, das sie für sich abstecken, auf ein Haus, das sie für sich einrichten. Wie in der Volkstradition fordern auch die lemurischen Wiedergänger Goethes die elementaren sinnlichen Genüsse des Lebens ein, denn Alter und Tod waren nicht sinnvoller Abschluß, sondern unsinniger Abbruch ihres Lebens. Sie klagen:

Wie jung ich war und lebt und liebt,
Mich deucht, das war wohl süße;
. . .
Nun hat das tückische Alter mich
Mit seiner Krücke getroffen;
Ich stolpert über Grabes Tür,
Warum stand sie just offen!

Das Bestreben der Lemuren wird sichtbar, in einer von ihnen selbst gestalteten Welt zu leben. Sie wollen ein solches Verhältnis zur eigenen Tätigkeit gewinnen, das den Genuß des von ihnen Geschaffenen einschließt. Schroff heben sich von diesen Versen jene ab, in denen sie Mephisto antworten:

Wir treten dir sogleich zur Hand
Und, wie wir halb vernommen . . .

oder

Warum an uns der Ruf geschah,
Das haben wir vergessen.

Auch die Verse der Lemuren, in denen sie ihr unsinniges Leben beklagen, sind ironisch gebrochen, denn Goethe versieht sie mit der Regieanweisung „mit neckischen Gebärden grabend“. Hier sprechen und handeln Figuren, die unfähig sind, ihren Taten das ihnen gemäße Ziel zu setzen, den Sinn ihres Daseins zu begreifen. „Vergessen“ ist das Synonym für ihre ausgelöschte Individualität. Ihrer selbst nicht bewußt, vermögen sie sich nicht selbst zu bestimmen. Sie sind bestimmbar geworden, brauchbar als Werkzeuge Mephistos. Mit bis zum Komischen gehenden Mitteln arbeitet Goethe den Widerspruch ihrer Existenz heraus. Die, die sich nach Tat und Genuß sehnen, sind für den tätig, der bekennt:

> Was soll uns denn das ew'ge Schaffen!
> Geschaffenes zu nichts hinwegzuraffen!
> . . .
> Ich liebte mir dafür das Ewig-Leere.

Die ironische Brechung der Verse der Lemuren ist Ausdruck ihrer gebrochenen Existenz.

Ihre fratzenhafte Häßlichkeit unterstreicht auch der literarische Bezug, in dem sie und ihr Lied stehen. Ihre Verse sind dem Lied der Totengräber aus Shakespeares „Hamlet" frei nachgedichtet.[31] Auf diese Weise werden die Lemuren mit Figuren konfrontiert, die sich in ihrer Lebenssphäre praktisch handelnd zu behaupten wissen. Wenn der Totengräber in seinem Lied vom Tod singt, daß er den Menschen aus dem Land schifft, „As there had bene none such", so schafft er durch seine praktische Tätigkeit Distanz zu der in dem Lied ausgesprochenen Bedrohung des Menschen, gelebt zu haben, ohne eine Spur zu hinterlassen. Für die Totengräber ist das Grabschaufeln ein Beruf, dessen Funktion sie sich für ihr Leben bewußt machen. Das Rätsel des Totengräbers mit der Frage, wer fester als der Maurer, der Zimmermann und der Schiffsbaumeister baue, zeigt den Stolz und die innere Beziehung des Tätigen zu seiner Arbeit. Mit ihrer natürlichen, das Menschliche naiv sinnlich verteidigenden Klugheit vermögen sie sehr gut zwischen dem Grab, das sie ausheben, dem Lied, das sie singen, und dem Haus, auf das sie als Lebendige Anspruch haben, zu unterscheiden. Die Lemuren aber graben in der Hoffnung auf ein „weites Land" jenem das Grab, der eine Welt anstrebt, in der der Mensch zu Hause ist. Im Vergleich zu den durch ihre praktische Lebensbewältigung lebendigen und bejahenswerten Figuren der Totengräber sind die Lemuren in die Widersprüchlichkeit ihrer Existenz gebannt. War in Fausts Leben das „Unverhältnis"[32] zwischen Wollen und Vollbringen als Bedrohung immer gegenwärtig, so wird es in den mythischen Figuren exemplarisch in seiner das Menschliche vernichtenden Gewalt ausgestellt. Goethe macht hier wiederum von dem „unveräußerlichen Recht des Dichters, ... die Geschichte in Mythologie zu verwandeln", Gebrauch, um die bisherige Geschichte als Zustand unmenschlicher Repression zu charakterisieren. Im „Kapital" schreibt Marx von den „sozusagen unreif gepflückten Menschengenerationen"[33] und gebraucht das Bild in einem Kontext, der das „Verwertungsbedürfnis des Kapitals" als Ursache für die Degeneration der industriellen Bevölkerung zeigt. Goethe findet mit den Lemuren, Marx vergleichbar, ein poetisches Bild für ein in seiner menschlichen Entfaltung gehemmtes Menschengeschlecht.

Die historische Situation in Deutschland, in der die feudale Agrarverfassung noch immer fortbestand und der Manufakturkapitalismus erst schwach entwickelt war, durchdrang Goethe so umfassend, daß er mit dem Blick auf das Ganze der Menschheitsgeschichte als ihre gegenwärtige Entscheidungsfrage zu formulieren vermochte: Weltaneignung als Entfaltung oder Zerstörung der produktiven Fähigkeiten der Menschen. Die mythischen Lemuren machen den noch nicht wirklichen Zustand einer befreiten Menschheit, entworfen in Fausts Vision, als wirkliche geschichtliche Notwendigkeit begreiflich. Motivisch sind deshalb die Verse der Lemuren genau mit denen der Vision verknüpft. An die Stelle des „Vergessens" und damit der Vereinzelung ist Landgewinn als gemeinsame Aktion der Menschen getreten. Tätigkeit ist bewußt gestaltete soziale Kommunikation, ist „Gemeindrang". Klagten die Lemuren

> Ich stolpert über Grabes Tür
> Warum stand sie just offen!

so verbringt

> Hier Kindheit, Mann und Greis sein tüchtig Jahr.

Ein Weltverhältnis ist hergestellt, das menschliche Selbstverwirklichung aus der Einheit von Tat und Genuß gewinnt. Die mythischen Lemurenszenen machen die Vision als notwendige Wendung der Menschheitsgeschichte bewußt.

Goethe knüpft mit seiner Art, die Mythologie zu gebrauchen, an Herder an, der bereits 1767 die Frage stellte: „Kann man einen neuen Vorfall durch eine Fiktion aus der alten Mythologie erklären?" und darauf antwortete: „Kurz! aus der alten Mythologie eine Wahrnehmung, eine Erfindung, eine Begebenheit, Poetisch wahrscheinlich und Poetisch schön zu erklären – dieses ist, wie ich glaube, der am meisten Dichterische Gebrauch der Fabellehre . . ."[34] Goethe gelingt es, „Poetisch wahrscheinlich und Poetisch schön" das zu sagen, „was der Mensch über seine Gegenwart und Zukunft wissen, fühlen, wähnen und glauben kann".[35]

Nach dem Thermidor: Kapitalistische Prosa und moderne Poesie

Günter Mieth

Krise und Ausklang der deutschen Aufklärung?

Gedanken zur Periodisierung der deutschen Literatur am Ausgang des 18. Jahrhunderts

Am 13. Juni 1794 schreibt Friedrich Schiller jenen folgenreichen Brief an Goethe, in dem er ihn um die Mitarbeit an der Zeitschrift „Die Horen" bittet. Jeder literaturgeschichtlich nur halbwegs Informierte sieht darin den Auftakt zu einem Dichterbund, der wahrhaft Epoche in der deutschen Literatur machte. Für eine Literaturgeschichtsschreibung, die ihren Blick auf die Gipfelleistungen richtete und die sich biographisch fundierte, war es nur allzu naheliegend, das sogenannte „klassische Jahrzehnt" mit jenem Sommer 1794 beginnen zu lassen. Bot sich damit doch ein Periodisierungsprinzip an, das sich mühelos übertragen ließ auf die vorhergehende und nachfolgende literarische Entwicklung. Auch eine historisch-materialistische Literaturgeschichtsschreibung konnte daran festhalten, weil der historische Zufall zu Hilfe kam: Am 27. Juli 1794, dem 9. Thermidor, wurde Robespierre gestürzt; die revolutionär-demokratische Diktatur der Jakobiner fand ihr Ende, was lange Zeit für die marxistische Geschichtsschreibung den Endpunkt der Französischen Revolution überhaupt bedeutete. Ein Datum der deutschen Literaturgeschichte und ein Datum der französischen Geschichte schienen miteinander zu korrespondieren: Die entscheidende Zäsur, der Umschlags- und Wendepunkt der deutschen Literaturgeschichte am Ausgang des 18. Jahrhunderts schien gefunden. Diese Tradition lastet immer noch wie ein Alp auf jenen, die sich der Literaturgeschichtsschreibung verschrieben haben. Die erst unlängst erschienene „Geschichte der

deutschen Literatur. 1789 bis 1830", der 7. Band der „Geschichte der deutschen Literatur von den Anfängen bis zur Gegenwart" – ein, insgesamt gesehen, hochbedeutsames literaturgeschichtliches Unternehmen –, gliedert den Zeitraum „Von der Französischen Revolution bis zum Zusammenbruch des Heiligen Römischen Reiches (1789 bis 1806)" in 2 Teile: 1. „Literatur von 1789 bis 1794" und 2. „Literatur von 1794 bis 1806". Wie aber, wenn hier nur Denktraditionen wirksam wären, die den wirklichen literarischen Entwicklungsprozeß dieser Periode durch ein von der bürgerlichen Literaturwissenschaft übernommenes Periodisierungsschema ersetzten? Die Sache selbst sei befragt: der literarische und auch philosophische Entwicklungsprozeß dieser Periode in seiner Komplexität.

In der „Einladung zur Mitarbeit" an den „Horen" – den Text hatte Schiller gemeinsam mit Fichte, Wilhelm von Humboldt und dem Historiker Karl Ludwig Woltmann entworfen – heißt es: „So weit ist es noch nicht mit der Kultur der Deutschen gekommen, daß sich das, was den Besten gefällt, in jedermanns Händen finden sollte. Treten nun die vorzüglichsten Schriftsteller der Nation in eine literarische Assoziation zusammen, so vereinigen sie eben dadurch das vorher geteilt gewesene Publikum, und das Werk, an welchem alle Anteil nehmen, wird die ganze lesende Welt zu seinem Publikum haben."[1] Das weitgreifend Utopische des Projekts spricht sich noch prägnanter in der „Ankündigung" der Zeitschrift aus, wenn als Ziel formuliert wird: „... die politisch geteilte Welt unter der Fahne der Wahrheit und Schönheit wieder zu vereinigen."[2] Ein großes, echt aufklärerisches kulturpolitisches Programm wird hier verkündet – ein Programm, das trotz der entschiedenen Ausklammerung der zeitgeschichtlichen und politischen Thematik vom historischen Optimismus des 18. Jahrhunderts getragen wird. Zugespitzt formuliert: Selbst als Gegenthese zehrt es noch von der Substanz der Französischen Revolution. Der geschichtlichen Realität wurde hier mit einem Vorhaben begegnet, dessen – im Grunde politischer – Illusionismus notwendig zum Scheitern verurteilt war. Die literarische Öffentlichkeit reagierte abweisend. Der kritischen Resonanz, die den „Horen" entgegengebracht wurde, antworteten Schiller und Goethe mit dem „Strafgericht" der „Xenien", womit freilich die Gegner ihres kulturell-ästhetischen Programms nicht zum Schweigen gebracht wurden. Was der sogenannte Xenien-Streit bewirkte, war gerade das Gegenteil dessen, was ursprünglich beabsichtigt worden war: Statt die getrennt wirkenden Schriftsteller – und damit das Publikum – zu vereinigen, riß er neue weltanschaulich-ästhetische Fronten auf und trug nicht unwesentlich zu einer weiteren literarischen Differenzierung bei. Dies ist nun freilich entscheidend für die Genesis des klassischen Realismus: Erst das Scheitern des von Schiller entworfenen, strategisch-kulturpolitisch gedachten Horen-Programms führte zur Desillusionierung, zum Abbau geschichtlicher Illusionen, zu einem Utopieverlust. Daß dies nur im Kontext übergreifender historischer, ideologiegeschichtlicher und literarischer Prozesse zu begreifen ist, braucht an dieser Stelle nicht eigens belegt zu werden. Signifikant: Jene Tragödie Schillers, die geradezu Paradigma für sein klassisch-realistisches Schaffen ist und für die er sich 1796 entschied (der „Wallenstein"), folgte in der endgültigen Gestalt nicht dem ästhetischen Programm, das er in seiner großen Horen-Abhandlung „Über naive und sentimentalische Dichtung" entwickelt und in dem er der zeitgenössischen Poesie die „Darstellung des Ideals" aufgegeben hatte: den Entwurf von idealen Gegenbildern zur konkreten zeitgeschichtlichen Realität. Man wird also durchaus im Sinne Schillers und mit seinem eigenen Begriff die Jahre 1796/97 als „Krise" seiner geistigen Entwicklung ansehen können.[3]

Aber auch an Goethe glaubte Schiller in ebendieser Zeit den Beginn einer neuen „*Epoche*" zu bemerken. Mit analytischem Scharfsinn schrieb Schiller am 17. Januar 1797 an Goethe: „Jetzt, däucht mir, kehren Sie, ausgebildet und reif, zu Ihrer Jugend zurück, und werden die Frucht mit der Blüte verbinden. Diese zweite Jugend ist die Jugend der Götter und unsterblich wie diese. [–] Ihre kleine und große Idylle und noch neuerlich Ihre Elegie zeigen dieses . . . Ich möchte aber von den früheren Werken, von Meister selber, die Geschichte wissen."[4] Und Goethe antwortete einen Tag später: „Ich empfange soeben Ihren lieben Brief und leugne nicht, daß mir die wunderbare Epoche, in die ich eintrete, selbst sehr merkwürdig ist ..."[5] Der Literaturhistoriker kann es nur bestätigen: Das Epos „Hermann und Dorothea", das von September 1796 bis April 1797 entstand, bezeichnet in der Tat gegenüber den 1796 beendeten „Lehrjahren" eine neue ästhetische Qualität, und es nimmt nicht wunder, daß Goethe gerade dieses Gedicht noch im hohen Alter schätzte. „‚Hermann und Dorothea' ... ist fast das einzige meiner größeren Gedichte, das mir noch Freude macht; ich kann es nie ohne innigen Anteil lesen", bekannte er gegenüber Eckermann am 18. Januar 1825.[6] Abgesehen von den gleichsam rein poetischen Vorzügen dieses idyllischen Epos gegenüber „Wilhelm Meisters Lehrjahren" – Brüche, die dem Roman anhaften, weist das Epos nicht auf –, gelang Goethe hier zum ersten Male eine poetisch gültige Antwort auf die von der Französischen Revolution und dem ersten Revolutionskrieg aufgeworfene epochale Frage nach humanistischer Kontinuität und radikalem politischem Bruch. Prägnant heißt es dazu in dem Brief Goethes vom 5. Dezember 1796 an Heinrich Meyer: „Ich habe das reine Menschliche der Existenz einer kleinen deutschen Stadt in dem epischen Tiegel von seinen Schlacken abzuschneiden versucht und zugleich die großen Bewegungen und Veränderungen des Welttheaters aus einem kleinen Spiegel zurückzuwerfen getrachtet."[7]

Nachdem Goethe in „Hermann und Dorothea" die „*großen* Bewegungen und Veränderungen des Welttheaters aus einem *kleinen* Spiegel" zurückgeworfen hatte, wandte er sich – in ebendem Jahre 1797 – nach langem Zögern erneut einem Werk zu, das in seiner endgültigen Gestalt die großen geschichtlichen Bewegungen und Veränderungen, die epochalen historischen Prozesse gleichsam in einem „großen Spiegel" einzufangen trachtete: dem „Faust". Seit jenem Zeitpunkt, da er das Manuskript für die Veröffentlichung des „Fragments" abgeschlossen hatte – das war im November des Revolutionsjahres 1789 –, hatte er sich diesem Werke nicht mehr gewidmet und sogar dem Drängen Schillers widerstanden, „das Paket aufzuschnüren"[8], das die Faust-Papiere barg. Am 23. Juni 1797 entwarf er ein „ausführlicheres Schema zum ‚Faust'", am 24. Juni entstand die „Zueignung an ‚Faust'". Wahrscheinlich sind in diesen Tagen auch das „Vorspiel auf dem Theater“ und der „Prolog im Himmel“ niedergeschrieben oder entworfen worden. Wie die Tagebuchnotizen Goethes und das überlieferte handschriftliche Material im einzelnen auch interpretiert werden mögen, wesentlich und unwiderlegbar ist dies: Mit dem Beginn der 3. Arbeitsperiode, die von 1797 bis 1801 reicht, erhielt der „Faust“ seine im eigentlichen Sinne geschichtsphilosophische Dimension. Wesentliche weltanschauliche Voraussetzung für diese neue Arbeitsperiode war das beginnende positive Verständnis der Französischen Revolution und mit ihr der gesellschaftlichen Bewegung in ihrer dialektischen Widersprüchlichkeit.

Das Jahr 1797 brachte aber – neben der Neuzuwendung zum „Faust“ – noch einen anderen, für Goethes weitere weltanschaulich-dichterische Entwicklung höchst bedeutsamen Ertrag. Am 16. August 1797 schrieb Goethe aus Frankfurt am Main an Schiller, daß er „gewisse Gegenstände“ gefunden habe, die einen bestimmten „Effekt“ hervorbringen: „Ich habe daher die Gegenstände ... genau betrachtet und zu meiner Verwunderung bemerkt, daß sie eigentlich symbolisch sind. Das heißt, wie ich kaum zu sagen brauche, es sind eminente Fälle, die, in einer charakteristischen Mannigfaltigkeit, als Repräsentanten von vielen andern dastehen, eine gewisse Totalität in sich schließen, eine gewisse Reihe fordern, Ähnliches und Fremdes in meinem Geiste aufregen und so von außen wie von innen an eine gewisse Einheit und Allheit Anspruch machen.“[9] Goethes, nicht zuletzt durch Schiller und Kant stimuliertes theoretisches Bemühen hatte zum Begriff des Symbols geführt, der in der Abgrenzung von der Allegorie eine neue Stufe im ästhetisch-poetischen Selbstverständnis Goethes bedeutete und mit dem er sich noch im hohen Alter beschäftigte. Dieser Begriff freilich und Schillers Antwort auf Goethes Entdeckung sind nur das äußerste Konzentrat jener neuen Einsichten in die Gesetze künstlerischen Schaffens, die der Briefwechsel dieser beiden Dichter gerade aus den Jahren 1796 und 1797 vermittelt.

Noch deutlicher als in der Entwicklung der Weimarer Klassik markieren die Jahre 1796/97 einen entscheidenden, genauer: den entscheidenden Wende- und Umschlagspunkt bei der Herausbildung der frühromantischen Weltanschauung und Ästhetik. Paradigmatisch ist dafür die geistige Entwicklung jenes bedeutenden, hochintelligenten Theoretikers frühromantischer Poesie: Friedrich Schlegel. Im Jahre 1795 hatte Friedrich Schlegel das 1794 postum veröffentlichte Hauptwerk des französischen Aufklärers Condorcet, dessen „Esquisse d'un tableau historique des progrès de l'esprit humain", rezensiert. Im streng aufklärerischen Sinne hatte Schlegel Condorcet darin zugestimmt, daß es „Gesetze der menschlichen Geschichte geben müsse"[10], und ihn zitiert: „Der Augenblick wird also kommen, wo die Sonne nur freie Menschen, die keinen andern Herrn als ihre Vernunft anerkennen, bescheinen wird; wo die Despoten und die Sklaven, die Priester und ihre blödsinnigen oder heuchlerischen Anhänger, nur noch in der Geschichte oder auf der Bühne vorhanden sein werden ..."[11] Der geschichtsphilosophischen Idee des Fortschritts war auch noch entscheidend jener Aufsatz verpflichtet, der immer wieder als Zeugnis für Schlegels politische Ideenwelt herangezogen wird: der 1796 veröffentlichte „Versuch über den Begriff des Republikanismus". Diese gegen Kants Traktat „Zum ewigen Frieden" gerichtete Abhandlung postuliert: „Der Republikanismus ist also notwendig demokratisch."[12] Und während für Kant jedwede Insurrektion absolut unrechtmäßig ist, erwähnt Schlegel als eines der gültigen Motive für rechtmäßige Insurrektionen die Organisierung des Republikanismus. Legitimiert weiß sich Schlegel in seiner Argumentation nicht nur durch Rousseau, sondern auch durch die griechische Antike, die er dezidiert demokratisch in dem Aufsatz „Über das Studium der griechischen Poesie" gedeutet hatte.

Eine ästhetisch-weltanschaulich völlig anders geartete Position bezog Friedrich Schlegel in den für die Genesis romantischer Poesie höchst bedeutsamen „Kritischen Fragmenten", die er 1797 im „Lyceum für schöne Künste" veröffentlichte. Darin findet sich der bekannte Satz: „Alle klassischen Dichtarten in ihrer strengen Reinheit sind jetzt lächerlich."[13] Im Laufe des Jahres 1797 arbeitete Schlegel jenen Begriff aus, der fortan aus den ästhetischen und poetischen Erörterungen nicht mehr wegzudenken war: romantische Poesie. Die literaturgeschichtliche

Bedeutung des Jahres 1797 reicht jedoch über die durch Friedrich Schlegel gewonnenen neuen Einsichten weit hinaus: In diesem Jahre konstituierte sich die Frühromantik als eigenständige literarische Bewegung, „die das ideologische und literarische Kräftefeld innerhalb der bürgerlichen deutschen Nationalliteratur entscheidend umgestaltete und auf lange Zeit hin mitbestimmte, die zugleich auch über die deutschen Grenzen hinweg weltliterarisch wesentliche Wirkungen ausübte“[14]. Weimarer Klassik und Jenaer Frühromantik – erst von 1797 an hat diese – wie auch immer aufgefaßte – Zuordnung ihre literaturgeschichtliche Berechtigung.

Weimarer Klassik und Frühromantik – die literatur- und ideologiegeschichtliche Bedeutung der Jahre 1796/97 ist mit dem Blick auf deren Genesis noch nicht erschöpft. Auch für die Entwicklung der klassischen deutschen Philosophie stellen diese beiden Jahre einen Wendepunkt dar. Dies läßt sich ziemlich genau am Verhältnis der noch jungen Philosophen Schelling und Hegel zur gesellschaftlich-politischen Realität in Deutschland ablesen. Hegel und Schelling – beide waren in ihrem geistigen Entwicklungsgang wesentlich durch das Tübinger Stift geprägt worden. Das entscheidende politische Ereignis während ihres Studienganges war – es konnte nicht anders sein – die Französische Revolution, und das sie prägende geistige Erlebnis war freilich nicht die Tübinger Theologie in Form des Supranaturalismus, sondern die aufklärerische Philosophie Immanuel Kants. Beide Ereignisse – die „Kritik der Urteilskraft“ war erst 1790 erschienen – bildeten in ihrem zeitgeschichtlichen Bewußtsein eine untrennbare Einheit – eine Einheit, auf die später Karl Marx in einer prägnanten Formulierung hinweisen sollte.[15] Am 16. April 1795 schrieb Hegel an seinen Studienfreund Schelling: „Vom Kantischen System und dessen höchster Vollendung erwarte ich eine Revolution in Deutschland, die von Prinzipien ausgehen wird, die vorhanden sind und nur nötig haben, allgemein bearbeitet, auf alles bisherige Wissen angewendet zu werden . . . Ich glaube, es ist kein besseres Zeichen der Zeit als dieses, daß die Menschheit an sich selbst so achtungswert dargestellt wird; es ist ein Beweis, daß der Nimbus um die Häupter der Unterdrücker und Götter der Erde verschwindet. Die Philosophen beweisen die Würde, die Völker werden sich fühlen lernen, und ihre in den Staub erniedrigten Rechte nicht fodern, sondern selbst wieder annehmen, – sich aneignen. Religion und Politik haben unter *einer* Decke gespielt, jene hat gelehrt, was der Despotismus wollte, Verachtung des Menschengeschlechts, Unfähigkeit desselben zu irgend einem Guten, durch sich selbst etwas zu sein."[16] Von nichts anderem als von einer durch die Philosophie bewirkten Revolution, einer Revolution des Geistes ist die Rede. Der Zusammenhang zwischen diesem philosophischen Programm und der politisch-realen Tat der benachbarten französischen Nation ist unüberhörbar. Auch Schelling hypertrophierte ähnlich wie Hegel die erhoffte gesellschaftsverändernde Wirkung der Philosophie, ja sah gerade darin ihre eigentliche geschichtliche Funktion, wenn er am 4. Februar 1795 an Hegel schrieb: „Wir wollen beide weiter, wir wollen beide verhindern, daß nicht das Große, was unser Zeitalter hervorgebracht hat, sich wieder mit dem verlegnen Sauerteig vergangner Zeiten zusammenfinde; – es soll rein, wie es aus dem Geist seines Urhebers ging, unter uns bleiben und ... in seiner ganzen Vollendung, in seiner erhabensten Gestalt und mit der lauten Verkündigung, daß es der ganzen bisherigen Verfassung der Welt und der Wissenschaften den Streit auf Sieg oder Untergang anbiete, von uns zur Nachwelt gehen."[17] Und später, am 21. Juli 1795, betonte Schelling auch im Begrifflichen den Zusammenhang zwischen ihrem Philosophieren und der angestrebten Revolution, indem er schrieb: „Gewiß, Freund, die Revolution, die durch die Philosophie bewirkt werden soll, ist noch ferne."[18]

Das theoretische Konzentrat dieser gesellschaftspolitisch begriffenen Funktionalität der Philosophie liegt in dem – bis in die Gegenwart umstrittenen – sogenannten „Ältesten Systemprogramm des deutschen Idealismus" vor. Wie auch immer die weitere wissenschaftliche Erörterung des Problemkomplexes, wer der geistige Urheber dieses Programms sei, von wem die sprachlich-begriffliche Form und von wessen Hand die erhaltene Niederschrift stamme, ausgeht, eine Fixgröße scheint gegeben zu sein: Dieses Programm ist in gewisser Weise der gemeinsame Nenner des Tübinger Freundeskreises, dem neben Hegel und Schelling auch Friedrich Hölderlin angehörte. Diese Schrift zählt zu den „klassischen Dokumenten bürgerlicher revolutionärer Ideologie in dieser Zeit nach der Französischen Revolution, und sie übersteigt bei weitem den gewohnten Rahmen vergleichbarer zeitgenössischer deutscher philosophischer Traktate, in denen – meist moralisierend – eine Vervollkommnung der menschlichen Gattung zum Thema gemacht ist"[19]. Die erst unlängst erschienene Schelling-Monographie stellt das „Älteste Systemprogramm" hinsichtlich seines emanzipatorischen Gehalts neben Arbeiten wie Fichtes Revolutionsschriften „Zurückforderung der Denkfreiheit von den Fürsten Europas, die sie bisher unterdrückten", 1792, und „Beiträge zur Berichtigung der Urteile des Publikums über die Französische Revolution", 1793.[20] In dem „Programm" heißt es: „Von der Natur komme ich aufs *Menschenwerk*. Die Idee der Menschheit voran – ... Wir müssen also auch über den Staat hinaus! – Denn jeder Staat muß freie Menschen als mechanisches Räderwerk behandeln; und das soll er nicht; also soll er *aufhören*."[21] Das „Systemprogramm" zielt auf die praktische Realisierung aufklärerischer Ideen. Der gesellschaftsverändernde Impetus dieser Art des Philosophierens ist unüberhörbar. Die aktuelle gesellschaftliche und politische Realität wird konsequent negiert. Die Philosophie ist das Instrumentarium ihrer Überwindung. Die „heroischen Illusionen" der bürgerlichen Klassen in ihrer Aufstiegsphase konnten sich unter deutschen Bedingungen kaum unvermittelter in philosophische Programmatik umsetzen. Noch ist der Emanzipationsanspruch total; eine Trennung von politischer und menschlicher Emanzipation gibt es nicht. Eine so geartete Konzeption freilich mußte sich früher oder später mit der ihr entgegenstehenden Wirklichkeit reiben. Die deutsche ökonomische, soziale und politische Realität in ihrer Unreife drängte nicht zu diesen Gedanken. Wollte die Philosophie ihr auf der Spur bleiben, mußte sie deren reale Entwicklung – in welcher Weise auch immer – ins Kalkül ziehen.

Hegel ist es, der – sicher nicht zufälligerweise in Frankfurt am Main – die Ernüchterung direkt ausspricht. Am 9. Februar 1797 schrieb er in einem Brief an Nanette Endel, daß er sich „nach reiflicher Überlegung entschlossen" habe, „an diesen Menschen nichts bessern zu wollen, im Gegenteil mit den Wölfen zu heulen".[22] Dieses Briefzitat gilt als Zeugnis für Hegels Frankfurter Krise, die zu einer entscheidenden Wendung in seiner philosophischen Entwicklung führte: „Hegel gibt die direkte Rebellion, vermittelt durch Kontrastierung von abstraktem Ideal und schlechter Wirklichkeit, damit auch den aktiven Handlungsimpuls auf. Er wendet sich zu positivem Verhältnis zur Wirklichkeit, worin sowohl das positive Verhältnis zu ihr als Objekt des historisch-philosophischen Studiums als auch die Positivität im Verhältnis zu den in ihr sich durchsetzenden Mächten liegt. Darin liegt die Wendung zum geschichtsphilosophischen Begreifen der Gegenwart. . ."[23] Im Ergebnis dieser Frankfurter Krise Hegels haben wir den Ursprung seines philosophischen Systems zu suchen.

Auch Joseph Schelling vollzieht in diesen Jahren eine Wende, die nicht nur für seine eigene philosophische Entwicklung, sondern darüber hinaus für die gesamte klassische deutsche Philosophie von entscheidender Bedeutung war. Bis zum Jahre 1795 bewegten sich seine philosophischen Gedankengänge in dem von Kant und Fichte abgesteckten Rahmen der Transzendentalphilosophie, während er nun den Übergang zur Naturphilosophie vollzog. In den Jahren 1796 und 1797 entstanden seine „Ideen zu einer Philosophie der Natur", das erste naturphilosophische Werk Schellings, mehr noch: das erste naturphilosophische Werk der klassischen deutschen Philosophie. Im Zentrum von Schellings Philosophie standen damit nicht mehr gesellschaftliche Grundprobleme. Diese konzeptionelle Wende in der philosophischen Entwicklung Schellings ist – was hier nicht belegt werden kann – mit der Entstehung und Entwicklung der deutschen Romantik verbunden. Erst unlängst wurde festgestellt: „Schelling hat sowohl an der Entwicklung und Fortbildung der klassischen bürgerlichen deutschen Philosophie Anteil als auch an der Herausbildung der . . . Ideologie der deutschen Romantik. In dieser wie in jener ideologischen Entwicklung war Schelling mit seiner Philosophie Geburtshelfer."[24] Wie es um die Widersprüchlichkeit des philosophischen Erkenntnisfortschritts im Konkreten am Ausgang des 18. Jahrhunderts auch bestellt sein mag, der durch Schelling repräsentierte Fortschritt war mit einem Rückschritt untrennbar verbunden: Die Hinwendung zur „Dialektik der Natur" implizierte eine Flucht vor der gesellschaftlich-geschichtlichen Problematik der Epoche.

Bleibt der dritte der Tübinger Freunde: Friedrich Hölderlin. In der stufenweisen Ausformung seiner dichterischen Individualität bezeichnen die Jahre 1796/97 den eigentlichen Umschlagspunkt. Drei Gedichte bringen den Neuansatz in der dichterischen Bewältigung der Realität besonders deutlich zum Ausdruck: „Die Eichbäume", „Der Wanderer" und „An den Äther". Die metrische Form bereits zeigt die Abkehr von Schillers lyrischem Prinzip, dem Hölderlins Lyrik in den Jahren 1790 bis 1796 verpflichtet war. An die Stelle der Reimstrophe traten fortan die antiken Versmaße. Den für die späte Lyrik bedeutsamsten Fortschritt vollzog Hölderlin jedoch mit den wohl im Jahre 1797 entstandenen Fragmenten „Die Muße" und „Die Völker schwiegen, schlummerten...". Hier versuchte er nichts weniger als eine poetische Gestaltung objektiv-geschichtlicher Dialektik. Die bewegende Kraft des historischen Geschehens erscheint als ein die gesellschaftliche und natürliche Realität durchdringendes Gesetz. Trotz tiefster Enttäuschung rang Hölderlin darum, die Revolution und den mit ihr verbundenen Revolutionskrieg als positives, notwendiges historisches Ereignis in sein Weltbild einzubauen. Wenn auch die dialektisch-poetische Totalanschauung von Natur und Geschichte noch nicht glücken konnte, erschien doch als Ergebnis dieses geistigen Umbruchs Hölderlins ureigener poetischer Stil.[25]

Die Symptome für die ideologiegeschichtliche Bedeutung der Jahre 1796/97 ließen sich ohne Schwierigkeiten vermehren. Als erwiesen kann gelten: Sucht man nach einer entscheidenden Zäsur in der deutschen Literaturgeschichte am Ausgang des 18. Jahrhunderts, so wird man auf diese beiden Jahre – und nicht auf die Jahre 1794/95 – verwiesen. Ohne den Ursachen für die beschriebenen Erscheinungen an dieser Stelle nachgehen zu können, sei doch behauptet: Die sich entwickelnde bürgerliche Gesellschaft in Frankreich und Deutschland hatte bürgerlich-aufklärerisches Denken in eine umfassende Krise, wenn nicht gar an den Endpunkt geführt. Das Ergebnis waren gewandelte Inhalte und Funktionen bürgerlicher Philosophie und Literatur: ein neues, vielfältiger differenziertes Verhältnis zur gesellschaftlichen Wirklichkeit.

Christine Träger

Historische und ästhetische Aspekte des Briefwechsels zwischen Schiller und Goethe

1

Im Frühjahr 1797 bekannte Goethe gegenüber Schiller, er habe „jetzt keine interessantere Betrachtung als über *die Eigenschaften der Stoffe, in wie fern sie diese oder jene Behandlung fordern*“, er habe sich „darinnen so oft in seinem Leben vergriffen“, daß er „endlich einmal ins klare kommen“ möchte, „um wenigstens künftig von diesem Irrtum nicht mehr zu leiden“.[1]

Mit dieser Feststellung verwies Goethe nicht allein auf den Zusammenhang, der seines Erachtens zwischen dem Bedürfnis nach einer Ordnung von Stoffen unter ästhetischen Gesichtspunkten und der (noch im gleichen Jahr beginnenden) systematischen Bestimmung von epischer und dramatischer Dichtkunst bestand. Insofern sie das Verhältnis von Stoff und Form betraf, stellte er diese Gattungsdebatte damit auch in einen Zusammenhang mit den kunsttheoretischen Forschungen überhaupt, über die er sich mit Schiller in dem zwischen 1796 und 1800 geführten Briefwechsel verständigte. Mehr noch, der Gattungsbegriff, wie ihn Goethe und Schiller an Epos und Tragödie entwickelten, macht die intensiven theoretischen und praktischen Bemühungen um die Gesetze der Kunst eigentlich erst in ihrer historischen Tragweite verständlich.

Goethe hatte im Herbst 1796 seinen Roman „Wilhelm Meisters Lehrjahre“ beendet. Die Kritiker der älteren wie der jüngeren Generation von Gottfried Körner über Wilhelm von Humboldt bis zu Friedrich Schlegel und Jean Paul gaben ihm ihre teils verständnisvolle, teils enthusiastische Zustimmung;

das den Erfolg relativierende Urteil des jungen Novalis wurde erst 1798 geschrieben.[2] Aber ungeachtet dessen befand sich Goethe bereits damals in der Situation, die er ein Jahr später mit Bezug auf „Hermann und Dorothea" beschrieb: Er hatte etwas hervorgebracht, „das jedermann für fürtrefflich erklärte, ohne daß es der Autor selbst dafür"[3] halten konnte. Das Unbehagen betrifft den im Grunde unüberbrückbaren Gegensatz zwischen der stofflichen Bindung der Romanform an die Prosa der bürgerlichen Verhältnisse und dem Poesie-Begriff, wie ihn Goethe und Schiller aus der Tradition des 18. Jahrhunderts und unter Berufung auf die Antike entwickelt hatten. Wenn die „Lehrjahre" Gegenstand des Briefwechsels geworden sind, dann (dies gilt vor allem für Schiller) nicht als Roman, sondern weil sie, *obwohl* Roman, unter den Händen Goethes erstaunlicherweise poetische Qualitäten erhalten haben, die dem Roman als „Halbbruder"[4] der Dichtung nicht ohne weiteres eigen sind. „Die Form des Meisters" sei, so Schiller, „schlechterdings nicht poetisch". Sie liege „ganz nur im Gebiete des Verstandes", stehe daher „unter allen seinen Foderungen" und partizipiere damit zwangsläufig auch „von allen seinen Grenzen".[5]

Das heißt, die Größe des Lobs offenbarte bereits die Tragweite des dabei auftauchenden Problems. Indem er der Romanform das Äußerste an Poesie abgerungen hatte, mußte Goethe die Grenzen der diesfälligen Möglichkeiten notwendig mit ins Bild setzen. Schiller bezeichnete auch sie sehr genau. Indem Goethe einem *poetischen Gehalt* in einer *Form* zur Anschauung habe verhelfen wollen, deren gesellschaftliche Ursprünge im Gegensatz dazu *prosaisch* waren, hätte er Form und Gehalt nicht zur Deckung bringen können. Im Ergebnis sei, so Schiller, ein „sonderbares Schwanken zwischen einer prosaischen und poetischen Stimmung" entstanden. Es fehle dem Roman „an einer gewissen poetischen Kühnheit, weil er, als Roman, es dem Verstande recht machen" wolle, und es fehle „ihm wieder an einer eigentlichen Nüchternheit (wofür er doch gewissermaßen die Foderung rege macht); weil er aus einem poetischen Geist geflossen ist".[6] Selbst Goethe also hatte die Grenzen der Prosaform des Romans nicht zu sprengen vermocht.

Die ästhetischen Erfahrungen mit dem Genre des Romans vermittelten *als Gattungserfahrungen* Einsichten in zeitgenössische Entwicklungstendenzen, also *historische Erfahrungen.* Sie betrafen das klassische Verständnis der künstlerischen Subjektivität, wie es beide Dichter – Schiller etwa seit der Bürger-Rezension und Goethe im Zusammenhang mit der Italienreise – zunächst auf getrenntem Wege, später gemeinsam zu formulieren und zu praktizieren begonnen hatten. Die Sicherheit, mit der z. B. Schiller seine Gegenposition zu Gottfried August Bürger und zum Sturm und Drang artikuliert, ist auf die Überzeugung gegründet, daß sich der Dichter auf die Höhe seiner Zeit schwingen könne (und daher müsse), um aus seinem Jahrhundert ein Muster für sein Jahrhundert zu schaffen.[7] Im Interesse solcher Objektivierung liegt folglich auch die universelle Aneignung der tradierten Kunstformen und die freie Verfügung darüber. In solchem Betracht waren elegische und satirische Mittel der Darstellung, waren auch Tragödie und Komödie ästhetisch gleichwertige Möglichkeiten zur Bewältigung der Wirklichkeit. Sie unterschieden sich nur durch eine unterschiedliche Akzentuierung des Verhältnisses von Künstler und Gegenstand.[8] Daher auch wird verständlich, weshalb Schiller eine Komödie erwägen kann, die alle Tragödie überflüssig mache. Wenn die Komödie deswegen erstrebenswerter erscheint, weil es bei ihr vor allem auf das Subjekt des Künstlers ankomme und weniger auf den Stoff, dann wird bereits in dieser Unterscheidung die historische Wurzel sichtbar, aus der die Gattungsdebatte hervorwächst. Bei der Erörterung des spezifischen Kunstwertes in epischer und dramatischer Dichtung versichern sich Goethe und Schiller ihrer künstlerischen Subjektivität, verstanden im vollen geschichtlichen Umfang des Wortes. Das Streben, „die beiden Gattungen zu sondern und zu reinigen“[9], war im Hinblick auf die Wahrung der künstlerischen Subjektivität nur die Spiegelung der Erfahrung, daß unter der sich vollziehenden Entwicklung nicht die geschichtlich notwendigen sozialen Voraussetzungen gegeben waren, um das Zustandekommen solcher bewährten Formen wie des Epos zu begünstigen. Goethe beklagte die Vergeblichkeit der „Neuern“, sich „als

Dichter . . . in der ganzen Gattung" (der Dichtkunst – C. T.) zu betätigen, weil die „spezifischen Bestimmungen . . . von außen" fehlten, die Talent und Mühen erst fruchtbar machen könnten.[10]

Damit war zugleich die Ursache erkannt für eine neuerdings zu beobachtende Vermischung der Kunstmittel. „Weil wir einmal die Bedingungen nicht zusammen bringen können, unter denen jede der beiden Gattungen steht, so sind wir genötigt, sie zu vermischen. Gäb es Rhapsoden und eine Welt für sie, so würde der epische Dichter keine Motive von dem tragischen zu entlehnen brauchen, und hätten wir die Hilfsmittel und intensiven Kräfte des griechischen Trauerspiels . . ., so würden wir unsre Dramen nicht über die Gebühr in die Breite zu treiben brauchen."[11] Die sozialen Determinanten der Kunst am Übergang zum 19. Jahrhundert, die sich über das „Empfindungsvermögen des Zuschauers und Hörers" als Bedürfnis mitteilten, im naturalistischen Sinne „alles als völlig wahr zu finden", waren zwar „ein Maß für den Poeten"[12], d. h., sie konnten nicht ignoriert werden. Aber sie standen im Gegensatz zu den Erfordernissen der Kunst, wie Goethe und Schiller sie verstanden. Dieser Gegensatz war seiner Tendenz nach unaufhebbar. Im Sammelbegriff des „Publikums" deutete sich, wenn auch noch verdeckt und für zwei von der Gesellschaft anerkannte Künstler einigermaßen ignorierbar, der diktatorische Wirkungsmechanismus des sich formierenden literarischen Marktes an, innerhalb dessen Kunst sich Käuferinteressen zu unterwerfen hatte. Die beiden Klassiker dagegen verstanden ihr Verhältnis zum Publikum im Sinne der vorrevolutionären bürgerlichen Bewegung als aufklärerisch. Danach hatte der Künstler sich der Bedürfnisse seiner Leser anzunehmen, indem er sie auf das Niveau der menschlichen Gattung läuterte, d. h. zu sich hinaufzog. Die Erfordernisse und Gesetzmäßigkeiten zu studieren, nach denen Kunst geschichtlich, d. h. im Interesse menschlichen Fortschreitens, fungierte, wurde von ihnen folglich im Hinblick auf den Adressaten der Kunst in diesem Sinne unternommen.

„Wilhelm Meisters Lehrjahre" waren in Hinsicht auf das zugrunde gelegte Geschichtsbild wie in der darauf gegründeten ästhetischen Konzeption Ausdruck der vorrevolutionären bürgerlichen Aufstiegsphase. In dem von feudalständischen Bindungen befreiten Menschen entdeckte das Bürgertum bei seinem Aufbruch die menschliche Natur in all ihrem Reichtum. Sie gründete darauf die Überzeugung von der Freisetzung, Entwicklung und schließlichen Selbstbestimmung des Individuums in der Aneignung der es umgebenden natürlichen und gesellschaftlichen Umwelt. Goethe hatte damit auch auf die Französische Revolution repliziert. Da er und Schiller dieses Säkularereignis nicht nur von fern, sondern auch unter den deutschen Verhältnissen erlebten, deren Veränderung nicht auf der Tagesordnung der Geschichte stand, entwickelten sie die Vorstellung von einer evolutionären Ablösung der feudalistischen Gesellschaft. Geschichte erschien ihnen derart nicht als sozialökonomischer Fortschritt, sondern als Eintritt in eine neue menschheitsgeschichtliche Qualität.[13] Wilhelm Meister qualifiziert sich im Laufe seiner Entwicklung zum individuellen Repräsentanten solchen Fortschritts.

Es ist dem Scharfsinn Schillers nicht entgangen, daß es sich bei der von ihm zunächst lobend hervorgehobenen „Harmonie der beiden höchsten Gegensätze", der zwischen der Individualität Wilhelms und seinem allgemeinmenschlichen Streben, letztendlich um eine Scheinharmonie handelt. Das von Goethe zur Anschauung gebrachte Verhältnis zwischen Individuellem und Gattungsgemäßem funktionierte noch nicht praktisch. Die wechselweise Entsprechung wurde darin erst verheißen. Es sei für „den Roman ein zarter und heikeligter Umstand, daß er, in der Person des Meister, weder mit einer entschiedenen Individualität noch mit einer durchgeführten Idealität schließt, sondern mit einem Mitteldinge zwischen beiden". Wilhelms Charakter sei „individual, aber nur den Schranken und nicht dem Gehalt nach", und er sei „ideal, aber nur dem Vermögen nach". Er versage „uns sonach die nächste Befriedigung, die wir fodern (die

Bestimmtheit), und verspricht uns eine höhere und höchste, die wir ihm aber auf eine ferne Zukunft kreditieren müssen".[14]

Der Kunstgriff, den Helden durch Einführung der Figur Werners aus der Sphäre und damit aus den Fährnissen der materiellen Produktion und Reproduktion des Lebens herauszuhalten, gab Goethe zwar die Möglichkeit, seine geschichtlichen Erwartungen an die Zukunft im Sinne der vorrevolutionären Hoffnungen zur Anschauung zu bringen. Die Desillusionierung dieser Geschichtseuphorie im Bereich der Kunst war damit nur aufgeschoben, nicht aufgehoben. Die Romanform bewährte ihre Historizität gerade darin, daß sie die Elemente falschen Bewußtseins, die dieses Denkmuster enthielt, signalisierte. Was Goethe als unpoetische Beimischungen des Stoffes gleichsam wegdichten zu können geglaubt hatte, waren in Wirklichkeit Ansätze künftiger europäischer Entwicklungstendenzen. Es war folglich notwendig, sich als Künstler auf diesen Sachverhalt einzustellen. Das aber konnte weder für Goethe noch für Schiller bedeuten, die Gesetze künstlerischen Produzierens aus dieser geschichtlichen Entwicklung zu empfangen. Ihnen kam es vielmehr darauf an, ihre historische Rolle als Künstler in diesem Prozeß zu spielen, indem sie die Wirkungsmöglichkeiten der Kunst dagegen ausspielten. Daher wurde es wichtig, Kunst „mit Wißenschaft" als „Profeßion"[15], d. h. auf der Grundlage bewußter Handhabung der ihr innewohnenden Gesetzmäßigkeiten, zu üben.

Das erörterte Verhältnis von Stoff und Gattung erscheint in solchem Betracht als eine Seite des klassischen Verständnisses von Stellung und Wirkungsmöglichkeiten der Kunst im gesellschaftlichen Prozeß. Die Überzeugung von einer unmittelbaren ästhetischen Einflußnahme auf die Bildung des Volkes zu menschlichem wie nationalem Selbstbewußtsein wurde je länger, desto nachhaltiger desillusioniert. Die Enttäuschung spiegelt sich in den Briefen in der Zunahme kritischer Bemerkungen über Pfuschertum und Dilettantismus des Publikums und seine „Incorrigibilität".[16] Der Gedanke vom Volksschriftsteller (Bürger-Rezension), der die Menge entzücken könnte, ohne die Ansprüche der Gebildeten zu vernachlässigen, war ein abstrakter

Traum gewesen. Die untersten Schichten des Volkes, für deren Bedürfnisse sich noch die Stürmer und Dränger interessiert hatten, spielten als Literaturrezipienten so gut wie keine Rolle; die Menge war in Wirklichkeit die breite Schicht der kleinbürgerlichen Leser, deren Geschmack wesentlich von der zeitgenössischen Trivialliteratur geprägt wurde und die folglich durch eine Kluft vom Anspruch der Klassiker getrennt war, die unter den gegebenen Klassenverhältnissen nicht zu überbrücken war. Für Goethe und Schiller mußte es historisch folgerichtig erscheinen, statt dessen Kunst in Theorie und Praxis vor einer Gefährdung durch die gesellschaftliche Entwicklung zu bewahren. Das bedeutete nicht, Kunst aus der Geschichte auszugliedern, sondern sie gegenüber der sich etablierenden bürgerlichen Gesellschaft zu einer Position auszubauen, die eine weiterreichende als die mit der Französischen Revolution eröffnete Perspektive andeuten konnte.

Diese Entscheidung und ihre Grundlagen waren von Schiller bereits 1795 formuliert worden in der Beschreibung des „merkwürdigen psychologischen Antagonism", der zwischen dem „Idealisten" und dem „Realisten" walte, wenn man absondert, „was beide Poetisches" haben. Der Realist bezwecke „in seinen politischen Tendenzen *Wohlstand*, gesetzt daß es auch von der moralischen Selbständigkeit des Volks etwas kosten sollte". Der Idealist dagegen mache „selbst auf die Gefahr des Wohlstands die *Freiheit* zu seinem Augenmerk".[17] Was Schiller als Antithese erscheint, war im Grunde der Widerspruch zwischen dem bürgerlichen Denkanspruch auf *menschliche* Emanzipation und dem realen Prozeß der *politischen* Emanzipation, der unter den bürgerlichen Bedingungen bestenfalls aufklärbar, nicht aber auflösbar war.[18] Als aufzuklärender Gegensatz betraf der Widerspruch das Selbstverständnis der Klassiker als Künstler. Weder konnte es sich für sie darum handeln, den in der Geschichte zu beobachtenden tendenziellen Humanitätsverlust nur kritisch festzustellen oder ihn zu beklagen, noch darum, sich darüber einfach hinwegzusetzen. Bei der Wiederaufnahme der von Goethe begonnenen Untersuchungen „Über einfache Nachahmung der Natur, Manier, Stil" in der gemeinsamen Arbeit mit Schiller und Meyer an „Der Sammler und die Seinigen“ wurden später die Grenzen von elegischer und satirischer Stoffbehandlung deutlich.[19] Es ging um die Darstellung der die Gegenwart überragenden Überzeugung, daß Kunst die humanen Elemente als entwicklungsbestimmende herauszuarbeiten habe und dies ihre besondere Weise sei, Geschichte, verstanden als menschlicher Fortschritt, zu stimulieren.

So erklärt sich das nachhaltige Bedürfnis nach einer diesbezüglich wertenden Ordnung von Stoffen und das dabei zugrunde gelegte Ordnungsprinzip. Es konnte sich nur um solche Stoffe bzw. Gegenstände handeln, die in ihrer wirklichen, d. h. unbearbeiteten Existenz so viel an menschlicher Substanz offenbarten, daß ihre Poetisierbarkeit im geschilderten Sinne möglich schien.[20] Das heißt aber auch um solche, bei denen sich eine möglichst weitreichende Übereinkunft beider Seiten des Widerspiegelungsverhältnisses von vornherein absehen ließ. Denn es konnte sich nicht darum handeln, im Interesse der künstlerischen Subjektivität auf Geschichte als Stoffreservoir zu verzichten; auch verbot das Kunstverständnis beider eine Prädominanz des Stoffs gegenüber der subjektiven Gestaltungsabsicht. Jede der beiden Abweichungen hätte von den spezifischen Realismusvorstellungen weggeführt, die sie im Interesse der Vermittlung zwischen den beiden Seiten des obengenannten Widerspruchs vor Augen hatten. „Zweierlei“ gehörte für Schiller „zum Poeten und Künstler: daß er sich über das Wirkliche“ erhebe und „daß er innerhalb des Sinnlichen stehen“ bleibe; „wo beides verbunden“ sei, da sei „ästhetische Kunst“.[21] Von den bei diesem Bemühen anzutreffenden Vereinseitigungen bzw. Abweichungen in die eine oder andere Richtung sprachen auch die letzten gemeinsamen Bemühungen der Klassiker um den Stilbegriff, wie sie in der bereits genannten Kunstnovelle und dem Schema zum „Sammler“ 1799 systematisiert wurden.[22]

Die Schwierigkeit lag in der „ungünstigen, formlosen Natur“, von der sich Goethe und Schiller umgeben sahen.[23] Sie erschwerte die Bestimmung der Gegenstände, d. h. das Auffinden des „prägnanten Moments“, der menschlichen und damit poetischen Bedeutsamkeit im Stoff, wodurch er sich erst „zu einer durchgängig bestimmten Darstellung" qualifiziert.[24] „Aus Verzweiflung, die empirische Natur, womit er umgeben" sei, „nicht auf eine ästhetische reduzieren zu können", verlasse „der neuere Künstler von lebhafter Phantasie sie lieber ganz" und suche „bei der Imagination Hülfe gegen die Empirie, gegen die Wirklichkeit". Er lege „einen Gehalt in sein Werk, das sonst leer und dürftig wäre, weil ihm derjenige Gehalt fehlt, der aus den Tiefen des Gegenstandes geschöpft werden" müsse.[25] Schiller zog damit die Grenze zwischen dem, was seither bis heute das Klassische und das Romantische genannt wird, oder besser, er stellte fest, daß beide ästhetische Haltungen auf den gleichen künstlerischen Impetus zurückgingen. Die romantische Lösung war eine (und zwar nicht im Ermessen des Künstlers liegende) Konsequenz aufklärerisch-klassischer, vorrevolutionärer Prämissen. Nur so konnte die aufklärerische Absicht, weiterhin die Vorstellung von einer ungeteilten menschlichen Natur zu vermitteln, beibehalten werden. Unter diesem Blickwinkel sah Goethe auch noch am Ende seines Lebens seine Auseinandersetzung mit Schiller: „Der Begriff von classischer und romantischer Poesie, der jetzt über die ganze Welt" gehe und „so viel Streit und Spaltungen" verursache, sei „ursprünglich" von ihm „und Schiller ausgegangen". Er habe „in der Poesie die Maxime des objektiven Verfahrens und wollte nur dieses gelten lassen. Schiller aber, der ganz subjectiv" gewirkt habe, habe „seine Art für die rechte" gehalten und den Aufsatz „Über naive und sentimentale Dichtung" geschrieben. Darin habe er ihm, Goethe, bewiesen, daß er „selber, wider Willen, romantisch sey" und seine „*Iphigenie*, durch das Vorwalten der Empfindung, keineswegs so classisch und im antiken Sinne . . ., als man vielleicht glauben möchte".[26]

3

Der von Goethe berichtete Einwand Schillers gegen „Iphigenie auf Tauris" richtete sich aber gegen „die epische Art", mit der Goethe die Tragödie verfehlt habe.[27] Die hinsichtlich der Gattung „unbestimmte Form" des Dramas bei Goethe leitet sich für Schiller offensichtlich aus der mangelnden Prägnanz des Gegenstandes her. Seines Erachtens müsse „die Bestimmung des Gegenstandes jedesmal durch die Mittel geschehen, welche einer Kunstgattung eigen" seien, d. h. „innerhalb der besonderen Grenzen einer jeden Kunstspezies absolviert werden". Deshalb bliebe die Bestimmung der dichterischen Spezifika „ein hinlängliches Kriterium, um in der Wahl der Gegenstände nicht irre geleitet zu werden".[28] Das heißt, Schiller war offensichtlich noch zur Zeit der Wiederaufnahme der Arbeit am „Wallenstein" geneigt, die Reinigung der Gattungen, die er mit Goethe 1797 theoretisch betrieb, als Voraussetzung dafür anzusehen, Epos und Tragödie auch praktisch in *reiner* Form hervorzubringen. Unter dem Eindruck von „Hermann und Dorothea" suchte er die Gründe für die verfehlte Tragödie „Iphigenie" nur in der „Natur" Goethes, der „deswegen weniger zum Tragödiendichter geeignet" wäre, weil „er so ganz zum Dichter in seiner generischen Bedeutung" geschaffen war.[29] Das epische Gedicht schien ihm nach „Wilhelm Meister" und im Gegensatz dazu „schlechthin vollkommen in seiner Gattung". Da die Form eigentlich alles bedeute, müsse Goethe dafür sorgen, daß dasjenige, was er in ein Werk legen könne, „immer die reinste Form ergreife, und nichts darin in einem unreinen Medium verloren gehe".[30]

Goethe wußte, daß der Schein trog. Die gerühmte Einheit von Form und Gehalt in seinem Epos war dem Glücksfall eines „Sujet(s)" zu danken, „wie man es in seinem Leben vielleicht nicht zweimal" fände.[31] Nur darauf war zurückzuführen, daß Goethe, wie Hegel hervorhob, „den für sich beschränkten Stoff mit den weitesten, mächtigsten Weltbegebenheiten in Beziehung bringen ... und die Kämpfe der Französischen Revolution, die Verteidigung des Vaterlandes höchst wichtig" hineintragen konnte.[32] Goethe war sich indessen der historischen und damit auch der formalen Grenzen dieses Experiments bewußt. Er bekannte, er habe „das reine Menschliche der Existenz einer kleinen deutschen Stadt gesucht und zugleich die großen Bewegungen und Veränderungen des Welttheaters aus einem kleinen

Spiegel zurückzuwerfen getrachtet"[33]. Er wußte oder ahnte doch zumindest, daß die künstlerische Wertung einer solchen Weltveränderung aus dem „kleinen Spiegel" der deutschen Perspektive einigermaßen einseitig ausfallen mußte. Diese begrenzte historische Perspektive war der Preis für die ausnahmsweise gemeisterte antikische Klassizität der kleinen Epopöe und für den auch prompt eintreffenden Beifall des deutschen Publikums, dem Goethe, wie er offen gestand, „was das Material betrifft, ... einmal ihren Willen getan"[34]. Die verborgene ästhetische Problematik mußte unter Ausschluß der Unbefugten bewältigt werden. Der Beifall des Publikums war nur die letzte Bestätigung für die Unumgänglichkeit der Feststellung, daß das Epos unter den vor sich gehenden Veränderungen nicht in klassischer Reinheit herzustellen war. Dann wäre es nämlich nicht klassisch gewesen. Der Wert des Experiments besteht in der Herausarbeitung der künstlerischen Ausnahmebedingungen. Über diese erschloß sich der Regelfall der gegebenen geschichtlichen Situation. Daher scheiterten auch Goethes Bemühungen um die „Achilleis", die er als drittes Epos zwischen „Ilias" und „Odyssee" stofflich vermutete. Die Gründe für das Scheitern dieses Projekts waren die gleichen, die das exzeptionelle Sujet von „Hermann und Dorothea" bereits sichtbar gemacht hatte. Das heroische Zeitalter, der dem Epos angestammte historische Boden, war endgültig zerstört.

Damit aber steht fest, daß *die Suche nach dem „reinen Medium" Teil des analytischen Vorgehens* war und somit nicht identisch mit dem Ziel des künstlerischen Schaffensprozesses. Diese Einsicht betraf vor allem Schiller, der, wo er diese Unterscheidung vernachlässigte, in der künstlerischen Arbeit immer wieder die Erfahrung machen mußte, daß sich Geschichte nicht mit Kunst überlisten ließ, es sei denn auf Kosten der künstlerischen Wahrheit. Es war daher gleichsam Teil einer künstlerischen Selbsterziehung, wenn er erklärte, daß er „keine andere als historische Stoffe ... wählen" würde, weil „frei erfundene" seine „Klippe" sein würden. Die Bearbeitung des „Wallenstein"-Stoffes diente auch dem Ziel, Goethes Überlegenheit des „realistischen" Herangehens gegenüber seiner „idealistischen"

Methode praktisch zu bewältigen und damit seine „subjectiven Grenzen“ zu erweitern.[35] „Vordem“ habe er „wie im Posa und Carlos, die fehlende Wahrheit [des historischen Stoffes – C. T.] durch schöne Idealität zu ersetzen gesucht; hier im Wallenstein“ wolle er „probieren und durch die bloße Wahrheit für die fehlende *Idealität* (die sentimentalische nämlich) entschädigen“.[36]

Schiller hatte seit der Wiederaufnahme der Arbeit am „Wallenstein“ 1796 wiederholt den schwer zu überbrückenden Gegensatz zwischen den „engen Grenzen einer Tragödien-Ökonomie“ und dem sich ihnen widersetzenden „rohen Stoff“ beklagt.[37] Das betraf vornehmlich die sich dem „poetischen Gebrauch“ entgegenstellenden Seiten der „politischen Handlung“. Im Unterschied zu den vorher von ihm bearbeiteten Stoffen war dieser historisch „moderner“. Über ihn vermittelten sich, wenn auch im Gewand des 17. Jahrhunderts, Entwicklungstendenzen, die ästhetische Konsequenzen hatten. Es handelte sich um eine „Staatsaction“, um eine „politische Handlung“, der sich Schiller, in dieser Form, zum erstenmal gegenübersah. Mit dem politischen Charakter der Wallenstein-Aktion hing zusammen, daß sie sich auf ein „unsichtbares, abstractes Objekt“ richtete, auf die Armee, und daß diese als „eine unendliche Fläche“ nicht „vors Auge“ und „nur mit unsäglicher Kunst vor die *Phantasie*“ gebracht werden konnte.[38] Unendlichkeit und Abstraktheit der Armee widerstanden den Erfordernissen der künstlerischen Individualisierung und sinnlichen Veranschaulichung. Sie warfen in für Schiller neuer Weise die Frage nach dem Verhältnis von Wirklichem und Wahrem oder Wesentlichem und Entbehrlichem in der künstlerischen Darstellung auf, und zwar an einem Gegenstand, der seit den Volkserhebungen und -bewegungen in Frankreich immer unausweichlicher ins Blickfeld der Kunst rückte. Es ging um die Kriterien der Darstellung der Volksmassen, d. h. in der *ästhetischen* Vermittlung um die Frage nach deren *historischer* Bewertung. Die bisherigen künstlerischen Erfahrungen reichten hierfür nicht aus. Shakespeare hatte im „Julius Cäsar . . . das gemeine Volk mit einer so ungemeinen Großheit behandelt“. Aber die von ihm getroffene Lösung, „nur ein paar Stimmen aus der Masse heraus[zunehmen] ... und für das ganze Volk gelten" zu lassen, war offensichtlich nur aus seiner Nähe zu „den Griechen" möglich gewesen, die bei der Darstellung des „Volkscharakters... mehr ein poetisches Abstraktum als Individuum im Auge hatten".[39] Für die Gegenwart, in der sich mit der Auflösung der feudalständischen Gliederung der Gesellschaft neue soziale Differenzierungsprozesse in Richtung auf den modernen Staat abzeichneten, blieb „den Poeten und Künstlern" die Aufgabe, „ins klare" zu bringen, „was die Kunst von der Wirklichkeit wegnehmen oder fallen lassen" müßte.[40] Dahinter verbarg sich auch die Frage nach der Bedeutung solcher Massenbewegungen im Verhältnis zur tradierten Auffassung der Rolle des großen einzelnen in der Geschichte. Sie erschien ästhetisch als Frage nach der Bewährung einer zwischen Shakespeare und Schiller entstandenen Tragödienstruktur, insofern deren historische Grundlagen auf ihre künftige Produktivität befragt werden mußten.

In der tragischen Kollision mit den objektiven Triebkräften der Geschichte sollte der dramatische Held im Rezipienten über die Vermittlung der Katharsis die Vorstellung eines geschichtlich souveränen Individuums hervorbringen helfen. Infolge wachsender Anonymität und damit verbundener Unüberschaubarkeit gesellschaftlicher Entwicklung war der erhoffte Handlungsspielraum des Menschen zunehmend in Frage gestellt. Im „Wallenstein" stand nicht die geschichtliche Aktion, sondern die Reflexion über ihre begrenzten Möglichkeiten im Vordergrund. Als die Dichtung 1799 vorlag, umfaßte sie statt *einer* Tragödie drei Teile (und den Prolog). Das heißt, nachdem Schiller den Stoff akzeptiert hatte, mußte er dessen Gesetzen folgen; denn die epische Eröffnung, wie sie das „Lager" darstellte, und die dadurch mitverursachte Ausweitung der Exposition auf drei Akte („Die Piccolomini") war „vielleicht das einzige Mittel ..., diesem prosaischen Stoff eine poetische Natur zu geben"[41]. „Wallensteins Abfall und Tod" sei erst die „eigentliche Tragödie"[42]. Denn sie besaß, nach den Worten Goethes, „den großen Vorzug, daß alles aufhört[e] politisch zu sein und bloß menschlich" sei. Daher sei „das Historische selbst ... nur ein leichter Schleier, wodurch das Reinmenschliche" durchblicke.[43]

Wenn sich Schiller unter dem Eindruck des „Wallenstein" nunmehr zu „einem frei phantasierten, nicht historischen ... Stoff" hingezogen fühlte,[44] so spiegelt dieses Bedürfnis die Erkenntnis, daß sich unter den Bedingungen des modernen Staates und der sich darauf gründenden Verinnerlichung der Empfindungsweise eine Episierung des Dramas vollziehen mußte. Das mißlungene Experiment am „freien Stoff" der „Braut von Messina" zwang zur Begründung dieses Tatbestandes in der Vorrede „Über den Gebrauch des Chors in der Tragödie" (1803), worin der Verlust republikanischer Öffentlichkeit und damit auch der echter Staatsaktion konstatiert werden.[45] Eine andere von Schiller erwogene dramatische Lösung war die nach dem Muster des „Ödipus", worin sich der Schwerpunkt auf die „tragische Analysis" verlagerte, weil die „tragische Handlung ja schon geschehen" sei „und mithin ganz jenseits der Tragödie" falle.[46] Auch diese erste Formulierung des analytischen Dramas bestätigt: Das fünfaktige Drama entsprach, indem es seine Teile nach dem Prinzip der Kausalität verknüpft, strukturell der aufsteigenden bürgerlichen Bewegung, d. h. der Überzeugung von der tätigen Selbstbestimmung des Individuums als einem mit Notwendigkeit vor sich gehenden Prozeß. Das analytische Drama, insofern es nur noch den 5. Akt und die fallende Handlung inszeniert, korrespondiert mit dem letzten Akt dieser gesellschaftlichen Bewegung, der statt der erhofften Befreiung des Menschen die Etablierung der Bourgeoisie bringt. Die Ablösung der äußeren Aktion von der inneren Dynamik der Reflexion signalisierte die gewandelte künstlerische Aufgabe. An die Stelle des gesellschaftlichen Vorentwurfs mußte die Bilanz des Erreichten und seine künstlerische Wertung rücken.

4

Die Analyse der Gesetzmäßigkeiten künstlerischen Produzierens wurde von Goethe und Schiller nach 1799 abgebrochen. Das bedeutete jedoch nicht, daß sich die erörterte Problematik damit erledigt hätte. Dann hätte der Gewinn tatsächlich nur in den besprochenen Werken bestanden. Der Ertrag dieser Kunstdiskussion, der *auch* in die gleichzeitige künstlerische Arbeit eingeht, aber über sie hinausgreift, besteht in der Schaffung wesentlicher Voraussetzungen dafür, der Kunstproduktion innewohnende objektive Gesetzmäßigkeiten aus ihrer spontanen Wirksamkeit gleichsam zu erlösen. Goethe wie auch Schiller gewannen und schufen damit sich und nachfolgenden Dichtern Möglichkeiten, Kunstwirkungen bewußt, d. h. im Interesse subjektiv gesetzter humaner Zwecke hervorzubringen. Sie entwickelten ihre *Vorstellungen vom Künstlerberuf* innerhalb einer literarischen Breite, die, in ihrer äußersten Polarisierung, von der Volkspoesie bis zur Trivialliteratur reichte. Volksdichtung gehörte in ihrem Verständnis in eine Zeit, in der Kunst noch Teil der unmittelbaren Lebenstätigkeit der Menschen gewesen war. Als naive und spontane menschliche Entäußerung war sie nicht wiederholbar, konnte aber in der beruflichen Kunstübung durch bewußten Einsatz ihrer Mittel aufgehoben werden. In der wachsenden Flut der trivialen Literaturproduktion, von der sich Goethe und Schiller umgeben sahen, vollzog sich andererseits in der serienmäßigen Erfüllung formaler literarischer Schemata und Klischees die Sinnentleerung ebendieses Berufs als bürgerlichen Geschäfts. Die aus dem Briefwechsel ablesbare *Entdeckung der ästhetischen Natur des Menschen* ist nichts anderes als der Reflex sich ankündigender Entfremdung und damit Verarmung des menschlichen Wesens. Die Kunst bewährt im Angesicht der Unumkehrbarkeit solcher Entwicklung ihre Fähigkeit zur Bewahrung des Menschlichen. Daher ist die theoretische Reflexion künstlerischer Sachverhalte selbst eine geschichtliche Notwendigkeit.

Hans Kaufmann

Heinrich von Kleist

Zum 200. Geburtstag

Kleists Ruhm ist ein später Nachruhm. Zu Lebzeiten kannten nicht viele ihn und sein Werk, und nur wenige Mitlebende hatten einen Sinn für die Stärke und Eigenart seiner künstlerischen Begabung. Bis ins letzte Drittel des 19. Jahrhunderts war er den literarisch Gebildeten in Deutschland bekannt, übte jedoch keinen wesentlichen Einfluß auf das kulturelle Leben aus. Erst als sich im wilhelminischen Kaiserreich die Charakterzüge des Imperialismus auszuprägen begannen und Teile der bürgerlichen Intelligenz sich von der herrschenden Kultur abwandten (ohne den Weg zur Arbeiterbewegung zu finden), wurde Kleist wirklich entdeckt. Schriftsteller und Kritiker, deren Schaffen sich auf einen tiefen Widerwillen gegen die bourgeoise Welt ihrer Herkunft gründete, ohne daß sie eine gesellschaftliche Alternative sahen, fühlten sich Kleist verwandt, viele von ihnen erhoben ihn zu einer Leitbildfigur, so der junge Johannes R. Becher, der sich mit einer Kleisthymne in die entstehende expressionistische Bewegung eingliederte. Man nannte Kleist – gewiß unzutreffend, wenn wir den Begriffen einen präzisen politischen Sinn beimessen – einen „Rebellen", einen „Aufrührer", gar einen „Revolutionär". Starke Sympathie für ihn bekundete auch in späterer Zeit eine Reihe von engagierten antiimperialistischen und sozialistischen Autoren, darunter Arnold Zweig, Wilhelm Herzog, Friedrich Wolf, Anna Seghers und F. C. Weiskopf. Allerdings wurde Kleist gleichzeitig auch zum Idol der am meisten irrationalistischen und reaktionären Strömungen der deutschen Geistesgeschichte.

Diese breite und tiefe, stark emotional bestimmte Affinität ist durch die Analyse des Kleistschen Werks allein nicht erklärbar. Vielmehr durchdringt sich hier die Bewunderung für die (wie man so sagt) „Löwenpranke" eines überragenden künstlerischen Talents mit der Teilnahme an dem namenlosen Unglück und permanenten Scheitern, die diesem Dichter beschieden waren. Sein Selbstmord im November 1811 erscheint wie die unausweichliche Konsequenz seines Lebens. Wie überaus bezeichnend, daß der furchtbar Vereinsamte den immer wieder erwogenen Freitod in dem Augenblick vollzog, als er eine Gefährtin fand, die zusammen mit ihm den letzten Weg ging! Gemeinsamkeit, die er qualvoll entbehrt hatte, meinte er nun im Tod zu spüren. Gerade weil so schwer zu entwirren ist, was an diesem Lebensschicksal den großen Zeitverhältnissen, was einer Verkettung widriger Umstände und was einer inneren psychischen Disponiertheit geschuldet ist, entstehen so große Möglichkeiten des Aus- und Hineindeutens, der Einfühlung, aber auch der Spekulation und Legendenbildung.[1] „Sein Leben ... ist wie vorgeformt für die heroische Legende" (Arnold Zweig).[2] Das düstere Strahlen des Märtyrertums verleiht Kleist – wie anderen früh verstummten Dichtern, namentlich Hölderlin und Büchner – die Aura einer Symbolfigur für die Antinomie von Kunst und Leben oder auch für die finsteren Seiten der deutschen Geschichte. Sein Leben und Werk provozieren die Diskussion über gewisse im bürgerlichen Zeitalter entstehende, sehr allgemeine Grundbeziehungen, das Verhältnis von Ratio und Gefühl, Individuum und Gesellschaft, Künstler und Vaterland und dergleichen betreffend.

Deshalb spielen auch die unmittelbar politischen Momente im Wirken des Dichters (besonders in seinen letzten Lebensjahren) im Urteil über ihn meist keine ausschlaggebende, vielfach überhaupt keine Rolle. Selbst fortschrittliche, politisch verantwortungsbewußt reagierende Schriftsteller gingen nachsichtig oder einfach mit Stillschweigen über die aufhetzerischen, geradezu totschlagsüchtigen Verse und die nicht weniger abstoßenden Traktate hinweg, mit denen Kleist den antinapoleonischen Kampf zu stimulieren suchte. Liebevoll und weise hat

Anna Seghers, als es im Exil galt, die antifaschistischen Kräfte zu sammeln, solche Züge in ein historisch umfassenderes Blickfeld gerückt. In ihrer Rede auf dem Pariser Kongreß zur Verteidigung der Kultur sagte sie, auf Kleist wie auf andere im Unglück endende Schriftsteller bezogen: „Diese deutschen Dichter schrieben Hymnen auf ihr Land, an dessen gesellschaftlicher Mauer sie ihre Stirnen wund rieben. Sie liebten gleichwohl ihr Land. Sie wußten nicht, daß das, was an ihrem Land geliebt wird, ihre unaufhörlichen, einsamen, von den Zeitgenossen kaum gehörten Schläge gegen die Mauer waren. Durch diese Schläge sind sie für immer die Repräsentanten ihres Vaterlandes geworden."[3]

Kaum jemand wird heute das Bedürfnis haben, die erwähnten Verse und Traktate (meine Altersgenossen erinnern sich ihrer vielleicht noch aus dem faschistischen Schulunterricht) zu „retten". Jedoch muß man sagen, daß es mit dem Franzosenhaß Kleists eine eigene Bewandtnis hat. Bekanntlich stellten sich die meisten bürgerlichen Intellektuellen, auch die Mehrzahl der Schriftsteller, beim Ausbruch des ersten imperialistischen Weltkrieges auf die Seite des deutschen Militarismus, darunter viele, die sich bisher überhaupt nicht politisch betätigt oder geäußert hatten. Sie glaubten, der Krieg habe die gesellschaftliche Stagnation, die sie spürten, das Gefühl der Isolation und des Nichtgebrauchtwerdens, unter dem sie litten, aufgehoben; sie bildeten sich ein, endlich einer Gemeinschaft zuzugehören und an etwas Großem und Würdigem teilzuhaben. Aus der Innerlichkeit folgte – scheinbar unvermittelt – der „Durchbruch" in die falsche, reaktionäre Politik. Und obwohl die historische Situation von 1914 der von 1810 keineswegs gleichzusetzen ist, dürfte doch bei Kleist, übrigens weitgehend unreflektiert, ein verwandtes subjektives Motiv vorgelegen haben. Das beginnende Aufflackern des Widerstandes gegen Napoleon nach der vernichtenden Niederlage Preußens von 1806 korrespondierte mit dem inneren Bedürfnis des Dichters, das Gefühl monadischen Abgesperrtseins spontan und gewaltsam zu durchbrechen. Sein Patriotismus war der Enthusiasmus eines Verzweifelten. Dieses Motiv erklärt jedoch nicht nur sein unmittelbar politisches

Reagieren, es besitzt vielmehr zentrale Bedeutung für das Verständnis der Gesamtentwicklung Kleists.

Er entstammte einem preußischen Adelsgeschlecht, konnte sich, hauptsächlich aus dauernder materieller Not, von der Bindung an die Familie nie ganz frei machen und fand keine dauerhaften Verbindungen zu fortschrittlichen Kräften. Das ist unbestreitbar. Dennoch kann der Schluß, den ältere marxistische Interpreten, vor allem Franz Mehring und Georg Lukács, aus diesen Tatsachen gezogen haben, der Weltanschauungshorizont der Kleistschen Dichtung sei der eines – wenn auch ungewöhnlich begabten – preußischen Junkers, nicht überzeugen. Die Prägung, die sein Werk von seinem Zeitalter empfing, ist so nicht zu erfassen. Gerade in ihrem Urteil über Kleist standen Mehring und Lukács unter dem Eindruck einer normativen Auffassung von der klassischen deutschen Ästhetik. Zudem reagierten sie abwehrend gegen den Kleistkult der bürgerlich-monarchistischen bzw. faschistischen Ideologen.

Als Kleist, einundzwanzigjährig, den Militärdienst quittierte und bald danach auch die Laufbahn als Kameralbeamter ausschlug, die sich einem Adligen als Zivilberuf anbot, tat er dies, wie er in Briefen mehrfach nachdrücklich bekräftigte, in der Absicht, mit dem feudalabsolutistischen System zu brechen. „Das Amt, das ich annehmen soll, liegt ganz außer dem Kreise meiner Neigung ... Übrigens ist, so viel ich einsehe, das ganze preußische Kommerzsystem sehr militärisch – und ich zweifle, daß es an mir einen eifrigen Unterstützer finden würde ... Am Hofe teilt man die Menschen ein, wie ehemals die Chemiker die Metalle, nämlich in solche, die sich dehnen und strecken lassen, und in solche, die dies nicht tun – Die ersten werden dann fleißig mit dem Hammer der Willkür geklopft, die andern aber ... als unbrauchbar verworfen." (An Ulrike von Kleist, 25. November 1800). Sein Motiv ist, mit einem Wort, Bürgerstolz, jenes bürgerliche Selbstbewußtsein, wie es sich bei aller Begrenztheit politischer Frontbildung doch in der zweiten Hälfte des 18. Jahrhunderts in Deutschland herausgebildet hatte. Dem entspricht ganz und gar sein Lebensplan: Er will Gelehrter werden, ohne ein Amt, ohne überhaupt einen Beruf auszuüben, will seinen Geist zur Bildung, seinen Charakter zur Tugend erziehen. Mit pädagogischem Eifer sucht er seine Braut, ein adliges Fräulein, für dieses Ziel zu entflammen: „Gute Menschen wollen wir sein und uns mit der Freude begnügen, die die Natur uns schenkt. Ich ... entsage dem ganzen prächtigen Bettel von Adel und Stand und Ehre und Reichtum, wenn ich nur Liebe bei Dir finde ... Dein nächstes Ziel sei, Dich zu einer Mutter, das meinige, mich zu einem Staatsbürger zu bilden ..." (An Wilhelmine von Zenge, 13. November 1800). Das ist ganz die Sprache der bürgerlichen deutschen Aufklärung. Ein bescheidenes Heim, ein Weib, Kinder, ein Familienleben, das von der feudalabsolutistischen Öffentlichkeit völlig abgegrenzt ist und in dem bürgerliche Bildung und Tugend zu Hause sind – das ist es, was Kleist in jener Zeit erstrebt. Und da man von irgend etwas leben muß, will er, weit weg von Preußen, in Südfrankreich, Hauslehrer werden. Als er schließlich in der Schweiz einen Bauernhof zu kaufen beabsichtigt und seiner Braut zumutet, Bäuerin im Alpenlande zu werden, zerbricht das Verlöbnis, das so bürgerlich war wie nur ausdenkbar. Nie hatte Kleist ein Heim, nie eine Familie, nie äußere Ruhe und inneren Frieden. Der Rest seines Lebens besteht fast nur noch aus verzweifelten Improvisationen. Die Absicht, sich der napoleonischen Invasionsarmee gegen England anzuschließen (welch eine Idee für einen „preußischen Junker"!), verfolgt er erklärtermaßen mit dem Ziel, dabei den Tod zu finden. Der Not gehorchend, arbeitete er dann doch eine Zeitlang als Kameralbeamter in Königsberg. Auf einer Reise nach Berlin wurde er unter dem Verdacht, ein Spion zu sein, von französischen Truppen verhaftet und für Monate auf Festungshaft nach Frankreich gebracht. Seinem Versuch, durch die Gründung einer literarischen Zeitschrift („Phöbus") als freier Schriftsteller zu wirken, war weder Erfolg noch lange Dauer beschieden. Eine weitere Zeitschriftengründung, die „Berliner Abendblätter", brachte ihn in einen unglückseligen Konflikt mit dem reformerischen Minister Hardenberg. Die preußische Hofpartei wies den Abtrünnigen zurück und verwarf sein letztes Werk, den „Prinzen von Homburg". Das war dann das Ende. Kleists Bemühung, aus der Sphäre des Junkertums auszubrechen und sich eine Existenz als bürgerlicher Gelehrter und Schriftsteller zu schaffen, war ebenso ernsthaft wie in ihrer Zielstellung anachronistisch. Dem Gelehrten- und Künstlerideal, das ihm vorschwebte, stand das erste Jahrzehnt des 19. Jahrhunderts ganz und gar entgegen. Während die deutschen Länder gewaltsam in die geschichtliche Umwälzung hineingerissen wurden, während das alte Römische Reich Deutscher Nation und das friderizianische Preußen unter den Schlägen der Armeen Napoleons erzitterten und zerbrachen, wollte er eine Lebenshaltung verwirklichen, wie sie ein Menschenalter früher, vor Ausbruch der Französischen Revolution, für Teile der bürgerlichen Intelligenz in Deutschland charakteristisch war: Abgestoßen von der feudalabsolutistischen Lebensart, sonderte man sich vom Hofe ab, verkehrte und korrespondierte mit ein paar Gleichgesinnten und kultivierte im kleinen Kreis bürgerliche Qualitäten. Wie gering auch die praktisch-politische Bedeutung dieser bürgerlichen Zirkel blieb – in Einzelfällen nahmen sie immerhin den Charakter politischer Gruppierungen an, so nach der Revolution der Freundeskreis Hölderlins –, sie bildeten doch eine ganz wesentliche Lebensgrundlage der bürgerlichen Aufstiegsliteratur im 18. Jahrhundert. Kleist nun fand einerseits die ideellen Momente bürgerlich-antihöfischer Haltung bereits vor und machte sie sich als junger Mensch zu eigen, andererseits fehlten selbst die bescheidensten sozialen Voraussetzungen, die nötig gewesen wären, um eine solche Position durchzuhalten. Ein einziges Mal fand er sich für kurze Zeit in der Schweiz mit ein paar gleichgesinnten Künstlern zusammen, und es ist kein Zufall, daß diesem Moment Idee und Entwurf seines einzigen Lustspiels („Der zerbrochne Krug“) entsprangen. Im übrigen aber mußte er sich verloren wie ein Waisenkind in einer chaotischen, unüberschaubaren Welt vorkommen. In einem Brief an seine Braut verglich er sich mit Max Piccolomini und sie mit Thekla aus Schillers gerade erschienenem „Wallenstein“, mit den beiden (ihrer Zielsetzung und moralischen Haltung nach) bürgerlichen Helden also, die in der Welt der Machtkämpfe und Intrigen keinen Boden für ihr Wollen und Handeln finden.

Sowenig Kleist von dem widerspruchsvollen objektiv-sozialen Zusammenhang seiner Existenz mit dem Gang der Geschichte einen Begriff hatte, so stark hat er ihn zugleich emotional verspürt. Die bürgerliche Existenz diktierte ihm (ganz so, wie es Goethe in seinem „Wilhelm Meister" diskutiert) ein anderes Verhältnis zum Leben als die adlige, die er preisgab. Die Existenz und Geltung des Adligen war durch seine Geburt festgelegt; der Bürgerliche mußte erst durch seine Tätigkeit und Leistung Geltung erwerben. Im Ansatz der schriftstellerischen Arbeit Kleists ist diese Intention um so stärker spürbar, als er dazu neigte, alles bis zum Exzeß, bis zum körperlichen und seelischen Zusammenbruch voranzutreiben. So wollte er mit seiner Tragödie „Robert Guiskard" in einer einzigen herkulischen Anstrengung alles Vorhandene überbieten, Goethe und Schiller in den Schatten stellen und den höchsten Dichterruhm erringen. Durch das Scheitern dieser Unternehmung verlor er sein Selbstvertrauen und betrachtete fortan alles, was er noch hervorbrachte – sein eigentliches Lebenswerk als Dramatiker und Erzähler –, nur noch als schwachen Abglanz jenes Höchsten, das ihm einmal vorgeschwebt hatte.

Das Fehlen jedweder Resonanz für seine Jugendideale im engeren wie im weitesten Umkreis seines Lebens zieht eine beträchtliche Akzentverschiebung in Kleists Bild vom Menschen nach sich, wenn man es gegen das von ihm aufgenommene Ideengut des 18. Jahrhunderts hält. Der bürgerliche Individualismus, entstehend aus dem Zerfall des patriarchalisch geordneten Gemeinwesens und der Entwicklung des Warenaustauschs, polemisch betont in der Abgrenzung von der „Politur" und „Unnatur" des höfischen Wesens, erweist sich im antifeudalen Kampf als durchaus assoziationsfreudig. Das Selbstgefühl eines Werther oder Egmont, eines Marquis Posa oder auch des Eigenbrötlers Wilhelm Tell wird nicht gemindert, sondern gekräftigt durch das Bewußtsein, mit Gleichgesinnten verbunden zu sein. Dargestellt als Lebenstatsache oder als Bedürfnis, erscheint, vielleicht bisweilen illusorisch übertrieben, der Reichtum der Persönlichkeit als der Reichtum ihrer menschlichen Beziehungen. Dies ist bei Kleist bereits gründlich anders. Weder aktuell noch potentiell, weder aus der Sicht des Autors noch in ihrem eigenen Bewußtsein sind Kleists Hauptgestalten von einer sozialen Kraft getragen; einige von ihnen – Kohlhaas, Hermann der Cherusker, der Prinz von Homburg – setzen allerdings durch ihr Auftreten soziale Kräfte in Bewegung. Die Wurzel ihrer Individualität liegt jedoch ausschließlich in ihrem Inneren, das von seiner Umgebung abgesperrt sein muß, um Einheit, Harmonie und Fülle der Persönlichkeit zu ermöglichen. Das ist ihre Qual, aber auch die Bedingung ihrer Erhaltung. Die Trennung von „innen" und „außen" schirmt sie ab gegen eine „Welt", die ihre Integrität zerstören würde, sperrt sie aber auch ein und läßt sie den Durchbruch suchen. Die äußere Welt tritt an sie als „Schicksal", als Zufall, als Mißverständnis, als Versuchung, so oder so als abstrakte Macht und Übermacht heran, mit denen sie sich auseinanderzusetzen haben. Kleist liefert damit große Abbilder menschlicher Selbstentfremdung, Modelle eines Zustands, von dem Marx sagt, daß in ihm „persönliche Unabhängigkeit auf sachlicher Abhängigkeit gegründet"[4] ist, Bilder eines allgemeinen Verhältnisses, das die bürgerliche Gesellschaft charakterisiert, wenn von dem revolutionären Hintergrund ihrer Entstehung abstrahiert wird. In der Tat fehlte Kleist einerseits jeder Sinn für den gewaltigen geschichtlichen Umwälzungsprozeß, in dem er lebte. So liefern ihm die (im Gefolge der Französischen Revolution ausgebrochenen) Sklavenaufstände im karibischen Raum lediglich merkwürdige Begebenheiten für Novellen und Anekdoten, so gut wie ihm bürgerliches und aristokratisches Privatleben solche Merkwürdigkeiten liefert. Andererseits pflanzt sich in der Tatkraft, Integrität und Sensibilität seiner Gestalten doch etwas von dem neuen Lebensanspruch des bürgerlichen Menschen fort. Dieses Moment ist wesentlich literarisch vermittelt. Bei aller Eigenständigkeit setzt Kleists Dramatik die deutsche Aufklärung und Klassik und namentlich das Schaffen Schillers voraus.

Auch die von Kleist selbst und vielen seiner Interpreten immer wieder beschworene Antinomie von Gefühl und Verstand ist nur ideeller Widerschein des Gegensatzes von „innen" und „außen". Verstand, Reflexion, Berechnung sind ihm Abdruck gesellschaftlicher Übereinkunft, Norm, damit Entfernung von ursprünglicher Menschlichkeit und Bedrohung der Persönlichkeit, die nur dann sie selbst ist, wenn sie sich von ihrem inneren Fühlen leiten läßt. Nicht nur die zarte Alkmene in Kleists „Amphitryon", auch der germanische Recke Hermann in der „Hermannsschlacht" versuchen, ihre Gefühle nicht zu verwirren. Die Abgesperrtheit der Individuen voneinander äußert sich nicht zuletzt (mit großer dichterischer Konsequenz) in Störungen der sprachlichen Kommunikation, z. B. in Konflikten, die aus unüberwindlichen Mißverständnissen entstehen, oder umgekehrt in den Traumszenen, in denen eine Person das Geheimste ihres Inneren enthüllt, jedoch nicht als Mitteilung an andere Personen. In der kleinen Prosaschrift „Über das Marionettentheater" hat der Dichter anschaulich diese Auffassung dargetan. Um eine harmonische Bewegung der Marionette zu erreichen, heißt es dort, sei es nicht nötig, sie mit möglichst vielen Drähten oder Fäden zu handhaben, vielmehr komme es darauf an, „einen Schwerpunkt ... in dem Innern der Figur zu regieren", dann bewege sie sich mit allen Gliedmaßen leicht und harmonisch. Dieser in der richtigen Weise bewegte Schwerpunkt ist gleichsam das mechanische Äquivalent der menschlichen Seele. Und noch mehr: Am Draht hängend, sei die Puppe ohne Schwerkraft und könne, vor allem beim Tanzen, ein Ideal vollkommener Anmut erreichen, das nur den Göttern, nicht den Menschen gegeben sei. Beim Menschen seien Mißgriffe „unvermeidlich, seitdem wir vom Baum der Erkenntnis gegessen haben. Doch das Paradies ist verriegelt und der Cherub hinter uns." Aus dem Beispiel eines jungen Menschen, dessen natürliche Anmut dahin war, als er sich ihrer bewußt wurde und sie absichtlich hervorrufen wollte, wird gefolgert, „daß in dem Maße, als, in der organischen Welt, die Reflexion dunkler und schwächer wird, die Grazie darin immer strahlender und herrschender hervortritt".

Die fatale Kehrseite des so sinnfälligen Vergleichs von Mensch und Marionette wird von Kleist nur gestreift: daß sie nämlich Spielobjekt eines unsichtbaren Meisters ist, der sie am Draht führt. Für Kleists Menschenbild ist dies jedoch durchaus wesentlich. Die Abgesperrtheit der Individuen voneinander ist einerseits Folge des Zusammenbruchs religiöser Illusionen, die bedrängte Kreatur bleibt ohne Trost, wir haben es mit einer „entgötterten Natur" (und Menschenwelt) zu tun. Auf der anderen Seite verweisen die unbegriffenen Zusammenhänge, das Ausgeliefertsein, die Schicksalsschläge, Zufälle und Mißverständnisse doch wieder auf einen verborgenen Lenker und Sinngeber. Das betont Mechanische des Bildes von der Marionette hat einen durchaus irrationalen Hintergrund, den transzendenten großen Mechanikus, der, wie der Dichter sich brieflich einmal ausdrückt, „an der Spitze der Welt steht" und, obwohl er dem Menschen das Glück versagt, „kein böser Geist" sei, sondern „ein bloß unbegriffener" (an Otto August Rühle von Lilienstern, 31. August 1806).

Mit den genannten ideellen Motiven antizipiert Kleist eine Reihe von Problemen, die in bürgerlichen Ideologien Jahrzehnte später immer wieder eine große Rolle spielen und in ihrem Rahmen unlösbar bleiben. Doch wäre es übereilt, daraus zu folgern, daß uns diese Probleme nichts mehr angingen, zumal Kleist keine Lehre vor uns hinstellt, sondern Vorgänge zwischen Menschen, deren allgemeinste, in Begriffen zu abstrahierende Seite immer in der Schwebe bleibt. Kleists Gestalten, auch jene, in denen er seine eigenen Umweltbeziehungen zur Anschauung bringt, sind keine „Sprachröhren des Zeitgeists", sind nicht als Leitbilder gedacht. Eher sollte man seine dramatischen Werke – wie Rilke es einmal von seinen Gedichten sagt – als „Vokabeln meiner Not" ansehen. Auch die Schrift „Über das Marionettentheater" ist nicht als Programm abgefaßt, sondern als Dialog des Autors mit einem „Herrn C.", wobei ersterer die Fragen stellt, letzterer die Marionettentheorie formuliert, die dadurch dem Leser lediglich als interessante, bemerkenswerte Ansicht mitgeteilt wird. Eine Poetik oder Weltanschauungsprogrammatik, in der Inhalt und Methode seines künstlerischen Schaffens in etwa theoretisch ausgefällt wären, gibt es bei Kleist nicht. Seine Dichtungen scheinen spontan wie Naturereignisse aus ihm herauszutreten. Um so erstaunlicher wirken dadurch die Festigkeit und Klarheit der Komposition, des szenischen Geschehens und des sprachlichen Ausdrucks.

Das Lustspiel „Der zerbrochne Krug“ scheint durch seine derbe Komik und sozialkritische Analytik aus dem übrigen Werk des Dichters ganz herauszufallen. Es enthält jedoch ebenfalls einige für Kleist charakteristische Motive, vor allem das der isolierten Individualität; nur ist es mit bewundernswerter Souveränität ins Satirisch-Komische gewendet. Zwei Hauptmomente: die genrehafte Turbulenz eines ländlichen Streits um einen zerbrochenen Krug, vorgegeben durch einen Kupferstich, und ein Motiv aus dem „König Oidipos“ des Sophokles – ein Mann sucht einen Missetäter, der er selbst ist –, schießen hier zusammen. Doch während in der antiken Tragödie Oidipos, der den Mörder seines Vaters sucht, im dunkeln tappt, weiß – dies das Kernstück der komischen Wendung – der Dorfrichter Adam genau, wen er zu suchen hat, und richtet seine ganze Energie und seinen Witz darauf, den immer weniger abweisbaren Verdacht von sich abzulenken. Mit seinen fast genialen Improvisationen, zu denen er bei jeder Wendung des Geschehens greift, erweist sich Adam als ein ebenfalls aus dem inneren Schwerpunkt seines Daseins Reagierender; für Momente ähnelt er einem umstellten und verzweifelt um sich schnappenden Wolf. Mitgefühl kann er freilich nicht auf sich ziehen, weil er hemmungslos Schwächere niederzutreten bereit ist. Er wird mit Recht vom Richterstuhl vertrieben, wozu es allerdings der maßgeblichen Unterstützung durch die übergeordnete Obrigkeit bedarf. Ohne das Eingreifen des Gerichtspräsidenten wäre die Mißwirtschaft, die Adam auf Kosten des Volkes treibt, nicht zu beseitigen. Die Reichweite des satirischen Angriffs wird dadurch begrenzt. Und doch bietet das Stück mit der Perfektion der schrittweisen Enthüllung, der Fülle komischer Einfälle, der differenzierten Figurengestaltung und nicht zuletzt mit seiner der humoristischen Charakterisierung dienenden Verssprache, die es so in der deutschen Literatur bis dahin nicht gab, so viel Spaß mit Bedeutung, daß man heute schwer begreifen kann, warum es lange Zeit Schwierigkeiten hatte, sich auf der Bühne durchzusetzen.

Wenn in diesem Lustspiel ein ins Komische gewendetes tragisches Vorbild von ferne durchschimmert, so lehnt sich Kleist umgekehrt in „Amphitryon“ sehr direkt an eine berühmte Komödie, das Molièresche Stück gleichen Namens, an, um ihm eine ernste, elegische, der Tendenz nach tragische Wendung zu verleihen. Zwar bleiben die komischen Motive der Intrigen und Verwechslungen, die Rüpel- und Prügelszenen nicht nur stehen, Kleist arbeitet sie sogar stark heraus. Dennoch verlagert er die Akzente beträchtlich. Die Verführung der treuen Ehefrau durch Jupiter, der die Gestalt des Gatten annimmt, ist bei Kleist keine amüsante Episode, kein Anlaß, einmal mehr (wie in so vielen Komödien) über den gehörnten Ehemann zu lachen. Auch der kritische Einblick in die ständische Gliederung der Gesellschaft ist, obgleich vorhanden, nicht die Hauptsache. Das größte Gewicht legt Kleist vielmehr auf das willkürliche, selbstherrliche, grausame Spiel, das die Götter mit den Menschen treiben. Jupiter und Hermes bringen Amphitryon und seinen Diener Sosias dahin, an ihrer Identität, an ihrem „Ich“ zu zweifeln, sie verletzen den Kern der menschlichen Persönlichkeit – und dies nur, um für den Herrn des Olymps eine Liebesnacht mit Alkmene zu erschleichen. Sie, für die die eheliche Treue das seelische Zentrum ist, aus dem sie lebt, wird am ärgsten getäuscht und gekränkt. Wohl muß der Gott ihre Integrität akzeptieren – ihre Umarmung galt nicht ihm, sondern dem Ehemann –, aber als Allmächtiger und Allgegenwärtiger (der, wenn es ihm beliebt, Amphitryon nicht nur zu sein scheint, sondern ist) zwingt er sie und ihren Mann, die göttliche Untat verehrend hinzunehmen. So bewegt sich das Stück im geistreichen, scharfsinniglogischen Zergliedern psychischer Sachverhalte einerseits, andererseits im ständigen Verweis auf objektive und unbeherrschbare „Mächte“, an denen sich der Menschenverstand vergeblich abarbeitet, wobei ständig das Humoristische der komischen Situationsverkennung und der Ernst der versuchten menschlichen Selbstbehauptung miteinander wetteifern. In „Amphitryon“ entwirft Kleist in der reinsten Form das Bild einer Welt, deren harmonisch-vernünftige, tröstliche „Ordnung“ zerbrochen, in der der Mensch auf sich gestellt und doch wieder einer als Willkür erscheinenden Übermacht ausgeliefert ist. Das aus ständischer Gebundenheit entlassene bürgerliche Individuum gerät in neue, noch fatalere Abhängigkeiten. Spezifisch modern daran wirkt nicht zuletzt die stark entwickelte Sensibilität des Dichters für die Objektsituation der Frau. Sie bildet auch das Zentrum der beiden anderen Stücke Kleists mit weiblichen Hauptgestalten.

Trotzdem kann man sich – im Unterschied zu „Amphitryon“ – mit „Penthesilea“ und dem „Käthchen von Heilbronn“ schwer befreunden. Die Widersprüche seiner eigenen äußeren und inneren Situation hat Kleist vielleicht nie so rückhaltlos gezeigt wie in „Penthesilea“. In einem Ausbruchsversuch von vulkanischer Gewalt lehnt sich die Titelgestalt des Stückes gegen die Objektsituation der Frau auf. Die antike Vorlage bot dafür ein geeignetes Sujet. In der Geschichte von der Amazonenkönigin, die nach altem Brauch einen auf dem Schlachtfeld besiegten Mann als Gatten heimzuführen gedenkt und an Achill, dem gewaltigsten Griechenhelden vor Troja, scheitert, spiegelt sich die Ablösung mutterrechtlicher Zustände durch vaterrechtliche, der alten Gens durch die Klassengesellschaft, die zumeist mit einer Unterdrückung der Frau verbunden war. Auf diesen menschheitsgeschichtlichen Konflikt pflanzt Kleist nun – sehr unantik, sehr modern – die Kollision der individuellen Liebesleidenschaft. Penthesilea und Achill lösen sich radikal aus den allgemeinen Zwecksetzungen des Kampfes ihrer Völker und verfolgen (als „bürgerliche“ Menschen!) nur noch ihr Individualinteresse: die Amazone bricht damit aus der konventionellen Bindung und liefert sich zugleich der Übermacht des Mannes aus, gegen die sie gewaltsam ankämpft. Formal gesehen, ergeben sich die Drehpunkte der Handlung aus einer Kette von Mißverständnissen. Ihr allgemeiner Inhalt liegt aber darin, daß sich Haß in Liebe, Liebe wieder in Haß verwandelt, weil die auf beiden Seiten aufflammende Leidenschaft von Achill in der selbstverständlichsten Weise als Unterordnung der Frau unter den Mann aufgefaßt wird. Wenn Achill sich zum Schein geschlagen und gefangen gibt, um Penthesilea entgegenzukommen und mit ihr über ihre beiderseitige Liebe zu reden, so wird er damit gleichsam zum Inbegriff männlicher Überheblichkeit und erweckt so ihren grenzenlosen Rachedurst, der sie dahin bringt, den Wehrlosen nicht nur mit dem Pfeil zu töten, sondern ihn auch von Hunden zerfetzen zu lassen, ja sogar selbst ihre Zähne in sein Fleisch zu schlagen. Das Thema des „Geschlechterkampfes“ als typischen Teilmoments des bürgerlichen Privatlebens ist später – dem allgemeinen Inhalt nach ähnlich – von vielen Schriftstellern (z. B. Tolstoi, Strindberg, Heinrich Mann) abgehandelt worden und hat im heutigen Streben nach Gleichberechtigung der Frau erneute Brisanz gewonnen. Womit man sich in Kleists Stück schwer abfinden kann, ist die allzu kompromißlose Hingabe an die barbarischen Konsequenzen dieses Kampfes. Zur Darstellung auf der Bühne reizt das Werk auch deshalb wenig, weil sich fast alle großen Vorgänge hinter den Kulissen abspielen und durch Botenberichte mitgeteilt werden.

Als eine Antithese zu „Penthesilea“ faßt der Dichter selbst „Das Käthchen von Heilbronn“ auf. Er bereute später die starken Konzessionen, die er in diesem Stück an die Ritter- und Schauerromantik der zeitgenössischen Trivialliteratur gemacht hatte, wohl weil er, des permanenten Mißerfolgs als Dramatiker müde, auf diese Weise die Gunst des Publikums zu erobern hoffte. (Die Literaturgeschichte kennt nicht wenige solche Fälle.) Doch selbst abgesehen von dem übermäßigen Aufgebot an pseudomittelalterlichen Requisiten, befremdet die Geschichte jenes Mädchens, das sich in hündischer Ergebenheit von dem Erwählten ihres Herzens eher mit der Peitsche bedrohen läßt, als daß sie in ihrer Liebe und Aufopferung wankend würde. In dieser Gestalt wird die Objektsituation der Frau vollkommen verinnerlicht, von ihr und vom Autor seelisch bejaht, und das im Grunde wiederum Barbarische der Geschlechterbeziehung ist zu Harmonie und Idylle verklärt.

Miteinander verwandt, jedoch nach Gehalt und Wert sehr zu unterscheiden sind auch die beiden letzten Stücke Kleists, „Die Hermannsschlacht“ und „Prinz Friedrich von Homburg“. Beide beziehen sich im vergangenheitsgeschichtlichen Stoff unverkennbar auf den Kampf gegen Napoleon. In der „Hermannsschlacht“ reduziert sich durch Kleists Blindheit gegenüber den sozialen Inhalten der nationalen Probleme die Intention ganz und gar auf jenes Anheizen feindlicher Gefühle gegen die „Welschen“, das auch in seinen patriotischen Gedichten und Traktaten so abstoßend wirkt. Der Cheruskerfürst Hermann muß mit Intrigen und Provokationen seine Germanen aus ihrer bärenhäutigen Gemütlichkeit und Gutgläubigkeit herausreißen, sogar seine Frau Thusnelda, die dann ihre patriotische Bekehrung dadurch bekundet, daß sie ihren des Verrats überführten römischen Verehrer von einem Bären zerreißen läßt. Mit dem wirklichen Verhältnis von Fürsten und Volk am Vorabend der Befreiungskriege hat das außerordentlich wenig zu tun. Kleists „Hermannsschlacht" fällt durchaus unter die spöttische Kritik von Marx an denjenigen, die „unsere Geschichte der Freiheit jenseits unserer Geschichte in den teutonischen Urwäldern" suchen. „Wodurch unterscheidet sich aber unsere Freiheitsgeschichte von der Freiheitsgeschichte des Ebers, wenn sie nur in den Wäldern zu finden ist? Zudem ist es bekannt: Wie man hineinschreit in den Wald, schallt es heraus aus dem Wald. Also Friede den teutonischen Urwäldern!"[5]

Verwickelter liegen die Dinge beim „Prinzen von Homburg". Über dieses Stück gibt es zwischen marxistischen Theoretikern wie sozialistischen Theaterschaffenden beträchtliche Meinungsdifferenzen. Auf der einen Seite ist nicht zu bestreiten, daß Kleist hier ein idealisiertes Bild des „Großen Kurfürsten" gibt, den die preußische Legende als Stammvater Preußens verherrlicht, und daß nach Lösung der Kollision sich alle Beteiligten unter der Losung „In Staub mit allen Feinden Brandenburgs!" vereinen. Daß dies zu Zeiten eines akuten und scharfen Kampfes gegen militaristische deutsche Ideologie zum Anlaß für eine kritische Bewertung des Werkes genommen wurde, ist leicht begreiflich. Dieser Tatsache steht allerdings die andere gegenüber, daß die eigentlichen Parteigänger des preußischen und preußisch-deutschen Militarismus – zu Lebzeiten des Dichters und später – das Stück entschieden nicht mochten. Denn durch das Verhalten der Titelfigur – der Prinz handelt in der Schlacht gegen den ausdrücklichen militärischen Befehl und will sich dann dem Todesurteil nicht unterwerfen, sondern fleht um sein Leben – und durch die an Meuterei grenzenden Sympathiekundgebungen des Offizierskorps zu dem unsoldatischen Verhalten Homburgs wird die Idee eines „vorbildlichen" Preußentums aufs bedenklichste unterwandert. Der Staat, so kann, so muß man wohl folgern, werde gut und stark sein, wenn nicht ein starres, dem Einzelmenschen gegenüber gleichgültiges Gesetz in ihm herrscht, sondern wenn er imstande ist, einen Menschen wie den Prinzen mit all seinen Regungen, ein bürgerliches Individuum im Sinne Kleists, in sich zu integrieren und gelten zu lassen. Gerade so muß nach allem, was wir bisher von Kleists Menschenbild kennengelernt haben, seine Intention in diesem Stück verstanden werden.

Der Angelpunkt des Dramas liegt damit weniger auf einer Apotheose heroischer Vergangenheit Preußens als auf dem Entwurf einer neuen Lebensordnung. Der scharfe Konflikt zwischen Individuum und Gemeinwesen erscheint darin auf nicht tragische Weise gelöst, also ausgleichbar, indem die Exponenten beider Seiten die Einseitigkeit ihres Prinzips aufgeben. Der Kurfürst, bewegt von der Bitte um Gnade, legt das Urteil in das Ermessen des Prinzen; dieser, dadurch seinerseits erschüttert, will nun sein Leben zum Opfer bringen. Schließlich erweist sich in der Demonstration der Offiziere, daß es eines solchen Opfers nicht bedarf. Der alte Haudegen Kottwitz vermag in seiner großen Rede den Fürsten davon zu überzeugen, daß der von Verantwortungsbewußtsein durchdrungene Soldat dem bloß blind gehorchenden überlegen ist. Der Kurfürst zieht zum Schluß erneut Sympathien auf sich, weil er nicht als Autokrat handelt, sondern sich in ein demokratisches Rededuell mit seinen Untergebenen einläßt. So kommt auf dem Weg der Anerkennung von Subjektivität und Selbstbestimmung mehr an wirklichem Epochengehalt in dieses Kleistsche Werk als in irgendein anderes seiner Dramen. Die Überlegenheit der Napoleonischen Armeen über die Truppen des Ancien régime gründete sich bekanntlich nicht zuletzt darauf, daß in Frankreich die Revolution die Bauern befreit und den feudalen Kastengeist beseitigt hatte.

Wenn davon etwas in Kleists Drama aufscheint, so ist das ohne Zweifel wiederum auch literarischen Vermittlungen zu verdanken. Demokratische Aufwallungen der Armee und der

Drang zu selbständigem, vom eigenen Gewissen diktiertem Handeln hatten bereits im „Wallenstein" eine beträchtliche Rolle gespielt, wobei Schiller die zeitgenössischen Revolutionskriege der neunziger Jahre vor Augen hatte. Noch näher aber steht „Der Prinz von Homburg" in einigen Kernpunkten – als utopischer Entwurf gesellschaftlicher Erneuerung im Bild der Historie mit untragischer Konfliktlösung – dem „Wilhelm Tell". Nationale Befreiung durch soziale Umwandlung, die ihrerseits durch den Verzicht auf überalterte feudale Privilegien auf der einen, durch Initiativen und Zusammenschluß, aber auch durch Vermeidung von „Radikalismus" auf der anderen Seite erreichbar erscheint, eine Art „gereinigte" Revolution – das war Schillers letzte Antwort auf die Ereignisse seit 1789. „Der Prinz von Homburg" ist eine durch Kleists Persönlichkeitsauffassung modifizierte, in ihren sozialen Aspekten weiter abgeschwächte, ins Preußische übersetzte Ausgabe dieses utopischen Erneuerungsentwurfs. Das Mißverhältnis, in dem er zu den realen Aussichten Preußens und Deutschlands stand, empfand niemand schmerzhafter als der Dichter selbst. Sein Selbstmord bald nach Vollendung des Dramas sollte als Epilog mitgelesen werden.

In der Zeit, als Kleist abwechselnd hochfliegende und bescheidene Lebenspläne entwarf, wies er den Gedanken, das Schreiben als „Erwerbszweig" zu betreiben, weit von sich. „Bücherschreiben für Geld – o nichts davon", versicherte er seiner Braut (10. Oktober 1801). In seinen letzten Lebensjahren versuchte er dennoch, als freier Schriftsteller zu leben, indem er Zeitschriften gründete und für sie schrieb.

Diesem Umstand verdanken wir im wesentlichen sein Prosawerk, die zum Teil sehr berühmten Novellen, Kurzgeschichten und Anekdoten sowie einige Aufsätze, Kritiken und Anmerkungen zu sehr verschiedenen Themen. Auf dem Gebiet der Erzählprosa kleinen bis mittleren Umfangs wirkte Kleist epochemachend in der deutschen Literatur. Die Gedrängtheit und Präzision, die er bei der Herausarbeitung der erzählten merkwürdigen Begebenheiten erreicht, der Lakonismus und das stürmische Tempo des Vortrags, die Durchsichtigkeit seiner oft gewaltig verschachtelten Sätze sind vielfach mit Recht gerühmt worden. Nicht zu übersehen ist allerdings auch, daß Kleist, offenbar gedrängt von der Notwendigkeit, dem Zeitschriftenleser „Futter" anzubieten, vor allem in der letzten Zeit recht wahllos Stoffe aufgreift, wo sie sich gerade bieten, und daß er mit allerlei Spuk- und Wundergeschichten, die tieferer Bedeutung entbehren, das Publikum lediglich zu fesseln und zu unterhalten bemüht ist. Hier wirft die beginnende Kommerzialisierung des Literaturwesens ihre Schatten auf das Werk eines großen Schriftstellers. Selbst die mit Abstand bedeutendste Novelle Kleists, „Michael Kohlhaas", wird in ihrem Schlußteil dadurch beschädigt. Freilich verbleicht dies in der Einnerung gegen die mächtige, sprichwörtlich gewordene Gestalt des Kämpfers für Gerechtigkeit um jeden Preis.

Ist Michael Kohlhaas ein Rebell? Zunächst ist er eher das Gegenteil: er ist treusorgender Vater und Ehemann, der in Frieden seinen Roßhandel betreiben will, und er kämpft für die gültigen Gesetze, für die bestehende Ordnung, deren Funktionieren die Bedingung seines friedlichen bürgerlichen Lebens ist. Den Streit mit dem Junker von Tronka, der ihm aus reiner Willkür die Pferde zurückbehält und zu Kleppern herunterwirtschaftet, führt er, so lange wie irgend möglich, mit legalen Mitteln (Kleist arbeitet diesen Punkt sorgfälig heraus). Aber trotz der Eindeutigkeit des Sachverhalts kann er gegen die feudale Sippschaft nicht nur nicht zu seinem Recht kommen, darüber hinaus wird ihm sein idyllisches Familienleben zerschlagen(sein Knecht wird halbtot geprügelt, seine Frau kommt bei dem Versuch, eine Bittschrift zu überreichen, ums Leben). Die „Ordnung" der Welt, an die er geglaubt hat und die ihm Lebensbedürfnis war, entpuppt sich als Willkür. Dieser Zusammenbruch der Illusion einer „heilen Welt" bildet nicht nur den psychologischen, sondern zugleich den philosophischen Drehpunkt der Novelle. Die Ungerechtigkeit der äußeren Welt erzeugt die Innerlichkeit einer abstrakt-absoluten Rechtsidee: „. . . und mitten durch den Schmerz, die Welt in einer so ungeheuren Unordnung zu erblicken, zuckte die innere Zufriedenheit empor, seine eigene Brust nunmehr in Ordnung zu sehen."

Und er beginnt „das Geschäft der Rache“, sammelt Leute um sich und führt Krieg gegen die Gesellschaft, bis er endlich sein Recht erhält: die aufgefütterten Pferde für seine berechtigte Klage und das Todesurteil für Landfriedensbruch, Raub und Mord.

Die scheinbar abstrakte, „allgemein menschliche“ Gerechtigkeitsidee entsteht jedoch in der Kohlhaasnovelle nicht außerhalb einer (in den Hauptzügen, wenn auch nicht im Detail) recht präzisen sozialen Bestimmung. Die Handlung spielt im 16. Jahrhundert, im Übergang vom Mittelalter zur Neuzeit, und Kohlhaas ist – wie Hamlet, wie Faust – ein spezifisch neuzeitlicher Typus, Protagonist einer heraufkommenden Welt ohne die Herrschaft fremder Mächte über den Menschen. Durch die Vernichtung des Glaubens an eine von Gott hierarchisch geordnete Welt, in der jeder, Herr und Knecht, seinen Platz unkritisierbar innehat, wird der Mensch auf sich gestellt; er begreift sich selbst als höchstes Wesen. Gerade so verhält es sich mit Kohlhaas. Er fühlt sich als neuer Messias und erläßt seine Bannflüche und Befehle im Namen einer „provisorischen Weltregierung“. Wenn sich in solchem messianischen Wahnwitz das Abstrakt-Illusionäre eines absoluten Gerechtigkeitsideals spiegelt, so wirkt doch Kohlhaas' Bestreben andererseits – und dies überwiegt, dies wird sprichwörtlich – als Impuls in jedem Kampf um mehr Menschlichkeit. Wer kein völliger Fatalist ist, hat wenigstens einen Tropfen kohlhaasischen Bluts in sich: „Gerechtigkeit ist das erste, was ein Mensch begreift in der Skala moralischer Werte“, sagte Anna Seghers auf dem VII. Schriftstellerkongreß der DDR.[6]

In den Beziehungen zum Literaturerbe, wie sie sich in der deutschen Arbeiterbewegung unter kapitalistischen Verhältnissen seit dem 19. Jahrhundert herausgebildet haben, standen solche Schriftsteller im Vordergrund, in deren Leben und Werk sich die Aufstiegskämpfe der jungen bürgerlichen Klasse am handgreiflichsten manifestierten. (Nicht zufällig war Lessing der Lieblingsschriftsteller Mehrings.) Kleist konnte da nicht in der ersten Reihe stehen. Und man sollte nicht versuchen, ihn dadurch aufzuwerten, daß man die Unterschiede zwischen ihm und den großen Exponenten von Aufklärung und Klassik vertuscht oder einebnet. Umgekehrt: Die neuen Horizonte und Maßstäbe einer Erbeaneignung, die der entwickelten sozialistischen Gesellschaft gemäß sind, müssen sich auf das volle Bewußtsein des Abstands und Unterschieds zu den Kunstleistungen der Vergangenheit gründen, die von den Widersprüchen der Klassengesellschaft geprägt sind. Gerade dann entdecken wir, was an diesem Erbe unerledigt ist – auch an dem Kleists.

Siegfried Streller

Antikes und Modernes

Zu Goethes Kritik an Heinrich von Kleist

Während Heinrich von Kleist 1807 als Kriegsgefangener in Frankreich festgehalten wurde, erschien sein Lustspiel nach Molière „Amphitryon". Dieses Werk hätte, um bekannt zu werden, keine fremde Hilfe benötigt, bemerkt in einer enthusiastischen Vorrede Adam Müller, wäre sein Verfasser nicht aus Deutschland abwesend.

„Es bedarf nämlich so wenig einer Empfehlung, daß diesmal, ganz der gewöhnlichen Ordnung entgegen, der Herausgeber viel mehr durch den ‚Amphitryon' als die eigentümliche, auf ihre eigne Hand lebende Dichtung durch den Herausgeber empfohlen werden kann."[1] Solche begeisterte Zustimmung, wie sie auch Friedrich von Gentz und Christian Gottfried Körner äußerten,[2] konnte Goethe nicht teilen, als er das Werk während seines Aufenthalts in Karlsbad kennenlernte. „Ich las und verwunderte mich, als über das seltsamste Zeichen der Zeit", notierte er unter dem 13. Juli, unmittelbar nachdem er das Buch in die Hand bekommen hatte. Der antike Sinn in der Behandlung sei auf „Verwirrung der Sinne, auf den Zwiespalt der Sinne mit der Überzeugung" gegangen. Molière habe den Unterschied zwischen Gemahl und Liebhaber hervortreten lassen und damit die Vorlage als einen „Gegenstand des Geistes, des Witzes und zarter Weltbemerkung" behandelt. Kleist dagegen gehe „bei den Hauptpersonen auf die Verwirrung des Gefühls hinaus"[3]. Das Unbehagen an solcher Gefühlsverwirrung – bei Kleist immer wieder als sinnfälliges Zeichen einer Zeit aufgenommen, in der es fast unmöglich geworden ist, alle Ursachen eines Geschehens oder Handelns zu überschauen und ins rechte Verhältnis zu setzen[4] – ist für Goethe aber nur die eine Seite seiner Vorbehalte gegenüber Kleists „Amphitryon"-Bearbeitung. Seine Einwände lassen sich insgesamt auf die unterschiedliche Auffassung vom Wesen der Antike und ihrer Aufnahme, Behandlung und Darstellung in der Gegenwart, kurz, auf das Verhältnis von Antike und Moderne zurückführen.

Dazu gab Adam Müllers Vorrede zur Buchausgabe des „Amphitryon" Anlaß. Er hebt darin das Recht des Dichters auf souveränen Umgang mit dem Stoff hervor: „Zu wissen, wo die Stoffe eines echten Dichters hergenommen, gewährt einen besonderen Genuß, der nicht auf der Vergleichung des toten Mechanismus beruht, sondern darum erfreut, weil der poetische Sinn des Lesers durch Betrachtung des Stoffs und des Werks hingerissen wird, aus beiden etwas Eigentümliches und Höheres zu bilden."[5] Müller warnt den Leser, allzusehr mit Molière oder Plautus oder der alten Mythe zu vergleichen, so reizvoll dies sein mag. Er solle auch „den Wörterbüchern, den Kunstlehren und den Altertumsforschern" nicht zuviel trauen, sondern unmittelbar „das Ursprüngliche" und „Hohe" aufnehmen, das aus dem Werk herausstrahlt. „Mir scheint", fährt Müller fort, „dieser ‚Amphitryon' weder in antiker noch moderner Manier gearbeitet: der Autor verlangt auch keine mechanische Verbindung von beiden, sondern strebt nach einer gewissen *poetischen Gegenwart*, in der sich das Antike und Moderne – wie sehr sie auch ihr untergeordnet sein möchten, dereinst, wenn getan sein wird, was Goethe entworfen hat – dennoch wohlgefallen werden."[6]

Daß Goethe hier als Gewährsmann für ein Verfahren bemüht wird, das er nach seinem Selbstverständnis weder erstrebt noch praktiziert, mag seine Betroffenheit und seine Abwehrhaltung verstärkt haben. Im Gegensatz zu der völlig subjektiven Aneignung und Behandlung von Stoffen und Gegenständen aus der Realität und einer historisch geprägten Kunstwirklichkeit, die er am Beispiel der bildenden Kunst ein Jahrzehnt zuvor als „Manier" bezeichnet hatte, bedingt die angestrebte höchste

Kunstform, der „Stil", die Respektierung der objektiven Gesetzmäßigkeiten, nach denen die Wirklichkeit sich entwickelt, und die Verschmelzung der Subjektivität des Künstlers mit der Wahrheit des Dargestellten zur höheren Kunstwahrheit.[7] Wenn Vorgegebenes mit subjektiver Willkür behandelt wird, so sieht Goethe darin ein Element des Zerstörerischen und der Formlosigkeit, gegen das er sich entschieden zur Wehr setzt. Er wendet sich gegen die Vermengung zweier Welthaltungen, der ganz und gar weltzugewandten naiven Sinnenfreudigkeit der Antike und einer sentimentalisch gebrochenen, jener natürlichen Sinnlichkeit nicht mehr fähigen Moderne, für die ihm Weltflüchtigkeit, Askese und mystische Vorstellungen des Christentums symptomatisch erscheinen. So ist ein zweiter Einwand, den Goethe am Tage nach der ersten Lektüre im Gespräch mit Riemer vorbrachte, Kleists angebliche Wendung der Amphitryonfabel ins Christliche. „Das Stück Amphitryon von Kleist enthält nichts Geringeres als eine Deutung der Fabel ins Christliche, in die Überschattung der Maria vom Heiligen Geist."[8] Ob Goethe schon vor der Lektüre aus Gesprächen mit Gentz von Adam Müllers gleichlaufender Deutung erfahren hat, wissen wir nicht. Am 25. Mai 1807 hatte dieser an Gentz geschrieben: „Der Amphitryon handelt ja wohl ebensogut von der unbefleckten Empfängnis der heiligen Jungfrau, als von dem Geheimnis der Liebe überhaupt, und so ist er gerade aus der hohen, schönen Zeit entsprungen, in der sich endlich die Einheit alles Glaubens, aller Liebe und die große innere Gemeinschaft aller Religionen aufgetan, aus der Zeit, zu deren echten Genossen Sie und ich gehören."[9] Es ist durchaus denkbar, daß solche Deutung, die für Kleist allenfalls als Infragestellen des christlichen Weltbildes denkbar ist (wie etwa in der zur gleichen Zeit entstehenden „Marquise von O.")[10], Goethe zu einem Vorurteil bei der Lektüre führte. Auf jeden Fall ist für ihn dieser Verdacht der Gleichsetzung von antiker und christlicher Mythologie ein weiterer Grund, das Stück abzulehnen. So festigt sich das Urteil, das schließlich als Notiz in den Tag- und Jahresheften 1807 stehen wird: „Amphitryon von Kleist erschien als ein bedeutendes, aber unerfreuliches Meteor eines neuen Literatur-Himmels . . .“[11] Als Adam Müller Goethe Ende Juli den „Amphitryon“ und den „Zerbrochnen Krug“ zuschickte und im Begleitschreiben die Überzeugung äußerte, beide Stücke würden, wenn ihn nicht alles trüge, „die Billigung des einzigen Richters, den der abwesende Verfasser im Auge gehabt haben kann, erhalten“,[12] nimmt Goethe auf die Formulierung in Müllers Vorrede Bezug und wendet in seinem Antwortschreiben ein: „Nach meiner Einsicht scheiden sich Antikes und Modernes auf diesem Wege mehr, als daß sie sich vereinigen. Wenn man die beiden entgegengesetzten Enden eines lebendigen Wesens durch Contorsion zusammenbringt, so gibt das noch keine neue Art von Organisation; es ist allenfalls nur ein wunderliches Symbol, wie die Schlange, die sich in den Schwanz beißt.“[13] Auch ein Schema, das sich unter Vorarbeiten und Bruchstücken findet,[14] ist aufschlußreich. Es stellt Antikes und Modernes gegenüber, ordnet dem Antiken Naives und Plastisches, dem Modernen Sentimentales und Lyrisches zu und symbolisiert die Synthese, das Gesuchte, als Zusammenführung und Verschmelzung dieser Begriffe durch ein langgestrecktes Sechseck. „Kleist Amphitruo“ wird dagegen durch zwei an der Basis verbundene Zacken verbildlicht, dessen einer als „antiker Sosias“, dessen anderer als „moderner Jupiter“ bezeichnet ist. Mit der Zuordnung des Naiven und Plastischen zur Antike und des Sentimentalen zur Moderne greift Goethe Schillers Kategorien auf, hält er offenbar in etwa an der im gemeinsamen Gedankenaustausch entwickelten Gegenüberstellung von Antike und Moderne fest, wie sie ausführlich in Schillers Abhandlung „Über naive und sentimentalische Dichtung“ dargelegt ist.

Wie dort wird auch bei Goethe die Antike als ein Gegenbild zur zerrissenen, arbeitsteiligen und kunstfeindlichen Gegenwart aufgefaßt, als ein Zeitalter, in dem praktische Tätigkeit, Kunst und Wissenschaft noch ein Ganzes bildeten, ein Zeitalter, in dem der Mensch sich zu einer gerundeten harmonischen Persönlichkeit ausbilden, die Schönheit des Menschen Ideal und Maßstab sein konnte, in dem Geist und Körper wohlabgewogen in ihren Rechten sich ergänzten, ein Ideal, das sich in der Plastik am vollkommensten ausbildete.

Goethe war sich bewußt, daß die Wirklichkeit nicht mit diesem Ideal übereinstimmte. Aber wie Johann Joachim Winckelmann, auf dessen Gedanken er im letzten Jahrzehnt des 18. und im ersten des 19. Jahrhunderts sich verstärkt wieder stützt, sieht er in der Antike eine Epoche der Menschheitsgeschichte, in der das Bild des edel ausgebildeten Menschen ohne Transzendenz am vollkommensten entwickelt wurde. Dieses Bild sich anzueignen ist eine immer erneut zu stellende Aufgabe, denn das einmal Erworbene bleibt nicht unangefochtener Besitz der Menschheit. Goethe weiß, daß „jeder Mensch von seinem Zeitalter ebensowohl leide, als man davon gelegentlich Vorteil zu ziehen im Fall ist“[15]. Aber aus der ständigen Anschauung des einmal Errungenen und Geleisteten steht dieses Ideal des edel ausgebildeten Menschen klarer vor Geist und vor Augen. Und so müsse sich der Blick auf die Gipfelwerke der griechischen Kunst richten. „Welche neuere Nation verdankt nicht den Griechen ihre Kunstbildung? und, in gewissen Fächern, welche mehr als die deutsche?“[16] „Der Mensch“, das ist seine feste Überzeugung, „ist der höchste, ja der eigentliche Gegenstand bildender Kunst“[17]. Bei seiner Darstellung komme es nicht in erster Linie auf die Naturwahrheit, sondern auf die Kunstwahrheit an, und ebendarin seien die Alten ein Vorbild, daß sie Wahrheit und Schönheit als eine Einheit begriffen. „Dem deutschen Künstler, so wie überhaupt jedem neuen und nordischen, ist es schwer, ja beinahe unmöglich, von dem Formlosen zur Gestalt überzugehen und, wenn er auch bis dahin durchgedrungen wäre, sich dabei zu erhalten.“[18]

Die Wiederaufnahme von Winckelmanns Empfehlung an die bildenden Künstler, die Antike nachzuahmen und als ein unübertreffliches Schönheitsideal zu nutzen, Kunstsinn und Kunstverstand vor allem in der Auseinandersetzung mit ihnen auszubilden, hat sich in Goethes Bemühungen um eine Förderung der bildenden Kunst seiner Zeit bekanntlich als unfruchtbar herausgestellt. Augenscheinlich erwiesen sich die neuen Wege und Methoden, die Maler wie Philipp Otto Runge, Caspar David Friedrich und andere romantischen Konzeptionen verpflichtete Künstler erprobten, der Auseinandersetzung mit den komplizierten Zeitproblemen angemessener als Goethes klassizistische Orientierung. Aber diese Anschauungen zur Kunst, besonders dort, wo es um die Beschäftigung mit der Antike und ihre Aneignung für die Gegenwart geht, können uns einen Schlüssel geben zum Verständnis von Goethes Haltung gegenüber Kleist.

In der Zeit, in der unter dem Direktorat und unter dem Konsulat Napoleon Bonapartes die französischen Heere noch mit dem Elan der Revolution die alte politische Ordnung Europas in ihren Grundfesten erschütterten, in der mit dem Reichsdeputationshauptschluß und der Bildung des Rheinbundes die Auflösung des Heiligen Römischen Reiches de facto vollzogen war, einer Zeit, in der nach der Selbstkrönung Napoleons für die einen die Ideale der Revolution endgültig verraten erschienen, für andere damit eine neue Ordnung außerordentlicher Größe gefestigt wurde, einer Zeit, in der der Gedanke der nationalen Verteidigung gegenüber der Okkupation die Sicht auf die sozialen Auseinandersetzungen in den Hintergrund drängte, in dieser Zeit der Kriegsgreuel ringt Goethe darum, mit dem Blick auf die Weltgeschichte den Glauben an die gesetzmäßige Entwicklung der Menschheit und an die Größe des Menschen zu behaupten. Der miserablen Wirklichkeit wird die Rettung Fausts als eines Repräsentanten seiner Gattung entgegengestellt. Es werden mit dem Konzeptionswandel im Wilhelm-Meister-Roman die Möglichkeiten von Bildung und Entwicklung innerhalb der bestehenden Gesellschaft in Kunst und praktischem Leben auch für den Nichtkünstler in Größe und Grenzen zu bestimmen gesucht. Und dem Kunstprogramm der Jenaer Romantik, wie es sich in den Beiträgen vor allem Friedrich Schlegels und Novalis' im „Athenäum" abzeichnet, setzt Goethe seine Anschauungen in der Schrift „Winckelmann und sein Jahrhundert" entgegen.

In den Abschnitten „Antikes", „Heidnisches" und „Schönheit" faßt der Winckelmannaufsatz, in den ersten Jahren des neuen Jahrhunderts entstanden und 1805 veröffentlicht, dieses Credo zusammen. Das Einzige, Unerwartete leiste der Mensch nur, „wenn sich die sämtlichen Eigenschaften gleichmäßig in ihm vereinigen"[19]. Das sei das glückliche Los der Alten, besonders der Griechen in ihrer besten Zeit, gewesen. In dem Zu-sich-selbst-Kommen des Menschen, der sich mit seiner Welt eins fühlt, wird der höchste Entwicklungspunkt der Natur, des Weltalls als Gipfel des eigenen Werdens und Wesens schlechthin gesehen. Schweife der Neuere ins Unendliche, um zuletzt „auf einen beschränkten Punkt wieder zurückzukehren"[20], so blieben die Alten ohne weiteren Umweg innerhalb der lieblichen Grenzen der schönen Welt, in der sie mit ihrem ganzen Wesen, allen Kräften und Neigungen für die Gegenwart tätig waren. „Alle hielten sich am Nächsten, Wahren, Wirklichen fest, und selbst ihre Phantasiebilder haben Knochen und Mark. Der Mensch und das Menschliche wurden am wertesten geachtet und alle seine innern, seine äußern Verhältnisse zur Welt mit so großem Sinne dargestellt, als angeschaut."[21] Gefühl und Betrachtung seien noch eins, noch unzerstückelt, „noch war jene kaum heilbare Trennung in der gesunden Menschenkraft nicht vorgegangen". Mit dieser inneren Einheit, die als das Klassisch-Gesunde gefaßt wird, ist auch die Fähigkeit verbunden, Unglück zu ertragen. Wenn die Welt noch heil ist, so bedeutet dies nicht, daß es in ihr keine Widersprüche und Konflikte gäbe. Aber sie werden innerhalb der vorgegebenen Grenzen dieser Welt mit Würde und in Schönheit gelöst. „Vertrauen auf sich selbst", „Wirken in der Gegenwart" und „Ergebenheit in ein übermächtiges Schicksal"[22] werden als Wesensmerkmale des Heidnischen umrissen, Merkmale, die sich schon in der frühen Prometheusode finden, jetzt freilich nicht mehr als Trotz, Auflehnung und Rebellion gegen die irdischen und himmlischen Götter gefaßt. Neu gesellt sich im Sinne der Griechenverehrung Winckelmanns zum Bild des tätigen, auf sich selbst verwiesenen Menschen das Ideal der Schönheit. Es gehört zur Vollendung des Humanen. Als höchste Stufe der Entwicklung, die vom Niederen zum immer Höheren führt, erscheint die Schönheit, das sinnlich Schöne, im engeren Sinne der schöne Mensch: „. . . das letzte Produkt der sich immer steigernden Natur ist der schöne Mensch",[23] ein Punkt, der zwar nur selten erreicht wird und fast nur einen Augenblick im organischen Leben besteht, den aber die Kunst bleibend festhalten kann. Ein solches Kunstwerk, „ist es einmal hervorgebracht, steht es in seiner idealen Wirklichkeit vor der Welt, so bringt es eine dauernde Wirkung, es bringt die höchste hervor“[24]. Es hebe den Menschen über sich selbst, vergöttere ihn für die Gegenwart, in der das Vergangene und das Künftige begriffen sei. Über das Bild des olympischen Jupiter wird gesagt: „Der Gott war zum Menschen geworden, um den Menschen zum Gott zu erheben.“[25]

So wird die Antike als eine Menschheitsepoche begriffen, die in der harmonischen Ausbildung aller menschlichen Fähigkeiten und Eigenschaften das Bild vollkommener Schönheit erreicht. Dies wird – als immer wieder trotz aller Zeitwidrigkeit anzustrebendes Ziel – der Misere einer spezialisierten, nur einseitig Fähigkeiten entwickelnden Gesellschaft entgegengehalten, in der Überzeugung, daß dies durch alle Wirren und Irrungen letztlich doch zu einer neuen höheren Vollkommenheit des Menschen führen wird. In diesem Sinne ist jene zugespitzte Maxime zu verstehen, die das Klassische – und das meint die so verstandene Antike – als das Gesunde, das Romantische – das meint die Moderne in ihrer Aufspaltung und Zerrissenheit – als das Kranke bezeichnet.[26]

In ganz anderer Funktion finden wir bei Kleist die Auseinandersetzung mit Werken der antiken Kunst und Literatur, die Beschäftigung mit Stoffen und Kunstformen der Antike. Zwar lassen Briefstellen[27], aber auch die Anekdote von der Nachahmung des Dornausziehers im Aufsatz „Über das Marionettentheater“ Vertrautheit mit solchen Idealvorstellungen erkennen, aber Kleists Ausgangspunkt ist nicht das von der griechischen Plastik abgeleitete Ideal des schönen Menschen, das Winckelmann als „edle Einfalt, stille Größe“[28] beschrieben hatte, sondern die Welt der griechischen Tragödie. Das Ausgeliefertsein an dunkle, undurchschaute, bedrohliche Kräfte, das Aufbegehren des sich über sich selbst erhebenden Menschen und sein Scheitern an den Bedingungen, unter denen er handeln muß, erscheint Kleist als ein Gleichnis, gültig auch für seine Gegenwart. Diese Auseinandersetzung mit der griechischen Tragödie konzentriert sich auf ein Werk, auf Sophokles' „König Ödipus". Knüpfte Kleist mit der „Familie Schroffenstein" an das Vorbild Shakespeares an, so spielen bis zur Vollendung der „Penthesilea" antike Muster eine größere Rolle.

Spärlich nur sind die Zeugnisse, mit denen dies belegt werden kann. Im Sommer 1803 entlieh Kleist in der Dresdener Bibliothek neben den „Wolken" des Aristophanes einen Band Sophokleischer Tragödien.[29] Aber schon während seines ersten Schweizer Aufenthaltes im Jahr zuvor scheint er sich sehr intensiv mit dem griechischen Tragiker beschäftigt zu haben. Zschokke, in dessen Haus jener literarische Wettstreit stattfand, der den Anstoß zur Entstehung des „Zerbrochnen Krugs" gab, nennt in zwei Beiträgen anläßlich der Ankündigung des „Phöbus" und zum Erscheinen des 1. Heftes mit dem „Penthesilea"-Fragment Sophokles und Shakespeare als Kleists Vorbilder.[30] Und in der unterdrückten Vorrede zur Buchausgabe des Lustspiels bestätigt Kleist die Beschäftigung mit dem griechischen Tragiker, wenn er die Beschreibung des Kupferstichs mit den Worten schließt: „... und der Gerichtsschreiber sah (er hatte vielleicht kurz vorher das Mädchen angesehen) jetzt den Richter mißtrauisch zur Seite an, wie Kreon, bei einer ähnlichen Gelegenheit, den Ödip, als die Frage war, wer den Lajus erschlagen."[31] Die Annahme liegt nahe, daß die Idee des Lustspiels aus der Umkehrung der tragischen Fabel vom Richter, der sich unwissentlich selbst verfolgt, in die komische entstanden ist, nach der der Richter unter dem Zwang der Umstände einen Prozeß gegen sich selbst führen muß. Zunächst aber versucht Kleist eine Tragödie zu schaffen, mit der er sich den größten Leistungen der Weltliteratur gleichzustellen hoffte. Unmittelbar bevor er, verzweifelt über sein Unvermögen, diesen Anspruch zu erfüllen, alle Entwürfe zum „Robert Guiskard" vernichtete, schrieb er an seine Schwester: „Ich trete vor einem zurück, der noch nicht da ist, und beuge mich, ein Jahrtausend im voraus, vor seinem Geiste. Denn in der Reihe der menschlichen Erfindungen ist diejenige, die ich gedacht habe, unfehlbar ein Glied, und es wächst irgendwo ein Stein schon für den, der sie einst ausspricht."[32] Christoph Martin Wieland, dem Kleist einige Proben aus seinem Entwurf vorgetragen hatte, gab seinen Eindruck davon mit den Worten wieder: „Ich gestehe Ihnen, daß ich erstaunt war, und ich glaube nicht zu viel zu sagen, wenn ich Sie versichere: Wenn die Geister des Äschylus, Sophokles und Shakespeare sich vereinigten, eine Tragödie zu schaffen, so würde das sein, was Kleists ‚Tod Guiscards des Normanns', sofern das Ganze demjenigen entspräche, was er mich damals hören ließ."[33] Aus Wielands wie aus Zschokkes Äußerungen läßt sich schließen, daß Kleist ein Drama anstrebte, in dem er die Vorzüge der alten und der modernen Tragödie zu vereinen suchte. Das setzt freilich eine Auffassung voraus, in der Antike und Moderne nicht unvereinbare Gegensätze, sondern nur unterschiedliche Ausdrucksformen für einen vergleichbaren Weltzustand sind. Kleist begreift die Tragödie des Sophokles mit ihren unwissentlich verschuldeten Schrecken als gegenwärtig und aktuell. Wir haben keine Anhaltspunkte dafür, ob die Konzeption des „Guiskard", den Kleist 1803 nicht vollenden konnte, schon die gleiche wie die des erneuerten, 1808 im „Phöbus" publizierten Fragments war. Aber man darf annehmen, daß die Synthese von monumental einfacher Anlage der Handlung und moderner Individualisierung der Charaktere, wie sie das Fragment aufweist, Wesenszug bereits des ersten Entwurfs war.

Deutlicher als im „Guiskard"-Fragment wird diese Konzeption im „Amphitryon" und wenig später in der „Penthesilea" sichtbar. Im „Amphitryon", dessen Deutung in der Sekundärliteratur außerordentlich widersprüchlich ausfällt,[34] weicht Kleist von seinem Vorbild Molière vor allem dadurch ab, daß er das Doppelgängermotiv nicht nur komisch behandelt, sondern bei Amphitryon, Jupiter, vor allem aber bei Alkmene auch tragische Konflikte hervorkehrt, deren Auflösung bei Alkmene am Ende in der Schwebe bleibt und sowohl als relativ heitere Resignation wie auch als tragische Vernichtung gelesen werden kann. Anders als bei Molière ist Jupiter nicht lediglich der verkleidete, überhöhte absolute Herrscher, sondern ein übermenschliches göttliches Wesen, das in seinem Verhalten gesteigerte menschliche, aber auch unmenschliche Züge zeigt. Jupiter ist ein Gott, der in allen Spielarten der Gottesvorstellung schillert. Bald ist er der antike Zeus im Liebesabenteuer, bald ein über allem thronender oberster Gott, der nach Art des alttestamentarischen Jahwe auf seine Anbetung pocht, dann wieder der um menschliche Liebe werbende, auf sie angewiesene, und schließlich offenbart er sich im Sinne eines spinozistischen Pantheismus als die Verkörperung aller Erscheinungen, um damit zu beweisen, daß er tatsächlich auch Amphitryon ist. Modern ist außer diesem vielfältigen Schillern der Gottesvorstellung, die auf die Aufhebung eines anschaulichen Gottesbildes hinausläuft, der Anspruch der Alkmene, nur einen Gott verehren zu können, der den Maßstäben einer höchsten humanen Sittlichkeit genügt. Einen solchen Gott aber gibt es nicht. Es gibt nur Mächte, die über die Vorstellungen des Menschen hinweggehen, ihn in unbegreifliche Situationen wie den Identitätsverlust stürzen, Sinne und Gefühl verwirren oder zu verwirren drohen. Es ist Jupiters Tragik, daß er nicht Liebe gewinnen, sondern nur Genuß mit Betrug und Gewalt erschleichen kann. So läuft es schließlich auf die Entgötterung der Welt hinaus. Man kann sich nicht an die Götter wenden. Der Mensch ist auf sich selbst verwiesen. In diesem Sinne ist Jupiter durchaus modern gezeichnet. Ins Christliche freilich ist die Fabel nicht gewendet.

Weiter noch ist die Entgötterung in der „Penthesilea" getrieben. Die homerischen Götter spielen bis auf Mars, der in der Gründungslegende des Amazonenstaates anstelle der getöteten Sieger die Ehe vollzieht, keine Rolle. Sie werden nicht einmal benannt, geschweige denn angerufen. Die Amazonensage dient Kleist in noch stärkerem Maße als die vorangegangenen Sujets dazu, Bedrohungen zu zeigen, die entstehen, wenn natürliche Bindungen gelöst und unnatürliche Verhaltensnormen durchgesetzt werden. Diese Polemik gegen eine willkürlich gesetzte neue gesellschaftliche Ordnung, mit der sich Kleist auch gegen die aus der bürgerlichen Revolution entstandenen nachrevolutionären Verhältnisse in Frankreich wendet, wird aber nun nicht als ein Ideen illustrierendes Exempel dargeboten, sondern als eine in den Menschen selbst hineinverlegte Katastrophe, eine aus der Negierung hervorbrechende Leidenschaft, die wie ein Vulkanausbruch alle Überlegungen, Satzungen und Verbote hinwegspült, in ständigen Umschwüngen sich bis zum Wahnsinn steigert. Das Erwachen aus dem Wahn, die Absage an das Amazonengesetz und die Vereinigung mit dem gemordeten Geliebten im selbstgewählten und nur mit Kraft des Wollens vollzogenen Liebestod ergänzen die Raserei des Liebeskampfes. So werden alle Bereiche ausgemessen, die ein menschliches Wesen an Herrlichem und Entsetzlichem zu durchleben fähig ist.[35]

Nirgends ist der Gegensatz der Antikeauffassungen von Goethe und Kleist so ausgeprägt wie hier. Die maßlose Eruption der Leidenschaft, die beide Liebenden in Fesseln schlägt, läßt sie alles außer der widersprüchlichen Erfüllung ihres Kampf- und Liebesverlangens aus den Augen verlieren. Achill hört und sieht nichts mehr. Der Kampf der Achäer ist ihm gleichgültig. Taub ist er für alle Ratschläge und Warnungen. Penthesilea ist ständig im Widerstreit mit ihren anerzogenen Amazonenpflichten und ihren natürlichen Empfindungen. Nur im Gefühl eines vorgetäuschten Sieges zeigt sie sich als natürlich liebendes Weib. Konfrontiert mit der Wahrheit, verzweifelt sie, unterwirft sie sich ganz dem widernatürlichen Gesetz, bis die erneute Forderung Achills, der sich von ihr besiegen lassen möchte, als Hohn gedeutet, die Haßliebe bis zum Wahnsinn steigert und die Katastrophe herbeiführt. Ausdrücklich bekennt sich der Dichter trotz allen Schreckens zu dieser Leidenschaft, wenn er nicht dem Urteil der Oberpriesterin „Ach! Wie gebrechlich ist der Mensch, ihr Götter!“ beipflichtet, sondern Prothoe erwidern läßt:

> Sie sank, weil sie zu stolz und kräftig blühte!
> Die abgestorbne Eiche steht im Sturm,
> Doch die gesunde stürzt er schmetternd nieder,
> Weil er in ihre Krone greifen kann.[36]

Penthesilea und Achill sind Gegenbilder zu jener gelassenen Ergebung in Schicksalsschläge, die Goethe als Wesenszüge des antiken Menschen hervorgehoben hatte. Sie brechen mit ihren individuellen Ansprüchen und ihrer übermächtigen Leidenschaft aus allen Konventionen aus. Ihre Außerordentlichkeit liegt in der Maßlosigkeit ihres Handelns, in der sich Kleists Protest gegen die Verarmung der menschlichen Empfindungen und Beziehungen in der spätfeudalen und in der sich entwickelnden kapitalistischen Gesellschaft, zugleich aber auch die Wahrnehmung der daraus resultierenden Widersprüche ausdrückt.[37] Dies zu artikulieren, schmerzlich zu durchleiden ist seine Wahrheit, harmonische Ausgeglichenheit dagegen ein Trugbild oder ein Traum, den man allenfalls im Märchen wie etwa im „Käthchen von Heilbronn" darbieten kann. Anmut und Grazie als Ausdruck vollkommener Harmonie gibt es für Kleist nur im Bereich der völlig fehlenden Reflexion oder bei einem unendlichen Bewußtsein in einer fernen, für die Gegenwart nicht greifbaren Zukunft, in der die Widersprüche des gegenwärtigen Zustandes durch einen Erkenntniszuwachs neuer Qualität aufgehoben sein werden.[38] Diese in unausgesprochener Polemik gegen Schillers Anmutbegriff entwickelte Auffassung der Grazie stellt nicht Antike und Gegenwart, sondern einen nicht näher bestimmten Urzustand und die Gegenwart gegenüber. Und für den gegenwärtigen Zustand der Menschheit sind die extremen Widersprüche, die vernichtend aufeinanderprallen, denen der einzelne sich stellt und dabei sich bewährt oder zermalmt wird, die Wahrheit, die ausgesprochen werden muß. Und so wird auch die Antike gesehen.

Goethe, dem Kleist das 1. Heft des „Phöbus" mit dem „organischen Fragment" der „Penthesilea" in tiefer Verehrung, „auf den ‚Knien meines Herzens'"[39], überreichte, fühlte sich von diesem Bilde der antiken Welt abgestoßen. Daß die Amazonen mit verkümmerter rechter Brust, einem äußeren Symbol ihrer menschlichen Deformierung, vorzustellen seien, grenzte für ihn (so in einem Gespräch mit Falk) an das Hochkomische.[40] An Kleist schrieb er: „Mit der Penthesilea kann ich mich noch nicht befreunden. Sie ist aus einem so wunderbaren Geschlecht und bewegt sich in einer so fremden Region, daß ich mir Zeit nehmen muß, mich in beide zu finden."[41] Die kalte Antwort, die außerdem jedes Verständnis für die neuartige dramatische Form vermissen ließ, die Kleist mit dieser Tragödie erprobte, der Mißerfolg der Aufführung des „Zerbrochnen Krugs", für den Kleist Goethe verantwortlich machte, und die ausbleibende Mitarbeit Goethes am „Phöbus" ließen Kleist eine Reihe bösartiger Epigramme nach dem Muster der „Xenien" verfassen, die im 3. und 4. Heft des „Phöbus" erschienen. Sie machten den Bruch mit Goethe endgültig.

In der Reihe dieser Epigramme finden sich aber auch einige, die in zugespitzter Form die These bestätigen, daß Kleist in seinem Bild von der Antike vor allem die Widersprüche reflektiert und sie nicht beschönigen will. So heißt es zum „Ödip des Sophokles":

> Greuel, vor dem die Sonne sich birgt! Demselbigen Weibe
> Sohn zugleich und Gemahl, Bruder den Kindern zu sein![42]

Damit setzt Kleist den Akzent auf das unentrinnbare Schicksal, das schuldlose Schuldigwerden des Ödipus dadurch, daß seine Eltern versuchten, der Weissagung des Delphischen Orakels entgegenzuwirken. Das Erschrecken vor diesen Greueln aber ist keine Entschuldigung, vor dieser Situation die Augen zu verschließen und sich in schöne Wunschbilder zu flüchten. Unmittelbar spricht dies das Epigramm „Verwahrung" aus, in dem es, bezogen auf die „Penthesilea", heißt:

> Scheltet, ich bitte, mich nicht! Ich machte, beim delphischen Gotte,
> Nur die Verse; die Welt, nahm ich, ihr wißt's, wie sie steht.[43]

Und wenn in den beiden folgenden Epigrammen mit dem Namen Voltaire verbunden die Forderung abgewiesen wird, die Nacktheit mit einem Mäntelchen zu bedecken, so ist neben all jenen Kritikern, die die mangelnde „Schicklichkeit" der Phöbuspublikationen monieren, letztlich auch jenes Bild einer schönen idealisierten Antike gemeint, mit der Goethe Kleists „Penthesilea" mißt und ablehnt. So wie in der „Verwahrung" der Zustand der Welt verantwortlich gemacht wird, so fordert er in der „Antwort", die er dem Voltaire in den Mund gelegten Einwand folgen läßt, für Apoll, das heißt für die hohe Kunst, die nackte Wahrheit:

> Freund, du bist es auch nicht, den nackt zu erschauen mich jückte,
> Ziehe mir nur dem Apoll Hosen, ersuch ich, nicht an.[44]

Goethe hat in seinem weiteren Alterswerk das im Winckelmannaufsatz formulierte Ideal modifiziert. Im 2. Teil des „Faust“ stellt er in der Klassischen Walpurgisnacht die Widersprüche aus. Er erkennt die Berechtigung des Häßlichen als eines die Entwicklung des Schönen vorantreibenden Widerspruchs an. Im Ausgang der Helenatragödie sind die Gefahren eines nach Arkadien sich flüchtenden Klassizismus kritisch gestaltet. Zu einer Korrektur seines Verhältnisses zu Kleist kam es jedoch nicht. Das Unbehagen an Kleists rigorosem Wahrheitsfanatismus, an der unbeschönigten Härte, mit der er die Konflikte als unaufgelöste Widersprüche vorstellt, die auch im einzelnen selbst wirksam werden und sich in widersprüchlichen Verhaltensweisen äußern, qualifizierte Goethe als „die nordische Schärfe des Hypochonders“. Falk berichtet, Goethe habe ihm gegenüber die Meinung geäußert, „es sei einem gereiften Verstande unmöglich, in die Gewaltsamkeit solcher Motive, wie er [Kleist] sich ihrer als Dichter bediene, mit Vergnügen einzugehen . . . Es gebe ein Unschönes in der Natur, ein Beängstigendes, mit dem sich die Dichtkunst bei noch so kunstreicher Behandlung weder befassen, noch aussöhnen könne.“[45] Goethe habe den Kleistschen Erzählungen die Heiterkeit und Anmut, die „fröhlich bedeutsame Lebensbetrachtung italienischer Novellen“ entgegengestellt, „mit denen er sich damals, je trüber die Zeit um ihn aussah, desto angelegentlicher beschäftigte“.[46] Nach dieser referierenden Wiedergabe des Gesprächs zitiert Falk Goethe in wörtlicher Rede: „Ich habe ein Recht, . . . Kleist zu tadeln, weil ich ihn geliebt und gehoben habe; aber sei es nun, daß seine Ausbildung, wie es jetzt bei vielen der Fall ist, durch die Zeit gestört wurde, oder was sonst für eine Ursache zum Grunde liege; genug, er hält nicht, was er zugesagt. Sein Hypochonder ist gar zu arg; er richtet ihn als Menschen und Dichter zugrunde.“[47] Sicherlich muß hier in Rechnung gestellt werden, daß es die Aufzeichnung eines Gespräches aus dem Gedächtnis ist und daß Falk diese Aufzeichnungen erst 1832 publizierte. Dennoch dürfte die Grundaussage, nach der Goethes Unbehagen sich gegen die düstere Weltsicht (Hypochondrie) und gegen die südlicher Anmut so entgegengesetzte nordische

Schärfe richtet, zutreffend sein. Tatsächlich ergaben sich aus Kleists Bildungsgang und aus den spezifischen gesellschaftlichen Erfahrungen bei seinem Ausbrechen aus den Denk- und Verhaltensnormen seines Standes Spannungen, die er nicht wie Goethe mit der Überzeugung eines welthistorischen Progresses zu überbrücken oder gar aufzulösen vermochte. Da er an das Tugend- und Glückseligkeitsideal der frühen Aufklärung anknüpfte, sich dagegen nicht die Ansätze von historischem und dialektischem Denken aneignete, wie sie Herder und Goethe in der vorrevolutionären Phase entwickelten und trotz der Erfahrungen mit dem realen Verlauf der Französischen Revolution behaupteten, konnte er nur die Diskrepanzen zwischen den hohen Zielstellungen und der persönlich erfahrenen gesellschaftlichen Realität kraß ausstellen. Was Goethe als „nordische Schärfe des Hypochonders" tadelte, ist die mit äußerster Sensibilität registrierte Negativseite einer entfesselten kapitalistischen Entwicklung, die sich in den Briefen aus Paris 1801 als Ekel vor der nachrevolutionären gesellschaftlichen Realität unter dem Konsulat Napoleon Bonapartes niederschlug.[48] Was er als Kälte, Gleichgültigkeit, Heuchelei in den zwischenmenschlichen Beziehungen, als Korruption und Zynismus dort wahrnahm, wollte er nicht als Alternative zu der von Standesprivilegien und Vorurteilen bestimmten spätabsolutistischen Gesellschaft Preußens akzeptieren. Zu den heroischen Illusionen, an denen Goethe mehr oder minder festhielt, war er nicht fähig. Das bittere Konstatieren des Fehlens einer moralisch akzeptablen Alternative führte Kleist dazu, die Verteidigung der Humanität allein auf die Bewährung des Individuums zu beschränken und zugleich seine Gefährdung durch Irrtümer, Mißverständnisse und drohende Verwirrung des Gefühls sichtbar zu machen. Der unauflösbare Widerspruch zwischen absolutem ethischem Anspruch und der tatsächlich bestehenden Notwendigkeit, sich in der gesellschaftlichen Realität zu arrangieren, stürzte ihn in eine tiefe Lebenskrise, die in dem Kanterlebnis ihren heftigsten ersten Ausbruch fand.[49] Die mangelnde Bereitschaft zum Kompromiß bei selbstgesetzten hohen Maßstäben rief eine ganze Kette sich wiederholender Krisen hervor, die zu psychischen Zusammenbrüchen, zur Verzweiflung am eigenen, angeblich halben Talent[50] führten, aus denen sich der Dichter aber immer wieder erhob, das Unmögliche zu zwingen, bis seine äußeren Mittel und seine Kräfte erschöpft, bis selbst für die nackte Weiterexistenz keine Wege mehr offen waren. Die verzweifelte Heftigkeit, die Maßlosigkeit, mit der Kleist meinte, „sich mit seinem ganzen Gewicht, so schwer oder leicht es sein mag, in die Waage der Zeit werfen"[51] zu müssen, schien Goethe dem Ziel nicht förderlich, das er der Kunst stellte: einen schönen, harmonischen Menschen zu bilden, der seinen Platz in der bestehenden Welt zu bestimmen und aktiv nach seinen Kräften am Evolutionsprozeß teilzunehmen vermag. So festigte sich bei Goethe, besonders nach Kleists Freitod, die Meinung, dieser repräsentiere in extremem Maße die Tendenzen einer Moderne, die an ihrer Zeit leide. In einem Aufsatz über Ludwig Tiecks „Dramaturgische Blätter" formulierte er 1826 sein bekanntes abschließendes Urteil: „Mir erregte dieser Dichter, bei dem reinsten Vorsatz einer aufrichtigen Teilnahme, immer Schauder und Abscheu, wie ein schön intentionierter Körper, der von einer unheilbaren Krankheit ergriffen wäre. Tieck wendet es um: er betrachtet das Treffliche, was dem Natürlichen noch übrigblieb; die Entstellung läßt er beiseite, entschuldigt mehr, als daß er tadelte; denn eigentlich ist jener talentvolle Mann auch nur zu bedauern, und darin kommen wir denn beide zuletzt überein."[52]

Daß bei aller Begrenztheit der historischen Sicht, bei allen Ungeheuerlichkeiten in Stoffwahl und Darbietung Kleist kühn neue dramatische Formen erprobte, daß er eine folgenreich in die Zukunft wirkende neue Art der Erzählkunst entwickelte, daß in diesem Werk Züge enthalten sind, die ständig aufs neue aufrühren, beunruhigen, zur Auseinandersetzung und Stellungnahme herausfordern, diese Einsicht konnte Goethe nicht aufbringen. Zu unterschiedlich waren die Konzeptionen von der Aufgabe und den Möglichkeiten von Kunst und Literatur in der umfassenden Auseinandersetzung mit den Zeitproblemen, als daß Goethe zu einer gerechten und angemessenen Würdigung dieser poetischen Leistung in der Lage gewesen wäre.

Hertha Perez

Betrachtungen zu den „Nachtwachen" von Bonaventura

Erst die Exegese der letzten Jahrzehnte unseres Jahrhunderts hat den Roman „Die Nachtwachen" von Bonaventura in sein Recht gesetzt und ihn als ein besonderes Ereignis der deutschen Literatur im 19. Jahrhundert ausgewiesen, was bei der Vielfalt von Meisterwerken im gleichen Zeitraum bemerkenswert ist [um nur einige Titel zu nennen, die fast gleichzeitig erschienen sind: „Hymnen an die Nacht" (1800), „Heinrich von Ofterdingen" (1802), „Titan" (1800–1803), „Die Jungfrau von Orléans" (1801), „Des Knaben Wunderhorn" (1806–1808), „Faust I" (1808), „Der zerbrochene Krug" (1808)].

Die Forschung unseres Jahrhunderts hat die „Nachtwachen" als eines der erschütterndsten und geistreichsten Prosawerke der Frühromantik bezeichnet, doch hat dieses Werk durch eine Reihe von ungünstigen Umständen ein wenig glückliches Schicksal. Es wurde von den Zeitgenossen übersehen, selbst im Kreis um Clemens Brentano blieb es unbeachtet, obwohl es im „Journal von neuen deutschen Original-Romanen" abgedruckt wurde, in dem auch Brentanos Gattin, Sophie Mereau, eine Novellensammlung hatte erscheinen lassen. Unter dem Pseudonym Bonaventura wurden die „Nachtwachen" 1804 publiziert. Das Buch, das an keinen berühmten Autor denken ließ, in wenigen Exemplaren aufgelegt wurde, in einem obskuren Provinzverlag herauskam (F. Dienemann aus dem Städtchen Penig in Sachsen) und vor allem für Leihbibliotheken bestimmt war, wurde von den Exegeten mit Anmaßung betrachtet und fand keinen Widerhall.

Der einzige Zeitgenosse, der dieses Werk in einem Brief vom 14. Januar 1805 an seinen Freund Paul Thierot erwähnte und gleichzeitig Mutmaßungen über den möglichen Autor anstellte, war Jean Paul: „Lesen sie doch die Nachtwachen von Bonaventura, d. h. von Schelling. Es ist eine treffliche Nachahmung meines Giannozzo doch mit zu vielen Reminiszenzen und Lizenzen zugleich. Es verrät und benimmt viele Kraft dem Leser.“[1]

Jean Pauls Annahme, daß Friedrich Wilhelm Schelling als Autor der „Nachtwachen“ in Frage komme, wurde von vielen Exegeten übernommen. Für diese Hypothese kam in Betracht, daß Schelling 1802 im Musenalmanach von Friedrich Schlegel und Ludwig Tieck drei Gedichte unter dem Pseudonym Bonaventura veröffentlicht hatte. 1843 beglaubigte Varnhagen von Ense in seinen täglichen Aufzeichnungen die Autorschaft Schellings, obwohl er das Buch für ein wenig gelungenes Werk hielt. Zwei Jahre nach Schellings Tod wiederholt Varnhagen seine Behauptung (1856) und fügte hinzu, daß Schelling in finanzieller Not das Angebot des Verlages Dienemann angenommen und danach in wenigen Wochen den Roman geschrieben hätte.

Bis zum Ende des 19. Jahrhunderts bleibt der Hinweis auf Schellings Autorschaft unangetastet. Schelling selbst widersprach diesen Vermutungen nicht, weil er sie einer Entgegnung für unwürdig erachtete oder weil ihn die betreffenden Äußerungen amüsierten. In der Schelling-Festschrift, die 1875 zum 100. Geburtstag des Philosophen erschien, vertrat denn auch einer der namhaftesten Kenner seines Werkes, Hubert Becker, die Ansicht (der sich zwei der Söhne Schellings angeschlossen hatten), daß die Nachtwachen ein Jugendwerk des Philosophen seien.

Rudolf Haym aber, dessen grundlegende Untersuchung „Die Romantische Schule“ 1870 erschien, bezweifelt als erster die Verfasserschaft Schellings. Er geht auf Einzelheiten nicht näher ein, gelangt aber dafür zu allgemeinen Überlegungen, an die spätere Arbeiten anknüpfen werden: „Einzelne naturphilosophische Anspielungen und ein Übergewicht ernster und tiefsinniger Reflexionen könnte auf Schelling führen. Die Einmischung Jean-Paulscher Töne indes, das Grelle mancher Erfindung, wie z. B. die Auftritte im Narrenhaus und auf dem Kirchhof, deuten mehr auf die spätere Romantische Schule, auf einen Dichter, halb in der Weise Arnims und Brentanos, halb in der Weise E. T. A. Hoffmanns. Die Schellingsche Autorschaft wird mir überdies durch die Ehebruchsgeschichte des dritten Abschnitts, deren Heldin eine Karoline ist, endlich auch dadurch unwahrscheinlich, daß der vornehme Schelling sich schwerlich in die Gesellschaft solcher Autoren wie Franz Horn Küchelbecker, K. Nicolai, Jul. Werden, Vulpius usw. begeben haben dürfte."[2]

Auch Wilhelm Dilthey entscheidet sich 1903 in einer Auseinandersetzung mit dem Literaturhistoriker Richard M. Meyer gegen den hypothetischen Verfasser Schelling.

Auf Dilthey folgen immer zahlreichere Stimmen, die Schellings Verfasserschaft abstreiten. So stellt man fest, daß der Philosoph ohne jede musikalische Veranlagung gewesen sei, während die „Nachtwachen" eine ausgeprägte musikalische Sensibilität verrieten; auch seien im Roman zahlreiche Angriffe auf Schellings Philosophie vorhanden, und schließlich weisen Schellings übrige Werke weder in der Sprachhaltung noch im Stil Übereinstimmungen mit den „Nachtwachen" auf. Wenn in den „Nachtwachen" dazu Anspielungen auf Schellings Verhältnis mit seiner späteren Gattin Karoline anzutreffen sind, die damals noch mit August Wilhelm Schlegel verheiratet war (Dritte Nachtwache), so spräche das ebenfalls nicht für Schellings Paternität. Das letzte Argument ist unseres Erachtens nicht überzeugend, weil es den Romantikern oft darauf ankam, gerade ihr eigenes Ich in den Vordergrund zu schieben. Ansonsten sind die Argumente für Schellings Autorschaft bei den „Nachtwachen" tatsächlich unzulänglich.

Von anderen Philologen wurde E. T. A. Hoffmann als Autor in Betracht gezogen, weil seine übrigen Werke ungefähr die Atmosphäre gestalten, die auch in den „Nachtwachen" vorhanden ist. Auch die Neigung des Autors der „Elixiere des Teufels" für Bizarres, sein Wunsch, dem prosaischen Alltag zu entfliehen, wurden als Begründungen herangezogen. Der narrative Aufbau der „Nachtwachen" entspräche Hoffmanns Stil nicht, auch habe er vor 1809 kein nennenswertes Werk publiziert, so ließen sich Gegenstimmen vernehmen.

Im Jahre 1909 beginnt ein neuer Abschnitt in der Frage nach dem umstrittenen Autor der „Nachtwachen". In seiner Arbeit „Der Verfasser der Nachtwachen von Bonaventura. Untersuchungen zur deutschen Romantik" (Berlin) weist Franz Schultz alle früheren Hypothesen zurück. Besonders eingehend wird die These vom mutmaßlichen Verfasser Schelling widerlegt. Schultz bietet einen neuen Kandidaten an: den mittelmäßigen Schriftsteller und Journalisten Friedrich Gottlob Wetzel (1779 bis 1819). Während seines Medizinstudiums in Leipzig und Jena hatte Wetzel Beziehungen zu einigen Persönlichkeiten des geistig-kulturellen Lebens: zu Herder, zum Romantikerkreis in Jena, vor allem aber zu Schelling, der ihn nachhaltig beeinflußte. Wetzel entstammte einer Familie armer Handwerker. Es gelang ihm zeitlebens nicht, sich literarisch einen Ruf zu schaffen. Er war an Auftragsarbeit gebunden und veröffentlichte zahlreiche Gedichte und Prosaschriften, die anonym oder gezeichnet erschienen. Als Nachfolger von Hegel übernahm er 1810 die Redaktion einer Bamberger Zeitung, bis er knapp vierzigjährig starb.

Schultz vergleicht die „Nachtwachen" mit den Prosawerken von Wetzel, mit dessen süßlich-oberflächlichem Roman „Kleon" oder mit dessen anspruchsloser Reisebeschreibung „Fischers Reise von Leipzig nach Heidelberg im Herbst 1805". Es werden dabei stoffliche, motivische und darstellungstechnische Übereinstimmungen herausgearbeitet. Der Vergleich der Erdkugel mit einem pot de chambre, das Motiv der Marionetten und der Masken sind aber auch bei Jean Paul, E. T. A. Hoffmann, Clemens Brentano vorhanden. Weil Wetzel in seinen „Ausgewählten Gedichten" (1815) einen „Prolog des großen Magens" vorlegt, wurde das Lob des Magens in den „Nachtwachen" als ein Indiz für den gemeinsamen Ursprung der beiden Werke aufgefaßt. Doch Franz Schultz selbst verweist darauf, daß auch bei anderen Autoren das gleiche Motiv verwendet wurde, und stellt stilistische Abweichungen zwischen Wetzels Schriften und den „Nachtwachen" fest: wo hier ein spontaner Ausdruck vorherrscht und die kurzen Sätze bewußt Nachlässigkeit mimen und sehr suggestiv sind, ist bei Wetzel eine prätentiöse Sprache mit umfangreichen, sorgfältig gebauten Perioden anzutreffen, die häufig den Eindruck des Gekünstelten erwecken.

Doch schon 1912 wurde auch die Wetzel-Hypothese angefochten. Der Philosoph und Philologe Erich Frank gibt eine Edition der „Nachtwachen“ heraus und nennt im Vorwort Clemens Brentano als Verfasser des Werkes. Der Autodidakt Brentano, der Autor des „Godwi“ (1801) läßt ebenso wie Bonaventura orthographische Unsicherheiten erkennen, ist dazu, Frank zufolge, der einzige Romantiker, der vorzugsweise das Dativ-e verwendet (genauso wie Bonaventura). „So zeigen die ‚Nachtwachen‘ in ihrer äußeren sprachlichen Form bis in die gleichgültigsten Einzelheiten eine völlige Übereinstimmung mit Brentanos übrigen Schriften, und ihr Stil läßt sich durch keine erkennbaren Merkmale mehr von Brentanos unterscheiden“,[3] heißt es bei Frank. Trotz dieser sprachlichen Argumente vermag Frank nicht zu überzeugen, weil die stimmungsmäßigen Unterschiede zwischen „Godwi“ und den „Nachtwachen“ eklatant sind und zwei gegensätzliche Richtungen der deutschen Romantik verkörpern.

Hermann August Korff läßt sich jedoch von Frank überzeugen,[4] und auch Friedrich Gundolf bekennt sich 1930 in seinem Buch „Romantiker“ zur Brentano-Hypothese, weil die geistige Verfassung der auftretenden Personen an Brentanos Werke erinnert. Allerdings gibt Gundolf zu, daß es sich auch um einen Nachahmer oder Schüler Brentanos handeln könne.

Eine neue Hypothese in der Verfasserfrage stammt von Jost Schillemeit aus Braunschweig, der 1973 in seinem Buch „Bonaventura – Der Verfasser der ‚Nachtwachen‘“ den wenig bekannten Ernst August Friedrich Klingemann (1777–1831) als Verfasser entdecken will. Dabei verfährt er nach der „Methode des Indizienbeweises, ergänzt durch den Nachweis innerer Gemeinsamkeiten also durch den Nacheis von Homogeneitäten allgemeinerer, gehaltlicher, kunsttheoretischer und weltanschaulicher Art“[5]. Auch in diesem Fall scheint es uns, daß die angebotenen Argumente nicht restlos überzeugen: Die stilistischen, geistigen und stimmungsmäßigen Unterschiede zwischen Bonaventura und Klingemann sind zu groß. Das ist am besten zu ersehen an einer Textprobe von Klingemann (Ausstellung aus einer noch ungedruckten musikalischen Travestie: der Dichter), die Schillemeit seinen Ausführungen nachstellt.

Das Kapitel über den Verfasser der „Nachtwachen" ist sicherlich noch nicht abgeschlossen.[6] Auch sind wir der Auffassung, daß die Hypothese Jean Paul nicht von vornherein beiseite gelassen werden sollte, da es zwischen Jean Pauls Schriften und den „Nachtwachen" beachtliche Parallelen gibt. Es genügt, wenn man einen Vergleich anstellt zwischen einem Fragment aus dem „Siebenkäs", und zwar der „Rede des toten Christus vom Weltgebäude herab, daß kein Gott sei" aus dem „Ersten Blumenstück", und dem Monolog des wahnsinnigen Weltschöpfers (Neunte Nachtwache), eines Patienten der Nervenheilanstalt. Die sich anbietenden Zusammenhänge zwischen den beiden Texten (hier wie dort Hinweise auf die chaotischen Zustände auf der Erdkugel, auf die Nichtigkeit des Stäubchens, das sich Mensch nennt, auf die Lächerlichkeit des Traums von der Unsterblichkeit des Menschen etc.) werden von den meisten Forschern zu einfach abgetan mit dem Hinweis eines Einflusses von Jean Paul auf den Autor der „Nachtwachen". Die früher angeführte Briefstelle Jean Pauls, in der er davon spricht, daß er die „Nachtwachen" gelesen habe, kann niemanden, der die Romantiker und ihre Neigung kennt, die eigene Persönlichkeit zu tarnen und herauszustellen, irreführen. Und in bezug auf den berühmten barocken Erzählstil Jean Pauls wäre zu bedenken, ob er ihn nicht, der Unterhaltung wegen, zugunsten einer den Lesern unbekannten Manier aufgegeben haben könnte. Möglicherweise geschah das einfach, um zu mystifizieren oder auch um Gedanken zur Sprache zu bringen, die Jean Paul als „gefährlich" betrachtete.

Wir haben nicht die Absicht, hinsichtlich der Person des Autors der „Nachtwachen" eine Behauptung aufzustellen, die Anspruch auf Gewißheit besitzt, und vertreten sogar die Meinung, daß die Unsicherheit über den Autor ihrerseits gewisse Vorteile hat: sie verhindert eventuelle Vorurteile und läßt einen unmittelbaren Kontakt mit diesem umstrittenen Buch zu.

Bonaventuras Werk ist ein Protest ersten Ranges gegen die Spießergesellschaft in Deutschland, die durch Trägheit und Heuchelei gekennzeichnet ist. Der Romantext und die allgemeine kulturelle Atmosphäre der Zeit sind unsere einzigen Anhaltspunkte, wenn wir uns den „Nachtwachen" zuwenden, solange der Autor als unbekannt gelten darf.

Wir haben es mit einer zeittypischen Ich-Erzählung zu tun. Im ganzen Werk wird eine einzige Geisteshaltung festgehalten – die des erzählenden Protagonisten, der sich im Laufe der Erzählung gleichbleibt. Die Narration stützt sich vor allem auf die Analyse der Erlebnisse der Hauptgestalt, deren Innenwelt sie ausloten soll. Auch wenn die Anschauungsweise anderer Gestalten eingeschaltet wird, so etwa die des Dichters, hat diese nur insofern Bedeutung, als der Hauptheld darauf besonders reagiert. Dementsprechend ist von einer Intrige im Sinne einer Handlungsrelation nicht mehr die Rede: Der Erzähler gibt nur die Ausschnitte der Wirklichkeit wieder, die sich seiner Beobachtung stellen. Die Fabel formt sich zu einer Art sozialen Umfrage, die vor allem jene Aspekte der Umwelt in Betracht zieht, die für den Ich-Erzähler von Bedeutung sind, so etwa das Verhältnis Künstler–Gesellschaft. Der Autor situiert sich mitten in seine Erzählgestalt, die er von innen heraus darstellt, wobei er sich von ihr distanziert und ihr psychisches Dasein objektiv und direkt beurteilt, sobald sich das als nötig erweist. Das Kunstmittel, das die Perspektive regelt, ist die Nachtwächterrolle, die es zuläßt, daß einige Züge der Wirklichkeit in einem besonderen Licht erscheinen. Zwei Ebenen setzen sich voneinander ab: die Erinnerungen des Ich-Erzählers und die Stellungnahme zu seiner Umgebung während der nächtlichen Umgänge. Subjektiv-personales Erzählen steht allgemeinmenschlicher Darstellung gegenüber, das Leben des Ich-Erzählers wird mit dem seiner Umgebung konfrontiert.

Kreuzgang, der Erzähler, wurde als Kind in später Nacht an einer Wegkreuzung von einem schatzsuchenden Schuster aufgefunden. Er berichtet in Form eines Tage- bzw. Nachtbuches über seine Erfahrungen. Dieser Teil des Buches läßt in ihm eine exaltierte, ziemlich bizarre Gestalt erkennen, die in bezug auf ihre Zeit viel zu gewagte Ansichten äußert, so daß ein Konflikt mit der Umwelt unvermeidlich erscheint. Kreuzgang hat mit seinen ersten talentvollen Schreibversuchen von Anfang an Erfolg. Seine satirischen Verse lösen bei den Autoritäten Empörung aus, und er wird in den Turm geworfen. Als er wieder in Freiheit ist, erfährt er vom Tod seines Pflegevaters, des Schusters, und beginnt unstet umherzuschweifen wie ein fahrender Sänger. Auch jetzt noch vermag er es nicht, seine Zunge im Zaum zu halten. Er hat die Geschichten über „kleinere Mordstücke“ satt: „. . . ich wagte mich an größere – an Seelenmorde durch Kirche und Staat“ (Siebente Nachtwache). Darauf wird er für „fünfzig Injurienprozesse“ verurteilt. Vor dem Gericht vermeidet er es nicht, seine Meinung über das herrschende Unrecht auszudrücken und den Richtern ihre Zuständigkeit zum Urteilen abzusprechen. Er wird in eine Nervenheilanstalt eingewiesen, wo er sich, seinen Absichten zum Trotz, verliebt: „Ich betrieb es jetzt ganz so langweilig und alltäglich wie ein anderer Verliebter.“ Sein erster, bezeichnender Liebesbrief lautet dann: „Himmlischer Abgott meiner Seele, reizerfüllteste Ophelia! Dieser Eingang zwar, mit dem ich meinen ersten Brief an dich überschrieb, als wir noch bloß auf dem Hoftheater uns zum Vergnügen der Zuschauer liebten, könnte dich vielleicht täuschen, und es dir einreden wollen, als ob ich noch ebenso wie damals an einem fingierten Wahnsinn und allen den metaphysischen Spitzfindigkeiten, die ich von der hohen Schule mitbrachte, laborierte. – Aber laß dich dadurch nicht täuschen, Abgott, denn ich bin für dieses Mal wirklich toll – so sehr liegt alles in uns selbst und ist außer uns nichts Reelles, ja wir wissen nach der neuesten Schule nicht, ob wir in der Tat auf den Füßen, oder auf dem Kopfe stehen, außer daß wir das erste durch uns selbst auf Treu und Glauben angenommen haben. . . . Zorniger, wilder, menschenfeindlicher hat es in mir seit meiner Geburt nicht ausgesehen, als in diesem Augenblicke, wo ich es dir aufgebracht hinschreibe, daß ich dich liebe, dich anbete, und daß ich nach dem Wunsche dich zu hassen und zu verabscheuen, keinen sehnlicheren hege, als das Geständnis deiner Gegenliebe zu vernehmen. Bis dahin dein liebender Hamlet.“ (Vierzehnte Nachtwache.) Seine Geliebte stirbt bei der Geburt ihres Kindes und Kreuzgang wird aus der Gemeinschaft der Verrückten ausgestoßen. Er will seine Neigung zu Satire und Ironie als Puppenspieler ins rechte Licht stellen, aber auch hier dauert sein Glück nicht lange: Als er während der Französischen Revolution in der Nähe der Grenze die Enthauptung des Holofernes, eines Tyrannen, darstellt, erregt er die Gemüter seiner Zuschauer so sehr, daß diese bei ihrem Bürgermeister eindringen und dessen Kopf fordern. Kreuzgang rettet dem Bürgermeister das Leben, seine Marionetten jedoch werden beschlagnahmt. So wählt er als letzten Ausweg das Amt des Nachtwächters.

Eine zweite Serie von Vorfällen läßt uns die Erlebnisse Kreuzgangs als Nachtwächter erkennen. Der Rahmen der Nachtwachen wird allerdings nicht strikt beibehalten: die „Sechzehnte Nachtwache" stellt einen Frühlingsmorgen dar, und auch sonst sind Bemerkungen und Beobachtungen eingeschaltet, die über den anfangs gesteckten Rahmen hinausgehen. Auf jeden Fall kann festgestellt werden, daß Bonaventura das echt romantische Nachterlebnis auf eine eigene, besondere Art behandelt. Im Gegensatz zu Novalis soll hier nicht ein Zugang zum „Kosmischen Mysterium" gefunden oder eine Distanz zum Geist der Erde hergestellt werden. Die Nacht dient der Illusionszerstörung und Entlarvung, weil sie Verbrechen und Ungesetzmäßigkeiten zuläßt, die vom Nachtwächter rücksichtslos aufgedeckt werden. Durch seine Bedeutungslosigkeit und durch die Narrenfreiheit ist es ihm möglich, die Wirklichkeit nüchtern zu betrachten, ohne Konventionen und Heuchelei wie während des Tages. Er hat Gelegenheit, menschliche Abgründe zu beleuchten, menschliche Wesen an der Schwelle der Entmenschlichung zu erfassen.

Die Desillusionierung erstreckt sich überallhin. Mittels Satire, Ironie und Parodie unterzieht der Nachtwächter Kirche und Religion, Ehe und Justiz einer kritischen Betrachtung. Er macht auch bei den Gefühlen nicht halt: Schmerz, Freude, Leid erweisen sich als illusorisch, als bloßer Schein. Kurze Zeit scheint es, als ob die Liebe eine Ausnahme sei; aber diese Feststellung wird von der Wirklichkeit nicht bestätigt. Meist

ist die Liebe nur ein letzter Versuch der Hoffnung, eine „bezaubernde Maske“, die aber ungeheuren Betrug im Schilde führt. Ein echtes Gefühl kann sich in einer feindlichen Umgebung nicht entfalten, was das Beispiel der Ursulinennonne beweist, die lebend begraben wird, weil sie aus Liebe gesündigt hat (Zehnte Nachtwache). Die Diskrepanz zwischen Ideal und Wirklichkeit ist von schmerzlicher Beständigkeit, das Absolute der Liebe aber vermag nicht erreicht zu werden. Das ist Bonaventuras Schlußfolgerung: „Die Liebe ist nicht schön – es ist nur der Traum der Liebe, der entzückt.“ (Zehnte Nachtwache.)

In einer Welt des Merkantilismus ist auch das Schicksal des Künstlers nicht glücklicher. Diese Gesellschaft erkennt echte Werte nicht an und erweist sich nur billiger Konsumliteratur gegenüber aufgeschlossen. Künstler, die sich ihrer Aufgabe bewußt sind, enden unvermeidlich als „Nachtwächter“ oder tragisch, durch Selbstmord. Das gilt für den Dichter, dem Kreuzgang rät: „O Freund Poet, wer jetzt leben will, der darf nicht dichten! Ist dir aber das Singen angeboren, und kannst du es durchaus nicht unterlassen, nun so werde Nachtwächter, wie ich, das ist noch der einzige solide Posten, wo es bezahlt wird, und man dich nicht verhungern läßt“ (Erste Nachtwache). Im Unterschied zu anderen Romantikern, die den Gegensatz Kunst – Wirklichkeit behandeln, ohne den Zusammenhang zwischen der Vereinsamung des Künstlers und den spezifischen gesellschaftlichen Bedingungen zu erkennen, ist sich Bonaventura des sozialen Charakters der Kunst bewußt. Weil der Dichter ein Ideal erstrebt und sich auflehnt, reagiert er auf alle Versuche der Umwelt heftig, durch die er zwangsweise „besänftigt“ werden soll: durch Hunger, Gläubiger, Strafgelder u. a. (Achte Nachtwache). Seine Lebenserfahrung faßt er in einer Tragödie zusammen, die bezeichnenderweise „Der Mensch“ heißt. Sie wird vom Herausgeber zurückgewiesen, und der Dichter erhängt sich in seiner Verzweiflung, nachdem er vorher sein Schicksal in einem „Absagebrief an das Leben“ beklagt: „Der Mensch taugt nichts, darum streiche ich ihn aus. Mein Mensch hat keinen Verleger gefunden weder als persona vera noch – ficta, für die letzte (meine Tragödie) will kein Buchhändler die Druckkosten herschießen, und um die erste (mich selbst) bekümmert sich gar der Teufel nicht und sie lassen mich verhungern, wie den Ugolino, in dem größten Hungerturme der Welt, von dem sie vor meinen Augen den Schlüssel auf immer in das Meer geworfen haben. Ein Glück ist's noch, daß mir so viel Kraft übrigbleibt, die Zinne zu erklimmen und mich hinabzustürzen. Ich danke dafür, in diesem meinem Testamente, dem Buchhändler, der ob er gleich meinem Menschen nicht forthelfen wollte, mir doch wenigstens die Schnur in den Turm hinabwarf, an der ich in die Höhe kommen kann." (Achte Nachtwache.)

Den Verfall der Gesellschaft kann das vorgebliche „Jüngste Gericht" bezeichnen, das eine Synthese der blasphemischen Tendenzen und Haltungen des Buches verkörpert. Kreuzgang stellt die Panik dar, die alle erfaßt, nachdem er das Gerücht vom Untergang der Welt verbreitet hat. Angesichts des drohenden Endes stimmen die Notabilitäten der Stadt allen noch so schändlichen Vorschlägen zu, die das Ende hinauszögern könnten: „O, man hätte sehen sollen was für ein Getreibe und Gedränge wurde unter den armen Menschenkindern und wie der Adel ängstlich durcheinanderlief, und sich doch noch zu rangieren suchte vor seinem Herrgott; eine Menge Justiz und andere Wölfe wollten aus ihrer Haut fahren und bemühten sich in voller Verzweiflung sich in Schafe zu verwandeln, indem sie hier den in feuriger Angst umherlaufenden Witwen und Waisen große Pensionen aussetzten, dort ungerechte Urteile öffentlich kassierten, und die geraubten Summen wodurch sie die armen Teufel zu Bettlern gemacht hatten, sogleich nach dem Ausgang des Jüngsten Tages zurückzuzahlen gelobten. So manche Blutsauger und Vampyre denunzierten sich selbst als Hängens und Köpfens würdig und drangen darauf, daß noch in der Eile hier unten ihr Urteil an ihnen vollzogen würde, um die Strafe von höherer Hand von sich abzuwenden. Der stolzeste Mann im Staate stand zum ersten Male demütig und fast kriechend mit der Krone in der Hand und komplimentierte mit einem zerlumpten Kerl um den Vorrang, weil ihm eine hereinbrechende allgemeine Gleichheit möglich schien.“ (Sechste Nachtwache.)

Der sonderbare Nachtwächter benützt die Gelegenheit, um seinen Mitbürgern einen kurzen Abriß der Menschheitsgeschichte anzubieten, wobei die Darstellung ständig von zersetzender Ironie begleitet ist: „Hinter euch liegt die ganze Weltgeschichte wie ein alberner Roman, in dem es einige wenige leidliche Charaktere, und eine Unzahl erbärmlicher gibt. Ach, euer Herrgott hat es nur in einem einzigen versehen, daß er ihn nicht selbst bearbeitete, sondern es euch überließ, daran zu schreiben. Sagt mir, wird er es jetzt wohl der Mühe wert halten, das verpfuschte Ding in eine höhere Sprache zu übersetzen, oder muß er nicht vielmehr, wenn er es in seiner ganzen Leichtigkeit vor sich liegen sieht, es in Ingrimm zerreißen, und euch mit euren ganzen Planen der Vergessenheit überantworten? Ich seh's nicht anders ein! Denn ihr alle, wie ich euch hier erblicke, könnt ihr wohl mit Recht auf den Himmel oder die Hölle Anspruch machen? Für jenen seid ihr zu schlecht, für diese zu langweilig!“ (Sechste Nachtwache.) Die Schlußfolgerung, die einen guten Teil Skeptizismus enthält, ist verständlich, wenn wir sie mit der historischen Situation jener Zeit in Beziehung setzen. Das Buch ist somit auch ein Dokument der Krise, die am Ende des 18. Jahrhunderts die deutsche Gesellschaft erschütterte.

Der Roman endet mit der apokalyptischen Friedhofszene, in der Kreuzgangs Nihilismus und Skeptizismus einen Triumph feiern. Kreuzgang wendet sich an den Wurm, der aus dem Grab seines Vaters emporkriecht, und hält eine sarkastische Rede wider den subjektiven Idealismus, der Schuld hat an der „gegenwärtigen Ausweglosigkeit der Menschheit“: „An dem Gehirne wie vieler Könige und Fürsten hast du dich gemästet, du fetter Schmarotzer, bis du zu diesem Grade von Wohlbeleibtheit gekommen bist? Den Idealismus wie vieler Philosophen hast du auf diesen deinen Realismus zurückgeführt? Du bist ein unwiderlegbarer Beleg für die reelle Nützlichkeit der Ideen, da du dich an der Weisheit so mancher Köpfe wacker gemästet hast. – Dir ist nichts mehr heilig, weder Schönheit noch Häßlichkeit, weder Tugend noch Laster; alles umwindest du, Laokoons Schlange, und beurkundest deine intensive Erhabenheit an dem ganzen Menschengeschlechte ... O, was ist die Welt, wenn dasjenige, was sie dachte nichts ist und alles darin nur vorüberfliegende Phantasie! – Was sind die Phantasien der Erde, der Frühling und die Blumen, wenn die Phantasie in diesem kleinen Rund verweht, wenn hier im inneren Pantheon alle Götter von ihren Fußgestellen stürzen, und Würmer und Verwesung einziehen. O rühmt mir nichts von der Selbständigkeit des Geistes – hier liegt seine zerschlagene Werkstatt, und die tausend Fäden, womit er das Gewebe der Welt webte, sind alle zerrissen, und die Welt mit ihnen." (Sechzehnte Nachtwache.)

Es ist kein Wunder, daß alle diejenigen nach der Lektüre der „Nachtwachen" betroffen sind, die nach Tiecks Worten unter Romantik das verstehen, „was den Verstand gefangen hält", nämlich die besondere Atmosphäre, die aus einer Vermengung der Symbole entsteht, die poetisch transponiert werden: gotische Türme oder Ruinen, über denen Mythen und Sagen einherschweben, der Klang von Jagdhörnern, der Klang der Äolsharfen, die unwiderstehliche Magie der Ferne. Dieses Buch läßt sich schwer in den Rahmen der genannten Literaturströmung in Deutschland eingliedern, und es gibt Forscher, die es nicht zur Romantik zählen. Trotzdem ist der Roman ohne Zweifel ein Produkt der Romantik, eine Art „Kehrseite der Frühromantik" (Richard Brinkmann). In diesem Sinne ist ein Vergleich mit dem Musterroman der Frühromantik aus Jena, dem „Heinrich von Ofterdingen" aufschlußreich. In den „Nachtwachen" fehlt der fast religiöse Ton des Buches von Novalis, es fehlt die missionarische Vorstellung über die Rolle des Dichters, die durch den Zauber der Blume des Zenits, durch Geisteskraft das irdisch Alltägliche überwindet, die Fesseln der Hoffnung sprengt und, die Naturgesetze überwindend, sich in die Harmonie des Alls versenkt. Der Mut zum Unendlichen, das ernste Bestreben, auf die schwerwiegenden Fragen über das Schicksal der Menschheit zu antworten, auf die Frage nach der Beengung und Entfaltung der Persönlichkeit, fehlt dem

Helden Bonaventuras keineswegs. Aber er bleibt auf dem Boden der Wirklichkeit und flucht dem Geschick, das ihn zwingt, in einer Gesellschaft der Trägheit und Vorurteile zu leben. Vereinsamt und über die Motive der Einsamkeit wissend, sucht er nicht wie der Held von Novalis eine Zuflucht im Bereich der Ideale oder inmitten der herrlichen Natur. Sein Zynismus aber läßt ebenso wie der Roman von Novalis die Bestrebungen eines vom Geist des Absoluten besessenen Individuums erkennen, das auf Masken und Klischees verzichtet, das die obere Grenze der Spontaneität und Authentizität erreichen will und damit nicht weniger romantisch ist wie der „Heinrich von Ofterdingen".

Bonaventura kann aber auch mit früheren Literaturströmungen in Zusammenhang gebracht werden. Dem Sturm und Drang steht er durch seine soziale Attitüde nahe, die allerdings einem neuen Bewußtseinsniveau entspricht. Die Tragödie des bürgerlichen Werther resultiert auch aus seiner Lage als „Geduldeter" in einer Gesellschaft, in der Adelsprivilegien vorherrschen. Werthers seelischer Reichtum, seine Anlagen, seine Sensibilität werden durch seine Situation verletzt, auch wenn er bis zuletzt das Bewußtsein des eigenen Wertes nicht aufgibt. Der Held der „Nachtwachen" ist dagegen ein Vereinzelter, der auf seine Einsamkeit stolz ist, der sich nicht anpaßt und überzeugter davon ist, daß er seiner Umwelt, die ihn einengt, überlegen ist. Er weiß, daß es fast ausgeschlossen, ja gar nicht wünschenswert ist, sich einer solchen Umgebung anzupassen. Werther greift zum Selbstmord, Kreuzgang zum Nihilismus.

Die positive Tendenz des Romans verweist auf die Aufklärung. Bonaventura will durch das Beispiel seines Haupthelden seine Zeitgenossen von der Illusion heilen, die Menschheit durch „Aufklärung" mündig werden lassen. Im Prolog zur Tragödie „Der Mensch", das Werk des unglücklichen Poeten, präzisiert der Narr: „Gegen die Maskeneinführung habe ich mich nicht gesperrt, denn je mehr Masken übereinander, um desto mehr Spaß, sie eine nach der anderen abzuziehen bis zur vorletzten satirischen, der hippokratischen und der letzten verfestigten, die nicht mehr lacht und weint – dem Schädel ohne Schopf und Zopf, mit dem der Tragikomiker am Ende abläuft." (Achte Nachtwache.) Bezeichnend sind auch Kreuzgangs Reflexionen in der Nervenheilanstalt: „Weib, was willst du von mir, daß du dich an mich hängst? Hast du mir auch schon ins Gesicht geschaut? Du mit deinem Lächeln und deinen holden liebäugelnden Mienen, und ich, mit all dem Grimme und Zorne im Medusenantlitz! . . . Du lächelst wieder und hältst mich fest? Was soll die vorgehaltene Göttermaske, mit der du mich anblickst? Ich reiße es dir ab, um das dahintersteckende Tier kennenzulernen . . ." (Vierzehnte Nachtwache). Das Motiv der Masken wird im Buch oft aufgegriffen und betont. Die Masken umgeben die Welt wie Zwiebelschalen. Entfernt man diese Hüllen, eröffnet sich das Universum als ein Nichts. Das Symbol der blauen Blume ist so bei Bonaventura bezeichnenderweise durch das Zwiebel-Symbol ersetzt: Nachdem er alle Hüllen beseitigt hat, gelangt der Held nicht zum Wesen der Realität, sondern zum Nichts. In bezug auf der Zwiebel „Kern" widerspricht sich Bonaventura selbst, wenn er in der neunten Nachtwache das Symbol wie folgt definiert: „Die Menschheit organisiert sich gerade nach der Art einer Zwiebel und schiebt immer eine Hülse in die andere bis zur kleinsten, worin der Mensch selbst dann ganz winzig steckt." Es scheint, daß der Mensch für Bonaventura wie für die Vertreter des Neuhumanismus in Weimar der Mittelpunkt allen Seins ist. Man ist geneigt, in seinem Falle von einem Humanismus mit verkehrten Vorzeichen zu sprechen.

Es gibt zu guter Letzt hinreichende Anknüpfungspunkte, die einen Vergleich der Epik Bonaventuras mit Werken des 20. Jahrhunderts zulassen. Sie erklären übrigens auch den Eindruck unabweisbarer Modernität, der von dieser Prosa ausgeht. Viele Kritiker stellen eine Beziehung Bonaventura – Kafka her, weil bei beiden die Neigung zu erkennen ist, paradoxe Übertreibungen vorzunehmen, bei beiden eine ähnliche Lebenseinstellung zu verzeichnen ist. Im Nachwort seiner „Nachtwachen"-Edition von 1970 macht Wolfgang Paulsen auf diese Zusammenhänge aufmerksam und führt dazu noch gemeinsame

Metaphernformen, gemeinsame Ideen an. So verweist er auch auf ein Beispiel aus der zwölften Nachtwache, auf den Vergleich Künstler – Hund, in dem ausgeführt wird, daß Aushungern als ein staatlich wirksames Mittel verwendet wird, um das Talent zu steigern. Ähnliches ist bei Kafka in seiner Novelle „Der Hungerkünstler" zu lesen.[7]

Aber in bezug auf die „Nachtwachen" gab es in der bisherigen literaturwissenschaftlichen Untersuchung kaum je Übereinstimmung. Auch wenn es darum ging, das Werk gattungsgemäß einzuordnen, überwogen Meinungsverschiedenheiten. So war z. B. zu fragen, ob man es hier tatsächlich mit einem Roman zu tun hatte. Bei seinem Erscheinen war das Buch nicht als Roman bezeichnet worden, aber von Anfang an wurde es doch als ein solcher aufgefaßt, weil trotz seines ungewöhnlich geringen Umfangs dem Werk eine weitgespannte Problemvielfalt innewohnt. Die ausschließliche Ich-Betonung wird transzendiert, die Perspektive öffnet sich zur Universalität.

Der Autor gibt die traditionelle Bauform des deutschen Entwicklungsromans mit erzieherischer Tendenz auf (in der Art von Wielands „Agathon" oder Goethes „Wilhelm Meister") und richtet seine Aufmerksamkeit ausschließlich auf die Geistesverfassung der Mittelpunktgestalt, die sich im Verlauf der Darstellung nicht verändert.

Hinsichtlich des Aufbaus des Buches wurden ebenfalls unterschiedliche Meinungen geäußert. Die Narration schreitet nicht einfach geradlinig fort, der Autor unterbricht den epischen Verlauf durch häufige Abschweifungen und beschleunigt den Erzählrhythmus an anderen Stellen. Deshalb wurde es dem Roman lange Zeit vorgeworfen, daß er in der Form Schwächen aufweise. Die letzten Untersuchungen haben jedoch die formale Perfektion der Darstellung, die Übereinstimmung zwischen Gehalt und Form erkennen lassen. Die Autorenintention war offensichtlich darauf gerichtet, keine präzise Form auszubilden. So heißt es am Anfang der sechsten Nachtwache selbstironisch: „Was gäbe ich doch darum, so recht zusammenhängend und schlechtweg erzählen zu können, wie andere ehrliche protestantische Dichter und Zeitschriftsteller, die groß und herrlich dabei werden, und für ihre goldenen Ideen goldene Realitäten eintauschen. Mir ists nun einmal nicht gegeben, und die kurze simple Mordgeschichte hat mich Schweiß und Mühe gekostet, und sieht doch immer noch kraus und bunt genug aus." Es kann leicht festgestellt werden, daß die „Nachtwachen" formal nur eine Anwendung der theoretischen Forderung Friedrich Schlegels sind, für den Roman die Arabeske als Darstellungsprinzip zu verwenden.

Bei Bonaventura sind die Episoden mosaikartig zusammengefügt, bis sie ein harmonisches Ganzes ergeben. So betrachtet, lassen sich leicht Zyklen im Rahmen des Romans verzeichnen. Jeder der fünf Zyklen, aus denen der Roman besteht (der 4. Zyklus ist eine Ausnahme), setzt ein mit einer verallgemeinernden Satire, leitet dann zu biographischen Daten über und kehrt danach wieder zu einer Satire zurück.

Die Verbindungslinien zwischen den einzelnen Teilen des Romans sind zahlreich, jede Einzelheit hat ihre textinterne Bedeutung, die Textur ist meisterhaft geplant und realisiert. Das zeigt, daß die vorgebliche Ungeordnetheit der „Nachtwachen" eine falsche Hypothese war. Der wechselvolle Rhythmus der Erzählung fällt auf, deren Einzelteile durch die eigentliche Kreuzgang-Geschichte verbunden werden. Der Autor selbst betont das, wenn er am Anfang der vierzehnten Nachtwache sagt: „Du erinnerst dich noch an mein Narrenmärchen, wenn du anders den Faden meiner Geschichte – die sich still und verborgen, wie ein schmaler Strom, durch die Fels- und Waldstücke, die ich umher aufhäufte, schlingt – nicht verloren hast."[8]

Durch eine geniale Verflechtung realer und phantastischer Darstellungsebenen, in die Anspielungen auf die zeitgenössische deutsche Wirklichkeit verwoben sind, gelingt es dem Autor, ein tatsächliches Bild jener Epoche zu erstellen, einen Synthese-roman zu verfassen. Die Identität des „geheimnisvollen" Bonaventura ist noch immer nicht festgestellt worden. Vielleicht ist es so am besten, denn auf diese Art bleibt der Roman weiterhin ein Interesse anregendes Rätsel. Die „Nachtwachen" sind zweifellos ein ganz eigener Ton im Bereich der deutschen wie der Weltliteratur.

Wolfgang Heise

Probleme deutscher Frühromantik

Zunächst sei von einem Ereignis aus dem Jahre 1829 die Rede, einem Ereignis, das uns nichts mehr angeht und längst vergessen ist. Es geschah im Jahre vor der Julirevolution, vor den von ihr ausgelösten revolutionären Kämpfen in Deutschland. Und von etwa 1830 an datieren wir jene Phase der industriellen Revolution in Deutschland, die erst die bürgerlich-kapitalistische Gesellschaft und ihre Hauptklassen – industrielle Bourgeoisie und Proletariat – schuf.

Damals wurde in Potsdam im Neuen Palais ein großes Fest vom preußischen Hofe gefeiert: das „Fest der weißen Rose" zu Ehren des Besuches der Tochter König Friedrich Wilhelms III. von Preußen – Charlotte, der russischen Kaiserin, das „schönste, großartigste Fest . . ., was vielleicht die neuere Zeit aufzuweisen hat . . ., in dem sich alles vereinigte, was Einbildungskraft, Poesie, Kunst und Pracht erfinden konnten, um Ritterspiel, Theater, Tableaus, Musik, Deklamation, Quadrillen und so weiter in und am Neuen Palais zu vereinen". So schwärmte Karoline von Rochow.[1]

Das Besondre dieses zwölfstündigen Festes – wenige Jahre bevor die Eisenbahn Berlin – Potsdam den täglichen Verkehr aufnahm – ist seine Organisation als Ritterspektakel, als Riesenturnier, wo Adel und Fürstlichkeiten zugleich Darsteller und Zuschauer waren, mit glanzvollem Kostüm, Herold, Fanfaren, Huldigung, Turnier, prächtig ausstaffierten Bannerherren, mit den Prinzen als „Blüte der Ritterschaft", mit Rund- und Turnierreiten, feierlicher Rückkehr der Ritter, die ihre Damen ins Schloß führten, darauf folgendem allegorischem Spiel mit Genien und Nixen, Feen und Rittern, guten und bösen Engeln. Anschließend gab es Tableaus, in denen diese bunte Zauberwelt im Spiegel der Vergangenheit, Gegenwart und Zukunft auftrat; dann folgte ein Zug durch lange Gänge zum Muschelsaal, der scheinbar eine ungeheure Grotte bildete; dort fand die Siegerehrung durch die Kaiserin für die knieenden Helden statt – danach Souper und Ball. Der berlinische und märkische Adel, die Königsfamilie mit ihren weitverzweigten Versippungen waren zusammengekommen; alles, was Rang und Namen hatte, war geladen worden – und eine Menge Schaulustige: eine Selbstdarstellung von Hof und Adel als Ritterwelt. Den prächtigen Einzug der Ritter kommentiert Gräfin Bernstorff als „eine vollendete Wirklichkeit . . ., die uns aus der schönen Gegenwart in noch herrlichere Vergangenheit zurückversetzt hatte“[2]. Das Turnier dagegen erschien ihr nicht mehr als so überzeugende Wirklichkeit, sondern eher als gefahrloses „Spiel“.

Diese Selbstdarstellung im Ritterkostüm entsprang nicht lebendiger Tradition. Das Rittertum war längst von Stadtbürgertum, Absolutismus und Feuerwaffen begraben worden. Jahrhunderte vorher hatte Cervantes seinen Untergang tragikomisch besungen. Hier spielte man den Schein einer Tradition aus zweiter Hand, bezogen aus romantischer Romanlektüre. Der Hof stellte sich dar und inszenierte sich nach dem Roman „Der Zauberring“ des Friedrich de la Motte-Fouqué, des Dichters der „Undine“. Fouqué berichtet in seiner Autobiographie: „Huldreich dazu eingeladen, sah Fouqué mit freudigster Überraschung, wie die erhabensten Damen und Preisverteilerinnen des Turniers . . . als Bilder des Zauberrings erschienen. Die Kaiserin Alexandra als Blancheflour verlieh ihm huldreichst eigenhändig das Silberzeichen der weißen Rose . . . ein echter Rittersinn webte durch das Ganze, die großen Zeiten der Urväter abspiegelnd in den Geistern der ringfertigen Enkel . . .“[3] Und er dichtete: „Gleichwie blankem Heer entsteigend / Halle dem undiner Mahl / Muscheln und Kristalle zeigend / prangt ein edler Grottensaal ... Durch phantastisch glühnde Wände / schwebt der bunte Reigen fort. / Rätsel reichen sich die Hände / scheint ja Rätsel selbst der Ort."[4]

Ein Tanz auf dünnem Eise, kein wilder Taumel des Lebensgenusses vor dem Untergange, sondern humorlose Selbstfeier und -verklärung, gelebte Lebenslüge und gespielter Tagtraum – das war dies Fest. Die reale Vorgeschichte des preußischen Adels wird verklärt zur romantischen Legende, diese mit jener identifiziert, die Wandlung aller Lebensverhältnisse eingeklammert; Schnaps-, Kartoffel- und Kornproduzenten, Diplomaten und Offiziere kostümieren sich als christliche Ritterschar; die sentimentale Selbstverklärung ist bloße Kehrseite brutaler Selbstbehauptung, ein objektiv-komischer Anachronismus. Die Vorlage hatte der träumerische adlige Dichter geliefert, gewiß mit überreicher Phantasie, der in der Restaurationsphase zu immer absurderer Adelsexklusivität, blindfanatischer Königsverehrung und bigottem Pietismus gelangt und zum Poeten der borniertesten Adelsfraktion geworden war. Sein bürgerliches Publikum, das ihn einst im Aufschwunge der Befreiungskriege verehrt hatte, beachtete ihn zu diesem Zeitpunkt nicht mehr.

Ist das der Ausklang der Romantik? Noch nicht – und auch nicht *der* Romantik, sondern einer ihrer Linien – als Adelsideologie. Der Abgesang hub an, als mit Friedrich Wilhelm IV. die Romantik den preußischen Thron bestieg. Schon wenn man an das Wartburgfest 1817 denkt, so werden nationale und antifeudale, antiabsolutistische Intentionen erinnert, die in den Burschenschaften lebendig waren.

Romantik ist weder thematisch noch stilistisch noch ideologisch eindeutig zu definieren. Der Ritterkult zum Beispiel ist erheblich älter: wir finden ihn in der feudalisierenden Linie der Freimaurer seit Mitte des 18. Jahrhunderts, im System der sogenannten Strikten Observanz, die sich als Nachfolge des Templerordens verstand. Der neogotische Baustil ist so alt wie der bürgerliche Klassizismus des 18. Jahrhunderts, er entstand in England wie auch der romantische Stimmungen pflegende Schauer- und Geisterroman und breitete sich hier aus.

Und umgekehrt: 1807 schon faßte der bayrische Thronfolger, der spätere König Ludwig I., den Gedanken eines Pantheon der Deutschen als Mal nationaler Erneuerung. Die ersten Entwürfe wurden 1809 von Karl von Fischer ausgearbeitet. 1830–1842 wurde Walhalla dann von Leo von Klenze gebaut, über der Donau unterhalb Regensburgs: als dorischer Tempel, nachempfunden dem Pantheon – von außen wenigstens. Wie problematisch Stilunterscheidungen sind, zeigen die Entwürfe des künstlerisch nicht unbegabten romantischen Reaktionärs König Friedrich Wilhelm IV. Er entwarf ein Denkmal für Friedrich II., sein Schloß Belriguardo und den Dom in Berlin – und zwar alle drei nicht im gotischen, sondern im klassizistischen Stile. Durch den Architekten Persius realisiert, entstanden die Orangerie in Potsdam und die Heilandskirche in Sacrow. Die erste verwandte manieristische Elemente der Uffizien in Florenz, die zweite frühchristlich-römische Formen. Letztere wurde gebaut, als die industrielle Revolution in vollem Gange war, das politische Erwachen der deutschen Bourgeoisie schnell einsetzte – und der wissenschaftliche Kommunismus entstand.

Nun ist die deutsche Romantik nicht identisch mit ihrem höfischen Verkommen. Sie mochte das ästhetische Illusions- und politische Legitimationsbedürfnis von Absolutismus und Adel mit befriedigen – die praktische absolutistische Politik war keineswegs „romantisch". Insofern in romantischer Gestalt nationale Besinnung, Streben nach nationaler Einheit, liberale und demokratische Tendenzen sich artikulierten, insofern diese in den Burschenschaften lebendig waren, standen sie unter polizeilicher Verfolgung. Und Metternich, die politische Leitgestalt der Restauration, war seiner Gesinnung und Haltung nach ein aufgeklärt-zynischer machiavellistischer Politiker konterrevolutionärer Intention im Sinne des späten 18. Jahrhunderts.

Wenn Romantik in Deutschland als Feudalapologetik fungierte, so war das geborgter Glanz, nur eine ihrer Möglichkeiten, die freilich am Ende dominierte. Romantik entstand als bürgerliche Bewegung. Für sie charakteristisch ist die Abkehr von der Aufklärung, deren Vernunft- und Fortschrittsüberzeugungen, die Wendung gegen die bürgerliche Revolution als Praktizierung aufgeklärter Vernunft hin zur Verklärung des Mittelalters, zur christlichen Religion und zu einer nationalen Konzeption, welche dieser den sozialen progressiven Inhalt nahm. Diese Wende ging in einer ideologischen Krise vor sich, als Ergebnis eines bürgerlich-intellektuellen Protestes gegen die erlebte und erfahrene Prosa und Sinnentleerung der nachrevolutionären bürgerlichen und halbbürgerlichen Gesellschaft und ihrer Lebenspraxis, die sich der Suche nach Poesie, Sinnerfüllung, nach Geborgenheit und Lebenssteigerung verweigerte. Diese Wendung um 1800 vollzog sich schon unter der Voraussetzung der bürgerlichen Ideologie, unter dem Eindruck der Epochenbewegung vom Feudalismus zum Kapitalismus und seiner Resultate, die gemessen wurden an Erwartungen und Ansprüchen einer durch die Schule der Aufklärung und Revolutionsbegeisterung gegangenen jungen Intelligenz.

Das erhellt auch, warum mit der Romantik eine bleibende Möglichkeit der bürgerlichen Ideologie entstehen konnte, innerbürgerliche Widersprüche und Rebellionen aufzufangen, zu integrieren, Enttäuschungen und Proteste in Stabilisatoren und Mobilisierungsreserven zu verkehren. Romantischer Antikapitalismus wurde Ferment, kleinbürgerliche Ohnmachts- und Verzweiflungsstimmungen über illusionäre Gemeinschaftsbindungen und irrationale Sinngebungen in Aufbrüche und Mobilisierungen gerade für die bestehenden Zustände, von denen die Enttäuschungen verursacht wurden, zu verwandeln. Das ist freilich eine extreme demagogische Möglichkeit, geschah und geschieht mit unterschiedlichem Stellenwert im Kontext der geschichtlichen Klassenkämpfe, zeigt einen allgemeinen ideologischen Mechanismus an, ohne den konkreten Konstellationen schon gerecht und den produktiven Individuen angemessen zu sein. Und Romantik entstand in Deutschland ja nicht als Integration in den modernen Kapitalismus, sondern als Umweg der Integration in die vom Absolutismus beherrschte halb feudale, halb kleinbürgerliche Gesellschaft.

Dieser Mechanismus ist in seiner fatalen Konsequenz in der

deutschen Kultur- und Ideologiengeschichte nachweisbar: ob es sich um Wagners Musikdramatik handelt oder um die Neuromantik der Jahrhundertwende, um die Anfänge Nietzsches, um den Romantikkult in der konservativ-nationalistischen oder hitlerfaschistischen Ideologie oder um den Rückgriff auf Novalis und die katholische Romantik im Kontext der Abendlandideologie der Nachkriegszeit. Immer stoßen wir auf Denkmuster, die am Beginn des 19. Jahrhunderts in der deutschen bürgerlichen Ideologie geprägt wurden, ob sie nun in chauvinistischem oder kosmopolitischem Kontext gebraucht werden. Die „blaue Blume" der Romantik, Symbol der Suche nach wundergleicher geheimnisvoller Sinngebung, Erlösung und Bindung, begleitete die bürgerliche Jugendbewegung, vermittelte ihre Integration in den Kriegsrausch des ersten Weltkrieges, faszinierte die bündische Jugend, geistert insgesamt in den Ideologien der sogenannten konservativen Revolution. Sie wurde auch vom Hitlerfaschismus genutzt, bedingungslosen Gehorsam und Hingabe an die Ziele des deutschen Imperialismus dadurch zu vermitteln, daß der kritische Verstand gelähmt, die tiefsten Gemütskräfte aber, irrational gefüttert, in Geheimnis und Weihe gebunden wurden und das Individuum aufgehen ließen in der illusionären Gemeinschaft des „Volkes", eines Eliteordens etc.

Dessen wollen wir eingedenk sein – gerade weil wir nicht Romantik einfach abschreiben oder (was recht üblich) emotional genießen und rational als Verlegenheit behandeln wollen.

Heine charakterisierte die literarische romantische Schule: „Sie war nichts anders als die Wiedererweckung der Poesie des Mittelalters, wie sie sich in dessen Liedern, Bild- und Bauwerken, in Kunst und Leben manifestiert hatte. Diese Poesie aber war aus dem Christentume hervorgegangen, sie war eine Passionsblume, die dem Blute Christi entsprossen."[5] „... ich spreche von jener Religion, die ... durch die Lehre von der Verwerflichkeit aller irdischen Güter, von der auferlegten Hundedemut und Engelsgeduld die erprobteste Stütze des Despotismus geworden."[6]

Heine selbst begann als Romantiker. Als Liberaler, Demokrat und anschließend Bejaher des Kommunismus aber stand er genau im Gegensatz zur romantisch-restaurativen Ideologie. Seine Ironie hob die poetischen Illusionen auf – so zum Beispiel im Ausbruch des jungen Heine:

Wenn der Frühling kommt mit dem Sonnenschein,
Dann knospen und blühen die Blümlein auf;
Wenn der Mond beginnt seinen Strahlenlauf;
Dann schwimmen die Sternlein hintendrein;
Wenn der Sänger zwei süße Äuglein sieht,
Dann quellen ihm Lieder aus tiefem Gemüt; –
Doch Lieder und Sterne und Blümelein,
Und Äuglein und Mondglanz und Sonnenschein,
Wie sehr das Zeug auch gefällt,
So macht's doch noch lang keine Welt.

Damit enden die Romanzen der „Jungen Leiden"; und im Begriff der „Welt" verbirgt sich, was zu entdecken, auszusprechen und das, was zu ändern, zu gestalten, anzugehen sei. Heines Romantikkritik bleibt für jede Auseinandersetzung mit der Romantik wesentlich, ebenso die Hegels und der politisch radikaleren Junghegelianer, besonders wie sie im Manifest „Der Protestantismus und die Romantik" von Echtermayer und Ruge – erschienen 1839 in den Halleschen Jahrbüchern – geübt wurde.

Bei Marx finden wir – neben der vernichtenden Kritik an der romantischen restaurativen Staats- und Gesellschaftstheorie, neben der glänzenden Kritik des „Feudalen Sozialismus" im Kommunistischen Manifest – einen wichtigen weiteren Hinweis. Er schrieb an Engels am 25. März 1868: „Die erste Reaktion gegen die französische Revolution und das damit verbundne Aufklärertum war natürlich alles mittelaltrig, romantisch zu sehn, und selbst Leute wie Grimm sind nicht frei davon. Die 2. Reaktion ist – und sie entspricht der sozialistischen Richtung, obgleich jene Gelehrten keine Ahnung haben, daß sie damit zusammenhängen – über das Mittelalter hinaus in die Urzeit jeden Volks zu sehn. Da sind sie dann überrascht, im Ältesten das Neueste zu finden, und sogar Egalitarians to a degree, wovor Proudhon schaudern würde."[7]

Marx sieht also die Romantik nicht allein unter dem Aspekt ihrer Rolle in den Klassenkämpfen im Vorfeld der bürgerlichen Revolution. Er reduziert sie nicht auf die restaurative politisch-soziale Ideologie und Konzeptionsbildung von Novalis und Gentz, Adam Müller, Baader und Haller. Er sieht sie in einem weiteren Zusammenhang. Die Verbindung von romantischem Antikapitalismus und nationaler Bewußtseinsbildung – besonders im antinapoleonischen Selbstbehauptungskampf – ist zugleich ideologische Vermittlung im Prozeß der wissenschaftlich-historischen Erkenntnis der Gesellschaft. Der Historismus begann gewiß längst in der Aufklärung, und die Romantiker wandelten in Herders Spuren. Und dennoch: sie bauten ihn quantitativ und qualitativ in einer Weise aus, daß eben durch sie die Grundlegung der quellenmäßigen Bearbeitung und Aneignung der mittelalterlichen und germanischen Poesie ermöglicht wurde – einschließlich der Geschichte der deutschen Sprache. Und dies wiederum impliziert seiner inneren Logik gemäß den Fortgang des Gedankens und Forschens zum je Früheren – eben die Entdeckung des Urkommunismus und übrigens auch des Matriarchats. Marx hatte Maurer im Auge, Engels berief sich auf Bachofen.

Im folgenden will ich auf Aspekte des Ursprungs jener romantischen Wende eingehen – der Wende von der Aufklärung zur Religion, von revolutionärer Zukunftsorientierung zur Glorifizierung des Mittelalterlichen. Das betrifft die Initiativphase der Romantik, die späten neunziger Jahre. Deren Akteure waren junge Intellektuelle, die, zwischen 1770 und 1780 geboren, im wesentlichen durch die Schule aufgeklärter Bildung gegangen waren, die, nachdem sie sich gefunden, sich auch als Gruppe, als Gemeinschaft verstanden, bejahten, wechselseitig stützten, schätzten, vorantrieben, und in deren Kreis die konzeptionellen Ideen geboren wurden bzw. ihre für die Gesamttendenz und Mode wirksame Form erhielten. Der originelle Vorläufer war der Berliner Wackenroder. Sein Freund Ludwig Tieck verband sich mit den Jenensern – dem in Jena sich bildenden Kreis um die Brüder Schlegel, Novalis, den Philosophen Schelling, den Physiker Ritter, nicht zu vergessen Dorothea Schlegel und

Caroline Böhmer (dann Schlegel, dann Schelling; die einstige Freundin Georg Forsters), Clemens Brentano und August von Hülsen. Ihr Organ war die Zeitschrift „Athenäum". Diese Gruppierung hielt sich nur kurze Zeit, später zerstreute sich der Kreis; doch ward die Wendung wesentlich vollzogen in den ersten Jahren des 19. Jahrhunderts. Es war eine euphorisch bewegte Phase, die in gedanklicher Hinsicht produktivste, weil experimentale Phase: die Phase des Übergangs, des Protestes, des Angriffs, der Suche, der geschwinden Systembauerei und großen Entwürfe.

Allgemein befand sich die bürgerliche Intelligenz damals in einer höchst komplexen Krisensituation: Die Französische Revolution war von der Jakobinerdiktatur zum Thermidor, dann zur napoleonischen Diktatur fortgegangen; die anfangs unter der Menschheitsfahne der Freiheit auftrat, war jetzt etabliert, national und wurde imperial. Statt der Gleichheit und Brüderlichkeit trat immer deutlicher die Realität des Kapitalismus und seiner Prosa hervor, die ihrerseits ihre Antagonismen im England der industriellen Revolution erheblich schärfer noch sichtbar werden ließ. Die Republik mauserte sich zur Monarchie, die stagnierenden Verhältnisse in Deutschland ihrerseits vereinten unter dem Druck der Absolutismen im Verband des morschen Heiligen Römischen Reiches die Unentwickeltheit des Kapitalismus mit der Macht feudaler Abhängigkeitsverhältnisse bei allmählicher Verbürgerlichung ohne wirkliche Bewegung.

Zwischen dem erschreckenden Neuen und dem Druck des Alten, den rational sich gebenden Absolutismen und den traditional-unbeweglich erscheinenden Verhältnissen stand die Intelligenz ohne aktive Bourgeoisklasse. Die revolutionär-demokratische Tendenz – die Linie Forsters – war gescheitert und mußte angesichts des Hervortretens der kapitalistischen, ausbeuterischen Züge der neuen Formation und der deutschen Bewegungslosigkeit scheitern. An diesem Scheitern zerbrach Hölderlin – seine große vaterländische Dichtung war Versuch, in diesem Scheitern und dagegen dennoch eine große geschichtliche Perspektive zu gewinnen. Er konvergierte mit der praktisch resignativen, eher reformistischen Tendenz der Klassik, die im

Weltanschaulich-Ästhetischen einen Emanzipationsraum sicherte, in dem die geschichtliche Perspektive gewonnen und gerade die Widersprüchlichkeit der Bewegung des Fortschritts zum Grundproblem werden konnte. Beide zusammen bildeten eine kleine Gruppierung gegenüber dem teils aufgeklärten, teils religiös gebundenen untertänigen Kleinbürgertum, auf das die feudal-konservative Publizistik immer stärker einwirkte. Diese wiederum wurde Ausdruck einer zunehmend sich formierenden bewußt konterrevolutionären konservativen Ideologie. So geriet die junge bürgerliche Intelligenz in eine komplizierte Situation, parallel zu Thermidor und napoleonischer Diktatur. Sie war weder im Alten noch im Neuen zu Hause, weder in den Abhängigkeitsverhältnissen des Feudalismus, den Hierarchien des Absolutismus noch in der bürgerlichen Welt – hier weder im Zustand des untertänigen Mittelstandes noch in der langsam erstarkenden Sphäre des Kapitalismus, die, je klarer ihre Konturen hervortraten, um so erschreckender die Aufklärungserwartungen und -illusionen widerlegte. Das Bewußtsein ungeheurer Weltveränderungen, die als Gärung erfaßt, aber nicht in ihrer ökonomisch-sozialen oder politischen Perspektive begriffen wurden, verband sich mit dem Bedürfnis nach Änderung des eigenen und deutschen Zustands, dessen Ordnung und Institutionen als überlebt, entleert, unhaltbar empfunden wurden; doch hinzu kam die Erfahrung der eigenen Ohnmacht, anders denn in gängigen, vorgeschriebenen Bahnen praktisch wirksam werden zu können.

Die Gruppe der Romantiker bildete sich aus dieser jungen bürgerlichen Intelligenz. Sie reagierte auf die generationsspezifische Gesellschaftserfahrung und -problematik, die ihr konzentriert bewußt wurde und sie zu produktiver Antwort provozierte, zu einer Antwort, die ihrerseits kollektiven Bedürfnissen entsprach bzw. zu entsprechen schien. Wenn Novalis den Weg nach innen programmatisch verkündet, so spricht er aus, daß in der äußeren Welt, im Wirklichen kein Weg sich bietet, genauer: zu bieten scheint. Wenn er dunkel dichtet: „Wo gehen wir denn hin? – Immer nach Hause“[8], so beschwört dies gerade die wirkliche Unbehaustheit. Poesie zaubert Geborgenheit, Religion soll sie garantieren, gerade weil im Wirklichen Geborgenheit vermißt, Vertrauen enttäuscht wird, Aktionsdrang keinen Spielraum findet, die Einordnung in die bestehende Ordnung und Lebensform als Verleugnung der subjektiven Intentionen, Bedürfnisse, Ideale, als Unterordnung unter die banale Prosa der täglich sich wiederholenden Geschäfte erscheint, unter eine geschäftige Unbewegtheit, deren Nichtänderbarkeit die Zukunft verstellt.

Der jungromantische Aufbruch schien ein Weg, mit dieser Erfahrung fertig zu werden, und sei es, daß das Nicht-fertig-werden-Können zur Permanenz, die Not zur Tugend erhoben, der Freiraum und Lebenssinn im nur Ideellen, Erdachten, Erträumten, in Kunst und Religion gesucht wurden. Wir müssen erkennen, daß diese Erfahrung kein subjektiver Mangel, sondern objektiv-geschichtlich bedingt ist, daß eine hohe Sensitivität sie trägt, deren Alternative brave Stumpfheit wäre.

Historisch-ideologische Kritik kann nicht dort einsetzen, wo der Widerspruch des Individuums zur Gesellschaft erfahren, wo der Mangel bewußt wird, sondern dort, wo diese emotionale Erfahrung verabsolutiert, gedanklich als Faktum hingenommen, ein Ausweg im Illusionären und Nur-Innerlichen gesucht, dadurch das Negierte auf dem Umweg resignativ praktisch akzeptiert und die Unterwerfung schließlich durch emotionale Identifikation über das Phantastische vermittelt werden.

Natürlich ist diese Ausgangs- und Generationserfahrung selbst geschichtlich bedingt und ideologisch vermittelt. In ihr artikuliert sich der Widerspruch zwischen der bürgerlichen Emanzipationsideologie, deren Perspektiven, Erwartungen, Normen, und der nachrevolutionären Realität, dem sich entwickelnden Kapitalismus in Frankreich und England und dessen deutscher Kümmerform, wobei sich dieser Widerspruch im Verhältnis der durch den ganzen Bildungsgang ausgeprägten Ideologie zu den Lebensbedingungen des Ancien régime, dann der nationalen Ohnmacht, Zersplitterung und schließlich der napoleonischen Fremdherrschaft zuspitzt. Diese ideologisch allgemeinen Gegensätze sind nun nicht abstrakte Konfrontation zwischen Idee und Wirklichkeit, sondern eben subjektiv erlebte und erfahrene Widersprüche zwischen dem, was das intellektuell gebildete, aktive, lebens- und aktionsdurstige Individuum will und erstrebt, und dem gesellschaftlichen Zustand, der es abstößt, von dem und in dem es aber leben muß und in dem es nur durch den Verkauf seiner intellektuellen Ware auf dem sich entwickelnden Kulturmarkt oder in einer beamteten Bedienung leben kann. Voraussetzung der Art und Weise, wie dieser Widerspruch bewältigt wird, ist einmal, daß diese Generation die subjektive Ohnmacht gegenüber den geschichtlichen Bewegungen, wie sie von Frankreich welterschütternd ausgingen, brutal erlebte, zum anderen, daß die Ideen, die dort zeitweise gesiegt zu haben schienen, die Aufklärung – wiewohl in modifizierter Weise – als Bildung in Deutschland zum älteren Establishment gehörten, sofern deren Protagonisten sich durchgesetzt hatten; daß schließlich in dieser Konstellation die romantische Generation sich ohne praktisch mitreißende Bewegung, ohne im Bestehenden zu Hause zu sein, das heißt sich auch bestätigt zu fühlen, sich als auf sich selbst, auf ihre subjektive Individualität zurückgeworfen erfuhr. Entscheidend sind somit:

1. die elementare Entfremdungs- und damit Vereinsamungserfahrung, welche die historische Fortschrittsbewegung und ihre Ideen selbst als etwas Äußerliches, Fremdes, nur Angelerntes oder gleichsam Naturhaftes erscheinen läßt;

2. der Rückgang auf das private Ich als Individualität: das Subjekt erscheint nicht primär mit dem Inhalt gesellschaftlich allgemeiner Intentionen und Aktivität, als Subjekt der allgemeinen Vernunft, nicht als das Fichtesche Ich mit seiner Citoyen-Qualität, sondern als das private individuelle Ich, dessen Vereinzelung als Not empfunden wird.

Von dieser Konstellation her wird begreifbar, daß und warum die Romantiker gegenüber einer als entleert und entseelt empfundenen Welt Inhalt, Lebenssinn, Sehnsuchtsbefriedigung, Gemeinschaft und schöpferische Erfüllung in privat-intimen personalen Beziehungen und in der Kunst suchten, warum sie Kunst und ihr analoges Denken bis zur elitären Religion gesteigert werteten. Es wird erklärbar, daß sie über die Kunstreligion und ästhetisierende religiöse Spekulation den Weg zu bestehenden Religionsformen, zur phantastisch verklärten Gemeinschaft der Nation (im Gegensatz zu Napoleons Fremdherrschaft), zum guten Alten, zur mittelalterlichen Vergangenheit, zur romantisierten Feudalwelt zurückfanden und im Glanz dieser Vergangenheit die bestehende Macht des Ancien régime akzeptierten gegenüber der rationalen Kälte, nüchternen Prosa, Sachlichkeit der aufkommenden Bürgerwelt.

Wesentlich scheint mir, daß von dieser Ausgangskonstellation her die Suche nach Erlösung, Gemeinschaft und Bindung auf direkt personale Beziehungen zielt: das private Ich fand seine Modelle einer heilen Welt in der Kindheit, und beschädigte Kindheit ward zur Grundmetapher der zerrissenen Welt. Von hier aus ist mit zu begreifen, daß analoge personale Beziehungen illusionärer Art zur Glaubensgemeinschaft, zur Gemeinde und Kirche trieben, wo eine Geborgenheit des Ich, eine sinnerfüllte Gemeinschaft, eine Bestätigung und Beruhigung des gequälten Gefühls gesucht, gespielt und um den Preis der Selbstreduktion gefunden wurde.

Dies, ausgehend von privat-individuellem Protest und seiner Emotionalität, hat seine Logik: mit der Borniertheit des Aufklärungsrationalismus wird die wissenschaftliche Vernunft negiert, mit dem Scheitern der naturrechtlichen rationalistischen Gesellschaftskonzeption wird die Rationalität des bürgerlichen Fortschrittdenkens allgemein über Bord geworfen. Jenseits der realen gesellschaftlichen Produktivität und Praxis, zwischen vom Allgemeinen entleerter Subjektivität und erstarrter Objektivität erscheint das Phantasiereich einer illusionären, personal lebendigen, religiös bestimmten Scheinobjektivität. Die kurze Jenenser Phase zeitigt den Übergang, das Abbrechen der Aufklärungstradition, Suchen und Experimentieren. Sie zeigt zugleich, daß wichtige Aufklärungselemente weiter bewahrt werden. Das betrifft den aufklärerischen Sensualismus, der vor allem im Anspruch auf individuellen Lebensgenuß jenseits konventioneller Regulierung zum Ausdruck kommt; selbst Materialismus wird in der launigen Polemik „Epikurisch Glaubensbekenntnis Heinz Widerporstens“ von Schelling formuliert, der erst später aufs Religiöse einschwenkte.

Spätere Phasen haben diesen Übergang zur Voraussetzung, am frühesten zeichnet er sich ab in Wackenroders und Novalis' Denken. Im Kontext der antinapoleonischen nationalen Bewegung in ihrer Einheit von Reaktion und Regeneration bilden sich dann neue Differenzierungen, neue Akzente, vor allem aber angesichts des Herrschaftssystems der Heiligen Allianz: hier tritt ein Schisma ein zwischen feudalisierender und absolutistischer Restaurationsideologie, sofern sie sich „romantisch" artikuliert, und nationalen und liberalen Tendenzen, selbst demokratischen, die jedoch dank der inneren Logik ihrer Sache schnell aus dem Bannkreis der Mittelalterverklärung heraustreten mußten – doch darauf kann in diesem Zusammenhang nicht eingegangen werden. Hier geht es um die Ausgangserfahrung und -konstellation, in der durchaus Typisches liegt für die Erfahrung einer jungen Generation angesichts der relativ stabilisierten, konventionalisierten bürgerlichen Verhältnisse unterschiedlichen Entwicklungsgrades; angesichts des erfahrenen Widerspruchs zwischen gelernten Idealen, deren Verinnerlichung als Lebensanspruch – und der prosaischen Wirklichkeit. Für die Verarbeitung dieser Erfahrung ist entscheidend, daß auf der Grundlage der nur auf individuelle, private Erfüllung gerichteten Orientierung, auf der Grundlage der Vergleichgültigung der Citoyengehalte der Bruch mit dem Fortschritts- und Entwicklungsdenken der Aufklärung vollzogen wurde auf im einzelnen sehr unterschiedliche Weise. Gewiß – der plane Optimismus rationalistischen Typs war eine von Verlauf und Ergebnis der Revolution widerlegte Illusion. An deren Korrektur aber wurde schon seit Rousseau gearbeitet, in Deutschland hatte Herder den widersprüchlichen Gang des Fortschritts geschichtsphilosophisch seit den „Ideen zur Philosophie der Geschichte der Menschheit" zu erkennen gelehrt. Diese Widersprüchlichkeit der historischen Bewegung, des „Fortschritts" angesichts der Revolutionserfahrung weltanschaulich zu begreifen, auf diese Weise die Epoche und damit die Zusammenhänge des eigenen geschichtlichen Daseins auf den philosophischen Begriff oder in das poetische Bild zu bringen trieb das philosophische Denken von Kant zu Hegel vorwärts, von Herders Historismus zum „Faust“ als Epochendichtung. Für das Entstehen der Romantik ist gerade das Unvermittelte dieses Widerspruchs, der Enttäuschungseffekt konstitutiv, die verabsolutierte und dann ins Mystisierende verkehrte Gegenüberstellung von Ideal und Wirklichkeit, die zunächst von Schiller und Fichte gelernt wurde – im Gegensatz zu Hegels Wendung, nun die Vernunft im Wirklichen zu suchen, im Gegensatz auch zu Hölderlins tragischer Zuspitzung dieses Widerspruchs, im Gegensatz zu Goethes Dialektik des Stirb und Werde. Die Verklärung des Mittelalters ist die resignative Antwort, der Griff nach einer „alten schönen Zeit“ angesichts der Versteinerung der geschichtlichen Perspektive. Da ein einfaches Wiederkommen des Vergangenen unmöglich, finden wir anfangs – im Kreise der Jenenser – noch hektische poetische Zukunftsvisionen eines Goldenen Zeitalters. Konkretisierter stellen diese sich als Versöhnung von Revolution und Konterrevolution dar, später aber dominiert die Flucht ins Vergangene als bewußte Selbsttäuschung und melancholisches Spiel in entgötterter Gegenwart.

Wir können die Entstehung der deutschen Romantik als Ausdruck einer ersten Krise der bürgerlichen Ideologie angesichts der sich verbürgerlichenden Gesellschaft betrachten – unter Berücksichtigung der stadialen Phasenverschiebungen und dennoch hoch wirksamen Wechselbeziehungen zwischen den fortgeschrittenen europäischen Ländern. Nicht zufällig wird Edmund Burke, der klassische Ideologe bürgerlicher Revolutionsfeindschaft, Pate ihrer sozialtheoretischen und geschichtlichen Anschauungen. So entstand hier im Ansatz innerhalb der deutschen Ideologiengeschichte eine konservative bürgerliche, speziell kleinbürgerlich-intellektuelle Ideologie. Parallelerscheinungen dazu in rationalistischer Form, mit den Mitteln einer pervertierten Aufklärung, sind hier nicht zu untersuchen.

Charakteristisch für den kulturhistorischen Kontext ist, daß dieser ideologische Prozeß mit der Ausbildung eines mittelständischen Lesepublikums mit wachsenden Unterhaltungsbedürfnissen als Kundschaft des sich entwickelnden Literaturmarktes konvergiert, eines Publikums, das in der Literatur Unterhaltung durch Rührung und Schauder, Erbauung und Aufschwung,

Traum und Lebenssurrogat suchte – als Gegenwelt zum reizlosen prosaischen Alltag. Dies Marktbedürfnis, die ihm entsprechende Literatur war nicht nur ein Bildungselement der Romantiker, sondern zugleich deren Wirkungssphäre.

Diese Gesamtkonstellation bedingt mit die produktiven poetischen Möglichkeiten und die Grenzen romantischer Dichtung. Die – hier unvermeidlich verkürzt und abstrakt gezeichneten – allgemeinen Bestimmungen zielen auf allgemeine Züge und Tendenzen. Kein Individuelles geht in ihnen auf. Aber die ideologische Position vermittelt eben wesentlich die grundlegenden ideellen Beziehungen zu den gesellschaftlichen Verhältnissen und Prozessen, somit, welche soziale Realität erfaßt wird, welche sich entzieht, wenigstens soweit die thematische Intention reicht, welche den Poeten „angeht", welche ihm fremd oder gleichgültig ist im Gesamtgewebe der gesellschaftlichen Praxis. Darin geht freilich nicht der Abbildungs- und Wahrheitsgehalt auf. Gerade die Spezifik poetischer Aneignung und das Faktum subjektiver Widersprüchlichkeit verlangen je konkrete Analyse. Dennoch lassen sich einige allgemeine Feststellungen treffen. Bezogen auf die Poesie, gewinnt die deutsche Romantik ihre poetische Größe dort, wo es um die Erfahrung, um die Sehnsucht und Selbstbehauptung des Individuums in einer ihm fremden Welt geht, um die Widersprüche in diesem Verhältnis, um die Kritik an deren Entfremdung, Entseelung, sie entwickelt hier eine ungemeine Sensitivität und befreit im Gegenzug das Spiel der Phantasie, die subjektive Emotionalität zu ungehemmtem Aussprechen ihrer Bedürftigkeit, ihrer Träume und Schmerzen. Die Grenze aber wird deutlich, wenn objektive geschichtliche Zusammenhänge dargestellt, gesellschaftliche Prozesse über die Zustandsbeschreibung hinaus erfaßt werden sollen, wenn der Gegensatz von Innen- und Außenwelt verabsolutiert, Traumlandschaft als Wirklichkeit suggeriert, Wirklichkeit in Allegorie und religiöse Wunderwelt verwandelt werden, wenn den Ruf der Sehnsucht eine scheinobjektive Erfüllung zudeckt und die subjektive Unruhe ihre Ruhe im religiösen Sacrificium intellectus findet.

In der Übergangsphase entsteht hier ein elitärer Ästhetizismus, dem sich der Unterschied von Kunst und Leben verwischt, die Wirklichkeit ästhetisiert und Kunst als eigentlichstes, höchstes Leben erscheint – eine Kunstreligion, worin Religion und Wissenschaft sich in Poesie aufheben, Poesie aber die Funktion der Religion erhält: „Poesie ist die Sonne, in die sich die Planeten der Kunst und Wissenschaft auflösen“,[9] selbst das Universum ist Friedrich Schlegel „nur ein Gegenstand der Poesie, nicht der Philosophie“[10] – und „Religion haben, wie man das Wort bisher genommen hat, heißt Poesie leben“[11]. Das Verhältnis zur Welt – einschließlich zur menschlichen Welt – kulminiert dann in der romantischen Ironie. Analoges ließe sich aus dem sogenannten „Ältesten Systemprogramm des deutschen Idealismus“ und aus Novalis beibringen. Daß Poesie immer zugleich Poesie der Poesie sein, somit sich selbst zum Gegenstand haben müsse, ist die Konsequenz. Die überschwengliche Form aber signalisiert nicht nur das Problematisch-Sein der Poesie in prosaischer Welt, sie verweist auch darauf, daß an dieser Problemstellung romantische Poesie ihre höchste Modernität gewinnt: an der Künstlerproblematik. Diese wird zum allgemeineres Menschenschicksal vorwegnehmenden Modell einer entfremdeten, auf Produktivität hin angelegten intellektuellen Existenz in einer prosaisch-utilitären Gesellschaft, deren Anspruch und Scheitern, deren Widerspruch zur vorhandenen Welt dargestellt werden – von Wackenroders Berglinger, Tiecks Sternbald über Novalis' Ofterdingen bis hin zu E. T. A. Hoffmanns Künstlergestalten. Im Widerspruch des „vereinzelten“ intellektuellen Individuums zur gegebenen Gesellschaft wird diese kritisch in Frage gestellt – oder aber in ihrer Realität träumerisch aufgehoben. Das erste Moment ist ein historisch ganz wesentlicher Beitrag zur kritisch-realistischen Gesellschaftsanalyse.

Dies führt wiederum auf die intellektuelle Generationserfahrung zurück, auf den mir entscheidend scheinenden Ausgangspunkt, dessen – immer nur analoges – Erfahrenwerden Grund der Dauerwirkung der Romantik ist.

Diese Erfahrung erscheint im Widerspruch der Poesie – als Bild und Traum eines menschlich erfüllten Lebens – zur Prosa, die sich im Bilde der Maschine, eines maschinenhaften Mechanismus und Räderwerks, ja eines Marionettenspiels, in dem an verborgenen Fäden seelenlose Wesen nach fremdem Plane sich bewegen, zusammenfaßt. Dies Motiv finden wir bei Wackenroder und Novalis; E. T. A. Hoffmann benutzt es häufig: in ihm gerinnen Erfahrungen sowohl des höfischen Figurinenwesens, der Apparaturen absolutistischer Bürokratie wie der bürgerlichen Geschäfts- und Arbeitssphäre. Wie dies in den Sprachgebrauch übergeht und von Friedrich Schlegel als Ausdruck seiner antifranzösischen und antikapitalistischen Affekte benutzt wird, zeige folgender Brief an Frau von Staël, den er aus Paris Ende Mai 1804 schrieb: „Wie werden Sie es anstellen, ein Volk ohne Liebe und Rechtlichkeit, ein unwissendes, und wie es jetzt scheint, fast verrückt gewordenes Volk für das Große und Schöne zu begeistern? Aber selbst, wenn Sie die einzige hochgemute einzigartige Seele sind unter dieser Menge von ‚Maschinenmenschen', Nullen im Grunde und nur darauf bedacht, mehr und mehr sich zu Sklaven erniedrigen zu lassen – so wird es für den, der diese Wüste durchwandern oder in ihr wohnen muß, ein Trost sein, ein Mal wenigstens in ihr den geliebten Klang einer menschlichen Stimme zu vernehmen."[12] Schlegels Entrüstungsposition gegenüber dem „eintönigen Schauspiel dieses ungeheuren Nichts und der niederträchtigen Feigheit"[13], die überall triumphiere, zeigt doch sehr plastisch die Amalgamierung: der einstige Jünger der Revolution feiert in seiner Zeitschrift „Europa", gegen das bourgeoise Frankreich, bei gleichzeitig handfester Massenverachtung, die Ritterzeit und den „furor teutonicus". Aber es ist kein Ritter, der da feiert.

Wenden wir uns dem jungen Brentano zu. Sein Roman „Godwi" birst vor Protest:

„Ich rollte durch die schönen breiten Straßen, ein kalter, toter Wind strich mir um jede Ecke entgegen, alles, was ich sah, waren Leute, die durch Gehorsam gerade, und Leute, die durch Stolz krumm gehen gelernt hatten, Soldaten und Höflinge . . ."[14] „Viel hübsche Gesichter hab ich gesehen, aber fast alle gehaltlos, am gehaltlosesten waren immer die, die in fürstlichem Gehalt standen, und am ausgezeichnetesten und schärfsten waren die gezeichnet, die pfennigweise ihren Unterhalt bettelten, und sie hatten doch ein Eigentum, das ihnen der Staat nicht nehmen

konnte oder wollte, ihre Armut. Überhaupt ist jeder Sonntag und jeder Tag der Freude eine wahre Seelen-Masquerade; mit dem Sonntagsrocke zieht der Bürger auch seinen Sonntags-Charakter an ...“[15] „Eine Pulvermühle klappt durch die sanfte liebliche Nacht, wie der Puls der Kunst durch die Natur, wie der taktstampfende Fuß eines Musikers durch seine Melodien, wie der Pantoffel der Ehe durch die Liebe ...“[16] Und eine der weiblichen Heldinnen erklärt: „Menschen mit voller Lebensfähigkeit, und so auch ich, stehen immer im Kampfe mit dem geregelten Leben. Sie sind bloß für das Dasein, und nicht für den Staat gebildet. Schmerzhaft schlägt sie die bürgerliche Gesellschaft in das eiserne Silbenmaß der Tagesordnung, und sie kämpfen und verderben, weil die Liebe in ihr in das Handwerk des Ehestands gewaltsam eingezünftet ist ... Viele, die frühe schon in diesem Kerker eingefangen sind, ja die in ihm die Augen eröffnen, siechen mit ihrer größern oder geringern Anlage fort ... und der geringste muß wenigstens in einem Fieber, einem Rausche, und oft schrecklich im Wahnsinn, der ewigen Poesie ihren Tribut bezahlen.“[17] Dieser Roman des vergeblichen Ausbrechens spricht Brentanos Grundempfinden aus. 1798 schrieb er an Franz Brentano: „In der itzigen Welt kann man nur unter zwei Dingen wählen, man kann entweder ein Mensch oder ein Bürger werden, und man sieht nur, was man vermeiden, nicht aber was man umarmen soll. Die Bürger haben die ganze Zeitlichkeit besetzt und die Menschen haben nichts für sich selbst als sich selbst. Wird der nicht der Verächtlichste, der sein Ich, seinen einzigen Besitz, sich armselig in die Arme wirft, wird er nicht eine Luftblase in der großen jetzigen Gärung? Ein Bürger werde ich wohl nicht werden, denn es ist mir zur Freude zum Besitz nichts aus meiner Erziehung geblieben als mein Herz, mein Kopf und die Trümmer meines Charakters ...“[18] (20. Dezember 1798).

Man sieht nicht, was man umarmen soll. Und eine andere Stimme – die der Rahel Varnhagen. In einem Brief an Alexander von der Marwitz beschreibt sie eine Erfahrung:

„Gestern unter den Linden befiel mich ein solcher Zustand; fremd, ganz fremd und ruppig schienen mir Linden, Straße und

Häuser, die Menschen zur Furcht, nicht einer ein Gesicht, eine Physiognomie; der albernste, äußerlichste, hölzernste, zerstreuteste Ausdruck, alberne und eitle Frauen, nicht kokett, auf Neigung und Geschlecht sich beziehend, oder ein Vollgenuß irgendeiner Art. Die Armut der Stadt, wo ich jeden berechnen kann, was er hat, verzehrt, will oder kann, die schreckbare, wüste Beziehungslosigkeit, die nicht an Staat, noch Liebe, Familie oder irgendeiner selbsterzeugten Religion anreicht. Ihr schwindelnder, eitler, nichtiger, strafbar ekler Taumel. Ich darunter, noch beziehungsloser, mit vollem leeren Herzen, frustriert um alles, was wünschenswert ist, getrennt vom Letzten. Kurz – wie vor einem Zaubertempel – denn die Wirklichkeit entschwand dem dennoch nicht toten Gemüt – dessen Wanken ich schon sehe, dessen Einsturz gewiß ist, der mich und alle treffen muß. Nicht gewiß, ob ich wirklich wache, halb träumend ging ich so umher, mir sagend, es ist besser, daß du hier gehst, als einen einsamen, abstrakten Spaziergang zu machen mit denen, die nicht die Rechten sind ... Als aber rückzu ganze Damenfamilien vor uns gingen, Legationsfrauen, Bankierstöchter, Weiber, Baroninnen, Staatsratstöchter, Gesandte, Grafen, und wie ich unter Toten war, in eine verlegene Angst geriet ... nahm ich mir vor nicht mehr dahin zu gehen."[19]

Rahels Erfahrung ist wie ein Stück aus einer Erzählung E. T. A. Hoffmanns. Ein Brief Ludwig Tiecks an Friedrich Schlegel scheint mir besonders aufschlußreich. Der gefühls- und phantasiebewegte Tieck spricht sehr plastisch den Zusammenhang persönlich-intimer und weltanschaulicher Beziehungen aus, jene Liebe, in der für ihn erst menschliche Erfüllung möglich ist als Alternative zur Gleichgültigkeit der Welt und in der Welt. „Das Abtrennen von der Liebe, welches ich an so vielen Menschen gewahr werde, ja womit sie sich recht viel wissen und die Fortschritte ihrer Bildung und Verbesserung darnach abmessen ..., halte ich für den schnödesten Selbstmord. Denn selbst wenn ich einen Irrtum liebe, ist es ja doch der Irrtum nicht, den ich liebe. Wieviel mehr mit der Freundschaft, mit einem menschlichen Herzen, mit einem edlen Geiste. Auf jenem Wege ist es ja nur, daß sich der Mensch vom Überirdischen und der

Ewigkeit trennt, indem er die Fähigkeit in sich selbst freiwillig vernichtet, sie zu erkennen, sich die Arme ablöst, um sie zu umfassen. Dieser Hang ist ja dasselbe, was unsere unselige Aufklärung in unserer Zeit gemacht hat, es ist ja nichts als ein Töten, ein kaltherziges Wüten gegen sich selbst aus Langeweile, das Ausrotten der Glaubensfähigkeit, die wie ein unschuldiges Kind in unserm Herzen ruht, und die auch ebenso behandelt und gepflegt werden muß, recht bewahrt vor der kalten Luft des Verstandes und des Zweifels, und über deren Einfalt rohere Seelen so leicht siegen, wie über ein Kind, das freilich keine Klugheit, keine Verwirrung begreift, aber den ganzen Schatz, alles Leben in seiner Andacht und in seinen Spielen trägt."[20]

Liebe als ganz individuelle, intensivste, in Hingabe erfüllende und zugleich steigernde, Einsamkeit aufhebende menschliche Beziehung, als Ich-Du-Beziehung, als romantisches Gemeinsamkeits- und Gemeinschaftsmodell schlechthin fungiert hier als Alternative gegen die „Welt"; diese persönliche Freundschafts- und Geborgenheitsbeziehung ist zugleich Analogon der Beziehung zu einer überirdischen Personalität; Glaube und Vertrauen in der einen Beziehung konstituieren Glaube und Vertrauen in der anderen. Das „unschuldige Kind", Bild des Reinen, Unzerstörten, liebevoll Vertrauenden und vertrauter Geborgenheit Bedürftigen, steht für das vom prosaischen „Leben" in seiner Brutalität, Sachlichkeit und egoistischen Logik Bedrohte:

„Es war mir von je an natürlich . . ., das Leben selbst als eine drückende Bürde anzusehen und alle zu bemitleiden, welche sich in diesem Brand des Lebens verzehren mußten, das alles Schöne, Unschuld, Jugend, Schönheit, Sehnsucht, Liebe in seinen grimmigen Flammen ewig verzehren will, anfangs wie der Frühling die Blumen, die schönsten Ahndungen hervortreibt, um sie in Schmerzen zu vernichten, indes ewig das Gespenst der Gleichgültigkeit neben uns steht und uns zu sich winkt."[21]

Doch diese Gleichgültigkeit ist Tieck zugleich – mit der Todesdrohung – Merkmal des unpoetischen, ja des aufgeklärten Menschseins: – jene „Gleichgültigkeit der Menschen, die von Wundern allseitig umgeben, von Geistern und Erscheinungen umringt, den Einfluß, das ewige Sein aller magischen Kräfte fühlen, sich aber mit Zweifeln bedecken, und doch nicht ganz ihren Zweifel sich zu eigen ergeben, die das Geheimnis verlieren, und auch kein Entgegengesetztes, kein Nichtgeheimnis gewinnen"[22]. Die Poesie findet hier – beim Kinde, beim Geheimnis, bei Liebe und Vertrauen – gegen des Lebens Böses ihren Ort, jedoch im Gegensatz zur eigenen irritierenden Lebensphase, in der sie ihm „als das Böseste in mir, was mich zugrunde richten mußte"[23], erschien. Die Versöhnung mit dem Wirklichen, dem Leben als „wildem Scherz" geschieht über die Beziehung zum Geheimnis, zum Überirdischen. Tieck praktiziert die theologische Ideologisierung der Entfremdungserfahrung, pietistische Traditionen weiterführend: als Folge der „Aufklärung" erscheinen das Sterben der Liebe zwischen den Menschen und zu Gott, zum Überirdischen. Das Frösteln beim Übergang von persönlichen sozialen Bindungen zu sachlich vermittelten und bürokratisch geregelten wird artikuliert über die Norm idealisierter kleinbürgerlich-familiärer Intimität. Novalis, von Tiecks Religiosität mit angestoßen, hat dafür die allgemeine Theorie formuliert: Das weltanschauliche Elend erscheint als Folge des Abfalls von der mittelalterlich-katholischen Kirche. Wurde von Lessing und Herder bis zu Hegel die Reformation als Ausgang und erster Schritt geistiger Emanzipation verstanden, der notwendig zur Aufklärung führte, so wird von Novalis diese Wertung zurückgenommen: „Der anfängliche Personalhaß gegen den katholischen Glauben ging allmählich in Haß gegen die Bibel, gegen den christlichen Glauben und endlich gar gegen die Religion über. Noch mehr – der Religionshaß dehnte sich sehr natürlich und folgerecht auf alle Gegenstände des Enthusiasmus aus, verketzerte Fantasie und Gefühl, Sittlichkeit und Kunstliebe, Zukunft und Vorzeit, setzte den Menschen in der Reihe der Naturwesen mit Not oben an, und machte die unendliche schöpferische Musik des Weltalls zum einförmigen Klappern einer ungeheuren Mühle, die vom Strom des Zufalls getrieben und auf ihm schwimmend, eine Mühle an sich, ohne Baumeister und Müller und eigentlich ein echtes Perpetuum mobile, eine sich selbst mahlende Mühle sei."[24]

Hier liegt auf der Hand, welche soziale Erfahrung – in einen total andren Zusammenhang verkehrt – reflektiert wird; der geistigen Emanzipationsbewegung wird zur Last gelegt, was Folge entfremdeter Verhältnisse ist. Daraus ergibt sich dann die Ambivalenz des Romantisierens: „Die Welt muß romantisiert werden ... Indem ich dem Gemeinen einen hohen Sinn, dem Gewöhnlichen ein geheimnisvolles Ansehn, dem Bekannten die Würde des Unbekannten, dem Endlichen einen unendlichen Schein gebe so romantisiere ich es.“[25]

Novalis war der genialischste Kopf der Frühromantik. Er hat die weltanschaulichen Konsequenzen am schnellsten gezogen; Membran eines Universums gedanklich-poetischer Möglichkeiten, dessen Entwürfe einer universalen Synthese im phantastischen Synkretismus des „Heinrich von Ofterdingen“ ihren spekulativ und poetisch tiefsten Ausdruck fanden – im wohl unrealisierbaren Entwurf. Er gipfelt in der Vision eines Goldenen Zeitalters, zu der er notierte: „Das ganze Menschengeschlecht wird am Ende poetisch. Neue goldene Zeit. Poetisierter Idealism. Menschen, Tiere, Pflanzen, Steine und Gestirne, Flammen, Töne, Farben müssen hinten zusammen, wie Eine Familie oder Gesellschaft, wie Ein Geschlecht handeln und sprechen. Mystizism der Geschichte ...“[26] Und in der Vorstellung einer „Zerstörung des Sonnenreiches“ deutet sich an, worauf die Hymne an die Nacht vordeutet – die Nacht als Symbol einer alleinenden, erlösenden Welt gegen den Tag, ihr Traum als Gewalt über des Tages vergehendes Licht. „Muß immer der Morgen dämmern? Endet nie des Irdischen Gewalt?“ Zwischen dem Lied der Toten und dem Konzept „Das Märchen ist gleichsam der Kanon der Poesie – alles Poetische muß märchenhaft sein, Der Dichter betet den Zufall an“[27] oszilliert dies schillernde, ausgreifend-phantastische und zugleich hellsichtige Denken und Dichten, dessen faszinierende innere Gewalt und himmelstürmende Bedenkenlosigkeit nicht über die poetisch-religiöse erlösungs- und todessüchtige, alle Mystizismen gegen ein aktiv rationales Weltbegreifen mobilisierende Grundtendenz hinwegtäuschen soll. Novalis war der eigentliche Initiator der deutschen romantischen Staats- und Gesellschaftstheorie, und seine Position gegen Revolution und Aufklärung hatte – nüchtern genug – den Klassenkompromiß unter der Form religiöser Ideologie zum Inhalt.

Novalis' Roman verstand Friedrich Schlegel als „esoterische Poesie", „die über den Menschen hinausgeht und zugleich die Welt und die Natur zu umfassen strebt, wodurch sie mehr oder weniger in das Gebiet der Wissenschaft übergeht und auch an den Empfänger ungleich höhere oder doch kombiniertere Forderungen macht"[28]. Und er weist auf ihn hin als Beispiel, an dem man den „Übergang vom Roman zur Mythologie" zeigen könne. Dies hatte Schlegel selbst programmiert. War bei Novalis' Entwicklung die Tradition herrnhutischen Christentums wirksam, so ließe sich an Friedrich Schlegel der Übergang von Philosophie zu Religiosität klarer zeigen. Er wird durch die ästhetische Emotionalisierung des Pantheismus weltanschaulich vermittelt. Ohne auf Schlegels historische Leistung hier eingehen zu können, will ich auf den kunstreligiösen Ästhetizismus als Phase dieses Übergangs hinweisen, der in der „Rede über Mythologie" zum Ausdruck kommt, die im „Athenäum" von 1800 innerhalb des „Gesprächs über Poesie" steht. Es stellt eine Zwischenbilanz der romantischen Diskussionen dar und markiert die Trennung romantischer von klassischer Ästhetik und Weltanschauung.

„Es fehlt, behaupte ich, unserer Poesie an einem Mittelpunkt, wie es die Mythologie für die der Alten war ... Wir haben keine Mythologie. Aber ..., wir sind nahe daran, eine zu erhalten, oder vielmehr es wird Zeit, daß wir ernsthaft dazu mitwirken sollen, eine hervorzubringen."[29] Dies Werden der neuen Mythologie steht für Friedrich Schlegel in einem euphorisch gesehenen Zusammenhang der Epoche, in der „die Menschheit aus allen Kräften ringt, ihr Zentrum zu finden. Sie muß ..., untergehen oder sich verjüngen."[30] Ein Nachklang der Revolutionsbegeisterung ist hier spürbar. Die Geburt der neuen Mythologie aber zeige sich an in der Philosophie des Idealismus Fichtes, der ein Teil des umfassenden Verjüngungsprozesses sei. Doch bleibt dieser gänzlich abstrakt. Im Koordinationsgeflecht der philosophischen Kategorien haben direkt politische und soziale Inhalte keinen Raum, und wenige Jahre später erklärt Schlegel die politische Umwälzung als bei weitem weniger wichtig als die „Erfindung des Idealismus". Spontan schiebt sich der Komplex von Weltanschauung, Philosophie, Kunst, eben der kulturell-geistigen Produktivitäten, an die Stelle der Revolution, ja, als deren Berechtigtes und Kern scheint das gesuchte „Zentrum" in ihnen erst zu Bewußtsein zu kommen, später wird daraus Abwertung, schließlich Gegnerschaft.

Jedenfalls erscheint die Wahrheit des Gesamtprozesses der Menschheitsverjüngung hier letztlich in der Poesie. Bestimmt Schlegel Fichtes Idealismus als Ausgangspunkt, so sei doch bei ihm nicht stehenzubleiben, sondern aus seinem Schoße müsse sich „ein neuer, ebenso grenzenloser Realismus erheben"[31], dieser wäre dann die neue Mythologie. Dieser Realismus entsteht als Synthese und Verschmelzung des subjektiven Idealismus mit dem spinozistischen Pantheismus, als Synthese von „Ich" und „Substanz", die absolut, deren Einheit das Absolute, Gott, ist, als Synthese und Überwindung des Gegensatzes von Subjekt und Objekt, Mensch und Natur, Geist und Materie in einer universalen prozessualen Einheit. Schlegel erspürt hier die spezifische Epochenproblematik unter den Voraussetzungen der deutschen Philosophie. Hinter dem Verhältnis von Subjekt (dem Menschen) und „Substanz" (der universellen Natur), von „Subjekt" als ideeller produktiver Tätigkeit und der „Substanz" als objektivem allumfassenden Universum und dem Verhältnis beider zur Menschheitsverjüngung als Geschichte, hinter diesen spekulativen Bestimmungen verbarg sich die tatsächliche Epochenproblematik der Philosophie, aus der heraus die idealistische Dialektik und dann der Materialismus Feuerbachs entstanden.

Das Spezifische Friedrich Schlegels, diese Problematik zu erfassen und mit ihr fertig zu werden, liegt nun in folgendem:

Fichtes subjektiver Idealismus verlieh dem Ich die Citoyengehalte der bürgerlichen Revolution und erklärte die Vernunft zur höchsten Kraft des Menschen. Schlegel reduzierte mit der Allgemeinheit der Vernunft den allgemeinen Inhalt dieses Ich auf das „Private". Nicht die Vernunft, sondern die dem Denken und Handeln noch zuvorliegende „Liebe" ist das Bestimmende, dem in bezug auf das Objekt ein „anschauendes Denken" entspricht. Diese Liebe als Sehnsucht, Gefühl, aktive innere Bewegung, die in einem Sehnen und Bewegung seiner Erfüllung ist, das Progressive im Menschen, konstituiert Bewegung, Verbindung und Einheit von Mensch zu Mensch, Ich und Du wie zwischen Ich und All. Voraussetzung dafür ist, daß das Universum Spinozas nicht in seinem materialistisch-wissenschaftlichen Gehalt verstanden wird, sondern nach der formellen Seite der universellen Gott-Natur-Einheit und hier „anschauend" und gefühlsmäßig bejahend erfaßt wird, so daß diese Einheit als ein personal-lebendiges Du erscheint, zugleich aber das Umfassende, das Ich Einschließende ist, ein Unendliches, das im Ich wie im Objekt das Absolute, dessen Aktion und Intuition ist. „Das Notwendige im Menschen ist gerade nur die Sehnsucht nach dem Absoluten."[32]

Schlegel geht also zu einem objektiven Idealismus über, einem „absoluten Idealismus". Beziehungen zu Hemsterhuys, Schleiermacher und Schelling mögen hier unerörtert bleiben. Entscheidend an diesem objektiven Idealismus sind: 1. Gegenüber der Höchstschätzung der Vernunft sind hier intellektuelle Anschauung und Emotion bestimmend. 2. Er läßt sich gar nicht theoretisch-systematisch im System zu Ende führen, sondern nur als alle Wissenschaft in sich aufhebende Poesie. 3. Er integriert – gemäß den Anstößen von Herder und Goethe – das geschichtliche Denken, eliminiert dabei jedoch den eigentlichen Fortschrittsgedanken. Diese Synthese verläßt also grundsätzlich die Sphäre der Rationalität, wird – in einem ganz abstrakten, noch nicht dogmatischen Sinne – Religion als reine Gemütsbewegung, die ihre bildhafte Erfüllung in romantischer Poesie als Mythologie findet.

Schlegel bezeichnete später, nachdem er zum Katholizismus konvertiert war, diesen Standpunkt als ästhetischen Pantheismus.

Diese weltanschaulichen Zusammenhänge – und dabei geht es um die ideelle Beziehung zur Welt – erhellen erst, daß und warum Schlegel den Weg von Fichtes „Ich" zum „Realismus" sucht, leidenschaftlich Spinoza feiert, aber in dem Sinne, daß in ihm „Anfang und Ende aller Phantasie" und in seinem Grundgedanken ein „tiefer Blick in die innerste Werkstätte aller Poesie" gefunden werde. Die rationalistische Konzeption der universalen, gesetzmäßig bewegten Natur Spinozas verwandelt sich in dieser Sicht in eine mystische All-Eins-Beziehung, Erkenntnis in Poesie, Denken in Selbstgewißheit des Gefühls, Phantasie schwingt sich kühn über alle Bedenken hinweg. „Und was ist jede schöne Mythologie anders als ein hieroglyphischer Ausdruck der umgebenden Natur in dieser Verklärung von Phantasie und Liebe?"[33] Das realistisch Klingende verschwimmt angesichts einer Natur, deren Zusammenhang selbst Liebe, die letztlich eine sich selbst schaffende produktive Poesie ist. So stürmt der Gedanke Schlegels weiter: Was leistet die Mythologie: „Was sonst das Bewußtsein ewig flieht, ist hier dennoch sinnlich geistig zu schauen und festgehalten, wie die Seele in dem umgebenden Leibe, durch den sie in unser Auge schimmert, zu unserm Ohr spricht."[34] Hier erscheint im poetischen Gebilde, im und als Werk, was Struktur dieser beseelt-pantheistischen Natur – oder Gottes – selbst ist. Poesie entsteht also auch nur in deren inniger Berührung, und Schlegel weist grundsätzlich „freie Ideenkunst" ab, vielmehr: „... wir sollen uns überall an das Gebildete anschließen und auch das Höchste durch die Berührung des Gleichartigen, Ähnlichen oder bei gleicher Würde Feindlichen entwickeln, entzünden, nähren ..."[35] Das betrifft die Natur und das schon in der Geschichte Gebildete. Dies „Höchste" aber ist „keiner absichtlichen Bildung fähig".[36] Insofern: Mythologie ist ein solches Kunstwerk der Natur, die Subjekt und Objekt umfaßt. Poesie gründet somit in dem, was noch jenseits bewußten Machens liegt, in einem Ursprünglichen und Unnachahmlichen, das unauflöslich sei: „Denn das ist der Anfang aller Poesie, den Gang und die Gesetze der vernünftig denkenden Vernunft aufzuheben und uns wieder in die schöne Verwirrung der Phantasie, in das ursprüngliche Chaos der menschlichen Natur zu versetzen, für das ich kein schöneres Symbol bis jetzt kenne, als das bunte Gewimmel der alten Götter."[37]

Hierin liegen ebenso tiefe Einsicht in die entbindende Kraft der Poesie wie die Zurücknahme, die verhängnisvolle Zurücknahme der Vernunft als eines Synonyms geronnener Ordnung. Zurückgenommen wird eine aktive Wirklichkeitsbeziehung zugunsten ästhetischer Kontemplation. Dies erscheint zunächst als scheinbares Gegenteil. „Mich deucht, wer das Zeitalter, das heißt jenen großen Prozeß allgemeiner Verjüngung, jene Prinzipien der ewigen Revolution verstünde, dem müßte es gelingen können, die Pole der Menschheit zu ergreifen und das Tun der ersten Menschen, wie den Charakter der goldenen Zeit, die noch kommen wird, zu erkennen und zu wissen. Dann würde ... der Mensch inne werden, was er ist, und würde die Erde verstehen und die Sonne."[38]

Hier taucht das Denkmuster eines geschichtlichen Kreisganges auf – ähnlich der Wiederherstellung anfänglicher Schönheit und Unschuld über die Phase des Bewußtseins, wie dies später Kleist im Gespräch über das Marionettentheater zeichnen wird.

Kühn ist dieser Anspruch divinatorischen Denkens und Schauens, Enthusiasmus und Ironie charakterisieren romantisches Dichten. Doch welche Beziehung zur menschlich-gesellschaftlichen Realität wird hier programmiert? Wie verhält sich diese als Gegenstand zum „Höchsten", dem mythologisierten pantheistisch verklärten Ganzen? Da gilt, daß man das „Höchste ... weil es unaussprechlich ist, nur allegorisch sagen"[39] könne. Folglich: „... wir fordern, daß die Begebenheiten, die Menschen, kurz, das ganze Spiel des Lebens wirklich auch als Spiel genommen und dargestellt sei."[40] Das Gegenständliche wird Zeichen und Mittel, dies Ganze mystisch auszusprechen, anzuzeigen, ja die Beziehung der höheren Identität als geistigen Prozeß in Gang zu setzen. Dabei verflüchtigt sich die Realitätsbeziehung, die wirkliche Welt wird ironisch-spielerisch als Material behandelt, der Enthusiasmus bezieht sich aufs mystische Ganze von Universum, Gott, Natur als allgemeinem Zusammenhang. Die Dialektik von Spiel und Ernst, von Zufälligem und Notwendigem, Einzelnem und Allgemeinem, Möglichem und Wirklichem zerreißt in metaphysische starre Alternativen, deren eine Seite das Spielmaterial der Wirklichkeit, deren andere der ästhetisierte Gott als Bedeutung ist. Trotz der Bemühung um das Ganze, das als Gefühlsobjekt sich im Mystischen verliert, bleibt real nur das Fichtesche, aber privatisierte Ich als künstlerisches Individuum, während der Enthusiasmus dessen verzweifelte Sehnsucht wird.

Die illusionäre Bestätigung gibt dann die These: „Alle heiligen Spiele der Kunst sind nur ferne Nachbildungen von dem unendlichen Spiele der Welt, dem ewig sich selbst bildenden Kunstwerk.“[41] In der älteren pantheistisch bestimmten Ästhetik und Poetologie hatte das Kunstwerk seine Würde und seinen Anspruch gefunden als mikrokosmische Welt im kleinen. Hier ist eine Umkehrung vollzogen: die „Welt“ ist Projektion der romantischen Ironie und ihres Kunstverhaltens ins Objektive, Universale, deren Ontisierung. Wir sind nicht weit entfernt vom frühen Nietzsche.

Religiös sind die Ausführungen Schlegels nur im Sinne einer ästhetischen Attitüde, einer spekulativen Formel. Aber sie bahnen den Weg zur direkten Wendung zur Religion. Schon das enthusiastische Behaupten des Übergehens der Physik in Astrologie, Theosophie, in eine „mystische Wissenschaft vom Ganzen“ bereitet dies spekulativ vor.

Und doch steckt in dieser romantischen Hypertrophierung der Poesie der Gedanke einer modernen, alle tradierten Gattungsgrenzen sprengenden Poesie – jenes Programm transzendentaler Universalpoesie, das wesentliche Momente der modernen Poesie, mindestens hinsichtlich der Möglichkeiten des Romans, seines synthetischen und hoch reflektierenden Charakters entwarf. Auch eine Vorwegnahme des späteren Ästhetizismus verbirgt sich in diesem „Gespräch“: er ist im Grunde nur zugedeckt vom euphorischen Rausch der Aufbruchstimmung und der gefühlsmäßigen Gewißheiten transzendenter Sinngarantien. Nach dem Verfliegen des Rausches wird das Häßliche der Prosa des Lebens überwältigend und Poesie eine verzweifelte Abwehraktion.

Schlegels Traum aber mußte zerbrechen, diese Phase der entfesselten Bindungslosigkeit und geheimer Sinn- und Bindungssehnsucht konnte nur Übergang sein. Der Epochentraum verflog angesichts der napoleonischen Bataillone, angesichts des erbärmlichen Verendens des Heiligen Römischen Reiches Deutscher Nation und angesichts der erfahrenen, vom „freien", marktabhängigen Schriftsteller erfahrenen sozialen Wirklichkeit.

Wenige Jahre später zieht sein Bruder August Wilhelm in einem Brief an Schelling das Fazit: Es sei „eine wahrhafte Rückkehr zu längst aufgegebenen Ansichten und Gesinnungen unverkennbar . . . Sie liegt in einer Reaktion gegen unsere bisherige Bildung, über deren Nichtigkeit uns die Weltbegebenheiten die furchtbarsten Aufschlüsse gegeben haben."[42] Da war Friedrich Schlegel schon seinen Weg zum Katholizismus gegangen.

Ich habe – als Diskussionsanregung – nur einige Aspekte herausgegriffen aus dem so vielschichtigen Thema „Romantik": den der Ausgangserfahrung und den des Ästhetizismus als Übergangsmoment. Die Grunderfahrung der romantischen Jugend, die mit der Bejahung der Revolution begann und die dann konservativ endete, ist eine Erfahrung, die nicht nur sie machte – auch wenn keine spätere sie in gleicher Weise sammelte. Das ist historisch-objektiv begründet. Eichendorff, viel jünger denn die hier behandelten Protagonisten, hat vollendet romantische Stimmung Gedicht werden lassen:

Schweigt der Menschen laute Lust:
Rauscht die Erde wie in Träumen
Wunderbar mit allen Bäumen,
Was dem Herzen kaum bewußt,
Alte Zeiten, linde Trauer,
Und es schweifen leise Schauer
Wetterleuchtend durch die Brust.

Niemand wird sich dem Zauber solcher Verse entziehen können. Doch die alten Zeiten waren und bleiben Verklärungstraum. Sie sind Alternativbild zur Gegenwart, aus dieser geboren und ersehnt. Die Frage, warum heute das Bedürfnis nach Kenntnis der Romantik, nach Auseinandersetzung mit ihr mit unerwarteter Intensität entstand, ist freilich nicht durch Untersuchung der Romantik zu beantworten, sondern nur durch Analyse des realen Lebens- und Erfahrungsprozesses. Es wäre verhängnisvoll, zu glauben, die in ihm sich artikulierende Lebensproblematik ließe sich durch jene vergangene Romantik befriedigen, von der ich sprach, schon gar nicht durch eine analoge Methode der Flucht. Doch zu den Bedingungen, damit fertig zu werden, gehört ein kritisches und produktives Verhältnis zur deutschen Romantik als Element unserer Geschichte, unseres historischen Werdens.

Anhang

Anmerkungen

Abkürzungen

BA	Goethe, Poetische Werke. Band 1–16, Berlin 1960–1968. Kunsttheoretische Schriften und Übersetzungen. Band 17–22, Berlin und Weimar 1970–1978 (Berliner Ausgabe).
HA	Goethes Werke. Hamburger Ausgabe in 14 Bänden. Hrsg. von Erich Trunz. Hamburg 1948–1964.
	Goethes Briefe. Hamburger Ausgabe in 4 Bänden. Hrsg. von Karl Robert Mandelkow und Bodo Morawe. Hamburg 1962–1967.
MEW	Marx/Engels, Werke. Berlin 1956–1974.
PA	Goethes Sämtliche Werke. Hrsg. von Conrad Höfer und Curt Noch. 45 Bände und 4 Ergänzungsbände, München und Berlin 1909–1932 (Propyläen-Ausgabe).
SNA	Schillers Werke. Nationalausgabe. Weimar 1943 ff.
SGB	Der Briefwechsel zwischen Schiller und Goethe. Hrsg. von Hans Gerhard Gräf und Albert Leitzmann. 3 Bände, Leipzig 1955.
Suphan	Johann Gottfried Herder, Sämtliche Werke. Hrsg. von Bernhard Suphan. 33 Bände, Berlin 1877–1913.
WA	Goethes Werke. Hrsg. im Auftrage der Großherzogin Sophie von Sachsen. Abteilung I–IV, Weimar 1887–1919 (Weimarer Ausgabe).

Peter Müller
Glanz und Elend des deutschen „bürgerlichen Trauerspiels"

1 Die wesentliche Literatur zum Problem hat Karl S. Guthke (Das deutsche bürgerliche Trauerspiel. Stuttgart 1972, Sammlung Metzler Band 116) verzeichnet. Bei ihm findet sich auch die Auseinandersetzung mit der älteren Forschungsliteratur (Pikulik, Daunicht u. a.). Die von Guthke mehrfach betonten Unterschiede zwischen bürgerlicher und marxistischer Forschung zu diesem Thema sind auch in seiner Darstellung evident.

Vgl. deshalb: Peter Weber, Das Menschenbild des bürgerlichen Trauerspiels. Entstehung und Funktion von Lessings „Miß Sara Sampson". Berlin 1970; vgl. auch Webers Kritik der Arbeit von Pikulik. In: Weimarer Beiträge 3/1967, S. 501–509. Keine neuen Einsichten vermittelt: Klaus Weimar, Bürgerliches Trauerspiel. Eine Begriffserklärung im Hinblick auf Lessing. In: Deutsche Vierteljahrsschrift für Literaturwissenschaft und Geistesgeschichte, 2/1977.

2 Peter Szondi, Tableau und coup de theâtre. Zur Sozialpsychologie des bürgerlichen Trauerspiels bei Diderot. Mit einem Exkurs über Lessing. In: Lektüren und Lektionen. Versuche über Literatur, Literaturtheorie und Literatursoziologie. Frankfurt a. Main 1973, S. 11. Keine weiterführenden Aspekte bietet seine Arbeit „Die Theorie des bürgerlichen Trauerspiels im 18. Jahrhundert. Der Kaufmann, der Hausvater und der Hofmeister" (Hrsg. von Gert Mattenklott, mit einem Anhang über Molière von Wolfgang Fietkau. Frankfurt a. Main 1973). Den Beitrag der französischen Aufklärung zum bürgerlichen Drama hat dargestellt: Martin Fontius, Zur Ästhetik des bürgerlichen Dramas. In: Französische Aufklärung. Bürgerliche Emanzipation, Literatur und Bewußtseinsbildung. Leipzig 1974.

3 Lessing, Abhandlungen von dem weinerlichen oder rührenden Lustspiele. In: Lessing, Gesammelte Werke in zehn Bänden. Hrsg. von Paul Rilla. Berlin 1954–1958 (im folgenden zitiert als: Rilla), Band 3, S. 602.

4 Z. B. in den „Abhandlungen von dem weinerlichen oder rührenden Lustspiele"; noch prinzipieller und deutlicher in der „Hamburgischen Dramaturgie" im 14., 59., 84.–88. Stück.

5 Die ausschlaggebende Passage aus dem 59. Stück der „Hamburgischen Dramaturgie" lautet: „Desto schlimmer für die Königinnen, wenn sie wirklich nicht so sprechen, nicht so sprechen dürfen. Ich habe es lange schon geglaubt, daß der Hof der Ort eben nicht ist, wo ein Dichter die Natur studieren kann. Aber wenn Pomp und Etikette aus Menschen Maschinen macht, so ist es das Werk des Dichters, aus diesen Maschinen wieder Menschen zu machen. Die wahren Königinnen mögen so gesucht und affektiert sprechen, als sie wollen: seine Königinnen müssen natürlich sprechen. ... Nichts ist züchtiger und anständiger als die simple Natur." (Rilla, Band 6, S. 305.) Hier endet natürlich das Nachahmungsprinzip aufklärerischer Literaturauffassung, Poesie wird zum wirklichkeitsverwandelnden Gegenentwurf zur feudalen Wirklichkeit, zum Medium poetischer Rückverwandlung von Maschinen in Individuen. Der Verweis auf den auch von Lenz mehrfach gebrauchten Begriff der Maschine (Rede „Über Götz von Berlichingen") ist interessant. Solange Gesellschaftlichkeit stets nur in feudaler Prägung gedacht und erfahren werden kann, bleibt der Gegensatz Darstellung des Standes oder des Individuums als sich ausschließende Alternative bestehen.

6 Werner Krauss, Über die Konstellation der deutschen Aufklärung. In: Studien zur deutschen und französischen Aufklärung. Berlin 1963.

7 Auf sie macht Goethe rückschauend z. B. in den Lesarten zum 13. Buch von „Dichtung und Wahrheit“ aufmerksam: „Antiaristokratische Motive gewinnen die Überhand. ‚Emilie Galotti‘.“ (BA, Band 13, S. 903.)

8 „Naturalistische Epoche. Die Bürger, Bauern und dergleichen als redliche Leute, und weil man doch Schelmen braucht, so müssen die Minister, Hofleute, Justizbeamten diese Rollen übernehmen.“ (Goethe, Dichtung und Wahrheit, Lesarten zum 13. Buch; BA, Band 13, S. 902 f.)

9 Bei Guthke findet sich die Darstellung der Genreentwicklung zwischen Lessing und Hebbel (Das bürgerliche deutsche Trauerspiel).

10 Hierauf hat überzeugend hingewiesen: Jürgen Habermas, Strukturwandel der Öffentlichkeit. Untersuchungen zu einer Kategorie der bürgerlichen Gesellschaft. Neuwied und West-Berlin 1962. Zur Kritik seiner weltanschaulich-theoretischen Konzeption vgl.: Gert Mattenklott und Klaus R. Scherpe, Westberliner Projekt: Grundkurs 18. Jahrhundert. Kronberg/Ts. 1974, Band 1, S. 46 f.

11 Vgl. Weber, Das Menschenbild des bürgerlichen Trauerspiels, S. 223.

12 Vgl. Peter Müller, Dramatik am Wendepunkt der Staatengeschichte. In: Grundlinien der Entwicklung, Weltanschauung und Ästhetik des Sturm und Drang. Diss. B, Berlin 1976.

13 Zitiert nach: Sturm und Drang. Weltanschauliche und ästhetische Schriften. Hrsg. von Peter Müller. Berlin und Weimar 1978, Band 2, S. 5.

14 Vgl. dazu die Einleitung zu: Der junge Goethe im zeitgenössischen Urteil. Hrsg. von Peter Müller. Berlin 1969, S. 44.

15 Es ist meine Auffassung, daß das deutsche bürgerliche Trauerspiel seiner Problemanlage nach ein Aufklärungsgenre ist, das mit der Aufklärung entsteht und auch endet bzw. später in andere Gestaltungsformen übergeführt oder integriert wird. Zu den Kriterien des „bürgerlichen Trauerspiels“ vgl. den ersten Teil der Arbeit. Schiller führt das Genre dann in „Kabale und Liebe“ zu einem neuen Höhepunkt, bei dem es sich darüber streiten läßt, ob die Grenzen des „bürgerlichen Trauerspiels“ nicht längst überschritten sind, die selbstverständliche Zuordnung zum Aufklärungsgenre überhaupt akzeptabel ist. Dagegen sind die Argumente von Guthke für die Einbeziehung der „Maria Magdalena“ von Hebbel überzeugend.

16 Geradezu abenteuerlich erscheint heute der Interpretationsansatz bei: Benno von Wiese, Die deutsche Tragödie von Lessing bis Hebbel. Hamburg 1955.

17 Vgl. die Einleitung zu: Sturm und Drang, Band 1, besonders S. XL f.

18 Rilla, Band 9, S. 157.

19 Rilla, Band 6, S. 414–417 (82. Stück). Völlig kann ich Günter Mieths Deutung vor allem der Schlußwendung des Stückes nicht folgen („Furcht und Mitleid“ oder Bewunderung. In: Weimarer Beiträge 11/1979). Er

sieht m. E. sehr richtig den Durchbruch zur Vernunft in Emilias Handlung, bewertet deren Niederlage gegenüber dem „Gefühl" und der daraus erwachsenen Bitte um den Tod nicht zureichend.

20 Rilla, Band 6, S. 418 (82. Stück).

21 Der Prinz ist in Lessings Sicht ein vom Liebesgott Überwältigter und hierin Werther gleich. Dies ist die Konsequenz eines allgemein moralischen Menschenbildes.

22 Ganz im Sinne des eben angemerkten Allgemeinmoralischen trennt Lessing in der „Hamburgischen Dramaturgie" den Zusammenhang von Quellen und Erscheinungen feudaler Moralität ab. Vgl. das 2. Stück.

23 Zitiert nach: Der junge Goethe im zeitgenössischen Urteil, S. 160.

24 Zitiert nach: Sturm und Drang. Band 2, S. 397 f.

25 Suphan, Band 17, S. 186.

26 WA IV, Band 46, S. 287.

Wolfgang Stellmacher

Die Neuentdeckung des Komischen in der Dramatik des Sturm und Drang

1 Zum Begriff und Problem des „Menschen- und Weltbefreiungsstücks" vgl.: Gerhard Scholz, Der Dramenstil des Sturm und Drang im Lichte der dramaturgischen Arbeiten des jungen Schiller: Stuttgarter Aufsatz 1782 und Mannheimer Rede 1784. Diss. Rostock 1957. Vgl. ferner: Gerhard Scholz, Faust-Gespräche. Berlin 1967.

2 BA, Band 13, S. 527.

3 Der revolutionäre Charakter und die internationale Verankerung des Sturm und Drang sind von der humanistischen bürgerlichen Literaturwissenschaft klar erkannt und hervorgehoben worden. So spricht Rosanow in seiner Lenz-Monographie vom „gesamteuropäischen Charakter" der Sturm-und-Drang-Bewegung, die „ihrem Wesen nach als ein Abglanz jener Gärung (erscheint), die der großen französischen Revolution voranging und die führenden Nationen Europas in der Opposition gegen die alte politisch-soziale und literarische Ordnung vereinte". (M. N. Rosanow, Jakob M. R. Lenz, der Dichter der Sturm-und-Drang-Periode. Sein Leben und seine Werke. Leipzig 1909, S. 7 f.)

4 BA, Band 13, S. 525.

5 BA, Band 13, S. 900 f.

6 Vgl. Goethes Schema zum 17. Buch von „Dichtung und Wahrheit": „Foyers des Freiheitssinnes. Städte, Genf. Insel Corsica. Paolis Schicksal ent[schieden]. Grothius. Paoli geht durch Frank[furt] 1769. Nordamerika. Washington." (BA, Band 13, S. 913.)

7 BA, Band 13, S. 575.

8 Die Struktur des komischen Konflikts hat zuerst Friedrich Georg Jünger (Über das Komische, Berlin 1936) untersucht. Jünger stellt die Einheit

von Provokation und Replik, die Unebenbürtigkeit der Konfliktpartner und die schließliche „Umkehr“ der Machtverhältnisse durch das Erlangen eines „entschiedenen Übergewichts“ der anfangs unterlegenen Partei als Grundelemente des komischen Konflikts dar. Die Vorgaben Jüngers hat Gerhard Scholz weiterentwickelt, indem er auf der Grundlage des historischen Materialismus die Fähigkeit des komischen Konfliktmodells zum Reflex sozialer und gesellschaftlicher Kämpfe untersuchte (Gerhard Scholz, Zur Charakteristik des Komischen. In: Beiträge zur deutschen Gegenwartsliteratur 9/1955).

9 Vgl. Juri Borew, Über das Komische. Berlin 1960, S. 92 f.

10 Vgl. Georgina Baum, Humor und Satire in der bürgerlichen Ästhetik. Berlin 1959, besonders S. 7–35.

11 Vgl. Borew, Über das Komische, S. 105 f.

12 Die komischen Helden waren sogar dann, wenn der Autor phantastische oder längst vergangene Gegenstände gestaltete, immer auf das engste mit der Zeit des Autors verbunden. Aristophanes griff mit seinen Komödien in bestimmte Auseinandersetzungen innerhalb der griechischen Polis ein, und Vergleichbares taten zu ihrer Zeit Plautus, Shakespeare und Molière mit ihren komischen Bühnenwerken. Engels hebt an Shakespeares Komödien hervor, daß sie unverwechselbar im nationalen Leben Englands zur Zeit des Dichters wurzeln (Marx/Engels, Über Kunst und Literatur, Berlin 1948, S. 465). Mehring hebt in einer polemischen Auseinandersetzung mit der spätbürgerlichen Literaturwissenschaft den gleichen Gesichtspunkt am Beispiel des „Geizigen“ von Molière hervor (Franz Mehring, Beiträge zur Literaturgeschichte. Berlin 1948, S. 17).

13 Vgl. Suphan, Band 2, S. 231.

14 Vgl. Mary Beare, Die Theorie der Komödie von Gottsched bis Jean Paul. Diss. Bonn 1928, S. 33 und 42.

15 Vgl. Borew, Über das Komische, S. 60 f.

16 Vgl. ebenda, S. 110 f.

17 Vgl. Wolfgang Heise, Hegel und das Komische. In: Sinn und Form 6/64, S. 824.

18 Jakob Michael Reinhold Lenz, Gesammelte Schriften. Hrsg. von Franz Blei. 5 Bände, München und Leipzig 1909–1913, Band 1, S. 235.

19 Kunsttheoretische Schriften und Übersetzungen; BA, Band 17, S. 716.

20 Vgl. Heise, Hegel und das Komische. In: Sinn und Form 6/64.

21 BA, Band 13, S. 902 f.

22 BA, Band 13, S. 311.

23 Vgl. Scholz, Der Dramenstil des Sturm und Drang . . ., S. 104.

24 Vgl. Wolfgang Stellmacher, Nachwort zu: G. E. Lessing, Frühe Komödien. Leipzig 1979, S. 411–428.

25 Zahlreiche „Vorberichte“ oder „Vorreden“ zu einzelnen Theaterstücken oder zu dramatischen Gesamtausgaben zeugen davon. Siehe die Belege

bei: Roland Mortier, Diderot in Deutschland. 1750–1850. Stuttgart o. J. (Neudruck der Ausgabe von 1972).

26 Denis Diderot, Ästhetische Schriften. 2 Bände, Berlin 1967, Band 1, S. 268.

27 Vgl. Wolfgang Stellmacher, Herders Shakespeare-Bild. Berlin 1978, S. 235 und 311 f.

28 Louis-Sébastien Mercier, Neuer Versuch über die Schauspielkunst. Faksimiledruck der Ausgabe von 1776 in der Übersetzung von Wagner. Heidelberg 1967, S. 2 (Einleitung).

29 Vgl. SNA, Band 20, S. 92 ff.

30 Vgl. Wolfgang Schaer, Die Gesellschaft im deutschen bürgerlichen Drama des 18. Jahrhunderts. Bonn 1963, S. 180 f.

31 Briefe von und an Lenz. Hrsg. von Karl Freye und Wolfgang Stammler. 2 Bände, Leipzig 1918, Band 1, S. 115.

32 Lenz, Gesammelte Schriften, Band 2, S. 333.

33 Ebenda, S. 334.

34 Vgl. Suphan, Band 2, S. 224. – Auf die in der Geschichte des komischen Volkstheaters verborgenen Schätze war auch Lessing schon aufmerksam geworden (vgl. Richard Daunicht, Lessing im Gespräch. Berichte und Urteile von Freunden und Zeitgenossen. München 1971, S. 77 f., 182 f., 203, 249 und 445 f.), während Hamann in den „Kreuzzügen des Philologen“ (1762) die vitale Kraft der niederen Komik gepriesen hatte. Justus Mösers Abhandlung „Harlequin oder Vertheidigung des Groteske-Komischen“ (1761) bot zum erstenmal eine Konzeption der künstlerischen Reaktivierung des Grotesk-Komischen an.

35 Vgl. Hermann Reich, Der Mimus. Berlin 1903.

36 WA IV, Band 2, S. 66.

37 Vgl. BA, Band 13, S. 769 f.

38 Suphan, Band 2, S. 217.

39 Suphan, Band 4, S. 475.

40 Suphan, Band 4, S. 433.

41 Suphan, Band 32, S. 76.

42 Suphan, Band 32, S. 74.

43 Vgl. Werner Rieck, Literatursatire im Sturm und Drang. Wissenschaftliche Zeitschrift der PH Potsdam 13/1969, S. 547 f.

44 Neue Erkenntnisse darüber vermittelt die Studie von: André Müller, Meint Shylock einen Juden? Oder: Die Rückgewinnung einer Komödie. Sinn und Form 1/1978, S. 143–170.

45 Belege dafür in: Auseinandersetzung mit Shakespeare. Texte zur deutschen Shakespeare-Aufnahme von 1740 bis zur französischen Revolution. Bearbeitet und eingeleitet von Wolfgang Stellmacher. Berlin 1976.

46 Suphan, Band 5, S. 217.

47 Suphan, Band 5, S. 218.

48 Lenz, Gesammelte Schriften, Band 1, S. 255.

49 Suphan, Band 5, S. 242.

50 Vgl. Zum Schäkespears Tag; BA, Band 17, S. 187.
51 Vgl. Stellmacher, Herders Shakespeare-Bild, besonders S. 163–167 und 229–249.
52 Gotthold Ephraim Lessing, Sämtliche Schriften. Hrsg. von Karl Lachmann. 3., neu durchgesehene Ausgabe von Franz Muncker. 21 Bände, Berlin 1886–1907, Band 9, S. 402.
53 Lenz, Gesammelte Schriften, Band 1, S. 252.
54 Suphan, Band 23, S. 393.
55 Eine solche Meinung klingt an im Interpretationsteil, den Walter Hinck seiner Ausgabe des „Neuen Menoza" in der Reihe „Komedia. Deutsche Lustspiele vom Barock bis zur Gegenwart" (Band 9, Berlin[West] 1965) angefügt hat. Vgl. S. 78.
56 Vgl. Walter Hinck, Das deutsche Lustspiel des 17. und 18. Jahrhunderts und die italienische Komödie. Stuttgart 1965, S. 320 f. und 328.
57 Vgl. Gert Mattenklott/Klaus R. Scherpe, Westberliner Projekt: Grundkurs 18. Jahrhundert, Literatur im historischen Prozeß. Band 4/1, Kronberg/Ts. 1974, S. 183.
58 Vgl. Werner Krauss, Zur Konstellation der deutschen Aufklärung. In: Die Französische Aufklärung im Spiegel der deutschen Literatur des 18. Jahrhunderts. Berlin 1963, S. 67 (Einleitung).
59 Mercier, Neuer Versuch über die Schauspielkunst, S. 200.
60 Ebenda, S. 53.
61 Ebenda, S. 81.
62 Die Begriffe der „heroischen Illusion" und der „Selbsttäuschungen" benutzt Marx am Beginn seiner Schrift „Der achtzehnte Brumaire des Louis Bonaparte" zur Charakterisierung der revolutionären bürgerlichen Ideologie des 18. Jahrhunderts (MEW, Band 8, S. 116).
63 Vgl. Mercier, Neuer Versuch über die Schauspielkunst, S. 154 f.
64 Ebenda, S. 157.
65 Ebenda, S. 178 f.
66 Vgl. ebenda, S. 144, 149 ff., 182 ff.
67 Ebenda, S. 124.
68 Ebenda, S. 138 f.
69 Vgl. die Angaben bei: Rosanow, Jakob M. R. Lenz ..., S. 140.
70 Mercier, Neuer Versuch über die Schauspielkunst, S. 271.
71 Ebenda, S. 273.
72 Goethe bemerkt in seinem Aufsatz „Französisches Haupttheater" (1828) unter der Rubrik „Älteres Herkommen": „Der Franzos will nur ‚*eine Krise*'." (BA, Band 17, S. 172.)
73 Diderot, Ästhetische Schriften, Band 1, S. 246.
74 SNA, Band 23, S. 77.
75 Der preußische König Friedrich II. erkannte in seinem Sendschreiben „Über die deutsche Literatur" (1780) die ästhetische Eigenart und gesellschaftliche Tendenz der Sturm-und-Drang-Dramatik durchaus scharf-

sichtig, wenn er gerade gegen das auf eine plebejische Tradition weisende Marionettenspielartige der im Zeichen Shakespeares entstehenden bürgerlichen Dramatik in Deutschland zu Felde zog. Vgl. Friedrich der Grosse, De la littérature Allemande. Französisch-deutsch. Mit der Möserschen Gegenschrift. Hamburg 1969, S. 100.

76 Vgl. Marx/Engels/Lenin, Über Kultur, Ästhetik, Literatur. Leipzig 1969, S. 630.

77 Vgl. Rosanow, Jakob M. R. Lenz ..., S. 282. Rosanow verweist in diesem Zusammenhang auch auf den Stückentwurf von Lenz „Graf Heinrich, eine Haupt- und Staatsaktion", der die produktive Beschäftigung mit der Dramaturgie der Haupt- und Staatsaktionen direkt belegt.

78 BA, Band 13, S. 770.

Hedwig Voegt
Schwarze Brüder

1 Erstmalig wieder abgedruckt in: Georg Kerner. Jakobiner und Armenarzt. Reisebriefe, Berichte, Lebenszeugnisse. Hrsg. von Hedwig Voegt. Berlin 1978. S. 365–368.

2 Johann Gottfried Herder, Briefe zu Beförderung der Humanität. Berlin und Weimar 1971. Band 2. Zehnte Sammlung 1797. 114. Humanitätsbrief, S. 233–248.

3 Georg Friedrich Rebmann, Hanskiekindiewelts Reisen in alle vier Weltteile und andere Schriften. Hrsg. von Hedwig Voegt. Berlin 1958.

4 Ebenda, S. 97.

5 Ebenda, S. 108.

6 Ebenda, S. 109.

7 Vgl. Einleitung zu: Kerner, Jakobiner und Armenarzt.

8 Vgl. Anm. 1.

9 Ebenda, S. 368.

10 Anna Seghers, Die Hochzeit auf Haiti. In: Seghers, Der Bienenstock. Berlin 1953. Band 1, S. 427 f.

11 Interview in: „Die Weltbühne". 16. Mai 1978. Nr. 20, S. 627. – Inzwischen sind die zweiten Karibischen Erzählungen „Drei Frauen aus Haiti" erschienen (Berlin und Weimar 1980).

Hans-Dietrich Dahnke
Schönheit und Wahrheit

1 Jürgen Kuczynski/Wolfgang Heise, Bild und Begriff. Studien über die Beziehungen zwischen Kunst und Wissenschaft. Berlin und Weimar 1975, S. 384.

2 Martin Fontius, Zur Ideologie der Kunstperiode. In: Weimarer Beiträge, 2/1977, S. 19 ff.; in weniger zugespitzter und überzogener, aber in den entscheidenden Punkten die gleiche Position vertretender Darlegung das Kapitel „Produktivkraftentfaltung und Autonomie der Kunst. Zur Ablösung ständischer Voraussetzungen in der Literaturtheorie" in: Literatur im Epochenumbruch. Funktionen europäischer Literaturen im 18. und beginnenden 19. Jahrhundert. Hrsg. von Günther Klotz, Winfried Schröder und Peter Weber. Berlin und Weimar 1977.

3 Was kann eine gute stehende Schaubühne eigentlich wirken? In: SNA, Band 20, Weimar 1962, S. 87 ff. (die Zitate S. 95–100).

4 Schillers Briefe. Hrsg. von Fritz Jonas. Band 2, Stuttgart/Leipzig/Berlin/Wien o. J., S. 1–4.

5 Ebenda, S. 6 f.

6 Ebenda, S. 17.

7 Ebenda, S. 29 f.

8 SNA, Band 1, Weimar 1943, S. 190–195. Der Aufsatz bezieht sich ausschließlich auf die erste Fassung des Gedichts von 1788 und läßt die später im Zusammenhang mit der neuen Ausgabe der Gedichte 1800 vollzogene Überarbeitung außer Betracht. Vgl. zu dieser zweiten Fassung: Oskar Fambach, Schiller und sein Kreis. Berlin 1957, S. 70.

9 Vgl. die Materialien der Spinoza-Debatte in: Die Hauptschriften zum Pantheismusstreit zwischen Jacobi und Mendelssohn. Hrsg. von Heinrich Scholz. Berlin 1916, und Dichtung und Wahrheit, 15. Buch; BA, Band 13, S. 687.

10 Vgl. die Materialien in: Fambach, Schiller ...

11 SNA, Band 1, S. 170.

12 Fambach, Schiller ..., S. 52.

13 Ebenda.

14 Ebenda.

15 SNA, Band 1, S. 111.

16 SNA, Band 20, S. 107 ff.

17 Fambach, Schiller ..., S. 52.

18 Ebenda, S. 43.

19 Ebenda.

20 Ebenda, S. 66 f.

21 SNA, Band 1, S. 201–214.

22 BA, Band 19, S. 77 ff.

23 Der Wortlaut im 9. der „Erziehungs"-Briefe: „Ehe noch die Wahrheit ihr siegendes Licht in die Tiefen der Herzen sendet, fängt die Dichtungskraft ihre Strahlen auf, und die Gipfel der Menschheit werden glänzen, wenn noch feuchte Nacht in den Tälern liegt." (SNA, Band 20, S. 334.)

24 SNA, Band 22, Weimar 1958, S. 245–264 (die Zitate S. 245 und 246).

Der vorliegende Aufsatz ist die überarbeitete Fassung eines Vortrags, den der Verfasser im Dezember 1976 am Germanistischen Institut der Universität Nizza gehalten hat.

1 Vgl. Dichtung und Wahrheit, 5. Buch; BA, Band 13.

2 BA, Band 13, S. 560.

3 Eingehende Darstellung zuerst bei Ernst Beutler: Der Frankfurter Faust. Jahrbuch des Freien Deutschen Hochstifts (Frankfurt a. M. 1936–1940). Halle a. d. S. 1940.

4 Dichtung und Wahrheit, 10. Buch; BA, Band 13, S. 446.

5 An Wilhelm von Humboldt; WA IV, Band 49, S. 282.

6 Alle Zitate aus dem „Urfaust" nach: BA, Band 8, S. 5–67. Sie werden nicht im einzelnen belegt.

7 Über die zunehmende Entstellung des Goetheschen Faust durch die vorherrschenden Deutungen vor allem zwischen 1860 und 1920 vgl.: Hans Schwerte. Faust und das Faustische. Ein Kapitel deutscher Ideologie. Stuttgart 1962. Die vielleicht bedeutendste praktische Kritik hat vor ihm Brecht mit den von ihm inspirierten Urfaustaufführungen zu Beginn der fünfziger Jahre geleistet. Die vorliegende Studie ist aus der Aufnahme und Auseinandersetzung mit dieser Kritik hervorgegangen.

8 Vgl. die Anmerkungen zu „Caesar" von Hanna Fischer-Lamberg. In: Der Junge Goethe. Neu bearbeitete Ausgabe in fünf Bänden. Berlin 1963, Band 2, S. 330.

9 BA, Band 19, S. 53.

10 Wolfgang Heise nennt die Brutus-Charakteristik ein „heroisches Zukunftsbild, das gerade wegen seiner direkten politischen Größe poetisch nicht realisierbar, nur geheimes Erkennungszeichen ist" (Wolfgang Heise, Bemerkungen zur Funktion und Methode der Antikerezeption in der klassischen deutschen Literatur. In: Wissenschaftliche Zeitschrift der Friedrich-Schiller-Universität Jena, Gesellschaftswissenschaftliche Reihe. 18. Jg., 4/1969, S. 53).

11 Auf die Mythe als „Sujet und Medium", die „die weltanschauliche Verallgemeinerung und poetische Objektivierung der eigenen individuellen und weltanschaulichen Emanzipation" ermöglichte, geht Heise gleichfalls in dem erwähnten Aufsatz ein (ebenda, S. 53).

12 Wielands Gesammelte Schriften. Hrsg. von Wilhelm Kurrelmeier. Berlin 1951. Abteilung I, Werke, Band 9, S. 415.
Daß Goethe insbesondere auf Wielands „Briefe an einen Freund über das deutsche Singspiel Alceste" reagierte, bestätigen nicht nur die Anspielungen, sondern die durchgehende Polemik gegen Wielands Hauptthesen in Goethes Farce.

13 Götter, Helden und Wieland; BA, Band 5, S. 188 und 190.
14 BA, Band 5, S. 193.
15 BA, Band 5, S. 193.
16 BA, Band 5, S. 193.
17 BA, Band 5, S. 184.
Wielands Zuweisung zur „Hofpartei" wird auch an anderer Stelle insinuiert, wenn er Alceste als „Meine Fürstin" anredet und von ihr zur Antwort erhält: „Ihr solltet wissen, daß Fürsten hier nichts gelten." (S. 187)
18 BA, Band 7, S. 13. Goethe läßt die Kritik indirekt durch Martin aussprechen: „. . . und mir kommt nichts beschwerlicher vor, als nicht Mensch sein zu dürfen. Armut, Keuschheit und Gehorsam! Drei Gelübde, deren jedes einzeln betrachtet der Natur das unausstehlichste scheint; so unerträglich sind sie alle."
19 BA, Band 17, vor allem die Aufzählung S. 246.
20 BA, Band 19, S. 67.
21 Hegel. Theorie Werkausgabe. Frankfurt a. M. 1970, Band 11, S. 565.
22 Goethe. Die Schriften zur Naturwissenschaft. Bearbeitet von D. Kuhn und W. von Engelhardt. Abteilung I, Band 11, Weimar 1970. S. 4.
23 BA, Band 15, S. 672.
24 WA IV, Band 2, S. 46.
25 Vgl. BA, Band 12, S. 514, die Ausführungen Seytons.
26 Clavigo; BA, Band 5, S. 244.
27 Mephistos Wort „Sie ist die erste nicht!" (BA, Band 8, S. 62) findet seine Entsprechung in Carlos „sie ist nicht das erste verlaßene Mädchen" (BA, Band 5, S. 210), so wie Carlos Aufforderungen, sich „gelassen über Verhältnisse hinauszusetzen, die gemeine Menschen ängstigen", in Fausts Vorwurf gegen Mephisto wiederkehrt: „. . . du grinsest gelassen über das Schicksal von Tausenden hin" (BA, Band 8, S. 62).
28 BA, Band 5, S. 313 (aus dem Erstdruck von 1776).
29 BA, Band 5, S. 314.
30 BA, Band 4, S. 116.
31 Der Briefwechsel zwischen Goethe und Zelter. Leipzig 1915, Band 2, S. 60.
32 Ebenda.
33 Ebenda.
34 Ebenda.
35 Von deutscher Baukunst; BA, Band 19, S. 34.
36 Merck an Nicolai, 19. Januar 1776. In: Goethe über seine Dichtungen. Hrsg. von Hans Gräf. Band 4, Frankfurt a. M. 1904. S. 21.
37 Goethe an Schiller, 22. Juni 1797; WA IV, Band 12, S. 167.
38 Goethe an Aloys Hirt, 30. Januar 1798; WA IV, Band 13, S. 46.
39 Goethe an Johann Friedrich Frh. von Cotta, 2. Januar 1799; WA IV, Band 14, S. 1.

Hans Jürgen Geerdts
Goethe: „Ich saug' an meiner Nabelschnur"

1 BA, Band 19, S. 482.
2 Vgl. auch: Hans Jürgen Geerdts, Meeressymbolik in Goethes Schaffen. In: Studien zur Literaturgeschichte und Literaturtheorie. Hrsg. von H.-G. Thalheim und U. Wertheim. Berlin 1970.
3 Vgl. auch: Hans Jürgen Geerdts, Zu Hölderlins Gedicht „Hälfte des Lebens". In: Wissenschaftliche Zeitschrift der Ernst-Moritz-Arndt-Universität Greifswald, Gesellschafts- und sprachwissenschaftliche Reihe, Nr. 5/6 1962.

Hans Richter
Die Stimme der Frau in Goethes Gedicht

1 Vgl. Helmut Sakowskis Diskussionsrede auf dem VIII. Schriftstellerkongreß der DDR. In: Neue deutsche Literatur 9/1978, S. 175.
2 Eberhard Panitz, Frauensprache, Frauenliteratur. In: Neue deutsche Literatur, 2/1978, S. 71.
3 Ebenda.
4 Vgl. Franz Carl Endres, Kulturgeschichte der Frau. Berlin 1942, S. 495.
5 Vgl. Theodor Lessing, Weib Frau Dame. München 1910, S. 60.
6 Panitz, Frauensprache, Frauenliteratur. In: Neue deutsche Literatur, 2/1978, S. 74.
7 Goethes Briefwechsel mit Georg und Caroline Sartorius. Weimar 1931, S. 84.
8 Heinrich Mann 1871–1950. Werk und Leben in Dokumenten und Bildern. Berlin und Weimar 1971, S. 107.
9 Peter Hacks, Ausgewählte Dramen 2. Berlin und Weimar 1976, S. 419.
10 BA, Band 1, S. 20.
11 BA, Band 1, S. 20.
12 BA, Band 3, S. 96.
13 BA, Band 2, S. 69.
14 Hanns Schukart, Gestaltungen des Frauen-Bildes in deutscher Lyrik. Bonn 1933, S. 6.
15 Vgl. Hans Kaufmann, Heinrich Heine. Geistige Entwicklung und künstlerisches Werk. Berlin und Weimar 1970, S. 173 ff.
16 BA, Band 2, S. 45.
17 BA, Band 4, S. 263 f.
18 Vgl. den Brief Goethes vom 6. März 1779 an Charlotte von Stein.
19 BA, Band 1, S. 454.
20 BA, Band 1, S. 454.
21 Gottfried August Bürger, Mollys Wert. Zitiert nach: BA, Band 2, S. 641.

22 BA, Band 2, S. 102.
23 Vgl. BA, Band 4, S. 230 f.
24 Wolfgang Vulpius, Christiane. Lebenskunst und Menschlichkeit in Goethes Ehe. Weimar 1965, S. 147.
25 Ebenda.
26 Vgl. Geschichte der deutschen Literatur von den Anfängen bis zur Gegenwart. Band 7: Geschichte der deutschen Literatur 1789 bis 1830. Berlin 1978, S. 181 ff.
27 Vgl. SGB, Band 2, S. 8 (Goethe an Schiller, 6. Januar 1798), und Band 3, S. 101 f.
28 BA, Band 1, S. 192.
29 Christiane an Goethe, 30. Mai 1798. In: Goethes Ehe in Briefen. Leipzig 1966, S. 140.
30 BA, Band 1, S. 195.
31 BA, Band 1, S. 195.
32 BA, Band 1, S. 278.
33 Hans-Jürgen Schlütter, Goethes Sonette. Anregung Entstehung Intention. Bad Homburg v. d. H., Berlin, Zürich 1969, S. 105.
34 BA, Band 3, S. 87.
35 BA, Band 3, S. 103.
36 BA, Band 3, S. 108.
37 BA, Band 3, S. 99.
38 Hans Kaufmann, Analysen, Argumente, Anregungen. Berlin 1973, S. 81.
39 BA, Band 2, S. 32.
40 BA, Band 2, S. 98.
41 BA, Band 3, S. 87.
42 Johann Peter Eckermann, Gespräche mit Goethe. Leipzig 1968, S. 271.
43 Vgl. Aus meinem Leben. Dichtung und Wahrheit, 5. Buch; BA, Band 13, S. 228 ff.
44 BA, Band 3, S. 96.
45 BA, Band 3, S. 154.

Walter Dietze
Libellus Epigrammatum

1 Vgl. dazu die beiden Distichenepigramme „Feldlager in Schlesien" und „Friedrichsgrube bei Tarnowitz". In: PA, Band 6, S. 7.
2 Zur Entstehungsgeschichte vgl.: BA, Band 1, S. 842 ff. – Den Ausdruck „Libellus Epigrammatum" für die Venetianischen Epigramme benutzt Goethe in mehreren Briefen, die zu Beginn seines zweiten Aufenthalts in Venedig geschrieben wurden. Vgl. bes.: Goethe an Karl August, 3. April 1790; an Herder vom gleichen Tage („ein Buch Epigrammen"). Aber auch später taucht die Bezeichnung noch auf, z. B. an Knebel vom 9. Juli 1790.

3 Die Sekundärliteratur ist wenig umfangreich und mit seltenen Ausnahmen nicht eben tiefschürfend. Abgesehen von zwei älteren, heute kaum mehr aussagekräftigen Titeln (Carl August Hugo Burkhardt, Die ältesten venetianischen Epigramme Goethe's. In: Die Grenzboten. Zeitschrift für Politik, Literatur und Kunst, 31. Jg. 1872, Nr. 46, S. 274–277, und Adolphe Bossert, Les Epigrammes Vénetiennes de Goethe. In: Bossert, Essais de littérature française et allemande. Paris 1913, S. 65–80) liegen die wichtigsten einschlägigen Publikationen zu unserem Thema am Ende der zwanziger und in den dreißiger Jahren unseres Jahrhunderts. Vor allem vier Arbeiten sind auch heute noch von Bedeutung: Ernst Maaß, Die „Venezianischen Epigramme". In: Jahrbuch der Goethe-Gesellschaft, Band 12, 1926, S. 68–92 (im folgenden: JGG). – Johanna Jarislowsky, Der Aufbau in Goethes „Venezianischen Epigrammen". In: JGG, Band 13, 1927, S. 87–95. – Max Nußberger, Goethes Venezianischen Epigramme und ihr Erlebnis. In: Zeitschrift für Deutsche Philologie, 55. Jg. 1930, S. 379 bis 389 (im folgenden: ZfdPh). – Erwin Jahn, Ein Buch des Unmuts (Goethes Venezianische Epigramme). In: Goethe-Jahrbuch. Die Goethe-Gesellschaft in Japan (Tokio). Band 6, 1937, S. 11–47. Der in diesen Arbeiten erreichte Forschungsstand ist von Untersuchungen jüngeren Datums leider nur unwesentlich bereichert worden.

4 Gleich nach seiner Rückkehr von der ersten Italienreise (1786/88) hatte Goethe mehr oder weniger systematisch damit begonnen, seine neugewonnenen ästhetischen Erfahrungen in einer Reihe von theoretischen Essays niederzulegen, so etwa in dem fundamentalen Aufsatz „Einfache Nachahmung der Natur, Manier, Stil".

5 Neben dem einen oder anderen günstigen Urteil zogen die „Venetianischen Epigramme" auch viel Polemik und manche Diatribe auf sich. Nachdem Wilhelm von Humboldt mehrfach metrische Unebenheiten kritisiert hatte, entschloß sich Goethe, die Epigramme vor der Aufnahme in seine „Neuen Schriften" einer kritischen Überprüfung durch August Wilhelm Schlegel unterziehen zu lassen. Die Vorschläge, die dieser machte, führten dann zu einer partiellen Überarbeitung und Verbesserung. Aber noch am 7. August 1799 (PA, Band 13, S. 61) bemerkt Goethe durchaus selbstkritisch in einem Brief an Schiller: „Die Epigramme sind, was das Silbenmaß betrifft, am liederlichsten gearbeitet..." – Wesentlich schwieriger war es für Goethe und Schiller, einige inhaltliche Argumente abzuwehren; sie schienen schon damals in dem geringen Maß künstlerischer Vollendung der Epigramme ein Kriterium innerer Gebrochenheit zu ahnen. Ein solches Argument ist z. B. ein Klopstocksches Distichon mit dem Titel „Das Urteil", in dem die Sprache selbst das Wort ergreift. Sie meint:

Goethe! du dauerst dich, daß du mich schreibest? Wenn du mich kenntest,
Wäre dir nicht Gram. Goethe, du dauerst mich auch!

Einige der deutschen Frühromantiker machten oft kritisch auf das Verhältnis zwischen „Römischen Elegien“ und „Venetianischen Epigrammen“ aufmerksam. Von diesem Verhältnis, das sie nicht anders als einen unaufgelösten Widerspruch sehen konnten, berichtet noch eine Briefstelle (Schiller an Goethe, 25. Juli 1796. In: Schillers Sämtliche Werke. Horen-Ausgabe. Hrsg. von Conrad Höfer. München und Leipzig o. J., Band 13, S. 130): „Von Baggesen spukt ein Epigramm aus meinen Musenalmanach, worin die Epigramme übel wegkommen sollen. Die Pointe ist, daß, ‚nachdem man erst idealische Figuren an dem Leser vorübergehen lassen, endlich ein venetianischer Nachttopf über ihm ausgeleert wurde‘. – Das Urteil wenigstens sieht einem begossenen Hunde sehr ähnlich.“ Wilhelm von Humboldt berichtete seinerseits nach dem Erscheinen des „Musenalmanachs“ aus Berlin an Schiller folgendes (29. Dezember 1795; zitiert nach: BA, Band 1, S. 844): „Der ‚Musenalmanach‘ ist jetzt in allen Händen ... Wie es scheint, wird er entsetzlich gekauft. ... In Rücksicht auf Goethe werde ich auch oft gefragt, warum er soviel teils Schlechtes, teils Unvollendetes ins Publikum gibt. ... Allein was das Unvollendete betrifft, wie z. B., ich gestehe es offenherzig, ein sehr großer Teil der ‚Epigramme‘, so kann mir ihre Publikation doch nicht leid tun. Setzt man nur den Unterschied zwischen *Machen* und *Publizieren* gehörig fest, so muß der wahre Schriftsteller zwar nichts anders als das Vollendete machen wollen, aber es wäre schade, glaube ich, wenn er zu keusch sein wollte, das, was er einmal nicht weiter vollenden kann, ganz zu unterdrücken.“

6 „Seid doch nicht so frech, Epigramme!“ Warum nicht? Wir sind
Nur Überschriften: Die Welt hat die Kapitel des Buchs.
Diese und alle folgenden Zitationen der Epigrammtexte nach: PA, Band 6, S. 265–281. Die Texte aus der anschließend dort abgedruckten „Nachlese“ (S. 282–287) sind am Ende jeweils mit einem + gekennzeichnet.

7 Dies im Gegensatz zu Johanna Jarislowsky, die einen ganz untauglichen Versuch unternommen hatte, für diese Epigramme eine beabsichtigte, streng und bewußt gliedernde ästhetische Komposition nachzuweisen. Allein schon die Unübersichtlichkeit der am Schluß dieser Untersuchung (Der Aufbau in Goethes ‚Venetianischen Epigrammen‘. In: JGG, Band 13, S. 95) aufgestellten „Schemata“ könnte als Beweis für die falsche, irreführende Fragestellung Jarislowskys angesehen werden – Goethe selbst hat sich dem Problem der Auswahl und Zusammenstellung einzelner Epigramme für etwaige Publikationen stets unvoreingenommen und ziemlich bedenkenlos genähert. Nachdem in den Berliner „Deutschen Monatsheften“ 1791 unter dem Titel „Sinngedichte“ mit Goethes Namen 24 Epigramme erschienen waren, tritt Schiller mit der Bitte um poetische Beiträge auf. Goethe antwortet ihm unter dem Datum des 26. Oktober 1794: „Wegen des Almanachs werde ich Ihnen den Vorschlag tun: ein Büchelchen Epigrammen ein- oder anzurücken. Getrennt bedeuten sie nichts, wir würden aber wohl aus einigen Hunderten, die mitunter nicht producibel sind, doch eine Anzahl auswählen können, die sich aufeinander be-

ziehen und ein Ganzes bilden. Das nächstemal, daß wir zusammenkommen, sollen Sie die leichtfertige Brut im Neste beisammen sehen." Am 17. August 1795 sendet Goethe die Zusammenstellung und bemerkt: „Hier schicke ich Ihnen endlich die Sammlung Epigramme, auf einzelnen Blättern, numeriert, und der bessern Ordnung willen noch ein Register dabei, meinen Namen wünschte ich aus mehreren Ursachen nicht auf den Titel. Mit den Mottos halte ich vor ratsam auf die Antiquität hinzudeuten. – Bei der Zusammenstellung habe ich zwar die zusammengehörigen hintereinander rangiert, auch eine gewisse Gradation und Mannigfaltigkeit zu bewirken gesucht, dabei aber, um alle Steifheit zu vermeiden, vornherein, unter das venezianische Lokal, Vorläufer der übrigen Arten gemischt. Einige, die Sie durchstrichen hatten, habe ich durch Modifikation annehmlich zu machen gesucht. ... Haben Sie sonst noch ein Bedenken, so teilen Sie mir es mit, wenn es die Zeit erlaubt, wo nicht, so helfen Sie ihm selbst ohne Anstand ab." (PA, Band 9, S. 77, und Band 10, S. 234.)

8 Goethe an Herder, 3. April 1790, und an Karl August vom selben Tag; PA, Band 6, S. 255 f.

9 Epigramm 77 als Selbstbefragung mit bestätigender Antwort:
„Mit Botanik gibst du dich ab? mit Optik? Was tust du?
  Ist es nicht schönrer Gewinn, rühren ein zärtliches Herz?"
Ach, die zärtlichen Herzen! ein Pfuscher vermag sie zu rühren;
  Sei es mein einziges Glück, dich zu berühren, Natur!
Epigramm 78 als Anti-Newton-Polemik:
Weiß hat Newton gemacht aus allen Farben. Gar manches
Hat er euch weisgemacht, daß ihr ein Säkulum glaubt. ...

10 Ein genauer und kenntnisreicher Nachweis von direkten oder indirekten Rückbezügen Goethes auf Catull, Virgil, Horaz, Properz und Martial bei: Maaß, Die „Venetianischen Epigramme". In: JGG, Band 12.

11 Diese Anrufung gehört zu den gelungensten, den schönsten Versen dieser Epigrammatik:
Kaum an dem blaueren Himmel erblickt ich die glänzende Sonne,
  Reich, vom Felsen herab, Efeu zu Kränzen geschmückt,
Sah den emsigen Winzer die Rebe der Pappel verbinden,
  Über die Wiege Virgils kam mir ein laulicher Wind:
Da gesellen die Musen sich gleich zum Freunde; wir pflogen
  Abgerißnes Gespräch, wie es den Wanderer freut.

12 PA, Band 6, S. 26 f.

13 Das Gedicht „Gefunden" („Ich ging im Walde so für mich hin ...") entstand am 26. August 1813. Goethe, der sich sonst sehr damit zurückhielt, an Christiane Verse zu schicken, die er selbst geschrieben hatte, übersandte ihr dieses Gedicht, mit dazugesetztem Datum, als Erinnerung an den Tag, da beide vor fünfundzwanzig Jahren zueinander gefunden hatten.

14 Goethe an Karl August, 3. April 1790; vgl. Anmerkung 8.

15 Im vierten der „Venetianischen Epigramme"; vgl. das Zitat auf S. 184. – Von dieser „Faustine" war in den „Römischen Elegien" (XVIII) die Rede gewesen (PA, Band 6, S. 35). – Zum folgenden vgl. vor allem die Epigramme 67 bis 70.

16 Dazu genauer: Wolfdietrich Rasch, Die Gauklerin Bettine. Zu Goethes „Venetianischen Epigrammen". In: Aspekte der Goethe-Zeit. Hrsg. von Stanley A. Corngold, Michael Curschmann und Theodore J. Ziolkowski. Göttingen (1977), S. 115–136. – Rasch, der mit Recht gegen die in der Goethe-Literatur weitverbreitete Geringschätzung polemisiert (und dafür gute Belege bei Eduard von der Hellen, Max Nußberger oder Emil Staiger aufspürt), überspannt den Bogen jedoch doppelt: einmal, indem er in den „Bettina"-Epigrammen einen kleinen selbständigen „Zyklus" sehen will und die Behauptung aufstellt, man könne in diesen zwölf Stücken (Nr. 36 bis 47) „beinahe" auch *ein* Gedicht sehen, etwa im Stile der „Römischen Elegien" geschrieben; zum anderen dadurch, daß er, unter eklektischer Zuhilfenahme der Stichworte „Gaukler", „Dichter" und „Flaneur", die „Venetianischen Epigramme" als „ein frühes Vorspiel der modernen Dichtung" überhaupt darstellen will (unter willkürlicher Heranziehung von Zitaten aus Hofmannsthal, Baudelaire, Manet, Bang, Wedekind, Thomas Mann, Kafka und vielen anderen).

17 Nämlich in Nr. 38 in bezug auf die „Gauklerin" Bettine:
Kehre nicht, liebliches Kind, die Beinchen hinaus zu dem Himmel,
  Jupiter sieht dich, der Schalk, und Ganymed ist besorgt.
Solche „Besorgnis" ist freilich nur verständlich, wenn Ganymed zugleich als Mundschenk *und Geliebter* Jupiters assoziiert wird.

18 Aufschlußreich sind die Arten und Techniken der Tilgungsvorgänge in den Handschriften des Goethe- und Schiller-Archivs Weimar. Es begegnen: Streichungen einzelner Stücke mit Bleistift oder Tinte, fast durchgängig; herausgeschnittene Seitenteile (in H^{55} S. 51/52; in H^{56} S. 59); Rasuren (in H^{55} S. 37, 50, 69; in H^{56} S. 6, 39, 56).

19 WA I, Band 53, bringt u. a. die folgenden Nachträge (S. 14 ff.):
Was ich am meisten besorge: Bettine wird immer geschickter,
  Immer beweglicher wird jedes Gliedchen an ihr;
Endlich bringt sie das Züngelchen noch ins zierliche F...
  Spielt mit dem artigen Selbst, achtet die Männer nicht viel.
Gieb mir statt „Der Sch..." ein ander Wort o Priapus
  Denn ich als Deutscher ich bin übel als Dichter geplagt.
Griechisch nenn ich dich, das klänge doch prächtig den Ohren,
  Und lateinisch ist auch Mentula leidlich ein Wort.
Mentula käme von Mens, der Sch... ist etwas von hinten,
  Und nach hinten war mir niemals ein froher Genuß.

20 So zum Beispiel in Nr. 9:
Feierlich sehn wir neben dem Doge den Nuntius gehen;
  Sie begraben den Herrn, einer versiegelt den Stein.

Was der Doge sich denkt, ich weiß es nicht; aber der andre
  Lächelt über den Ernst dieses Gepränges gewiß.

Herausragendes Ereignis der Karfreitagszeremonien in Venedig war eine Prozession nach der Markuskirche, wo aus diesem Anlaß ein hölzernes Bild des gekreuzigten Heilands begraben und die Grabstätte vom jeweiligen Dogen versiegelt wurde.

21 Vgl. die Auswahl der Hamburger Ausgabe (43 von 104 Epigrammen), in der das Epigramm 66 nicht vorkommt: HA, Band 1, S. 174–184 und 495 bis 499.

22 Vgl. die im folgenden zitierten vier Beispiele: sie stammen samt und sonders aus der „Nachlese".

23 MEW, Band 1, S. 547.

24 Heine über Goethe im Jahre 1849. Vgl. dazu: Walter Dietze, Junges Deutschland und deutsche Klassik. Zur Ästhetik und Literaturtheorie des Vormärz. Berlin o. J. (1962), S. 71. – Aber auch Goethe selbst hatte seine zweite Italienreise im vollen Bewußtsein dessen angetreten, daß er „als ein Heide" das Mutterland der Katholizität besuche. (Goethe an Herder, 15. März 1790. In: Goethes Briefe. Band 2, Textkritisch durchgesehen und mit Anmerkungen versehen von Karl Robert Mandelkow. Hamburg [1964], S. 123.)

25 Vgl. dazu: Richard Friedenthal, Goethe. Sein Leben und seine Zeit. München (1963), S. 350 f.

26 Geh! gehorche meinen Winken,
Nutze deine jungen Tage,
Lerne zeitig klüger sein:
Auf des Glückes großer Waage
Steht die Zunge selten ein;
Du mußt steigen oder sinken,
Du mußt herrschen und gewinnen
Oder dienen und verlieren,
Leiden oder triumphieren,
Amboß oder Hammer sein.
(BA, Band 1, S. 91.)

27 Werner Krauss, Goethe und die Französische Revolution. In: Neohelicon, Acta Comparationis Litterarum Universarum, Tomus I, Nr. 3/4, Budapest – The Hague – Paris 1973, S. 84.

28 In den Handschriften und noch im Erstdruck bestand dieser Vierzeiler nur aus einem einzigen Distichon, dessen Stoßrichtung milder und versöhnlicher war und außerdem den Gedanken einer Übertragung, eines Übergreifens der Französischen Revolution auf deutsche Verhältnisse mit reflektierte:

Frankreich hat uns ein Beispiel gegeben, nicht, daß wir es wünschten
  Nachzuahmen; allein merkt und beherzigt es wohl.

(BA, Band 2, S. 580.)

29 Jahn (Ein Buch des Unmuts. In: Goethe-Jahrbuch [Tokio], Band 6, S. 11) spricht mit Recht von „Zwillingsepigrammen".

30 Vgl. einen Brief Goethes an Karl August, 10. Mai 1789: „Leben Sie recht wohl und gedenken mein unter den Waffen. Dafür bereite ich Ihnen auch ein Lobgedicht, an einem Platze, wo Sie es am wenigsten vermuten, und bitte schon im Voraus um Verzeihung." (PA, Band 6, S. 243.) – Auf ein unmittelbares Vorbild für 34 b) bei Martial (X, 47) weist mit Recht Ernst Maaß hin (Die „Venetianischen Epigramme". In: JGG, Band 12, S. 76 f.).

31 Eine der schärfsten zeitgenössischen Auseinandersetzungen mit ihnen bei: Karl Mickel, Die Entsagung. Vier Studien zu Goethe. In: Literaturmagazin 2. Von Goethe lernen? Fragen der Klassikrezeption. Hrsg. von Hans Christoph Buch. (Reinbek bei Hamburg 1974), S. 68 ff.

32 Nußberger, Goethes Venetianische Epigramme ... In: ZfdPh, 55. Jg. 1930, S. 380.

33 Als *ein* Beispiel dafür vgl.: Albert Bielschowsky, Goethe. Sein Leben und seine Werke. 28. Aufl., München 1914, Band 2, S. 11 ff.

34 Horst Rüdiger, Zum Verständnis der Werke. In: Goethe, Römische Elegien, Venetianische Epigramme, Tagebücher der italienischen Reise. (Hamburg 1961), S. 235.

35 Nußberger, Goethes Venetianische Epigramme ... In: ZfdPh, 55. Jg. 1930, S. 389.

36 Georg Brandes, Goethe. Berlin (1922), S. 405.

37 So bei Wolfgang Preisendanz (Die Spruchform in der Lyrik des alten Goethe und ihre Vorgeschichte seit Opitz. Heidelberg 1952, S. 78), wo es heißt: „Das in weitester Bedeutung Sinnbildliche der Gelegenheiten des faktischen Lebens, der unmittelbar angeschauten Gegenstände in knappen, prägnanten Formulierungen sichtbar zu machen, erscheint also als einer der wesentlichsten Züge in den Venetianischen Epigrammen. Damit ist dem von der Gelegenheit determinierten Epigramm des modernen Dichters eine bedeutsame Funktion und zugleich ein fruchtbares Prinzip gnomischer Apperzeption und spruchhafter Setzung gegeben; des modernen Dichters, der den Gegenständen nicht mehr im griechischen Stil gegenüberstehen kann, für den der gemüthafte, der witzige (im weitesten Sinn) oder der figural-symbolhafte (ebenfalls im weitesten Sinn) Aspekt der Dinge unerläßlich scheint. Damit scheint Goethe die Basis gefunden zu haben, von der aus sich eine reiche Epigrammatik ergeben konnte; eine Epigrammatik, die den Intentionen Herders folgen konnte und die doch nicht an der Unwiederholbarkeit der griechischen Epigrammatik scheitern mußte. Nicht alle der Venetianischen Epigramme rechtfertigen diesen Befund; wir betonten aber diese Linie, weil sich mit ihr der Zusammenhang mit Goethes weiterer Epigrammdichtung ergibt."

38 Zu ihrer historisch-genetischen Einordnung vgl. den Aufsatz: Abriß einer Geschichte des deutschen Epigramms. In: Walter Dietze, Erbe und Gegenwart. Berlin und Weimar 1972, S. 336 ff.

1 Vgl. Heinz Hamm, Der Theoretiker Goethe. Grundpositionen seiner Weltanschauung, Philosophie und Kunsttheorie. Berlin 1975, S. 130.

2 In der DDR z. B. von: Hans-Jürgen Geerdts (Goethes Roman „Die Wahlverwandtschaften". Eine Analyse seiner künstlerischen Struktur, seiner historischen Bezogenheiten und seines Ideengehalts. Berlin und Weimar 1966), Peter Müller (Zeitkritik und Utopie in Goethes Werther. Berlin 1969) und Anneliese Klingenberg (Goethes Roman „Wilhelm Meisters Wanderjahre oder die Entsagenden". Quellen und Komposition. Berlin und Weimar 1972 – im folgenden zitiert als: Klingenberg, „Wanderjahre").

3 Johann Peter Eckermann, Gespräche mit Goethe in den letzten Jahren seines Lebens. Hrsg. von Adolph Kohut. Berlin (1911), S. 122.

4 Textzitate aus und Verweise zu Goethes poetischen Werken erfolgen nach der Berliner Ausgabe, in Klammern dem jeweiligen Zitat oder Verweis nachgestellt, im Text; die römische Ziffer gibt den Band, die arabische die Seitenzahl an.

5 Vgl. Olaf Reincke, Goethes Roman „Wilhelm Meisters Lehrjahre" – ein zentrales Kunstwerk der klassischen Literaturperiode in Deutschland. In: Goethe-Jahrbuch, Band 94 (1977), S. 150.

6 Friedrich Schiller, Gesammelte Werke in acht Bänden. Hrsg. u. eingeleitet von Alexander Abusch. Berlin 1955; Band 8, S. 413.

7 Vgl. Goethe an Schiller, 26. Oktober 1794, und Schiller an Goethe, 28. Oktober 1794; SGB, Band 1, S. 23 ff. und 25 f.

8 Karl Marx, Ökonomisch-philosophische Manuskripte aus dem Jahre 1844; MEW, Ergänzungsband, Erster Teil, S. 514.

9 Schiller an Goethe, 9. Dezember 1794; SGB, Band 1, S. 39.

10 Darauf hat jüngst erst Guiliano Baioni – wenn auch mit zu weitgehenden Schlußfolgerungen – hingewiesen („Märchen" – „Wilhelm Meisters Lehrjahre – „Hermann und Dorothea". Zur Gesellschaftsidee der deutschen Klassik. In: Goethe-Jahrbuch, Band 92 [1975], besonders S. 107 f.).

11 Vgl. z. B. Goethe an Charlotte von Stein, 9. April 1782; WA IV, Band 5, S. 304.

12 WA IV, Band 6, S. 14.

13 WA IV, Band 6, S. 97.

14 Vgl. Edith Braemer, Goethes „Prometheus" und die Grundpositionen des Sturm und Drang. Berlin und Weimar 1968, S. 210 ff.

15 Reincke, Goethes Roman „Wilhelm Meisters Lehrjahre" ... In: Goethe-Jahrbuch, Band 94 (1977), S. 159.

16 Vgl. Klingenberg, „Wanderjahre", S. 92.

17 Vgl. Schiller an Goethe, 3. Juli 1796, und Goethe an Schiller, 9. Juli 1796; SGB, Band 1, S. 180 und 198.

18 SGB, Band 1, S. 206.
19 WA II, Band 11, S. 67.
20 Vgl. dazu: Ursula Wertheim, Über den Dilettantismus. In: Goethe-Studien. Berlin 1968.
21 Vgl. dazu: Klingenberg, „Wanderjahre“, S. 71 f.
22 Goethe an Zelter, 27. Juli 1807; WA IV, Band 19, S. 377 f.
23 Schiller, Über die ästhetische Erziehung des Menschen in einer Reihe von Briefen. In: Gesammelte Werke, Band 8, S. 416–418.
24 Vgl. ebenda, S. 413 und 418; Zitat S. 412.
25 Ebenda, S. 418.
26 Marx, Ökonomisch-philosophische Manuskripte ...; MEW, Ergänzungsband Erster Teil, S. 516.
27 WA II, Band 11, S. 247.
28 Vgl. Klingenberg, „Wanderjahre“, S. 92.
29 Schiller an Goethe, 8. Juli 1796; SGB, Band 1, S. 195.

Gisela Horn
Goethes autobiographische Schriften „Kampagne in Frankreich“ und „Belagerung von Mainz“

1 Der vorliegende Aufsatz führt Ergebnisse der Dissertation der Verfasserin fort. Zum Forschungsstand vergleiche: Gisela Horn, Goethes autobiographische Schriften „Kampagne in Frankreich“ und „Belagerung von Mainz“. Der Geschichtsprozeß in autobiographischer Darstellung. Diss. Jena 1978.
2 Goethe an Reinhard, 10. Juni 1822; WA IV, Band 36, S. 59.
3 Vgl. dazu BA, Band 15, Entwürfe und Notizen, S. 304 f. Das erste Blatt des Manuskripts der „Kampagne in Frankreich“ wurde von Goethe mit der Ziffer 7, das nächstfolgende mit der Ziffer 8 bezeichnet. So ist ersichtlich, daß Goethe ursprünglich eine längere Einleitung von ungefähr 6 Blättern geplant hatte, die jedoch unterblieb. Erst durch Streichungen und Korrekturen brachte Goethe das Manuskript in seine jetzige Gestalt. Der Entwurf dieser Einleitung ist erhalten geblieben. Vgl. dazu auch: Lesarten; WA I, Band 33, S. 335 f.
4 Lesarten; WA I, Band 33, S. 339.
5 Goethe, Kampagne in Frankreich. In: BA, Band 15, S. 67 (im folgenden zitiert als: Kampagne).
6 Kampagne, S. 68.
7 Vgl. Kampagne, S. 113 und 251.
8 Kampagne, S. 153.
9 Vgl. Kampagne, S. 115 und 118.
10 Kampagne, S. 117.
11 Kampagne, S. 116.

12 In einem Brief aus der Zeit des Feldzuges verweist Goethe schon auf die Bedeutsamkeit der Schlacht von Valmy. Hier betont er besonders seine persönliche Teilnahme: „Es ist mir sehr lieb daß ich das alles mit Augen gesehen habe und daß ich, wenn von dieser wichtigen Epoche die Rede ist sagen kann: et quorum pars minima fui." (Goethe an Knebel, 27. September 1792; WA IV, Band 10, S. 25 f.)
13 Dichtung und Wahrheit; BA, Band 13, S. 11.
14 Goethe zu Eckermann, 27. Januar 1824; Gespräche mit Goethe in den letzten Jahren seines Lebens. Hrsg. von Ludwig Geiger, Leipzig o. J., S. 61.
15 Kampagne in Frankreich, Übersichten und Schemata; BA, Band 15, S. 300.
16 Goethe, Belagerung von Mainz. In: BA, Band 15, S. 271 (im folgenden zitiert als: Belagerung).
17 Tag- und Jahreshefte; BA, Band 16, S. 21.
18 Kampagne, S. 192.
19 Kampagne, S. 193.
20 Goethe an Jacobi, 18. August 1792; WA IV, Band 10, S. 6.
21 Kampagne, S. 197.
22 Kampagne, S. 196 f.
23 Kampagne, S. 200.
24 Goethe zu Eckermann, 14. April 1824; Gespräche mit Goethe..., S. 186.
25 Kampagne, S. 218.
26 Kampagne, S. 219.
27 Belagerung, S. 290.
28 Kampagne, S. 139.
29 Kampagne, S. 164.
30 Kampagne, S. 100.
31 BA, Band 20, S. 447.
32 Kampagne, S. 71.
33 Kampagne, S. 167.
34 BA, Band 20, S. 454.
35 Kampagne, S. 170.
36 Vgl. dazu die Beschreibung der Bildtafeln, die Goethe in seinem Aufsatz vornimmt.
37 Die letzten Zitate: Kampagne, S. 167 f. und 170.

Joachim Müller
Augenblick und Ewigkeit

1 Goethes Werke und Briefe werden nach der Hamburger Ausgabe zitiert, die Briefe mit Datum, ohne Einzelbelege.

2 Alle Eckermann-Zitate aus: Johann Peter Eckermann, Gespräche mit Goethe in den letzten Jahren seines Lebens. Hrsg. von H. H. Houben. 23. Aufl., Leipzig (F. A. Brockhaus) 1948.

3 Zur Druckgeschichte von „Vermächtnis" vgl.: HA, Band 1, 10. Aufl., 1974, S. 683.

4 Vgl. das Gedicht „Weltseele"; HA, Band 1, S. 248. Hier wirken ebenso spinozistische wie neuplatonische Gedanken; die Totalität des Universums wird als Natura naturans gefaßt.

5 Zum Zeiterlebnis im „West-östlichen Divan" vgl.: Joachim Müller, Der Augenblick ist Ewigkeit. Leipzig 1960, S. 123–164.

6 Die Etymologie geht bekanntlich auf lat. aevum zurück, dieses auf griech. aion, worin schon die Spannung zwischen Zeitalter und Ewigkeit impliziert ist. Ergänzendes Beispiel für die dramatische Spannweite ist Fausts zwiespältiger Ausruf in der Gartenszene: Der Händedruck soll das Unaussprechliche sagen: „... eine Wonne zu fühlen, die ewig sein muß! Ewig! – Ihr Ende würde Verzweiflung sein. Nein, kein Ende! Kein Ende!" Die unausgesprochene Tragik enthüllt sich eben darin, *daß* diese als ewig beschworene Liebe ein verzweifeltes Ende hat. – Nach dem anderen Pol der Bedeutungsskala weist der Satz im Brief an Zelter vom 19. März 1827: „Die entelechische Monade muß sich nur in rastloser Tätigkeit erhalten; wird ihr diese zur andern Natur, so kann es ihr in Ewigkeit nicht an Beschäftigung fehlen."

7 Gerhart Baumann ist in seinem tiefgründigen Buch „Goethe. Dauer im Wechsel" (München 1977) auf die in unserem Zusammenhang eingeschränktere Motivik zu sprechen gekommen, so daß sich unsere Gedankengänge mehrfach berühren und überkreuzen und ich mich vielfach bestätigt finde. Ähnliches gilt für: Ilse Graham, Goethe. Portrait of the Artist. New York 1977.

8 An Wilhelm von Humboldt schreibt Goethe am 1. Dezember 1831, er gestehe gern, „daß in meinen hohen Jahren mir alles mehr und mehr historisch wird: ob etwas in der vergangenen Zeit, in fernen Reichen, oder mir ganz nah im Augenblicke vorgeht, ist ganz eins, ja ich erscheine mir selbst immer mehr und mehr geschichtlich".

9 Zu den Bedeutungen von „Augenblick" vgl.: Baumann, Goethe. Dauer im Wechsel, und Emil Staiger, Spätzeit. Zürich 1973, S. 15–30. Ferner den Artikel: Augenblick. In: Goethe Wörterbuch. Stuttgart, Berlin 1976, Spalte 1068–1075. – Hier wird die weite Skala der Verwendungen vom wörtlichen bis zum symbolisch-hyperbolischen Gebrauch ausgebreitet. Eine pragmatische Situation meint Fausts Sentenz: „Nur was der Augenblick erschafft, das kann er nützen" (V. 685).

10 Byrons Sterbeort.

11 Goethe spricht im Entwurf von 1826 von „einem klassisch-romantisch-phantasmagorischen Zwischenspiel". Das Wort phantasmagorisch bedeutet agora (Versammlung) von Phantomen (Gespenstern, Trugbildern).

12 Hierzu Joachim Müller, Meiner Wolke Tragewerk ... In: Neue Goethe-Studien, Halle 1969, S. 209–224.

13 Vgl. Joachim Müller, Die tragische Aktion. In: Goethe-Jahrbuch, Band 94 (1977), S. 188–205, ferner: Günter Mieth, Fausts letzter Monolog. In: Goethe-Jahrbuch, Band 97 (1980), S. 90–102.

14 Vgl. meine Abhandlung über Goethes „Trilogie der Leidenschaft". In: Jahrbuch des Frankfurter Freien Deutschen Hochstifts 1978, S. 85–159.

15 Zu Eckermann sagt Goethe am 4. Januar 1824: „Die Zeit aber ist in ewigem Fortschreiten begriffen, und die menschlichen Dinge haben alle funfzig Jahr eine andere Gestalt." Vgl. ferner das Gespräch mit Luden vom 19. August 1806 über Geschichtsprobleme und den Brief an Zelter vom 19. März 1827 mit der tiefsinnigen Meditation über Augenblick und Ewigkeit. Über diesen Brief handle ich ausführlich in meiner Arbeit „Taedium vitae und fortdauerndes Leben". In: Zeitschrift für Germanistik (Leipzig), 2/1980, S. 166–182.

Brunhild Neuland
Faust, die drei Gewaltigen und die Lemuren

1 Goethe, Tagebucheintragung vom 5. Mai 1831; zitiert nach: BA, Band 8, S. 768.

2 Goethe zu Eckermann, 2. Mai 1831. In: Goethes Gespräche. Hrsg. von Flodoard Frhr. von Biedermann. Band 4, Leipzig 1910, S. 366.

3 Paralipomena 105 und 106; BA, Band 8, S. 611 f.

4 Goethe an Humboldt, 17. März 1832; WA IV, Band 49, S. 283.

5 WA II, Band 12, S. 104.

6 WA II, Band 12, S. 102.

7 WA II, Band 12, S. 103.

8 Alle Faustzitate nach: BA, Band 8.

9 WA II, Band 12, S. 102.

10 Teilnahme Goethes an Manzoni; BA, Band 18, S. 233.

11 Goethe an Iken, 27. September 1827; WA IV, Band 43, S. 83.

12 Maximen und Reflexionen; BA, Band 18, S. 638.

13 Die Bibel. 2. Buch Samuel, Kapitel 23, Vers 8–17. Vgl. Jesaja, Kapitel 8, Vers 1–3.

14 BA, Band 18, S. 358.

15 Moderne Guelfen und Ghibellinen; BA, Band 18, S. 357.

16 MEW, Band 13, S. 635.

17 BA, Band 20, S. 10.

18 BA, Band 20, S. 164.

19 Goethe an Friedrich Wilhelm Riemer, etwa 1831; zitiert nach: BA, Band 8, S. 734.

20 Goethe zu Eckermann, 6. Juni 1831; zitiert nach: BA, Band 8, S. 729.

21 BA, Band 20, S. 271.
22 Gottfried Herder, Über die neuere Deutsche Litteratur. Eine Beilage zu den Briefen, die neueste Litteratur betreffend; Suphan. Band 1, S. 448.
23 BA, Band 13, S. 720 f.
24 Horst Hartmann, Faustgestalt – Faustsage – Faustdichtung, Interpretation. Dokumentation. Berlin 1979, S. 113.
25 Heinz Hamm, Goethes „Faust". Werkgeschichte und Textanalyse. Berlin 1978, S. 218.
26 Ehrhard Bahr, Die Ironie im Spätwerk Goethes „... diese sehr ernsten Scherze ..." Studien zum „West-östlichen Divan", zu den „Wanderjahren" und zu „Faust II". Berlin 1972, S. 156. Vgl. Goethes Faust. Hrsg. von Georg Witkowski. Band 2, Kommentar und Erläuterungen, Leipzig 1929, S. 364, und Emil Staiger, Goethe. Band 3, Zürich 1959, S. 443.
27 Hamm, Goethes „Faust", S. 227.
28 BA, Band 20, S. 7.
29 BA, Band 20, S. 9.
30 BA, Band 20, S. 10 f.
31 Goethe benutzte die von Shakespeares Text etwas abweichende Fassung, die Thomas Percy 1765 in seiner Sammlung „Reliques of Ancient English Poetry" (Band 1, S. 161) veröffentlichte:
I loth that I did love,
In youth that I thought swete,
As time requires; for my behove
Methinks they are not mete.
For Age with steling steps
Hath clawde me with his crowch;
And lusty Youthe awaye he leapes,
As there had bene none such.
32 Shakespeare und kein Ende; BA, Band 18, S. 152.
33 MEW, Band 23, S. 284.
34 Herder, Über die neuere Deutsche Litteratur; Suphan, Band 1, S. 447 f.
35 Der Tänzerin Grab; BA, Band 20, S. 11.

Günter Mieth
Krise und Ausklang der deutschen Aufklärung?

Bei dem vorliegenden Text handelt es sich um einen Vortrag, der im Februar 1979 – in einer geringfügig modifizierten französischen Fassung – an der Universität Tunis und im April 1979 auf einer von den Nationalen Forschungs- und Gedenkstätten der klassischen deutschen Literatur veranstalteten Konferenz in Weimar gehalten wurde.

1 SNA, Band 22, S. 104.
2 SNA, Band 22, S. 106.
3 Vgl. Schillers Brief an Goethe, 2. Juli 1796. In: SGB, Band 1, S. 175.
4 SGB, Band 1, S. 290 f.
5 SGB, Band 1, S. 291.
6 Johann Peter Eckermann, Gespräche mit Goethe in den letzten Jahren seines Lebens 1823–1832. Berlin 1956, S. 162.
7 BA, Band 3, S. 814.
8 BA, Band 8, S. 673.
9 SGB, Band 1, S. 378.
10 Friedrich Schlegel 1794–1802. Seine prosaischen Jugendschriften. Hrsg. von J. Minor. Band 2, Wien 1882, S. 51.
11 Ebenda, S. 56.
12 Ebenda, S. 63.
13 Ebenda, S. 191.
14 Geschichte der deutschen Literatur von den Anfängen bis zur Gegenwart. Band 7: Geschichte der deutschen Literatur 1789 bis 1830. Berlin 1978, S. 368.
15 Marx, Das philosophische Manifest der historischen Rechtsschule; MEW, Band 1, S. 80.
16 Briefe von und an Hegel. Band 1: 1785–1812. Hrsg. von Johannes Hoffmeister. Berlin 1970, S. 23 f.
17 Ebenda, S. 20 f.
18 Ebenda, S. 28.
19 Steffen Dietzsch, Friedrich Wilhelm Joseph Schelling. Leipzig – Jena – Berlin 1978, S. 33.
20 Ebenda.
21 Friedrich Hölderlin, Sämtliche Werke und Briefe. Hrsg. von Günter Mieth. Berlin und Weimar 1970, Band 2, S. 441.
22 Briefe von und an Hegel, Band 1, S. 49.
23 Wolfgang Heise, Zur Krise des Klassizismus in Deutschland. In: Hellenische Poleis. Hrsg. von Elisabeth Charlotte Welskopf. Band 3, Berlin 1974, S. 1708.
24 Manfred Buhr, Zur Stellung Schellings in der Entwicklungsgeschichte der klassischen bürgerlichen deutschen Philosophie. In: Wissenschaftliche Zeitschrift der Friedrich-Schiller-Universität Jena, Gesellschafts- und Sprachwissenschaftliche Reihe, 1/1976, S. 20.
25 Vgl. dazu ausführlicher: Günter Mieth, Friedrich Hölderlin. Dichter der bürgerlich-demokratischen Revolution. Berlin 1978, S. 44 ff.

1 Goethe an Schiller, 22. April 1797; SGB, Band 1, S. 322 (Hervorhebung – Ch. T.).
2 Diese Urteile sind u. a. zusammengestellt in: HA, Band 8, 5. Auflage, S. 551–572.
3 Goethe an Schiller, 3. Januar 1798; SGB, Band 2, S. 5.
4 Schiller nennt in seinem Aufsatz „Über naive und sentimentalische Dichtung" den „Romanschriftsteller" den „Halbbruder" des „Dichters" (vgl. SNA, Band 20, S. 462).
5 Schiller an Goethe, 20. Oktober 1797; SGB, Band 1, S. 424.
6 SGB, Band 1, S. 424.
7 Rezension über Bürgers Gedichte; SNA, Band 22, S. 245–264.
8 Über naive und sentimentalische Dichtung; SNA, Band 20, S. 455 f.
9 Schiller an Goethe, 29. Dezember 1797; SGB, Band 1, S. 459.
10 Goethe an Schiller, 27.–29. Dezember 1797; SGB, Band 1, S. 457 f.
11 Schiller an Goethe, 29. Dezember 1797; SGB, Band 1, S. 459.
12 SGB, Band 1, S. 459.
13 Karl Marx schildert die Entstehung dieses Denkmusters in: Grundrisse zur Kritik der politischen Ökonomie. Berlin 1953, S. 5–10.
14 Schiller an Goethe, 28. November 1796; SGB, Band 1, S. 266.
15 Schiller/Goethe, Über den Dilettantismus; SNA, Band 21, S. 60.
16 Schiller/Goethe, Über den Dilettantismus; SNA, Band 21, S. 60, und die dazugehörigen Schemata (Falttafeln zu Band 21). Vgl. außerdem: Goethe an Schiller und Schiller an Goethe, 22.–26. Juni 1799; SGB, Band 2, S. 228–231.
17 Über naive und sentimentalische Dichtung, SNA, Band 20, S. 497.
18 Vgl. Karl Marx, Zur Judenfrage; MEW, Band 1, S. 370.
19 Eine der gemeinsamen Arbeiten von Schiller und Goethe (vgl. dazu: Schiller, Schema zu „Der Sammler und die Seinigen"; SNA, Band 21, Falttafel im Anhang, und die gleichnamige Kunstnovelle von Goethe; HA, Band 12, S. 73–96).
20 Es scheint für die erörterte Thematik als ausreichend, davon auszugehen, daß „Stoff" und „Gegenstand" in der begrifflichen Verwendung bei Goethe und Schiller annähernd gleichbedeutend sind. Darüber und über Ansätze einer Unterscheidung vgl.: Ursula Wertheim, Schillers Fiesko und Don Carlos. Zu Problemen des historischen Stoffes. Berlin und Weimar 1967, S. 18 f.
21 Schiller an Goethe, 14. September 1797; SGB, Band 1, S. 403.
22 Vgl. Anmerkung 19.
23 Schiller an Goethe, 14. September 1797; SGB, Band 1, S. 403.
24 SGB, Band 1, S. 405.

25 SGB, Band 1, S. 404.
26 Goethe zu Eckermann, 21. März 1830. In: Johann Peter Eckermann, Gespräche mit Goethe in den letzten Jahren seines Lebens. Hrsg. von H. H. Houben. 8. Originalaufl., Leipzig 1909, S. 322 f.
27 Schiller an Goethe, 26./27. Dezember 1797; SGB, Band 1, S. 457.
28 Schiller an Goethe, 15. September 1797; SGB, Band 1, S. 405.
29 Schiller an Goethe, 12. Dezember 1797; SGB, Band 1, S. 446.
30 Schiller an Goethe, 20. Oktober 1797; SGB, Band 1, S. 424.
31 Goethe an Johann Heinrich Meyer, 28. April 1797; HA, Band 14, S. 344.
32 Georg Wilhelm Friedrich Hegel, Ästhetik. Hrsg. von Friedrich Bassenge. Berlin und Weimar 1965, Band 1, S. 191 und 257.
33 Goethe an Johann Heinrich Meyer, 23. April 1797; HA, Band 14, S. 343.
34 Goethe an Schiller, 3. Januar 1798; SGB, Band 2, S. 5.
35 Schiller an Goethe, 5. Januar 1798; SGB, Band 2, S. 6.
36 Schiller an Wilhelm von Humboldt, 21. März 1796; SNA, Band 28, S. 204.
37 Schiller an Goethe, 28. November 1796; SGB, Band 1, S. 265.
38 Schiller an Gottfried Körner, 28. November 1796; SNA, Band 29, S. 17.
39 Schiller an Goethe, 7. April 1797; SGB, Band 1, S. 312.
40 SGB, Band 1, S. 312 f.
41 Schiller an Goethe, 1. Dezember 1797; SGB, Band 1, S. 438.
42 Schiller an Iffland, 15. Oktober 1798; SNA, Band 29, S. 289 f.
43 Goethe an Schiller, 18. März 1799; SGB, Band 2, S. 206.
44 Schiller an Goethe, 19. März 1799; SGB, Band 2, S. 207.
45 Schiller, Sämtliche Werke. Säkularausgabe in 16 Bänden. Hrsg. von Eduard von der Hellen. Stuttgart/Berlin (1904–1905), Band 16, S. 123.
46 Schiller an Goethe, 2. Oktober 1797, SGB, Band 1, S. 416.

Hans Kaufmann
Heinrich von Kleist

1 Vgl. dazu die Dokumentation: Schriftsteller über Kleist. Hrsg. von Peter Goldammer. Berlin und Weimar 1976, besonders die Einleitung des Herausgebers „Der Mythos um Heinrich von Kleist".
2 Arnold Zweig, Versuch über Kleist. In: Schriftsteller über Kleist, S. 195.
3 Anna Seghers, Vaterlandsliebe. Rede auf dem I. Internationalen Schriftstellerkongreß zur Verteidigung der Kultur, Paris 1935. In: Anna Seghers, Über Kunst und Wirklichkeit. Band 1: Die Tendenz in der reinen Kunst. Hrsg. von Sigrid Bock. Berlin 1970, S. 66 f.
4 Karl Marx, Grundrisse der Kritik der politischen Ökonomie. Berlin 1953, S. 75.
5 Karl Marx, Zur Kritik der Hegelschen Rechtsphilosophie. Einleitung; MEW, Band 1, S. 380.

6 Anna Seghers, Der sozialistische Standpunkt läßt am weitesten blicken. In: VII. Schriftstellerkongreß der Deutschen Demokratischen Republik. Protokoll. Berlin 1974, S. 23.

Siegfried Streller
Antikes und Modernes

1 Heinrich von Kleist, Werke und Briefe. Hrsg. von Siegfried Streller in Zusammenarbeit mit Peter Goldammer u. a. Band 1–4. Berlin 1978, Band 1, S. 606.
2 Friedrich von Gentz an Adam Müller, 16. Mai 1807. In: Heinrich von Kleists Lebensspuren. Dokumente und Berichte von Zeitgenossen. Hrsg. von Helmut Sembdner. Bremen 1957, Nr. 173, S. 117 (im folgenden zitiert als: Lebensspuren). Christian Gottfried Körner an Georg Joachim Göschen, 17. Februar 1807. In: Lebensspuren, Nr. 169, S. 115.
3 WA III, Band 3, S. 239 (zitiert nach: Lebensspuren, Nr. 181, S. 124).
4 So schon in der „Familie Schroffenstein" (Jeronimus, Vers 364–380, Sylvester, Vers 1210–1214), vor allem in der „Penthesilea". Ebenso verhängnisvoll wie da in der „Verlobung in St. Domingo". Als Bedrohung empfunden in der „Hermannsschlacht" (Vers 2285). Positiv die Verwirrung des Kurfürsten in „Prinz Friedrich von Homburg" (Vers 1175), aus der heraus er spontan dem Prinzen selbst die Entscheidung in die Hand gibt.
5 Kleist, Werke und Briefe, Band 1, S. 606.
6 Ebenda, S. 607. Vgl. hierzu auch: Peter Goldammer, Kleist und Goethe. In: Weimarer Beiträge, 9/1977, S. 33–36.
7 Vgl. dazu: Einfache Nachahmung der Natur, Manier, Stil; BA, Band 19, S. 77–80.
8 Goethes Gespräche. Hrsg. von Flodoard Frh. von Biedermann. Band 1, Leipzig 1909, S. 503 (zitiert nach: Lebensspuren, Nr. 181, S. 124).
9 Lebensspuren, Nr. 174, S. 118.
10 Es gibt in den Briefen und überlieferten Äußerungen Kleists nirgends einen Hinweis, der als Bekenntnis zum Christentum ausgelegt werden könnte. Auch die Anspielung der Hebamme auf die unbefleckte Empfängnis in der „Marquise von O." (Kleist, Werke und Briefe, Band 3, S. 135) kann nur gewaltsam als Wendung des Geschehens ins Christliche gedeutet werden. Gegenteiliger Meinung ist: Günther Rudolph, Adam Müller und Kleist. In: Weimarer Beiträge, 7/1978, S. 128 f.
11 WA I, Band 36, S. 338 (zitiert nach: Lebensspuren, Nr. 181, S. 124).
12 Adam Müller an Goethe, 31. Juli 1807. In: Lebensspuren, Nr. 183, S. 125.
13 Goethe an Adam Müller, 28. August 1807. In: Lebensspuren, Nr. 185, S. 125 f.

14 WA I, Band 42/2, S. 441 (zitiert nach: Lebensspuren, Nr. 182, S. 125). Faksimilewiedergabe des Entwurfs und der Ausführung der Skizze in: Katharina Mommsen, Kleists Kampf mit Goethe. Heidelberg 1974, S. 31 f. Mommsen vermutet, daß Goethe seine Vorbehalte gegen Adam Müllers Auffassung von der Moderne als christlich-romantisch auf Kleist übertragen hat (ebenda, S. 28 f.). Die Deutung des gesamten Kleistschen Werkes als eines durch Haßliebe und Ehrgeiz bestimmten Wettkampfs mit Goethe vermag trotz aller Detailfakten, gewaltsamer Parallelen und Anspielungen nicht zu überzeugen.

15 Einleitung in die Propyläen; BA, Band 19, S. 184.

16 BA, Band 19, S. 175.

17 BA, Band 19, S. 179.

18 BA, Band 19, S. 185.

19 Winckelmann und sein Jahrhundert; BA, Band 19, S. 482.

20 BA, Band 19, S. 482.

21 BA, Band 19, S. 483.

22 BA, Band 19, S. 484.

23 BA, Band 19, S. 486.

24 BA, Band 19, S. 487.

25 BA, Band 19, S. 487.

26 „Klassisch ist das Gesunde, romantisch das Kranke." (Maximen und Reflexionen VII; BA, Band 18, S. 628.)

27 Z. B. Brief an Ernst von Pfuel, 7. Januar 1805. In: Kleist, Werke und Briefe, Band 4, S. 332.

28 Johann Joachim Winckelmann, Gedanken über die Nachahmung der griechischen Werke in der Malerei und Bildhauerkunst. In: Das Erbe der Alten. Hrsg. von Emil Ermatinger. Leipzig 1935, S. 45 (Deutsche Literatur in Entwicklungsreihen. Reihe Klassik, Band 1).

29 Das tragische Theater der Griechen. Band 1: Sophokles, Elektra; König Ödipus; Philoktet; Antigone. Übersetzt von J. J. Steinbrüchel. Zürich 1763. Vgl. Lebensspuren, Nr. 103 b, S. 74.

30 Miszellen für die Neueste Weltkunde. Aarau, 16. Januar und 28. Dezember 1808. Vgl. Lebensspuren, Nr. 214, S. 145, und Nr. 300, S. 211.

31 Kleist, Werke und Briefe, Band 1, S. 533. Vgl. dazu: Wolfgang Schadewaldt, „Der zerbrochne Krug" und „König Ödipus". In: Heinrich von Kleist. Aufsätze und Essays. Hrsg. von Walter Müller-Seidel. Darmstadt 1967, S. 317–326 (Wege der Forschung, Band 147).

32 An Ulrike von Kleist, 5. Oktober 1803. In: Kleist, Werke und Briefe, Band 4, S. 316.

33 Christoph Martin Wieland an Dr. Georg Christian Gottlob Wedekind, 10. April 1804. In: Lebensspuren, Nr. 89, S. 59.

34 Viele Interpreten nehmen, indem sie von der Gattungsbezeichnung Lustspiel ausgehen, mit der Offenbarung Jupiters eine versöhnliche Lösung der Doppelgängerverwirrungen für viele Beteiligte an (u. a.

Thomas Mann, Benno von Wiese, Friedrich Koch). Im Gegensatz dazu sehen andere das Drama als Tragikomödie, tragisch vor allem das Schicksal der Alkmene, entweder (wie z. B. Hermann August Korff, Elida Maria Szarota) weil sie nach dem Erlebnis des göttlichen Amphitryon am irdischen kein Genüge mehr finden kann oder weil durch Jupiters Betrug ihr Bild von einem sittlichen, menschlichen Gott zerstört ist (so u. a. Hans Badewitz, Walter Silz, Rudolf Loch und auch der Verfasser). Eine interessante neue Version bietet Eike Middell an: „Die eine Tragödie kann abgewendet werden. Alkmene wahrt ihre Identität als treu empfindende Ehefrau. Das ergibt die andere Tragödie: Die Idealität des Gatten darf nicht Wahrheit sein. Die doppelte Tragik ergibt einen Komödieneffekt." (Eike Middell, Der Dramatiker Heinrich von Kleist. In: Heinrich von Kleist, Dramen. Leipzig 1977, S. 23.)

35 Vgl. auch: Peter Goldammer, Heinrich von Kleists „Penthesilea". Kritik der Rezeptionsgeschichte als Beitrag zur Interpretation. In: Impulse. Aufsätze, Quellen, Berichte zur deutschen Klassik und Romantik. Folge 1. Berlin und Weimar 1978, S. 218. Middell meint: „In der Penthesilea ... gipfelt Kleists Dramatik. ... Gerade Penthesilea ist das eigentliche Zeit- und Tendenzstück in Kleists Werk." (Middell, Der Dramatiker Heinrich von Kleist. In: Kleist, Dramen, S. 24 f.) Middell sieht in der Penthesilea die objektive Tragödie individueller Auflehnung gegen die bürgerliche Gesellschaft (ebenda, S. 29).

36 Kleist, Werke und Briefe, Band 2, S. 120.

37 Vgl. auch: Rudolph Loch, Heinrich von Kleist. Leben und Werk. Leipzig 1978, S. 187. Goldammer weist auf die besondere Art der Tragik hin, die nicht eine tragische Schuld sühnt und infolge des Außersichseins Penthesileas, als sie Achill tötet, eine kathartische Wirkung dieser Tragödie verhindert (Goldammer, Heinrich von Kleists „Penthesilea", S. 221). Katharina Mommsen sieht dagegen in der Penthesileahandlung nur eine Verschlüsselung des in Haßliebe geführten Wettkampfes Kleists mit Goethe (Mommsen, Kleists Kampf mit Goethe, S. 41–47).

38 Vgl. dazu: Über das Marionettentheater. In: Kleist, Werke und Briefe, Band 3, S. 480.

39 Kleist an Goethe, 24. Januar 1808. In: Kleist, Werke und Briefe, Band 4, S. 397.

40 Lebensspuren, Nr. 302, S. 213.

41 Goethe an Kleist, 1. Februar 1808. In: Kleist, Werke und Briefe, Band 4, S. 398 f.

42 Kleist, Werke und Briefe, Band 3, S. 305.

43 Ebenda, S. 303.

44 Ebenda.

45 Lebensspuren, Nr. 385, S. 264.

46 Ebenda.

47 Ebenda, S. 264 f.

48 Vgl. besonders die Briefe an Wilhelmine von Zenge vom 15. August 1801 (Kleist, Werke und Briefe, Band 4, S. 252–258) und 27. Oktober 1801 (ebenda, S. 271–273) und an Luise von Zenge vom 16. August 1801 (ebenda, S. 258–265).

49 Vgl. dazu die Briefe an Ulrike von Kleist vom 5. Februar 1801 (ebenda, S. 190–195) und 23. März 1801 (ebenda, S. 202–204) und an Wilhelmine von Zenge vom 22. März 1801 (ebenda, S. 199–202).

50 „Die Hölle gab mir meine halben Talente, der Himmel schenkt dem Menschen ein ganzes, oder gar keins." An Ulrike von Kleist, 5. Oktober 1803; ebenda, S. 316.

51 An Heinrich Joseph von Collin, 20. April 1809; ebenda, S. 420.

52 BA, Band 17, S. 159. – Katharina Mommsen meint dagegen, daß Goethe, indem er nicht öffentlich gegen Kleist auftrat und seine abwertenden Urteile nicht publizierte, Kleists Talent achtungsvoll respektiert habe (Mommsen, Kleists Kampf mit Goethe, S. 215).

Hertha Perez
Betrachtungen zu den „Nachtwachen" von Bonaventura

1 Jean Paul an Paul Thierot, 14. Januar 1805. In: Jean Paul, Sämtliche Werke. Hrsg. von Eduard Berend. Abt. III, Band 5, Berlin 1961, S. 20.

2 Rudolf Haym, Die Romantische Schule. 4. Auflage. Berlin 1920, S. 697.

3 Erich Frank, Clemens Brentano, der Verfasser der „Nachtwachen von Bonaventura". In: Germanisch-romanische Monatsschrift. (Heidelberg), 2. Jg. 1912, S. 437.

4 Vgl. Hermann August Korff, Geist der Goethezeit. Teil 3, Leipzig 1940, S. 214.

5 Jost Schillemeit, Bonaventura – Der Verfasser der „Nachtwachen". München 1973, S. 5. Neuerdings wurde mit Johann Benjamin Erhard (1766–1827) ein weiterer Autor in die Diskussion einbezogen. Vgl.: Wolfgang Pross, Jean Paul und der Autor der „Nachtwachen". Eine Hypothese. In: Aurora, 34. Jg. 1974, S. 96–100, und Melitta Scherzer, Zur Diskussion um die „Nachtwachen" des Bonaventura: Johann Benjamin Erhard. In: Aurora, 37. Jg. 1977, S. 115–133.

6 Unter anderen scheint ein neuer Anwärter in der Person des auch deutsch schreibenden dänischen Dichters Jens Immanuel Baggesen (1764–1826) aufgetaucht zu sein, eine Theorie, die Chancen haben könnte sich durchzusetzen, für die aber vorläufig die näheren Angaben fehlen.

7 Vgl. dazu: Bonaventura, Nachtwachen. Hrsg. von Wolfgang Paulsen. Stuttgart 1964, S. 172.

8 Alle Zitate stammen aus: Bonaventura, Nachtwachen. Hrsg. von Wolfgang Paulsen.

Wolfgang Heise
Probleme deutscher Frühromantik

Der Text ist die überarbeitete Fassung eines Vortrags, der am 18. Juni 1979 auf der Romantik-Konferenz des Kulturbundes in Zwickau gehalten wurde.

1 Die Angaben und Stimmen zu diesem Feste sind entnommen: Arno Schmidt, Fouqué und einige seiner Zeitgenossen. Frankfurt a. M. 1975.
2 Ebenda, S. 388 f.
3 Ebenda, S. 390.
4 Ebenda.
5 Heinrich Heine, Säkularausgabe. Band 8, Berlin/Paris 1972, S. 9.
6 Ebenda, S. 10.
7 MEW, Band 32, S. 51.
8 Novalis, Schriften. Die Werke Friedrich von Hardenbergs. Hrsg. von Paul Kluckhohn und Richard Samuels. Band 1, Stuttgart 1960, S. 325.
9 Friedrich Schlegel, Philosophische Lehrjahre. Kritische Friedrich-Schlegel-Ausgabe. Hrsg. von Ernst Behler. München, Paderborn, Wien 1958 ff., Band 18, S. 569.
10 Ebenda, S. 314.
11 Ebenda, S. 383.
12 Pauline Gräfin de Pange, August Wilhelm Schlegel und Frau von Staël. Hamburg 1940, S. 83.
13 Ebenda.
14 Clemens Brentano, Werke. Hrsg. von Friedhelm Kemp. Band 2, München 1963, S. 52.
15 Ebenda, S. 56.
16 Ebenda, S. 72.
17 Ebenda, S. 100.
18 Das unsterbliche Leben. Unbekannte Briefe an Clemens Brentano. Hrsg. von W. Schellberg und Friedrich Fuchs. Jena 1939, S. 102.
19 Rahel und Alexander von der Marwitz in ihren Briefen. Hrsg. von H. Meisner. Gotha/Stuttgart 1925, S. 102.
20 Zitiert nach: Briefe deutscher Romantiker. Hrsg. von W. Koch. Leipzig 1938, S. 176.
21 Ebenda, S. 178.
22 Ebenda, S. 179 f.
23 Ebenda, S. 178.
24 Die Christenheit oder Europa. In: Novalis, Schriften, Band 3, S. 515.
25 Vorarbeiten zu verschiedenen Fragmentsammlungen, Nr. 105. In: Novalis, Schriften, Band 2, S. 545.
26 Paralipomena zum Heinrich von Ofterdingen. In: Novalis, Schriften, Band 1, S. 347.

27 Das Allgemeine Brouillon. In: Novalis, Schriften, Band 3, S. 449.
28 Friedrich Schlegel, Philosophische Lehrjahre, Band 18, S. 569.
29 Friedrich Schlegel, Kritische Schriften. Hrsg. von Wolfdieter Rasch. München o. J., S. 307.
30 Ebenda, S. 308.
31 Ebenda, S. 309.
32 Friedrich Schlegel, Philosophische Lehrjahre, Band 18, S. 420.
33 Friedrich Schlegel, Kritische Schriften, S. 310.
34 Ebenda, S. 311.
35 Ebenda.
36 Ebenda.
37 Ebenda, S. 311 f.
38 Ebenda, S. 313.
39 Ebenda, S. 315.
40 Ebenda, S. 314.
41 Ebenda.
42 Zitiert nach: Krisenjahre der Romantik. Hrsg. von J. Körner, Band 2, Leipzig 1936, S. 67 f.

Personenregister

Inhalt